빈 살만의 두 얼굴

BLOOD AND OIL
MOHAMMED BIN SALMAN'S RUTHLESS QUEST
FOR GLOBAL POWER

BLOOD AND OIL
MOHAMMED BIN SALMAN'S RUTHLESS QUEST FOR GLOBAL POWER

빈 살만의 두 얼굴

브래들리 호프·저스틴 섹 지음 | 박광호 옮김

오픈하우스

일러두기

1. 본문의 각주는 모두 역자 주이며, 에필로그 뒤에 나오는 '모하메드 빈 살만 연대기' 또한 역자가 정리하여 첨부한 것이다.
2. 외국 인명·지명은 외래어 표기법을 따르되 일부는 관용적인 표기를 따랐다.
3. 책·신문·잡지명은 『 』, 영화·연극·TV·라디오 프로그램명은 「 」, 곡·그림명은 〈 〉, 음반·오페라·뮤지컬명은 《 》로 묶어 표기했다.

웨인 호프, 윌리엄 라루에게
브래들리 호프

첼시, 오언, 헨리에게
저스틴 섹

목차

작가의 말 ——————————— 009

등장인물 ——————————— 013

알 사우드 왕국 가계도 ——————— 018

프롤로그 ——————————— 023

1장   국왕이 사망했다 ——————— 033

2장   MBS ——————— 057

3장   몰디브 파티 ——————— 085

4장   지휘는 내가 한다 ——————— 119

5장   맥킨지를 데려와 ——————— 139

6장   캡틴 사우드 ——————— 167

7장   수십억 달러 ——————— 181

8장   작은 스파르타 ——————— 205

9장   신의 한 수 ——————— 229

10장 "봉쇄" ——————— 245

11장 마지막 키스 ——————— 265

12장 어둠의 기술 ——————— 281

13장 사막의 다보스 ——————— 301

14장 셰이크다운 ——————— 315

15장 납치된 총리 ——————— 337

16장 레오나르도 다 빈치 ——————— 363

17장 그해의 인물 ——————— 375

18장 냉혈한 ——————— 403

19장 미스터 골절기 ——————— 417

20장 멈출 수 없다 ——————— 433

에필로그 ——————— 453

모하메드 빈 살만 연대기 ——————— 469

옮긴이의 말 ——————— 479

우리가 이 프로젝트에 착수한 이유는, 모하메드 빈 살만이 세계 정치·경제계에서 새로이 떠오르는 인물들 중 가장 중요한 사람 중 하나임에도 불구하고 그가 몇 달에 한 번꼴로 내리는 엄청난 결정들에 의해 영향을 받고 있는 사람들에게는 여전히 미스터리한 존재로 남아 있기 때문이다. 그가 휘두르는 냉엄한 권력에 부응할 수밖에 없는 중동국가들, 그가 투자해주는 수십억 달러 덕분에 성장하는 기술기업들, 삶이 송두리째 뒤바뀐 반체제 인사나 비판자의 가족들, 2020년대 초 석유를 경제 무기로 사용하겠다는 결정에 의해 심각한 영향을 받은 사람들, 이들 중 그 누구도, 그가 어떤 동기에서 그와 같은 결정을 내리는지, 그가 어떻게 그렇게 급속히 권좌에 오를 수 있었는지, 그 진실을 모르고 있다.

이 프로젝트를 시작할 때 우리는 돈이 어떻게 쓰이고 어디로 흘러가며 어디에 사용되는지 등을 조사하는 금융 전문 탐사보도 기자로서, 그동안 사우디아라비아와 모하메드 빈 살만에 대해 안다고 생각해온 것들을 모두 버리고, 처음부터 오직 돈만 따라가지 않으면 안 된다고 믿었다. 프로젝트를 진행하면 할수록 우리가 처음에 그렇게 했다는 사실이 점점 더 고맙게 느껴졌다. 우리가 그에 관해 안다고 생각했던 수많은 것들이 실제로는 진실을 왜곡한 캐리커처였으며, 그가 정신적으로 비정상적이거나 영웅적이거나 아니면 걷잡을 수 없는 인간으로 보이도록 왜곡한 경우가 적지 않았다.

수십 년 동안 거의 변화하지 않았던 나라를 급격히 변화시키려는 통치자에 대한 기록에는 이런 왜곡 현상이 따르기 마련이다. 그처럼 폭풍의 한가운데에 서 있는 인물의 진면모를 깊이 통찰하는 것은 그리 쉬운 일이 아니다. 그의 인간성, 가족, 동기, 책략, 현재의 위치에 도달하기까지 그가 치러온 전투의 상세한 내용 등을 제대로 이해하지 못한다면, 일상적 관찰자는 결론을 끌어내는 데에 필요한 정보를 얻을 수 없다.

모하메드가 지난 5년간 내려온 결정과 취한 조치를 합리화하거나 변명하거나 또는 칭송할 의도는 없다. 이 책은 우리가 런던과 사우디아라비아를 오가며 그의 경제개혁계획을 취재하여 2017년 『월스트리트저널』에 게재했던 기사에서 시작하여 그 후 우리가 썼던 기사들을 기초로 그가 권좌에 오르는 과정을 설명하기 위해 최선의 노력을 기울인 결과이다.

모하메드 빈 살만에 관해 조사하는 것은 매우 까다로운 작업이다. 언뜻 납득하기 어려울지 모르지만, 런던과 뉴욕에 근무하고 있다는 것은 우리가 추구하는 진실에 접근하는 데에 가장 유리한 점 중의 하나였다. 걸프 국가 출신 유력자들 가운데 사우디아라비아 왕국의 왕세자에 대해 공개적으로 자유롭게 말할 수 있는 사람은 거의 없다. 왜냐하면 전자 감시를 당할 수도 있고(개연성이 높다), 우리처럼 의심스러운 자들과의 만남이 눈에 띄일지 모른다는 염려가 있기 때문이다. 하지만 동일한 인물이 런던, 파리, 맨해튼 등지에 여행을 나오면 어깨에 지고 있던 큰 짐을 내려놓은 것 같은 기분이 되어 좀 더 쉽게 사실을 털어놓곤 한다.

우리가 세계의 수도라고 할 만한 런던과 뉴욕 두 곳에 근무하고 있다는 것은 또 다른 이유에서 유용했다. 모하메드 빈 살만이 어렸을 때부터 왕궁에서 살아온 이야기에는 비즈니스와 금융이 뒤섞여 있었기 때문이다. 세계적 지도자들 가운데 모하메드만큼 세계적 비즈니스 현안에 매료되고 연관되어 있는 경우는 거의 없다. 알 사우드 왕가는 사우디아라비아를 절대적으로 통치하고 있기 때문에 통치 방식 자체가 마치 집안의 투자 업무를 관리하는 것과 비슷한 요소를 지니고 있기도 한데, 특히 모하메드는 어렸을 때부터 기업가와 대재벌 총수는 물론 역사상 유명하고 강력했던 통치자들에 관한 이야기에 사로잡혀 있었다. 그를 이해하기 위해서는 그가 단지 사우디아라비아 왕국의 통상적인 지도자가 아니라는 점을 반드시 알아야만 한다. 그는 알사우드주식회사Al Saud Inc.의 CEO이기도 하다.

이 책은 수년간에 걸쳐 우리가 썼던 기사의 산물이다. 특히 모하메드와 수년간 교류해온 인물들 가운데 우리가 만날 수 있는 여러 나라의 모든 사람을 찾아 인터뷰하고, 모하메드가 성장시켜 온 개인적·정치적 제국과 관련이 있는 장기간에 걸친 금융 자료와 정부 비밀문서, 그리고 모하메드와 사우디아라비아에 관해 구할 수 있는 모든 자료를 읽고 2019년에 우리가 썼던 기사들이 기초가 되었다.

우리의 취재원들은 대부분 익명을 전제로 "숨겨진 이야기"를 털어놓았다. 우리는 한 사건의 진실을 확보하기 위해서 여러 증인을 부지런히 찾아다녔다. 모든 일화는 많은 증인의 회상에 근거했고 가능한 한 이메일, 법적 증서, 사진, 동영상, 기타 여러 형식의 기록물로 보강했다. 이 책에 인용한 내용과 대화는 참여자의 비망록이나 회고, 서술 및 다른 기록을 기초로 재구성하였다. 우리는 또한 공공의 데이터베이스를 분석하기도 했는데 이들 대부분은 모하메드의 개인적인 사업 네트워크를 찾아내는 확실한 단서가 되었다.

우리는 이 책이 전 세계에서 가장 야심 찬 젊은 지도자의 한 사람이며 앞으로 다가올 여러 세대를 책임질 한 인간에 대한 이해를 새롭게 하는 계기가 될 것으로 기대한다.

등장인물

╰─╮ 알 사우드 왕가 ╭─╯

살만 빈 압둘아지즈 알 사우드 Salman bin Abdulaziz Al Saud **국왕**
초대 국왕 압둘아지즈 알 사우드(별칭 '이븐 사우드')의 아들이자
모하메드 빈 살만 왕세자의 아버지.

모하메드 빈 살만 알 사우드 Mohammed bin Salman Al Saud **왕세자**

칼리드 빈 살만 알 사우드 Khalid bin Salman Al Saud **왕자**
모하메드 빈 살만 왕세자의 동생. 주미대사 역임. 국방부 장관.

술타나 빈트 투르키 알 수다이리 Sultana bint Turki Al Sudairi
살만 국왕의 첫 번째 부인.

파흐다 빈트 팔라 알-히슬라인 Fahdah bint Falah al-Hithlain
살만 국왕의 세 번째 부인이자 모하메드 빈 살만 왕세자의 어머니.

무크린 빈 압둘아지즈 알 사우드 Muqrin bin Abdulaziz Al Saud **왕세자**
살만 국왕의 이복동생. 짧은 기간(2015년 1-4월) 왕세제였다.

모하메드 빈 나예프 알 사우드 Mohammed bin Nayef Al Saud **왕세자**
살만 국왕의 조카. 오랫동안 반테러 부처를 관장했으며 친미파로 알려져 있다.

압둘라 빈 압둘아지즈 알 사우드 Abdullah bin Abdulaziz Al Saud **국왕**
살만 국왕의 이복형. 살만 국왕 직전의 국왕.

미테브 빈 압둘라 알 사우드 Miteb bin Abdullah Al Saud **왕자**
압둘라 국왕의 아들. 사우디아라비아 국가방위부 장관 역임.

투르키 빈 압둘라 알 사우드 Turki bin Abdullah Al Saud **왕자**
압둘라 국왕의 일곱 번째 아들.

바드르 빈 파르한 알 사우드 Badr bin Farhan Al Saud **왕자**
먼 방계의 왕자. 빈 살만 왕세자의 죽마고우. 문화부 장관 역임.

압둘라 빈 반다르 알 사우드 Abdullah bin Bandar Al Saud **왕자**
또 다른 왕자. 빈 살만 왕세자의 오랜 친구. 국가방위부 장관.

술탄 빈 투르키 알 사우드 Sultan bin Turki Al Saud **왕자**
살만 국왕의 조카. 왕가의 유력자들에 대한 비판의 목소리를 내다가 곤경에 빠진다.

왕궁부

칼리드 알-투와이즈리 Khalid al-Tuwaijri
압둘라 국왕의 왕궁실장.

모하메드 알-토바이시 Mohammed al-Tobaishi
압둘라 국왕의 의전장.

라칸 빈 모하메드 알-토바이시 Rakan bin Mohammed al-Tobaishi
빈 살만 왕세자의 의전장. 모하메드 알-토바이시의 아들.

모하메드 빈 살만 왕세자 수행팀

바데르 알-아사케르 Bader al-Asaker
빈 살만 왕세자의 오랜 보좌관. 그의 개인 재단의 운영자.

사우드 알-카흐타니 Saud al-Qahtani
빈 살만 왕세자의 보좌관. 반체제 세력 진압 담당.

투르키 알 셰이크 Turki Al Sheikh
빈 살만 왕세자의 오랜 친구. 해외 스포츠 및 엔터테인먼트 행사 유치.

주변 국가

모하메드 빈 자예드 알 나흐얀 Mohammed bin Zayed Al Nahyan
아부다비 왕세자. 2022년 UAE 대통령으로 선출됨.

타흐눈 빈 자예드 Tahnoon bin Zayed
아부다비 안보 보좌관.

타밈 빈 하마드 알 타니 Tamim bin Hamad Al Thani
카타르 에미르.[1]

하마드 빈 칼리파 알 타니 Hamad bin Khalifa Al Thani
카타르 전임 에미르.

압델 파타 엘-시시 Abdel Fattah el-Sisi
이집트 대통령.

사드 하리리 Saad Hariri
레바논 총리 역임. 2022년 정계 은퇴.

레제프 타이이프 에르도안 Recep Tayyip Erdoğan
튀르키예 대통령.

〜 리츠호텔 구금자 〜

알왈리드 빈 탈랄 알 사우드 Alwaleed bin Talal Al Saud **왕자**
빈 살만 왕세자의 사촌. 사우디아라비아의 가장 유력한 국제적 사업가.

아델 파케이 Adel Fakeih
사우디아라비아의 사업가. 경제기획부 장관 역임.

하니 코자 Hani Khoja
사우디아라비아의 경영 컨설턴트.

모하메드 후세인 알 아무디 Mohammed Hussein Al Amoudi
사우디아라비아의 사업가. 에티오피아에 지주회사를 두고 있다.

알리 알-카흐타니 Ali al-Qahtani
장군.

바크르 빈 라덴 Bakr bin Laden
빈 라덴 가문의 자손.

---

1 emir, 걸프지역 토후국의 왕을 칭하는 말.

⤳ 비판자 ⟿

자말 카슈끄지 Jamal Khashoggi
신문 칼럼니스트. 오랫동안 사우디 정부를 옹호해왔으나 때때로 비판적인 칼럼을 썼다.

오마르 압둘아지즈 Omar Abdulaziz
캐나다에 거주하는 반체제 인물. 온라인 동영상을 통해 사우디 정부를 비판했다.

루자인 알-하스룰 Loujain al-Hathloul
여권운동가. UAE에서 자동차를 타고 잠입하여 사우디법을 위반했다는 혐의를 썼다.

⤳ 미국 정부 ⟿

도널드 트럼프 Donald Trump
2017-2021년 제45대 미국 대통령.

재러드 쿠쉬너 Jared Kushner
이방카 트럼프의 남편. 백악관 선임고문.

스티븐 배넌 Stephen Kevin Bannon
트럼프 대통령의 전직 보좌관.

렉스 틸러슨 Rex Tillerson
엑슨 모빌의 전 CEO. 2017-2018년 제69대 미국 국무부 장관 역임.

⤳ 사업가 ⟿

제프 베조스 Jeff Bezos
아마존의 창업자이자 초대 CEO.

데이비드 펙커 David Pecker
『내셔널인콰이어러』의 모회사 『아메리칸미디어그룹』의 전 CEO.

아리 에마누엘 Ari Emanuel
할리우드의 에이전트. 인데버 탤런트 에이전시Endeavor Talent Agency의 공동창업자.

마사요시 손(한국명 '손정의') Masayoshi Son
일본의 기술투자기업 소프트뱅크의 CEO.

라지브 미스라 Rajeev Misra
소프트뱅크 계열의 비전펀드 책임자.

니자르 알-바삼 Nizar al-Bassam
사우디아라비아의 딜메이커², 전직 국제금융 전문가.

케이시 그라인 Kacy Grine
금융전문가. 알왈리드 빈 탈랄의 측근 인물.

*이름에 대한 참고 사항: 사우디아라비아에서 남자는 아버지의 이름을 따르게 되어 있다. '빈bin'은 '~의 아들'을 의미한다. 즉 '모하메드 빈 살만'은 '살만의 아들 모하메드'를 뜻한다. 빈 살만의 아버지는 살만 빈 압둘아지즈로서 현재의 알 사우드 왕국을 창건한 압둘아지즈 빈 사우드(이븐 사우드)의 아들이다. '알 사우드'는 가문의 성을 의미한다.

---

2 deal maker, 거래사, 협상꾼, 거래해결사 등 다양한 의미로 쓰인다.

알 사우드 왕국 요약 가계도

압둘아지즈 국왕

1876년 출생 추정–1953년 사망
1932–1953년 재위
제3 알 사우드 왕조 창건
서구에는 '이븐 사우드'로 알려져 있음

압둘라 빈 압둘아지즈 국왕

1923년 출생–2015년 사망
2005–2015년 재위
최소 아들 14명과 딸 20명을 둠

나예프 빈 압둘아지즈 왕자

1934년 출생–2012년 사망
2011–2012년 왕세자

미테브 빈 압둘라 왕자

1953년 출생
말 애호가
국가방위부 장관 역임

투르키 빈 압둘라 왕자

1971년 출생
조지타운대학교에서
교육받은 전직 전투기 조종사
리야드 주지사 역임

모하메드 빈 나예프

1959년 출생
내무부 장관 역임
미국 CIA 등 정보기관과 밀접
2015–2017년 왕세자

알 사우드 왕가는 세계에서 가장 큰 왕가의 하나다. 오늘날의 왕국을 창건한 압둘아지즈는 수십 명의 아들과 딸을 두었고 자손들이 수천 명에 이른다. 1953년 그가 죽은 뒤에 사우디아라비아의 왕위에 오른 국왕은 모두 그의 아들이었고, 그의 아들들역시 각기 수십 명의 자식을 두었다. 모하메드 빈 살만 왕세자는 제3세대에서 나오는 최초의 국왕이 될 예정이다.

탈랄 빈 압둘아지즈 왕자

1931년 출생-2018년 사망
1960년대 자유왕자
정치개혁운동의 지도자

살만 국왕

1936년 출생
리야드 주지사로 장기간 재임
알 사우드 왕가의 규율자
2015년 즉위 후 현재까지 재위
부인들 중 두 명에게서 13명의 자녀를 둠

알왈리드 빈 탈랄

1955년 출생
세계적으로 유명한 사업가로
빌 게이츠 등과 공동투자
어머니는 레바논 초대 총리 리아드 알 솔의 딸

첫 번째 부인
술타나 빈트 투르키 알 수다이리

2011년 사망
파흐드 빈 살만
술탄 빈 살만
아흐메드 빈 살만
압둘아지즈 빈 살만
파이살 빈 살만
하싸 빈 살만

세 번째 부인
파흐다 빈트 팔라 알-히슬라인

모하메드 빈 살만
1985년 출생, 2017년부터 왕세자

사우드 빈 살만
투르키 빈 살만
칼리드 빈 살만
1988년 출생, 주미대사 역임, 국방부 장관

나예프 빈 살만
반다르 빈 살만
라칸 빈 살만

"3대 이상 존속하는 왕국은 없다."

이븐 칼둔, 『무캇디마』¹ 중에서

"기회는 잡아라. 안 잡으면 구름처럼 사라진다."

알리 이븐 아비 탈립²

---

1 The Muqaddimah, 튀니지 태생의 아랍역사학자 이븐 칼둔(Ibn Khaldun)이 1377년에 쓴 역사책.

2 Ali ibn Abi Talib, 이슬람의 제4대 칼리프(지도자)로 655-661년 재위. 예언자 모하메드의 사촌 이자 사위. 모하메드 사후에 벌어진 후계 분쟁에서 반대파에 의해 이라크 쿠파 소재 대모스크 (예배당)에서 암살당했다. 이 암살로 인해 이슬람은 시아파와 수니파로 양분되었다. 시아파 종주 국은 이란, 수니파 종주국은 사우디아라비아이며 수니파가 이슬람 전체의 90%를 점하고 있다.

프롤로그

새벽 4시경 걸려온 전화는 긴박하고 불안했다. 살만 국왕은 조카 알왈리드 빈 탈랄 알 사우드를 가능한 한 빨리 만나야 했다. "당장 오십시오." 왕궁의 연락이었다.

수십 년 동안 알왈리드는 세계적으로 가장 유명한 사우디인 사업가였다. 그는 사람들이 함께 있고 싶어 하는 타입의 인물이었다. 사람들은 바닥이 보이지 않을 정도로 많은 돈을 가지고 사는 인생이란 어떤 것인지 보고 싶어 했다. 180억 달러에 이르는 개인 재산을 가진 그는 미국이나 유럽 사람들의 눈에 그저 궁극의 사우디처럼 보였다. 이루 말할 수 없을 정도로 부유하고, 세련되고, 지나침의 극단이었다. 소유하고 있는 많은 비행기 가운데 하나인 747기의 중앙 좌석은 왕좌 같았고, 객실 22개가 있는 9,000만 달러짜리 요트에는 30명의 승무원이 근무했다. 좋은 것이 보이면 10개, 20개를 한꺼번에 샀다. 가격이 비싸고 커다란 운동기구도 마찬가지였다. 저택에 하나, 도심에 있는 아파트에 하나, 사막의 캠프에 하나, 요트에 하나를 사들이는 식이었다.

알왈리드는 그런 이미지를 즐겼고 자신을 그런 이미지로 나타내기를 즐겼다. 자신의 사진이 표지에 나와 있고 자신의 사업에 대한 기나긴 인터뷰 기사가 실려 있는 잡지들을 리야드, 파리, 뉴욕의 사무실에 잔뜩 쌓아 놓았다. 저택 안 여러 방에는 각각 다른 나이 때의 자신의 사진과 초상화 등을 12개도 넘게 걸어 놓았다. 그는 자기 얼굴이 새겨진 머그잔에 차

알왈리드 빈 탈랄 왕자

를 마셨다.

알왈리드 왕자는 미국 재계에서도 유력자였으며 씨티뱅크, 애플, 트위터의 지분을 사들였다. 알왈리드의 킹덤홀딩컴퍼니Kingdom Holding Company는 최고급 호텔로 유명한 포시즌스호텔 체인 지분의 상당 부분을 빌 게이츠와 공동으로 소유했다. 여행을 할 때면 요리사, 청소부, 집사, 보좌관 등 12명이 넘는 수행팀을 데리고 다녔다.

그런 그였지만, 여기 2017년 11월의 선선한 밤, 국왕을 만나러 가기 위해 사막의 캠프에서 옷을 입고 있는 그는 등골이 서늘해짐을 느끼고 있었다. 사우디아라비아에는 분명 엄청난 변혁이 일어나고 있었다. 거리에서는 종교경찰의 모습이 사라지고, 몇 세대 동안 감각을 자극하는 그 어떤 것도 금지되어 왔던 나라에 이제 카페에서 음악 소리가 들리고 있었다. 이 나라는 오랫동안 비평가들이 와하브주의¹라고 부르는 극단보수주의 이슬람의 본산이었기에 사우디 시민들은 급진적 개혁에 어지럼증을 느낄 정도였다. 영화관이 늘어나고 여성들은 이전에는 결코 맛보지 못한 자유 속에 거리를 활보하고 있으며, 석유의존경제를 완전히 탈바꿈시켜야 한다는 담론이 진행되고 있었다.

가장 부유한 자들과 가장 힘 있는 자들도 무언가 다른 깨어지는 소리가 들려오는 것을 느끼고 있었다. 그들의 화려하기 이를 데 없는 궁전들이 기초부터 흔들리고 있었다. 알왈리드가 친구라고 불렀던 다른 나라의

---

1 Wahabism. 18세기 중반 무하마드 이븐 아브드 알-와하브가 주창한 복고적 이슬람 순수주의. 오직 '쿠란과 모하메드의 범례인 수나로 돌아가라'고 하는 교조.

빈 살만의 두 얼굴

수반들과 세계 최고의 갑부들은 이제 별로 의미가 없었다. 이 난공불락의 억만장자가 무너지고 있었다.

숙부인 살만 빈 압둘아지즈 알 사우드 국왕이 통치하는 지난 2년 동안 알왈리드는 한밤중에 소집되어 비행기에 속아 탄 뒤 고국으로 끌려와 갇힌 왕족들의 이야기를 수없이 들었다. 바로 이런 송환작업 뒤에는 살만 국왕의 아들이며 알왈리드의 사촌 동생인 모하메드 빈 살만 알 사우드 왕자가 있었다. 겨우 서른두 살에 불과했지만 그는 걸핏하면 화를 내는 성질과 급진적인 변혁을 향해 돌진하는 것으로 이미 평판이 자자했다.

모하메드는 이전의 숙부들 그리고 왕족들의 총의를 거쳐 왕위에 오르고 나서 왕국이 무너질까 봐 두려워 극단적 보수주의 경향에 빠지던 전임 국왕들과는 정반대였다. 그들은 권좌에 오를 때 이미 비쩍 마른 늙은이였고 거다란 변화를 일으킬 수 있는 용기나 에너지가 없었다. 그러나 모하메드는 젊고 생기가 넘쳤다. 182cm가 훨씬 넘는 키에 큰 코를 가졌으며, 웃을 때면 눈이 가늘다 못해 찡그려질 정도로 크게 웃었고, 말투는 다정하면서도 위협적이었다. 그는 에너지가 넘쳤으며 부하들에게 밤낮을 가리지 않고 질문을 던지고 지시를 내렸다. 짧은 기간, 모하메드는 예멘[2]과 전쟁을 선포하고 이웃 나라에 대한 보이콧을 이끌었다. 그렇게 함으로써 왕국이 창건된 이래 그 어느 왕족보다도 더 큰 권력을 자기 손안에 집중시켰다.

알왈리드는 스스로를 다시 안심시켰다. 억류된 왕족들은 방계에 불과한 처지이면서 영국이나 프랑스의 집에 들어앉아 알 사우드 왕가를 곤란하게 하는 정치적 반대파이기 일쑤였다. 그는 불과 몇 달 전 자신이 한 방문객에게 모하메드가 제시하는 의제에 매우 깊은 인상을 받았으며, 사우디아라비아가 가장 억압적이고 반자유적인 이슬람 교두보에서 벗어나 드

---

2 Yemen, 아라비아반도 남부의 공화국. 고대 그리스의 역사가 프톨레마이오스가 '축복받은 아라비아'라고 부를 만큼 부유했던 나라.

디어 다양한 경제활동과 남녀가 동등한 인권을 누리는 현대적 아랍 강국으로 탈바꿈하는 것을 보고 흥분을 금치 못한다고 말했다. 모하메드는 심지어 알왈리드의 가장 공격적인 금융개혁안을 채택하기도 했다.

알왈리드는 사우디아라비아 주재 미국대사였던 로버트 조단[3]에게 2017년 4월 "이야말로 내가 평생 기다려 온 변화입니다"라고 말했다. 전 세계의 CEO들, 은행가들, 정치지도자들이 리야드 교외의 사막에 있는 그의 텐트 캠프를 방문했고, 손님들은 20세기 중반 선조들의 베두인[4] 생활방식을 이상적으로 재현하고는 했다.

게다가 알왈리드는 정말 넉넉하게 베풀었다. 일행은 작은 마을에 딱 어울릴 연회 판에 둘러앉아 양고기 구이, 쌀밥, 여러 가지 주스 등을 마음껏 즐겼다. 건강에 극도로 신경을 쓰는 터라 알왈리드는 상근 의사들을 데리고 있었으며 특별히 요리한 비건 음식을 먹었다. 손님들이 적당히 먹고 나면 이웃에 사는 가난한 사우디인들을 오게 하여 나머지 음식을 마저 먹게 했다.

그다음 손님들과 함께 사막을 산책하다가 타오르는 불더미 주위에 둘러앉아 하늘의 별빛을 바라보았다. 그와 일행은 파티를 끝내고 텐트로 들어가 트레일러에 마련된 번쩍번쩍한 욕실에서 뜨거운 샤워를 하고 평면 텔레비전을 봤다.

전화를 받고 잠시 후 알왈리드는 자신의 차를 타고 사막의 별장을 떠나 리야드로 돌아왔다. 한 시간쯤 걸려 왕궁에 도착하자 국왕의 비서가 밖으로 나와 미팅 장소는 리츠칼튼호텔 근처라고 설명했다. 그는 대규모 호송

---

3 Robert Jordan, 미국의 변호사. 1990년대 초 조지 W. 부시 2세가 대통령이 되기 전 주식 내부거래 혐의로 소추되었을 때 부시를 변호한 인연으로 부시가 대통령에 취임한 뒤 2002~2003년 사우디아라비아 주재 미국대사를 역임했다.

4 Bedouin, 아라비아반도 및 중동지역에서 씨족사회를 형성하며 낙타, 염소 등의 동물을 사육하고 유목생활을 하는 아랍인.

단의 일부인 새 차로 안내되었다. 알왈리드는 점점 불안한 기분을 느끼며 "내 전화기, 내 가방이 내 차에 있네"라고 말했다.

"네, 저희가 가져가겠습니다"라는 대답이 돌아왔다. 세상으로부터 단절되자 알왈리드는 점점 불안해졌다. 자신의 경호원, 보좌관, 운전사는 별도의 차에 태워졌다. 그는 불과 몇 분 뒤에 차에서 내렸고, 보안 게이트에서 호텔까지 500미터쯤 되는 진입로를 천천히 걸어 올라갔다.

왕궁 소속 보안요원들에 둘러싸여 로비에 들어가자 갑자기 호텔이 텅빈 것 같은 으스스한 기분이 들었다고 후일 알왈리드는 친구에게 말했다. 왕궁 요원들은 그를 엘리베이터에 태워 올라가 스위트룸에서 대기하게 했다. 그는 불안하기도 하고 지루하기도 해서 텔레비전을 틀었다. 사업가, 왕족, 공직자 수십 명이 부패 혐의로 체포되고 있다는 뉴스 속보가 떠 있었다. 그가 제일 먼저 도착했던 것이다. 리츠는 더 이상 호텔이 아니라 임시감옥이었다.

호텔 개조 명령은 불과 몇 시간 전에 내려졌다. 2017년 11월 3일 금요일, 리츠칼튼호텔의 9개 층에 시설팀원들이 투입되어 200개 객실문의 자물쇠를 제거했다. 커튼은 철거되고 샤워룸의 문은 뜯겨나갔다. CEO나 전용제트기를 타고 다니는 손님들에게만 제공되는 커다란 스위트룸 서너 개는 조사실로 개조되었다.

리츠칼튼은 원래 내방하는 국빈용 영빈관으로 설계된 곳이다. 외국 대통령이 방문하거나 총리들의 차량 행렬이 들어올 때 궁전처럼 웅장한 호텔 정면이 눈에 띄게 되어 있고 차량이 들어오는 도로 좌우에는 야자나무를 일렬로 심어놓았다. 경내의 대지는 (모두 왕궁의 소유다) 약 210,000제곱미터의 면적에 온화하고 풍요로운 풍경으로 잘 다듬어진 잔디밭이 있고 그늘진 안뜰에는 레바논에서 수입한 수령 600년의 올리브나무가 있다. 온

갓 대리석으로 장식한 화려한 로비에 들어서면 커다란 꽃 장식과 인상적인 말 조각품, 그리고 테이블 위에서 타고 있는 은은한 향과 로비에 앉아 있는 사우디인들이 머리에 두건처럼 두르는 슈막shemagh에 뿌린 향수 냄새가 손님들을 맞이한다. 2014년에는 버락 오바마 대통령이 묵었고, 도널드 트럼프 대통령도 취임 직후의 요란한 방문 때 이틀간 묵었다.

그날 밤, 정보요원들과 왕궁 관리들이 민첩하게 들어와 호텔을 점령했다. 경비요원들이 각 층의 지정된 위치에 배치되었고 모든 출구를 지켰다. 호텔 직원들에게는 아직도 건물 안에 남아 있는 모든 사람을 내보내고 들어올 손님들의 예약을 취소하라는 지시가 내려졌다.

"당국의 예상치 못한 예약에 따라 고도의 보안이 필요하게 되었으므로 호텔이 통상적인 운영을 재개할 때까지는 손님을 받을 수 없습니다"라고 호텔 근무자가 주어진 문구대로 투숙이 예약되어 있는 손님들에게 읽어주었다.

새벽 무렵에 특별 손님들이 도착하기 시작했다.

처음 며칠 동안 구금자의 대다수는 연회장에 머물다가 화장실에 갈 때면 항상 무장요원의 에스코트를 받았다. 어떤 사람들은 토브[5] 깃 속에 보조 전화기를 숨겨 가지고 있었다. 에스코트 요원들이 휴대폰 한 개를 압수한 뒤 계속해서 몸수색을 하지는 않았기 때문이었다. 그날 밤 몰래 찍은 사진을 보면 체념한 사람들이 현란한 색깔의 싸구려 담요를 덮고 얇은 매트리스 위에 드러누워 있다. 그러나 사진만으로는 이들이 잠재적인 왕위계승자들, 억만장자 재벌 총수들, 장관들, 십여 명의 왕자들 등 아랍세계에서 가장 유력한 인사들인지 분명히 알아볼 수 없었다. 꼬치꼬치 캐물어서 알아내야 할 비밀을 지니고 있는 사람들도 있었다. 그들은 거의 모

---

5 thobe, 소매가 길고 발목 위까지 내려오는 아랍 남자들의 겉옷.

두가 상상을 초월하는 부를 지니고 있었는데, 사우디아라비아 왕국의 새로이 떠오르는 권력자들은 그것이 수 세대에 걸친 부패의 과실이라고 주장했다.

명단은 도저히 이해할 수 없을 정도였다. 심지어 전임 국왕의 아들이며 강력한 사우디 국가방위부 장관 미테브 빈 압둘라 알 사우드까지 포함되어 있었다. 국가방위부는 전국에 125,000명의 병력이 주둔하고 있으며 왕가를 모든 위협으로부터 보호하는 특수부대이다. 그 임무 중의 하나가 쿠데타 예방인데 한때 잠재적 왕위계승자라고 여겨지던 그 부대의 사령관이 본인의 의사에 반하여 여기에 잡혀 와 있었다.

처음 며칠 사이에 50명 이상이 체포되었고, 이후 몇 주간 300명 이상의 인물들이 리츠칼튼호텔과 리야드의 다른 보안시설에 '체크인' 당했다.

체포는 국왕의 칙령에 의해 창설된 반부패비밀위원회에 의해 이루어졌다. 사우디 검찰총장은 수 세대에 걸친 부패와 횡령에서 파생된 1,000억 달러를 회수할 것이라고 공표했다.

비록 살만 국왕의 이름으로 집행되었지만 사우디아라비아의 가장 부유하고 가장 유력한 인사들에 대한 체포 과정은 국왕의 여섯째 아들 모하메드 빈 살만이 설계했다. 사우디를 면밀히 관찰해온 사람들조차 3년 전까지는 그의 이름을 들어본 적이 없었다. 이제 새로운 왕세자가 사우디아라비아와 전 세계를 폭풍 속으로 밀어 넣고 있었다.

전용 재단사가 똑같은 흰색 겉옷을 찍어내서 모든 죄수에게 입혔다. 죄수들은 텔레비전을 볼 수 있었고 일주일에 한 번 감독하에 전화를 할 수 있었다. 푸른 하늘과 구름이 그려진 화려한 돔 아래 타일로 마감된 풀에서 수영은 한 번에 두 명씩만 허용되었다. 대화는 허용되지 않았다.

심문은 아무 때나 시작되었다. 새벽 2시에 죄수들은 거칠게 흔들어 깨워져서 이야기할 때가 되었다는 말을 들었다. 대다수 구금자에게 있어 격리된 상태로 왕궁 관리들로부터 몇 시간씩이나 심문을 당하는 치욕을 겪는 것은 고통이었다.

이들 중에는 왕국을 건설하는 데에 자기도 어떤 역할을 했다고 느끼는 사람들도 있었다. 건설업계의 거물들이 있었고, 수천 명의 사우디 학생들이 미국이나 유럽에서 교육을 받을 수 있도록 도와준 여행사 사주가 있었고, 나라의 의료체계와 금융시스템을 현대화하는 데 기여한 장관도 있었다. 물론 그들은 그 과정에서 부자가 되었을 가능성이 있고 그들 중에는 어쩌면 사우디 법률을 어긴 사람도 있었을지 모른다. 그러나 이전에는 그들을 범법자라고 부른 사람이 아무도 없었다. 진실로 모하메드가 지금 비리 행위라고 규정짓고 있는 거래의 대다수는 이전 국왕의 최측근 참모들이나 또는 심지어 국왕 본인이 승인한 것들이었다. 그들의 행위는 당시에는 용인될 수 있는 정도였지만 지금은 법이 바뀌었던 것이다.

육체적 학대와 고문이 있었다는 주장도 있었다. 리야드 주지사를 지낸 전임 국왕의 아들 투르키 빈 압둘라 알 사우드와 그의 경호실장 알리 알-카흐타니 소장은 함께 수감되어 있었는데, 알-카흐타니는 심문관들의 권한에 의문을 제기하면서 그들에게 침을 뱉었다. 극소수의 사람들을 제외하고는 그 후에 어떤 일이 벌어졌는지 아는 사람이 없었고 그는 수감된 상태에서 죽었다. 사우디아라비아는 피심문자들에 대한 육체적 학대와 고문이 있었다는 주장을 완전한 거짓이라고 역설했다.

그러나 죄수들 대다수는 묵묵히 따랐다. 돈과 권력이라는 껍질이 벗겨진 그들은 상상해본 적도 없는 육체적 위협에 직면한 한낱 인간에 불과했다. 알왈리드에 대한 압박 수위를 높이기 위해 모하메드는 그의 동생 칼리드 빈 탈랄을 감옥에 처넣었다. 부패 혐의는 공표되지 않았고 억류자들도 시인하지 않았다. 합의는 모두 비밀리에 이루어졌다.

빈 살만의 두 얼굴

리츠체포사건은, 불과 며칠 전 바로 이 호텔과 근처의 컨퍼런스센터에서 전 세계의 국제금융, 정치, 비즈니스 분야의 저명인사들이 모여 3일 동안 소위 '사막의 다보스'[6]가 열렸다는 점에서 더욱 충격적인 일이었다. 그것은 새로운 사우디아라비아가 베일을 벗는 동시에 지금까지 지극히 배타적이었던 이 나라가 전 세계의 주류 비즈니스세계에 합류한다는 것을 알리는 서곡이었다.

10월 30일, 대리석이 깔린 호텔의 그랜드 로비 한구석에는 세계 최대의 자금운용자로서 블랙스톤Blackstone을 창업한 스티븐 슈워츠먼[7]이 사람들과 환담을 나누고 있었고, 토니 블레어 영국 총리는 또 다른 구석에서 한 무리의 은행가들에게 모하메드의 계획을 설명해 주고 있었다. 트럼프 대통령의 중동 관계 핵심보좌관이며 콜로니캐피털Colony Capital의 창업자인 톰 버락[8]은 줄지어 들어오는 방문자들과 명함을 교환하고 있었다. 트럼프 행정부의 재무장관 스티븐 므누신[9]은 부인과 함께 리츠칼튼의 최고급 중식 레스토랑 홍에서 식사를 했다. 일본 소프트뱅크의 창업자 마사요시 손은 며칠 뒤면 한 왕자를 억류하는 데 쓰이게 될 스위트룸에 자리를 잡았다. 사막의 다보스 그리고 감옥으로 변신한 리츠칼튼호텔의 극적인 대비는 (그리고 상상을 초월하는 어마어마한 부자들의 뒤바뀐 운명은) 이 탄압을 최근의 세계 정치경제사상 둘도 없는 기이한 사건으로 만들었다. 하늘과 땅을 움직이고도 남을 만큼의 거대한 부를 지닌 수많은 억만장자들과 금융계의 거물들이 그토록 느닷없이 자유와 재산을 박탈당한 적은 결코 없었다.

---

6 Davos in the Desert, 2017년 10월 24일부터 26일까지 사우디아라비아 리야드에서 열린 '미래투자계획' 컨퍼런스.
7 Stephen Allen Schwarzman, 블랙스톤그룹의 CEO로 1985년 리먼 브라더스 CEO와 닉슨 정부의 상무장관을 지낸 피터 G. 피터슨과 블랙스톤그룹을 공동창업.
8 Thomas Joseph Barrack Jr., 트럼프 대통령의 오랜 친구로 취임위원회 위원장이었다.
9 Steven Terner Mnuchin, 트럼프행정부에서 77대 재무장관 역임. 2017~2021년 재임.

모하메드 정부가 거의 모든 구금자를 석방하고 수백억 달러에 이르는 현금과 자산을 거둬들인 사건을 2020년 시점에서 돌아보면, 이것은 분명 모하메드 빈 살만이 권력의 전면으로 나오는 하나의 의식이었다.

그가 공표한 혁신 의제들과 경제개혁계획에 더해, 리츠체포사건은 그때까지 관찰자나 외교관, 무엇보다도 왕족 대다수를 향해 감춰져 있던 그의 특질을 노출시켰다. 즉 그의 교활성, 멋있는 제스처에 대한 애정, 모험성, 무자비한 구석 등이었다. 그때까지는 모하메드가 부왕 이전의 다섯 국왕들의 전통에 따라 점진적 개혁주의자로 남아 있을 수도 있었다. 국왕들은 각기 뚜렷한 자기만의 리더십 스타일을 가지고 있었지만, 그 어느 국왕도 국가가 미래에 나아갈 방향을 변화시키기 위해 기득권층을 날려버리는 일은 생각조차 못했다. 이 공격적인 리츠체포사건은 모하메드가 다이너마이트 뭉치를 놓고 터뜨려 현상을 산산조각 낸 순간이었다.

쓰레기를 완전히 쓸어낼 때까지 그는 군, 경찰, 정보기관, 정부의 모든 부처의 모든 조직을 장악했고, 정부 휘하 지주회사들을 통해 사우디 최대 기업들 다수에 대한 지배 지분을 확보했다. 그는 국왕이 아니었다. 그러나 그는 지구상에서 가장 강력한 인물 중 하나였다.

1장

국왕이 사망했다

프랑스를 방문한 직후 10대의 왕자에게 변화가 찾아왔다. 돈과 권력에 대한 그의 이해를 바꿔놓는 어떤 인식이 생겼다. 하템 같은 관찰자들은 성공한 형들의 그늘 속에서 목표 없이 갈등하고 있는 젊은이의 모습만 보았겠지만, 그들은 대열에서 벗어나 왕자가 받아들이고 있는 것을 이해하지 못했다. 형들이 아버지가 데려다준 선생들로부터 세련된 태도나 교양을 배우는 동안 모하메드는 살만을 면밀히 관찰하면서 권력에 대해 깨달음을 얻었다.

2014년 12월-2015년 1월

모두 국왕의 죽음을 기다리고 있었다. 2014년 12월, 아라비아를 통치하는 제3 알 사우드 왕국의 제6대 국왕 압둘라 빈 압둘아지즈 알 사우드가 리야드 외곽의 사막에 있는 병원 침상에서 서서히 사라져가고 있었다.

압둘라는 언제나 사막을 사랑했다. 늙어가면서 더욱 그랬는데, 그곳에 가면 사색을 할 수 있고, 수도의 교통지옥과 특혜를 청하는 인간들의 기나긴 줄을 피할 수 있고, 무엇보다도 아무리 노력해도 현대적인 정부로 나아가지 못하는 실패한 정부에 대한 끝없는 실망감으로부터 도피할 수 있었다. 달이 뜨지 않은 겨울밤 모래언덕에 서면 아라비아를 정복하기 위해 낙타를 타고 투쟁했던 왕국의 창건자인 아버지 압둘아지즈의 이야기가 떠올랐다. 그때는 지금보다 단순한 시절이었다.

사우디아라비아라는 국가는 83년밖에 안 된 나라였다. 90세의 압둘라보다도 젊었다. 그의 생애 초반부 내내 왕국은 이슬람 성지인 메카¹와 메디나²를 방문하러 오는 성지순례자들을 제외하고는 외부세계와 별로 연결되어 있지 않았고, 사람들은 왕국의 여기저기에 드문드문 흩어져서 살아

---

1 Mecca, 사우디아라비아 서북부의 도시로 예언자 모하메드가 태어난 이슬람 최고의 성지이다. 해마다 이슬람교도 수백만 명이 성지순례를 위해 방문한다. 이슬람교도가 아닌 자는 방문이 허용되지 않는다.
2 Medina, 메카에 이어 이슬람의 두 번째 성지로 이슬람 문화의 요람으로 불린다.

가고 있었다. 전 세계 인구의 4분의 1은 메카의 중심에 있는 카바³ 쪽을 향하여 기도하고 평생 적어도 한 번은 그곳을 방문하는 목표를 가지고 있다.

압둘라가 마흔 살이 되었을 무렵 사우디아라비아에는 급격한 변화가 다가왔다. 사막 밑에서 석유의 바다가 발견되면서 진흙담의 도시들을 마천루와 쇼핑몰이 늘어선 현대적 대도시로 탈바꿈시킬 수 있는 돈이 들어왔다. 그럼에도 불구하고 이 나라에서 태동한 와하브주의의 엄격한 압박이 일상생활의 중심에 여전히 남아 있었다. 와하브주의는 18세기 성직자 무하마드 이븐 아브드 알-와하브Muhammad ibn Abd al-Wahhab가 확립했다. 범법자들은 마을 광장에서 참수되었고 CPVPV⁴가 거리를 돌아다니며 몸과 얼굴을 완전히 가리지 않은 여성들의 위반 행위를 적발했다. 국가의 인프라는 이후 수 세대 동안 현대화되었지만 사회 정치적으로는 여전히 매우 완고하고 보수적이어서 마치 시계가 거꾸로 돌아가는 것처럼 느껴진다는 방문자가 많았다.

이와 동시에 2000년대 사우디인들은 전 세계에서 인터넷과 가장 잘 연결되어 있는 국민이었다. 스마트폰을 살 돈은 있고 사회적 배출구는 거의 없는 상태에서 급성장하고 있는 청년계층은 트위터와 페이스북, 유튜브 등을 하는 데 하루에 몇 시간씩 소비했다. 그들은 비록 국내에서는 참여할 수 없었지만 서양 대중문화를 속속들이 알고 있었다. 사우디아라비아에서는 오래전부터 공공음악회, 영화관 그리고 미혼 남녀가 공공의 장소에서 만나는 것을 금지해왔다.

2005년에 즉위한 압둘라에게 있어 마치 중세시대를 연상시키는 일정

---

3 Kaaba, 메카의 마스지드 알-하람 모스크 정중앙에 위치한 이슬람의 지성소. 하즈나 라마단 순례 때 이슬람교도들은 카바 주위를 시곗바늘 반대 방향으로 일곱 번 돌면서 순례를 끝낸다. 전 세계 모든 이슬람교도는 메카의 카바를 향해 절을 한다.

4 Committee for the Promotion of Virtue and the Prevention of Vice, 미덕증진죄악예방위원회로 번역할 수 있는데, 이른바 사우디의 '종교경찰'을 칭하는 말이다. 2016년 모하메드 빈 살만의 개혁에 따라 심문, 체포, 수사, 구금 등 막강하던 권한을 거의 다 잃었다.

속에서 왕국을 통치한다는 것은 무거운 부담이었다. 사우디아라비아 국왕은 실제로 재판을 해야 하고, 강물처럼 밀려오는 평민들, 장관들, 보좌관들을 번갈아 가며 접견하고, 내방하는 대통령이나 총리들과 사진을 찍기 위해 번쩍이는 금빛 왕궁 소파에 앉아 포즈를 취한다. 국왕의 보좌관과 친척 그리고 장관들이 해마다 수만 명씩이나 되는 병을 앓고 있는 청원인들을 접견하고 분쟁을 조정하고 채무 탕감 청원의 가부를 판단하느라고 힘든 싸움을 하고 있다.

평생 흡연과 호화로운 식사를 했고 허리 질환, 당뇨병, 심장 질환으로 고생한 압둘라는 이제 더 이상 사막의 텐트 속에서 쿠션에 기대어 대형 텔레비전을 보며 저녁 시간을 보낼 수가 없게 되었다. 그의 건강은 2010년 일련의 외과수술을 받으면서 악화되기 시작했다. 2014년 11월 압둘라의 최고 참모 중 하나이며 조카인 모하메드 빈 나예프 알 사우드 왕자가 미국에 있는 친구 의사의 소견을 구했다. "폐암의 예후가 어떻게 되겠나?" 왕자가 물었다. 의사는 암이 어느 단계까지 진행되었는지 물었다. 압둘라에게는 말해주지 않았지만 4기 암이라고 왕자가 답했다. 의사는 "3개월 미만"이라고 말했다.

그로부터 8주도 채 지나지 않아 압둘라는 사막 위에 차려진 임시병원에서 온갖 모니터와 수액 병에 연결된 채 병상에 누워 있었다. 신하들과 열두 명이 넘는 아들들도 이제부터 뭘 해야 할지 궁리하느라 허둥댔다. 아들들은 모두 중년이었고 부패의 정도는 왕자마다 다 달랐다.

이들은 사우디아라비아에서는 국왕의 죽음을 기점으로 거대한 부와 권력이 이동한다는 것을 잘 알고 있었다. 역사를 살펴보면 권력이 이전된 후에는 경쟁관계에 있던 혈족들에 대한 철저한 수색이 뒤따랐다. 이 모든 것이 서구에는 '이븐 사우드'로 알려져 있는 압둘아지즈 알 사우드 시대

압둘아지즈 알 사우드 초대 국왕

까지 거슬러 올라간다. 그는 현재의 사우디아라비아 왕국의 초대 국왕이었고 그 이후의 국왕들은 모두 그의 아들이었다.

어느 국왕이나 본인의 치세 중에는 자신의 아들들에게 손도 못 대게 했다. 그들은 정해져 있는 혜택 이외에 거대한 소득을 올려 수십억 달러의 부를 쌓았다. 또 정부나 군대의 중요 조직을 관장하는 강력한 직책이 주어지기도 했다.

그러나 압둘라는 전통적으로 돈이 홍수처럼 쏟아져 들어오는 자리로부터 아들들을 차단했고, 그들 생애의 대부분 동안 정치적 권력도 주지 않았다. 국왕은 자녀들에게 매달 수당을 지급했는데 합치면 1인당 연간 수백만 달러가 되었다. 게다가 자가용비행기를 사용하는 특권이 더해졌지만 일부의 사촌형제들이 거둬들이는 수십억 달러에는 미치지 못했다. 왕족 전체가 통제 범위를 벗어났다고 느낀 압둘라는 알 사우드 가문이 누리고 있는 걷잡을 수 없는 과도함의 시대를 종식하기 위해 우선 자기 자식들부터 손을 대기 시작했다.

아들들은 아버지 압둘라가 끊임없이 자신들에게 실망해왔다고 느꼈다. 죽기 전 몇 년 동안 압둘라는 아들 한 명을 왕위계승 반열에 올려놓을까 생각해 봤지만, 통치에 적합한 아들이 있는지 확신하지 못한 채 임종을 맞이했다. 압둘라가 국가방위부 장관에 앉혀놓은 미테브는 임무보다는 경주마에 더 관심이 많은 것 같았고 국가방위부 업무를 대부분 부관에게 일임했다. 공군 파일럿이었던 투르키 빈 압둘라가 잠시 리야드 주지사로 있을 때 죽기 며칠 전의 아버지를 보러 왔다. 압둘라는 자신을 에워싸고 있는 미국과 유럽에서 온 최고의 전문 의료진들을 향해 큰 목소리로 "F15 파일럿이라는 내 아들 좀 보게"라고 말한 뒤 숨을 고르고 나서 다시 "저 녀석이 얼마나 뚱뚱한지 좀 봐. F15 안에 들어가기나 하겠냐고!"라고 했다.

아들들은 압둘라에게서 새로운 국왕으로 권력이 이동하면 자신들의 야심이 위협받을 수 있다는 점을 우려했다. 그들은 아직 진짜 부자가 될 기회조차 갖지 못했다. 자칫 잘못된 인물이 국왕이 되면 그럴 기회를 영영 잡지 못하게 될 판이었다.

그들은 사우디아라비아에서는 왕위계승이 이루어지고 나면 돈의 흐름이 새로운 국왕의 가문으로 이동하고 (압둘라 이전 국왕의 아들들이 그랬듯이) 시간이 지남에 따라 전임 국왕의 아들들은 권력이 약화되고 수입이 단절된다는 것을 잘 알고 있었다. 압둘라의 아들들은 이런 과정이 계속 되풀이되는 것을 익히 보았다. 1975년부터 1982년까지 통치했던 칼리드 국왕의 자식들, 즉 빈 칼리드들에게 어떤 일이 벌어졌나? 그들의 이름은 더 이상 들리지도 않는다.

형제간, 조카 간, 사촌 간의 권력 투쟁은 왕국의 창건자가 만들어 놓은 통치시스템 속에 내재되어 있었다. 이븐 사우드가 행진을 시켜도 될 만큼 많은 부인과 첩들 사이에 낳은 40명이 넘는 아들들은 몇십 년 사이에 이미 성년이 되었고, 나이 차가 몇 세대가 될 정도로 났기 때문에 왕위계승 서열은 자연스럽게 정해졌다. 가장 나이가 많은 아들은 1900년경, 가장 나이가 어린 아들은 1947년경에 태어났다.

이븐 사우드는 1953년 자다가 심장마비로 사망했고, 살아있는 아들 중 가장 나이가 많은 사우드[5]에게 왕위를 상속했다. 11년 뒤 동생들이 무절제한 사우드를 강제로 퇴위시키고 왕위를 다른 동생 파이살[6]에게 내어주도록 했다. 그 이후 왕관은 한 형제에게서 다른 형제에게로 전해졌다. 이븐 사우드의 아들 모두가 왕위에 적합하다고 동의하는 형제 중 가장 나이가 많은 형제를 계승자로 결정하는 집단적 결정 방식이었다. 이븐 사우드가 가장 좋아했던 왕비 후사 알 수다이리Hussa Al Sudairi가 낳은 일곱 아들, 즉 '수다이리 7형제'가 특히 강력했지만, 이븐 사우드의 다른 아들도 모두 60년 동안 언젠가 왕위에 오를 수 있다는 희망을 품고 있었다. 왕자가 궁전이나 요트에서 하는 일 없이 대부분의 시간을 빈둥거리고 있어도 그를 수행하는 자들 사이에는 이런저런 추측이 오갔다.

2015년에는 대다수의 왕자가 사망한 뒤였고, 몇 안 되는 살아있는 왕자들도 대부분 70대가 넘었다. 드디어 왕위를 3대에게 상속하게 되는 전환점이었다. 문제는 수백 명의 손자 가운데 과연 누가 왕위에 가장 적합한지를 알아내는 메커니즘이 없다는 것이었다. 빈 사우드의 아들들의 경우 순위를 정하는 데 나이라는 쉬운 기준이 있었지만, 수백 명에 달하는 그 다음 세대 왕자들의 경우에 나이순으로 한다는 것은 전혀 실질적이지 못했다.

압둘라는 이 문제를 해결하기 위해 왕위에 오른 뒤 이븐 사우드의 살아 있는 왕자들 모두와 죽은 왕자들의 후손들을 모두 포함하는 평의회를 창설했다. 일명 '충성평의회Allegiance Council'는 국왕이 사망하는 경우 왕위에 오를 왕세자를 미리 선정하고 계승 서열 2위인 부왕세자를 지명하기 위한 것이었다. 이런 방식은 권력이 졸지에 이동되는 것을 방지하기 위함이었

---

5 Saud bin Abdulaziz Al Saud, 1902-1969. 이븐 사우드의 둘째 아들이었지만 첫째 투르키가 1919년에 사망했으므로 이븐 사우드가 사망한 1953년에 2대 국왕으로 즉위했다. 1964년까지 재위했으나, 국가 부채를 해결하지 못하면서 권력 투쟁이 일어났고 이복동생 파이살에게 져서 퇴위당하고 망명해서 복위 투쟁을 벌였으나 실패한 뒤 1969년 아테네에서 사망했다.

6 Faisal bin Abdulaziz Al Saud, 1906-1975. 1964년 사우드 국왕을 밀어내고 3대 국왕으로 즉위. 1973년 서방의 이스라엘 지원에 반발해서 석유 금수 조치를 취함으로써 제1차 오일쇼크를 유발했다. 1975년 조카인 파이살 빈 무사이드에게 암살되었고 칼리드 국왕이 등극했다.

빈 살만의 두 얼굴

다. 그러나 압둘라의 생애 말년, 그와 아들들에게는 또 하나의 목적이 있었다. 그들은 압둘라의 계승자인 살만 왕세제의 권한을 제한하고 싶었다.

압둘라와 아들들은 생존하고 있는 수다이리 7형제 중 가장 강력하고 교활한 왕궁 운영자 살만이 1980년대 초에 태어난 야심만만한 아들 모하메드를 왕위계승서열에 올려놓으려 할 것을 잘 알고 있었다. 더군다나 모하메드가 왕위에 오르면 압둘라 일족에게는 재앙이 될 것이라는 점도 잘 알고 있었다. 몇 년 동안 그는 형제들과 그들의 최고 참모들과 충돌해 왔고, 심지어 강력한 정보 관리자의 얼굴에 침을 뱉은 적도 있었다. 모하메드가 집권하면 잘해야 압둘라 일족을 권력과 돈에 접근하지 못하게 할 것이고, 최악의 경우에는 재산과 자유를 박탈할 수도 있었다. 모하메드를 왕위계승서열 밖으로 밀어내기 위해 압둘라의 아들들은 압둘라 국왕의 왕궁실장인 칼리드 알-투와이즈리[7]에게 의지하려고 했다.

일자 콧수염을 기르고 다이아몬드 반지를 끼고 테 없는 안경을 쓴 투와이즈리는 사우디아라비아에서 비왕족으로서는 최고 권력자였다. 그는 자신의 직책을 위해 태어난 것 같은 인물이었다. 그의 아버지는 사우디아라비아의 일부 지역을 정복하는 전쟁에서 이븐 사우드 바로 옆에서 함께 싸웠다. 또한 후일 압둘라 국왕을 도와 국가방위부를 어마어마한 무력집단으로 변화시켰다.

압둘라 국왕이 늙어갈수록 투와이즈리의 권력은 더 강력해졌다. 그는 압둘라 국왕의 명의로 새로운 법령에 서명했고 교묘한 방법으로 자신을 충성평의회 사무총장직에 밀어넣었다. 왕족이 아닌 자로서 평의회의 비

---

7 1960년 출생. 아버지 압둘아지즈 알-투와이즈리의 후임으로 2005년 압둘라 국왕의 왕궁실장이 되었다. 이후 충성평의회 사무총장, 왕실경호실장, 왕궁내각실장 등을 거치면서 2005년 살만 국왕이 취임할 때까지 사우디 왕실에서 최강의 권력을 휘둘렀다.

밀회의에 참석할 수 있는 유일한 인물이었고, 단 한 부만 작성되는 평의회 회의록을 관리하는 책임자였다.

투와이즈리의 가장 중요한 역할은 사람들이 압둘라에게 접근하는 것을 통제하는 것이었는데, 국왕이 전화 통화를 싫어한다는 점이 도움이 되었다. 국왕은 직접 대면했을 때만 편하게 말을 할 수 있었다. 심지어 주미대사도 두 시간 동안 대화를 나누기 위해 워싱턴에서 리야드로 날아와야만 했다. 사업가이든 장관이든 심지어 국왕의 동생까지도 압둘라를 만나려면 투와이즈리를 통하지 않으면 안 되었다. 왕궁 주변을 어슬렁거리는 자들이나 관찰자들은 그를 "칼리드왕"이라고 불렀다.

이것은 왕가 밖의 인물에게 주어진 유례가 없는 권력이었고, 살만 왕세제와 그의 아들 모하메드를 극도로 화나게 했다. 투와이즈리는, 만약 살만의 권력을 견제하지 못한다면, 자신도 압둘라의 아들들과 같은 (또는 더 나쁜) 운명에 처해질 것이라는 사실을 알고 있었다. 살만과 모하메드에게는 투와이즈리가 사우디아라비아의 모든 잘못된 것을 대표하는 자였다. 이 인물은 일개 직원에 불과했지만 저택들과 선박들 그리고 200여 대의 초호화 자동차를 사들였다. 25명의 수행단을 데리고 몇 주씩 여행을 가서 수백만 달러의 비용을 들여 뉴욕 센트럴파크 남쪽의 리츠칼튼호텔에 묵으면서 현지 사람들과 마치 왕족이라도 되는 것처럼 사진을 찍어댔다. "나는 그가 어느 나라의 왕자인 줄 알았다"라고 라훌 바신이라는 사람은 말한다. 그는 리츠칼튼호텔 길모퉁이에 있는 파크뷰일렉트로닉스라는 자신이 운영하는 조그만 카메라와 핸드폰 가게의 계산대 뒤에 서 있는 투와이즈리의 사진을 아직도 가지고 있다. 투와이즈리는 그 가게에서 아이폰을 한 번에 수십 개씩 샀다. 왕족이 아닌 자가 왕자 행세를 하는 것보다 살만을 더 격분시킬 일은 없었다.

투와이즈리의 협력자들 가운데 하나인 모하메드 알-토바이시는 압둘라의 의전장이었다. 미화해봤자 본질적으로는 개인비서에 불과한 토바이시는 전 세계에 흩어져 있는 호화저택에 머무르지 않을 때에는 방이 90개나 있는 사마라Samarra라고 불리는 리야드의 목장에서 살았다. 이들 두 사람은 비굴한 직함 뒤에 숨어 있는 권력브로커에 불과했다. 이들은 고위관리들에게 연줄을 대주는 대가로 돈을 받아먹었다. (그들은 범법 행위를 시인하지도 않았고, 나중에 자산을 몰수당했지만 범죄 혐의로 소추되지도 않았다.) 살만과 그의 아들 모하메드의 눈에는 그들은 왕국에 대한 하나의 위협이었고 고삐 풀린 독직자의 표본이었다.

모하메드 빈 살만은 투와이즈리를 직접 경험한 적이 있었다. 모하메드가 20대 시절 처음으로 정부에서 일할 때 그는 마치 삼촌 같은 역할을 하는 척하곤 했다. 하지만 모하메드는 그가 표리부동하다는 것을 알아챘다. 그는 도와주는 척하면서 모하메드의 서열이 왕기에서 부상하는 것을 막는 조치를 취했다. "그는 나에게 함정을 파놓았다"라고 모하메드는 친구들에게 말했다. 기회만 되면 자기를 정부에서 몰아내려고 하다가 거기에 실패하면 그를 안일한 일탈에 빠지게 했다고 설명했다. 몇 년 전 투와이즈리가 압둘라의 명을 빙자하여 모하메드를 군의 고위 장교를 비하했다는 혐의로 징계했을 때는 매우 억울해 했다.

압둘라의 죽음이 임박했을 때 이븐 사우드의 살아있는 아들 중 가장 젊었던 무크린 빈 압둘아지즈 알 사우드가 왕위계승서열 2번이었다. 투와이즈리와 압둘라 왕궁 내의 협력자 일당은 무크린을 젊은 모하메드의 부상 시도를 막을 수 있는 완충재로 보았다. 만약 살만을 왕위계승서열 밖으로 밀어낼 수 없다면 최소한 무크린을 지키기라도 해야만 한다고 그들은 생각했다.

79세, 큰 키, 검게 염색한 염소수염을 지닌 살만은 50년 동안 왕가의 집행자이며 알 사우드의 기밀 수호자였다. 왕가의 젊은 구성원들은 살만이 알 사우드의 유력자들의 침실에 카메라를 설치해 놓은 것이 분명하다고 수군거렸다.

3세대에 걸친 왕자들과 그 주변을 어슬렁거리는 사람들은 살만이 새끼 손가락에 낀 에메랄드반지에 뺨을 맞은 이야기들을 늘어놓았다. 술을 마시거나 수도 외곽에서 과속운전을 하거나 뻔뻔한 부패 계획을 실행하려다가 적발된 데 대한 처벌이었다.

그의 성질은 왕궁에서 유명했다. 살만은 대체로 침착하고 사색적이며 밤에 카드게임을 할 때면 이슬람 시를 낭송하는 것을 즐겼다. 그러나 알고서 행하는 무례함을 보면 불같이 화를 냈다. 1990년대 초반, 당시 자신의 형이며 국왕이었던 파흐드[8]의 제다[9] 궁전 안으로 걸어 들어가는데, 오랜 파흐드의 경호원이 길을 막아서자 그는 충격을 받았다. 경호원은 국왕이 바쁘다고 말했다.

살만이 그의 뺨을 너무나 세게 때리는 바람에 반지가 방을 가로질러 날아갔다. "나는 왕자다! 너는 누구냐?"라고 살만은 고함을 질렀고 왕궁의 젊은 신하들과 하인들이 그 반지를 찾으려고 방바닥을 기어다녔다. 파흐드로부터 꾸지람을 들은 뒤 살만은 경호원에게 주라며 10만 리얄(한화로 약 3,400만 원)이 든 봉투를 남겼다. "그 바보에게 주어라"라고 중얼거리며 살만은 떠났다. (왕족의 한 사람은 이런 일이 있었다는 데 대해 이의를 제기한다.)

사우디아라비아에서 사업을 하는 기업들로부터 돈을 받아내려고 자신의 권력을 이용하는 이븐 사우드의 다른 아들들과 달리 살만은 부를 쌓는

---

8 Fahd bin Abdulaziz Al Saud, 1921?-2005. 사우디아라비아 제5대 국왕으로 1982-2005년 재위한 사우디아라비아의 최장수 국왕. 이븐 사우드의 여덟 번째 왕자이며 수다이리 7형제의 맏이로, 1975년 파이살 국왕이 암살되고 이복형 칼리드 국왕이 즉위하면서 왕세제가 되었다.
9 Jeddah. 아라비아반도 서북부 홍해 연안의 항구도시. 사우디아라비아 산업의 중심지이며 수도 리야드에 이은 제2의 도시. 두바이 다음가는 중동 제2의 항구.

데 덜 적극적이었다. 그는 왕실 수당으로 자신의 궁전, 부인들과 자식들에게 들어가는 비용을 충당했고 알 사우드의 역사적 권력 중심인 리야드를 운영하는 데 에너지를 쏟았다.

살만은 48년간 지사로 있으면서 취임 초에는 하나의 마을에 불과하던 도시 리야드를 500만 명 이상의 인구가 사는 현대적 도시로 탈바꿈시키고 가격이 급등한 수백만 에이커의 토지를 통합했다. 살만은 또한 와하브주의 창시자 무하마드 이븐 아브드 알-와하브 이래 알 사우드 가문과 연합해 온 와하브주의 성직자들과의 관계도 관리했다. 이들의 조력은 알 사우드 가문이 왕국 창건 이래 권력을 획득하고 유지하는 데에 도움이 되었다.

살만은 자신의 궁전에서 다양한 관점들이 교환되는 것을 환영했다. 다른 왕자들이라면 좀처럼 용납하지 않을 방식의 토론이 벌어지도록 격려했다. 그의 사우디조사마케팅그룹Saudi Research and Marketing Group은 중동 최대의 아랍어 신문사 2개를 소유하고 있었다. 그들은 단순한 정부의 입이 아니었고 중동지역 전체에서 시의성을 지닌 가장 뜨거운 관심사들, 특히 팔레스타인 문제에 대한 다양한 견해를 권장했다. 다른 한편으로 그들은 왕정 체제에 대한 의문을 감히 제기하지 않았고 사우디아라비아의 외교정책에 대해서는 비판을 하지 않았다. 살만은 매주 작가, 학자, 외국 외교관들을 초청하여 만찬을 함께했다. 그는 한 미국 인사에게 사우디 작가가 출간한 소설을 모두 읽으려 한다고 말했다.

나이 든 아들들과 살만의 관계는 냉랭했다. 그는 거리를 두고 고압적이었던 젊은 아버지로서 (첫아들을 낳았을 때 그는 19세에 불과했다) 젊은이들을 교육하는 데에 초점을 둔 엄격한 사람이었다. 아들들이 사우디아라비아에는 이 세계를 위해 오일이라는 부와 와하브주의라는 두 개의 기둥 그 이상의 것이 있다는 점을 깨닫기를 바랐다. 인생은 시와 문학과 상상력으로 충만한 것이며 사우디아라비아를 낙타 등 위에서 정복한 인간의 아들인 살만은 자신의 아들들이 후일 정치가로서 도움이 될 지식을 얻기를 바랐다.

정기 휴가차 스페인과 프랑스를 방문할 때마다 살만의 접견실에는 지식인과 사업가들이 모여들었다. 시리아계 스페인 기업 카얄리Kayali 가문 사람들이 그의 궁전을 자주 방문했고, 시리아를 계속 통치하는 아사드 Assad 가문 사람들도 그랬다. 살만은 파리에 가면 법률가와 정치계 인사들을 초대하여 토론과 논의를 했는데 까다로운 중동 정치가 자주 오르는 화제였다.

이러한 교육은 살만이 1950년대 첫 번째 부인 술타나 빈트 투르키 알 수다이리와의 사이에서 낳은 아들들에게 강한 영향을 준 것으로 보인다. 그들은 외국에 가서 교육을 받았고 다국어를 익혔다. 파흐드와 아흐메드 는 사우디조사마케팅그룹을 경영하는 사업가로 성공했고, 세계 수준의 경주마를 키우는 사업과 UPS[10]와 수익성 좋은 공동사업을 운영했다. 술탄 은 미국 우주왕복선 디스커버리호를 타고 우주를 다녀온 최초의 사우디 시민이 되었다. 압둘아지즈는 석유전문가로서 정부와 다른 산유국들과의 민감한 관계를 처리했다. 파이살은 학자로서 옥스포드대학교에서 1968년 부터 1971년까지의 걸프국과 이란 관계에 대한 논문으로 정치학 박사 학위를 받았다. 그들은 미국과 런던에 친구들이 있었고 외국의 정치가들을 자주 만났다. 그들은 매력 있고 범세계주의적이며 서구적인 감각을 지녔다. 보기에 따라서는 별로 사우디인 같지 않았다. 그들은 심지어 생모가 살아있을 때 살만이 사우디 문화의 오랜 전통에 따라 새 부인을 맞아들이려 하자 반대하기도 했다.

1983년, 왕자들의 생모 술타나 알 수다이리는 신장 이식 수술을 받기 위해 피츠버그의 병원에 입원해 있었다. 술타나는 왕가에서 존경받는 인

---

10 United Parcel Service. 1907년에 설립된 미국의 세계 최대의 항공해운택배물류회사.

물이었고 다섯 아들과 딸로부터 마음 깊은 숭배를 받고 있었다. 수십 명의 친척과 보좌진, 수행팀이 피츠버그에 와 있었다. 매일 아침 그들은 살만이 도착하기 전에 대기하기 위해 장로교대학병원 로비로 달려왔다. 이윽고 양쪽에 경호원 두 명을 거느리고 살만이 도착했다. 그는 의사들의 소식을 기다리며 병원 주위를 서성거렸다.

여행을 떠나오기 전에 파흐드, 술탄, 아흐메드 세 아들은 아버지가 훨씬 더 젊은 여자와 결혼할 준비를 하고 있다는 것을 알게 되었다. 새삼스러운 일도 아니었다. 그 결혼을 하더라도 남자가 동시에 네 여자와 결혼할 수 있는 나라에서 살만은 여전히 겨우 두 명의 아내를 두게 될 뿐이었다. 그러나 서구화된 아들들은 일부다처제가 시대에 뒤떨어지고, 어머니에게는 모욕적인 데다가 어머니가 생명이 위태로운 병을 앓고 있는 때에는 특히 몰지각한 일이라고 생각했다. 살만은 아들들의 염려를 묵살했지만, 피츠버그에서 파흐드는 더욱 세게 저항했고, 병원에서 뛰쳐나가 근처 공항에서 자가용비행기에 올라 편지를 써서 인편으로 아버지에게 전달했다. 파흐드는 편지에 이렇게 썼다. **이 여인과 결혼하지 마십시오. 그것은 아버지의 부인에 대한 모욕입니다.**

살만은 개의치 않고 결혼을 했다. 젊은 여인 파흐다 빈트 팔라 알-히슬라인은 아즈만[11]족 족장의 딸이었다. 이 부족은 때로는 알 사우드족과 나란히, 때로는 그 반대쪽에서 싸운 전사들로서 기나긴 역사를 가진 부족이었다. 2년 후 파흐다는 첫아들을 낳았는데 그가 바로 모하메드 빈 살만이다. 이후 다섯 아들을 더 낳았다.

이 여섯 아들은 훨씬 나이 많은 이복형들과는 매우 다른 성장 과정을 겪었다. 중년이 되면서 살만은 첫째 부인에게서 낳은 아들들을 키울 때의

---

11 Ajman. 사우디아라비아 북서쪽에 본거지를 둔 부족. UAE의 한 에미리트(Emirate)인 아즈만과는 다르다.

그 엄격함이 많이 사라졌다. 한 신하는 다음과 같이 회상한다. 파흐드 국왕의 아들과 제다 궁전에서 밤에 카드게임을 할 때 다섯 살 난 모하메드가 뛰어들어와 어른들의 머리덮개를 쳐서 벗겼다. 살만이 웃으면서 땅딸막한 아이를 여러 번 불러 세워 안아주기 전까지 아이는 찻잔을 발로 차고 카드를 바닥에 흩트려 놓았다. "모하메드를 데려가거라"라고 살만은 아이를 봐주는 사람에게 말했다. 어린 모하메드는 그 사람에게 다가가서 사타구니를 발로 찼다.

모하메드와 친형제들은 첫 번째 부인에게서 낳은 아들들과 달리 학구열이나 해외 생활을 받아들이지 않았다. 나이 든 형들이 자신들의 독립된 커리어를 만들어 나가고 있는 데 비해 모하메드는 목표가 없는 아이처럼 보였다. 가족 행사 도중에도 백일몽을 꾸는 습관이 있었는데 그것을 넋이 나간 것으로 오해하는 사람들도 있었다. 스페인의 휴양지 마르베야나 다른 곳으로 휴가를 가면 동생 칼리드를 데리고 탐험을 하거나 스쿠버다이빙을 하곤 했다. 그는 '에이지 오브 엠파이어'처럼 군대를 만들어서 적을 정복하는 비디오게임을 몇 시간씩이나 하고 패스트푸드를 정말 좋아했다. 살만은 여전히 교수와 작가들을 불러다가 주간 세미나를 열었다. 그는 모하메드에게 비디오게임보다는 공부하고 책을 읽으라고 했지만 나이 든 아들들에게 내렸던 엄격한 명령보다는 잔소리에 가까웠다.

어느 날 오후에 당황한 직원이 살만에게 전화를 걸어서 사춘기의 모하메드가 군복을 차려입고 근처 슈퍼마켓에서 난장판을 벌이고 있다고 보고했다. 경찰이 억류하려고 하자 어린 왕자는 그렇게는 안 된다고 말했다. 자신은 국왕의 조카이며 리야드 주지사의 아들이라고 했다. 살만은 일을 조용히 처리했지만 이 엄격한 구시대의 인물도 모하메드에 대해서만은 특별한 애착이 있는 것이 분명했다. 두 사람 사이에는 거의 50년에 가까운 나이 차가 있기 때문에 모하메드는 아들이라기보다는 오히려 손자 같왔다.

2000년, 일가가 프랑스 칸에 갔을 때 살만은 파리에 있는 변호사 엘리 하템Elie Hatem을 초대했다. 그는 왕정을 지지하는 정치그룹에서 활동한 것을 계기로 사우디 왕족들을 알게 되었고 왕족들이 프랑스에 오면 자주 만나는 사이였다. 어느 날 하템이 점심을 같이 하러 왔을 때 "게임은 그만하고 가서 책을 읽어라!"라고 살만이 열다섯 살의 모하메드에게 말했다. 어른들이 호화롭게 차려놓은 중동 음식 주변을 어슬렁거리고 있는데 모하메드는 앉아서 맥도날드를 먹고 있는 중이었다. 아이는 격식과는 거리가 먼 말투로 "오케이, 아빠"라고 말했다.

어느 날 오후 살만이 하템에게 모하메드를 좀 살펴보고 녀석이 무언가 생산적인 것을 하고 있는지 확인해 달라는 요청을 했다. 살만은 변호사에게 아들이 게임은 그만하고 잡지든 신문이든 무엇이든지 읽도록 부추겨 달라고 부탁했다. 소년은 텔레비전만 보았다.

프랑스를 방문한 직후 10대의 왕자에게 변화가 찾아왔다. 돈과 권력에 대한 그의 이해를 바꿔놓는 어떤 인식이 생겼다. 하템 같은 관찰자들은 성공한 형들의 그늘 속에서 목표 없이 갈등하고 있는 젊은이의 모습만 보았겠지만, 그들은 대열에서 벗어나 왕자가 받아들이고 있는 것을 이해하지 못했다. 형들이 아버지가 데려다준 선생들로부터 세련된 태도나 교양을 배우는 동안 모하메드는 살만을 면밀히 관찰하면서 권력에 대해 깨달음을 얻었다.

압둘라가 임종 침상에 누워 있을 때쯤 모하메드는 거의 서른 살이었고 압둘라의 아들들과 부하들에게는 가공할 적수가 되어 있었다. 그는 모든 사람의 상상 이상으로 훨씬 더 힘이 넘치고, 창의적이고, 잔인해져 있었다. 또한 투지가 넘쳤고, 국가가 단순한 생존이 아니라 번영하기 위해서 필요한 것이 무엇인지 확신하고 있었다. 공부를 하기 위해 사우디아라비아를 떠나지 않고 20대의 전 기간을 아버지 바로 옆에 있었으므로 왕가 내 경쟁자들의 취약점들을 아주 깊이 파악할 수 있었다.

살만의 왕가 집행자의 역할은 왕가가 커지면 커질수록 점점 더 힘들어지고 골치 아프게 되었다. 왕자들 개개인은 동시에 네 명까지 부인을 둘 수 있고 부인 한 명당 서너 명의 아들과 그 비슷한 숫자의 딸을 낳았다. 살만이 리야드 주지사로 근무하는 48년 동안 확장된 왕가에는 약 7천 명의 왕자와 최소 같은 숫자의 공주가 있었다. 이들 모두가 나라의 석유 수입을 나눠 가질 권리가 있다는 의식 속에서 성장했다. 대다수는 부유하면서도 비교적 정상적인 삶을 살고 있었으나 박애주의자가 되거나 투자자가 된 이들도 있었다. 또 게으름뱅이, 노름꾼, 술주정뱅이가 된 자들도 있었다. 그리고 적지 않은 숫자가 믿을 수 없을 정도로 탐욕스러워서 부가티 자동차와 파텍필립 시계를 수집하는 데 상상을 초월하는 금액을 소비함으로써 서구 도시들에서 '사우디'는 '사치'와 동의어가 되었다.

이들의 사치스러운 생활은 국가 통치 측면에서도 문제를 일으켰다. 이븐 사우드와 왕위에 올랐던 그의 아들들은 적어도 어린 시절에는 일부 기간이라도 사막에서 자신들을 지지해준 베두인 투사들과 보수적 성직자들 가까이에서 살았다. 이들은 새 캐딜락 자동차, 매사냥, 풍성한 식량만으로도 그들의 삶이 사치스럽다고 여겼다. 신세대들은 외국에서 학교를 다녔고, 런던의 메이페어[12]나 파리 제16구[13]의 특권적 거품 속에서 다리를 쭉 펴고 살았다. 이들 다수가 사우디 문화의 일부분과 사우드 왕가가 강력히 껴안아 갈무리해둔 이슬람적 관심사에 대한 이해를 잃어버렸다.

2000년대에 들어서면서부터는 알 사우드 가의 가장 훌륭한 사람들조

---

12 Mayfair. 런던 하이드파크 동쪽의 고급 주택지.
13 파리 남서쪽 끝의 부촌.

차도 대다수가 이미 사우디적인 특성이나 정체성을 잃어버린 상태였으므로 국내에서 폭발하는 젊은 세대를 사우디적인 전통과 연결시키기에 적합하지 않았다. 증가하는 사우디아라비아의 인구는 스마트폰과 SNS 덕분에 외부세계와 더욱더 긴밀히 연결되어 있었고, 구속복을 입은 것 같은 전통적 생활방식 속에서는 더더욱 안절부절못할 수밖에 없었다. 그러나 젊은 왕자들은 모국에서 벌어지고 있는 현상의 대부분을 거들떠보지 않은 채 해외에서 휴가를 즐기거나 학위를 따느라고 바빴다.

살만은 이런 정체성의 상실을 막는 방어벽의 역할을 해보려고 보수적인 사우디아라비아에 어울리지 않는 왕자들의 서구식 행동을 징계하는 등의 애를 썼다. 많은 사람의 눈에 그는 괴팍해 보였고, 알 사우드 왕가의 일원으로서 왕가 안팎으로 권력을 휘두르고 있지만 결코 리야드 주지사 이상의 지위에 오를 수 없는 사람으로 보였다. 하지만 그 계산은 틀렸다.

압둘라 국왕이 즉위한 지 5년째인 2010년에 살만은 70세가 넘었고 왕좌로 가는 길에는 자신과 동등한 업적을 낸 형이 두 명이나 있었다. 압둘라가 통치하는 대부분의 기간에 왕궁실장 투와이즈리로서는 살만이나 그 자식들을 위협으로 볼 이유가 전혀 없었다. 그들은 왕위계승서열에서 까마득히 멀리 있었다.

그런데 두 형 중 한 명이 2011년에 죽었고 나머지 한 명도 2012년에 죽었다. 압둘라는 자기가 구성해 놓은 충성평의회로 하여금 원래 목적한 대로 계승자를 토론해서 결정하도록 하지 않고 새로운 왕세제를 자기가 직접 지명했다. 살만의 두 번째 형이 죽자 압둘라는 살만을 왕세제로 만들면서 살아있는 동생들 중 가장 젊고 정보국장을 지낸 무크린을 부왕세제로 지명했다.

압둘라의 기력이 쇠약해져 갈수록 투와이즈리는 국왕과 왕세제의 거리를 떼어놓으려고 애를 썼다. 그는 여전히 압둘라 국왕이 살만을 내칠 가능성이 열려 있다고 생각했다. 투와이즈리는 살만과 그의 아들들이 왕족 전용 비행기를 사용하는 것을 종종 거절했다. 살만이 국왕과의 회의를 요청하는 전화를 하면 이 왕궁실장은 압둘라가 너무나 바쁘다고 말하곤 했다. 몇 달 뒤 왕가 행사에서 압둘라를 만났을 때 살만은 그동안 어떤 일이 벌어지고 있었는지 알게 되었다. 국왕이 "자네, 왜 나를 보러 오지 않나? 자네는 내가 좋아하는 형제들 중 한 사람일세"라고 했다. 살만은 투와이즈리가 자신을 열외로 빼버리려고 하고 있음을 알아차렸다.

투와이즈리는 자신의 네트워크를 가동해서 살만이 치매를 앓고 있으므로 승계 계획을 서둘러야 한다는 소곤거림을 은근히 퍼뜨렸다. 그는 진보적인 압둘라의 최후 개혁, 즉 왕관을 다음 세대에 전하려는 계획을 실행하는 데에 다른 영향력 있는 왕족들을 가담시키려고 노력했다. 미테브나 투르키 같은 압둘라의 아들 가운데 한 명을 부왕세자로 왕위계승서열에 올려놓아 언젠가 국왕이 될 수 있도록 하는 것이 어쩌면 가능할지 모른다고 생각했다. 아니면 미국 CIA 및 국무부와 깊은 연결고리를 지닌 정보국장 모하메드 빈 나예프를 왕위계승서열에 올려놓으면 미국의 협력을 얻어내는 데에 도움이 될지도 모르는 일이었다. 빈 나예프는 또한 강력한 사우디 내무부를 장악하고 있었다. 압둘라의 아들들이 전통적으로 왕가를 지키는 베두인 병력인 사우디 국가방위부를 장악하고 있으므로 이 두 개의 부처를 통합하면 군은 분명히 장악될 수 있었다.

이 계획이 실행되려면 투와이즈리가 살만이 개입하기 전에 왕족들의 합의를 완결지어야만 했다. 이를 위한 최선의 방법은, 압둘라 주위에 다른 왕족들이 없는 가운데 사막에서 사망하게 하는 것이었다. 그렇게 함으로써 살만이 자기 아들 한 명을 고위직에 앉히기 전에 투와이즈리가 그 계획에 대한 지지를 결합해낼 수 있는 최소 몇 시간이나 어쩌면 며칠의 시간을 벌 수 있었다. 사막 속에서 압둘라의 숨이 점점 옅어져 가자 투와이즈리는 명령을 내렸다. **살만에게는 알리지 말라.**

압둘라의 아들들은 불안했지만 계획을 지지했다. 그들은 자신들이 통치할 자격이 있다고 생각했다. 압둘라의 병세가 치명적인 상황이 되기 전에 미테브는 미국대사 조 웨스트팔[14]에게 자신이 왕위계승전에 나설 예정이라고 알렸다.

국왕의 병세가 악화되었다는 소식을 듣고 왕족 전체가 충격에 빠졌다. 그가 암에 걸렸다는 것을 알고 있던 사람들까지도 그가 어느 정도로 죽음에 가까이 다가섰는지는 모르고 있었다. 그들은 압둘라를 사막의 별궁에서 국가방위부가 운영하고 있는 리야드의 병원으로 옮기라고 투와이즈리를 압박했다. 이동은 밤에 비밀스럽게 이루어졌고 병원 당국은 국왕의 죽음이 임박했다는 소식을 누설할 가능성이 있는 사람들은 모두 배제했다. 깜짝 놀란 한 의사는 담장을 넘어 뒷문으로 몰래 들어가 환자를 확인했다고 친구들에게 말했다. 왕위계승에 있어서 가장 중요한 것은 국민에게 승계가 불가피한 것이고 순조롭게 이루어졌다는 거짓된 인상을 주기 위해 모든 과정을 비밀리에 진행하는 것이었다.

그때 이미 압둘라 일족과 투와이즈리는 왕관을 계속 유지하겠다는 뜻을 포기할 수밖에 없었다. 고작 그들이 바랄 수 있었던 것은 살만이 왕좌에 오르더라도 다음 왕위계승자는 압둘라의 자식들에게 적대감이 없는 사람이어야 한다는 정도였다. 어쩌면 무엇보다도 가장 중요한 것은 살만이 아들 모하메드를 왕위계승서열에 올려놓지 않아야 한다는 것이었을지도 모른다. 그들은 그 젊은 왕자가 전문성이 없다, 짐승 같은 방식으로 일을 해낸다, 사적인 탐욕이 크다는 등의 이야기를 퍼트렸다.

---

14 Joseph W. Westphal, 1948년 출생. 버락 오바마 대통령 정부에서 육군성 차관을 지낸 뒤 2014-2017년 주사우디대사를 역임했다.

사태는 며칠 동안 안정되지 않았다. 왕궁에서는 병원 밖에 천막을 치고 죽어가는 국왕을 만나러 오는 친구들과 친척들을 맞이했다. 다수의 빈곤층을 포함하여 수천 명에 이르는 국민이 병원 주위에 운집하여 밤새 기도를 했다. 미국대사관 관리들은 왕자들이 압둘라의 후계자를 결정하기 위해 회의를 가질 것이라는 소식을 계속해서 듣고 있었지만 정확히 언제가 될지는 알 수가 없었다.

대부분의 방문객은 텐트에 들러 미테브나 투르키 또는 압둘라의 다른 왕자 한 명과 함께 앉았다. 국왕과 가까웠던 사람들만 안으로 들어가도록 허용되었다. 압둘라는 1층에 있는 어느 방에 누워 있었다. 방문객들은 다른 환자들의 입원실을 지나쳐 복도를 90미터쯤 걸어서 2미터 높이의 유리문까지 갔다. 그 문 너머에 국왕이 누워서 죽어가고 있었다.

압둘라가 병원에 들어온 지 며칠쯤 되었을 때 모하메드는 전화를 걸어 큰아버지의 상태를 물어보았다. 투와이즈리는 걱정 말라고 응대했다. 그는 침착했다. 믿을 수 없을 정도였다. 불과 이틀 전 국왕의 나이 든 딸 한 명이 도착해서 이마에 녹색 천이 올려져 있고 호흡의 기색이 보이지 않는 아버지의 모습을 유리창 너머로 보았다. 국왕은 아주 작아 보였다. 동반자가 보기에도 그는 죽은 것처럼 보였다.

곧이어 모하메드는 압둘라가 사망했다는 전화를 받았다. 그는 아버지를 급히 호송차에 태워 국가방위부 병원으로 달려갔다. 투와이즈리가 복도에서 기다리고 있었다. 살만은 그 인물을 아주 잘 알고 있었다. 그는 왕궁실장의 얼굴에 따귀를 올려붙였다. 그 소리가 대기실 벽 너머에서도 들릴 만큼 세게 때렸다. 그때 투와이즈리는 자기가 살만을 하찮은 존재로 만들어 버리는 데에 크게 걸었다가 모든 것을 잃고 말았다는 사실을 깨달았다. 얼굴에 올려붙인 따귀 한 대로 새로운 국왕과 옆에 서 있던 젊은 아들은 새로운 치세가 열린 것을 공표했다. 왕국이 낙타와 식량과 금을 찾아 서로를 공격하는 조각난 봉토의 시절 이래 그 어떤 왕들과도 전혀 다른 치세였다.

압둘라 국왕의 서거 소식이 널리 알려지는 데에는 며칠이 걸렸다. 부분적으로는 왕궁의 요청을 현지 언론들이 존중한 덕분이었다. 대중이 모르는 사이에 살만은 즉시 투와이즈리를 충성평의회 사무총장직에서 해임했고 왕궁에서 축출했다. 그는 왕궁의 다른 관리 대부분을 유임시켰다. 모하메드는 부왕의 왕궁실장으로서 숙고를 거듭하며 외부에 드

2007년 당시 리야드 주지사였던 모하메드의 아버지 살만과 함께 걸어가는 압둘라 국왕(왼쪽)

러나지 않게 깊숙이 들어앉아 계획을 입안했다. 부왕이 피곤하거나 휴식이 필요할 때면 모하메드는 밤새 미팅을 하고 전화를 걸면서 맹렬하게 밀고 나아갔다. 의심의 여지없이 이 순간은 늙은 아버지의 것이었지만 그에 못지않게 모하메드 자신의 것이기도 했다.

공표가 되자 살만은 이복동생 무크린을 왕세제로, 조카 모하메드 빈 나예프를 부왕세자로 지명했다. 이것은 왕족 전체와 전국의 작은 영지를 지배하고 있는 소부족장들에게 왕위가 통상적인 절차를 통해 승계되었다는 점을 재확인시키기 위한 계산된 선택으로 보였다. 국방장관에 지명되었지만 왕위계승서열에서는 빠진 모하메드 빈 살만은 즉위식 동안 자신보다 나이 많은 왕족들의 뒤를 존경하는 태도로 조용히 따라갔다. 그러나 그는 그 순간에도 야심만만한 개혁시리즈에 박차를 가하고 있었다.

더 진보적인 왕족들은 이제 또 다른 수령의 시대가 사우디아라비아의 목

전에 다가왔다고 걱정하고 있었다. 왕국의 지난 반세기에 걸친 변화 속도에 대해 외교관들이 예비해 놓은 단어는 '빙하기'였다. 그들은 이 나라가 바야흐로 대격변을 시작하려는 순간에 있다는 것을 대부분 모르고 있었다.

2장

MBS

2015년 초, 살만이 왕위에 오른 뒤 모하메드의 모든 아이디어가 갑자기 최우선순위에 올랐다. 압둘라 국왕의 장례식을 치른 다음 날 모하메드는 왕궁을 완전히 장악하고 새벽 4시에 사우디아라비아의 최고위관리들과 사업가들에게 그날 늦은 시각에 회의를 하러 들어오라는 지시를 내렸다. 그는 모든 질문에 앞서, 압둘라 국왕이 10년 이상 설치하고 활용했던 위원회와 단체를 전부 철폐했을 때 나라가 뒤집힐 수 있는 어떤 리스크가 있는지 그들에게 물었다. 그런 변혁은 예상 못한 충격이 없는지 점검하면서 완만하게 추진해 나가야 한다는 의견을 참석자 몇 명이 표했다. 그는 "말도 안 되는 소리. 만약 그게 옳은 일이면 오늘 바로 하세요"라고 말했다.

사우디 국방부의 상황실 테이블에 둘러앉은 장군들은 앞으로 어떤 일이 벌어질지 꽤 잘 알고 있다고 생각했다. 그들은 몇십 년 동안 사우디군을 운영해 왔기에 신임 국방장관이 전임자와 별로 다르지 않을 것으로 믿었다. 역경에 처하면 사우디아라비아는 오랜 보호자인 미국의 지휘를 따랐다. 워싱턴 D.C.에서 자신들이 무엇을 해야 할지 결정해줄 때까지 매일이든 매주든 숙고에 숙고만 거듭하고 있으면 그만이었다.

그러나 29세의 나이에 사우디아라비아군을 지휘한 지 8주밖에 안 된 모하메드 빈 살만이 V자 테이블의 꼭짓점에 앉아 "F15 전투기들을 출격시키시오!"라는 전례 없는 명령을 내리자 그들은 충격을 받고 침묵을 지켰다. 사우디아라비아는 단순히 전쟁에 나서는 것이 아니었다. 그것은 전쟁을 선도하는 것이었다.

후티[1] 반군이 사우디아라비아의 이웃인 예멘을 가로지르며 도시들을 계속해서 점령해 나가고 있었다. 그들의 대담함, 이란의 지원 그리고 리야드와의 인접성 등으로 인해 게릴라군은 남쪽 국경에 대한 하나의 심각한

---

1 Houthi, 1994년 예멘의 후세인 바드레딘 알 후티(Hussein Badreddin al-Houthi)가 창단한 시아파의 분파 자이드파 반군단체. 내전 당시 사우디아라비아 등 수니파가 남예멘 분리운동을 지원하자 수니파의 영향력 확대를 우려하여 무장활동을 시작했다.

위협이었다.

사우디아라비아에 이란보다 더 큰 위협은 없었다. 그 나라의 아야톨라²
들은 중동을 그들의 전략적 영토라고 믿었다. 반군들이 자기들보다 더 크
고 더 무장이 잘된 사우디아라비아군과 싸워서 이길 수 있다고 확신하는
것은 바로 이란이 강력한 미사일과 군사 장비를 공급하기 때문이었다. 하
루 전, 반군사령관 중 한 명이, 만약 사우디아라비아가 개입한다면 후티
반군은 "메카에서 멈추지 않고 리야드까지 전선을 확대하겠다"라고 선언
했다.

모하메드는 그런 위협을 참으려 하지 않았다. 2015년 3월 그는 사우
디아라비아 역사상 가장 야심적인 군사작전을 명령했다. 그가 내린 결정
때문에 휘하의 장군들은 물론 미국도 경악했다. 사우디 측이 사전 예고
도 없이 백악관에 연락하여 미국도 이 폭격작전에 합류할 것인지를 물었
을 때 "우리는 무방비 상태였다"라고 국가안전보장위원회National Security
Council의 한 관리는 회상한다.

공격 개시 일주일 전, 국왕과 왕궁 보좌진들의 비밀회의에서 모하메드는
교전을 신속하지만 무자비하게 하겠다고 확언했다. 그는 "전쟁을 두 달 안
에 끝내겠다"라고 사우디 관리들과 미국 국무부 측에 똑같이 말했다.

국무부와 사우디 측 장군들은 불안했다. 미국이 지난 수년간 사우디아
라비아에게 자국의 안보를 스스로 통제하라고 부추겨 왔음에도 불구하
고 사우디아라비아는 국민을 위험한 길에 앞세우고 투지를 시험하는 공
격에 앞장서본 적이 없었다. 이전에 군사 훈련을 받은 적은 없지만 공격
적인 젊은 왕자와, 미국의 웨스트포인트³나 영국의 샌드허스트⁴에서 많은

---

2 ayatollah. 원래 '신의 징표'라는 뜻인데 오늘날에는 이란 시아파 이슬람의 고위 종교권위자를
   일컫는 경칭으로 쓰인다.
3 West Point. 미국 육군사관학교의 통칭.
4 Sandhurst. 영국 육군사관학교의 통칭.

빈 살만의 두 얼굴

시간을 교육받은 다수의 장군은 서로 달라도 많이 달랐다. 장군들은 워낙 모든 무력의 조짐에 조심스러워하는 데다가 예멘은 산악지형과 성질이 매우 사나운 사람들과 죽음을 불사하는 투사들로 인해 한 세기 동안 어느 나라 군대든 외국군에게는 하나의 수렁과도 같았다.

사려 깊고 공손한 왕자들과 협상하는 데 오랫동안 익숙했던 미국의 안보 관리들은 자신들이 새로운 유형의 지도자를 대하고 있다는 것을 문득 깨달았다. 그는 미국의 지원이 있든 없든 폭격을 쉽게 강행할 사람으로 보였다. 백악관에서는 개입은 거부했지만 첩보와 공격 목표에 대한 좌표는 제공하기 시작했다.

사우디아라비아 전투기들이 UAE 및 다른 아랍국들의 전투기들과 합동으로 국경을 넘어 줄지어 날아가 후티 요새에 레이저 유도 폭탄을 투하했다. 문제점은 바로 튀어나왔다. 사우디아라비아가 첨단무기는 가지고 있었지만 그것을 제대로 운용하는 데 필요한 전문성은 없었던 것이다.

지상전을 하면 시민들이 위험에 노출될 것이라고 염려해서 사우디아라비아 군부는 공중공격 중심 전략을 추구했다. 군 관리들은 공격 목표 지역의 지도 위에 격자를 그려 넣었다. 그런 다음 외국 병력을 먼저 해당 지역으로 행진해 들어가게 했다. 민간인들을 목표 지역 밖으로 몰아내기 위해서였다. 일부의 병력은 가난한 나라 수단Sudan의 독재자가 사우디아라비아의 원조에 대한 대가로 보내준 10대 병사들이었다. 나가지 않고 목표 지역 안에 남아 있는 사람들은 전투요원이라는 가정 아래 폭격기가 뒤따라 들어가 작전을 벌였다. 또 하나는 미국이 도와준 첨단 미사일과 목표물에 대한 정보를 가지고 정밀타격이라는 결과를 만들어 낼 수 있다고 가정한 것이었다.

전략은 순식간에 무너졌다. 외국 병사들은 민간인 소개疏開 작전을 부지런히 수행하지 않았다. 폭격 좌표도 항상 정확하지는 않았다. 폭격의 계

획자들이 조종사들과 다른 지도를 사용한 경우도 일부 있었다. 폭격 좌표
가 정확한 경우에도 사우디아라비아 공군의 지상 무전기와 전투기들이
교신을 못하는 경우도 있었다. 그런 경우에는 조종사가 지상 가까이 낮게
내려가 폭격통제센터로부터 핸드폰을 통해 폭격 좌표를 받아가야 했다.
레이저 유도 시스템이 사전에 제대로 기준 조정이 되어 있지 않아서 폭탄
이 목표지점에서 멀리 벗어나는 경우도 자주 있었다.

이 일명 '결정적 폭풍'[5] 작전은 중동지역의 혼란과 불안을 고조시켰다.
그러나 당시에는 그것이 어떤 재앙이 될지 분명하게 예견했던 관찰자가
별로 없었다. 또한 그것이 사우디아라비아가 새롭게 나아가려는 방향과
관련하여 어떠한 징후가 될 것인지 예견한 사람들도 없었다.

모하메드는 왕국 안에 강력한 메시지를 보냈다. 사우디 정부는 첫 번째
공격이 시작된 지 몇 시간도 채 지나지 않아 그가 지도를 응시하면서 단
호한 표정으로 군 지휘관들과 협의하는 사진을 배포했다. 전쟁을 통해 모
하메드가 새로운 유형의 지도자라는 점을 더욱 강하게 부각했다. 그는 도
발 앞에서 절대로 꼬리를 내리지는 않을 인간이었다.

예멘 폭격이 개시된 지 얼마 되지 않아 조 바이든 부통령의 안보 보좌
관 토니 블링컨 국무장관이 상황을 파악하기 위해 리야드로 날아왔다. 블
링컨은 미국이 가장 신뢰하는 사우디 측 인사인 모하메드 빈 나예프(또는
줄여서 MBN이라고 부르는)를 만났는데, 그는 대수롭지 않은 표정이었다. 그
는 예멘에 대해서 별로 논의하고 싶어 하지 않았고 해봤자 손해라는 뜻을
넌지시 비쳤다. 사실 그는 전직 미국 정보관리 한 사람에게 모하메드 빈
살만이 첫 번째 예멘 공격에 대한 사전 통보조차 해주지 않았다고 말했

---

5 Operation Decisive Storm, 후티 반군에 의해 축출된 예멘의 압드라부 만수르 하디 대통령의 개
   입 요청으로, 사우디아라비아가 주도하여 이집트, 모로코, 요르단, 수단, UAE, 쿠웨이트, 카타
   르, 바레인 등 9개 연합국이 2015년 3월 26일부터 4월 21일까지 예멘 내전에 개입한 전쟁.

모하메드 빈 나예프

나. 전쟁은 MBN 자신의 것이 아니었으므로 상황을 흘러가는 대로 내버
려 두고 싶어 하는 것처럼 보였다. 블링컨은 답보다는 의문을 더 많이 가
지고 워싱턴으로 돌아갔다.

백악관 참모들이 보기에는 분명 모하메드는 지리적으로나 정치적으로
나 중요한 의사결정권을 가지고 있는 왕자였다. 게다가 그는 그런 결정을
매우 빠르게, 어쩌면 무모하게 내리고 있었다. 워싱턴에서는 그에 대한 정
보를 입수하기 위한 쟁탈전이 벌어졌다. 심지어 그의 생년월일도 수수께
끼처럼 보였다. 워싱턴 관리들이 오랫동안 관찰해온 사우디왕가에 대한
자료 속에 그토록 야심만만한 왕자에 대한 기록이 어떻게 빠져 있었을까?

예멘 폭격 이후 이 왕자가 언급되는 빈도가 많아지면서 'MBS'라는 편
리한 약어를 사용하기 시작했다. 미국 관리들과 정보분석가들은 그의 과
거를 깊이 들여다보면 볼수록 모하메드의 부상이 알고 있었던 것보다 훨
씬 더 비상식적이라는 것을 깨달았다. 그는 역사에 나오는 유명한 장군들
이나 투사들에게서 대담함을 배운 것이 아니라 미국의 비즈니스 거물들

의 이야기를 읽으면서 배웠다.

모하메드를 10대의 혼돈과 비디오게임, 패스트푸드로부터 재빨리 벗어나게 한 것은 돈, 아니 차라리 돈이 없다는 데 대한 인식이었다. 어느 날 열다섯 살의 왕자는 사촌에게 알 사우드 왕가에서 가장 강력한 인물의 한 명이고 10년 이상 현직에 있었던 아버지가 이렇다 할 (사우디 기준에서) 재산을 모으지 못했다고 말했다. 더 나쁜 것은 아버지가 왕자들과 사업가들에게 위험할 정도로 빚을 지고 있어서 살만 가문 전체가 심각한 취약성에 노출되어 있다는 점이었다.

그것 때문에 모하메드는 가문의 미래가 불안하다고 생각했다. 그는 후일 "그것은 살면서 처음으로 마주친 충격이고 도전이었다"라고 말했다. 머지않아 모하메드는 살만에게 왕자가 하기에는 좀 이상한 청을 했다. 그는 말했다. "가게를 하나 열고 싶습니다." 살만은 웃었다. 아버지는 그 제

모하메드 빈 살만 왕세자

안의 저변에 불안감이 자리 잡고 있다는 것을 이해하지 못하고 학교 공부나 제대로 하라고 말했다.

그 어떤 전통적인 기준에서 보더라도 살만과 자식들은 보기 드문 부유한 삶을 살고 있었다. 그들은 사우디아라비아에 궁전이 있었고, 스페인 마르베야의 넓은 별장에는 정원사들이 잔디밭에 'SALMAN'이라고 새겨 놓았으며, 모로코의 탕헤르Tangier 근처 해변에 대학교 캠퍼스만큼 큰 궁전 단지를 가지고 있었다. 각처에 왕자의 변덕을 만족시키기 위해 시중드는 수십 명의 직원이 있었다. 문제는 살만이 자기 몫의 오일 수익 대부분을 저축하거나 투자하지 않고 소비했으며, 더 기업적인 다른 왕자들과 달리 수익성 있는 부업을 시작하지 않았다는 것이었다. 그는 메르세데스 벤츠 자동차의 판매 면허나 제너럴일렉트릭 제품의 유통 면허를 통제하지 않았다. 이런 것들이야말로 왕자들이 소득을 늘리는 전형적인 방편이었는데도 말이다.

살만은 정치적으로는 큰 권력을 획득했지만 알 사우드 기준에서 볼 때 상대적으로 적은 재산을 가지고 있었다. 가까운 집안사람들이 일부 기업과 부동산에 투자를 했지만 살만은 국왕과 국고에서 지급되는 수당에 의존해서 겨우 호화스러운 삶을 살아가고 있는 정도였다. 그 돈이 늦게 지급되면 직원들의 봉급이 체불되었다. 2000년대 초 살만 왕세자와 가문의 외주비용과 고용인 임금이 6개월 동안 체불되었다는 이야기가 파리에서부터 퍼졌을 때 친구들과 가족구성원들은 충격을 받았다. 청원을 위해 찾아오는 평민들에게 왕자로서 보여주는 전형적인 관대함을 베풀기 위해서 살만은 종종 지방은행의 수표를 발행하곤 했는데, 그 은행을 소유하고 있는 살만의 친구가 그 비용을 부담할 수밖에 없었다.

만약 권력의 중심으로부터 멀리 밀려난다면, 재산이 없다는 것은 살만의 자식들로서는 심각한 문제가 될 수 있었다. 소득은 점점 줄어들 것이고 늘어난 자손들이 그것을 나누어 써야 하므로 국왕의 은총에 의존할 수밖에 없을 것이었다. 모하메드는 자신이 권력으로부터 멀리 떨어져 있고 왕위계승서열에도 밀려나 있다는 점을 인식했다. 유일한 해법은 자신이 가문의 사업가가 되는 것뿐이라고 판단했다. 가게를 열겠다는 계획을 포기한 지 몇 년 뒤, 모하메드는 석유화학에 관심을 갖게 되었다.

당시 쿠웨이트를 여행하는 동안 그는 현지 관리들에게 석유를 정제하고 나오는 부산물 비투멘[6]을 쿠웨이트에서 가공할 수 있는지 물었다. 그가 새롭게 구상하는 사업 아이디어의 하나였다. 그들이 모하메드가 요청하는 물량의 40%만 가공할 수 있다는 답을 보내오자 그는 "충분하지 않습니다. 내 계획은 2년 안으로 알왈리드 빈 탈랄보다 더 부유해지는 것입니다"라고 말했다.

알왈리드는 당시 사우디인들 가운데 세계적으로 가장 유명한 인물이었다. 그는 사우디아라비아 국내외의 텔레비전에 늘 나왔고 월스트리트나 유명 매체에서도 알려진 인물이었다. 그는 사우디 왕자에 걸맞을 정도로 최상류층의 삶을 살았다. 모하메드보다 서열이 한참 아래인 알왈리드의 아들조차도 리야드 시내를 람보르기니를 몰고 누볐다. CEO들도 이 왕자들을 만나려고 애를 썼고 셀럽들도 왕자들이 비용만 지불하면 날아와서 사진을 같이 찍고 싶어 했다. 살만은 밤에 별로 재미도 없는 발롯[7] 카드게임이나 하고 잠자리에 들어 다음 날 아침 7시면 일어나는 사람이기에 그와 함께 지내려고 요란을 떠는 사람은 없었다.

모하메드는 주식매매에도 관심을 가지고 있었다. 그는 몇 년 동안 아버지와 큰아버지인 파흐드 국왕이 라마단[8]이 끝나고 맞이하는 이드 알-

---

6 Bitumen. 아스팔트.
7 baloot, 중동지역의 전통적인 카드게임. 4명의 플레이어가 두 팀을 구성하고 152점을 먼저 획득한 팀이 승리한다.
8 Ramadan, 이슬람력의 9월. '더운 달'이라는 뜻. 천사 가브리엘이 무하마드에게 쿠란을 가르친

피트르[9] 축제 때 주는 금화들을 차곡차곡 모아두었다. 열여섯 살이 되었을 때 금화와 선물로 받은 고급시계를 판 돈이 10만 달러쯤 되었다. 이 금액이 주식매매를 위한 종잣돈이 되었다. 그는 이 돈으로 주식을 사고팔고 하다가 결국 "빈털터리"가 되었다고 후일 말했다.

하지만 처음 잠깐은 주식 가치가 올라갔다. 모하메드는 더 큰 규모로 그 덧없는 이윤을 만들어내는 스릴을 계속 추구했다. 그는 사우디아라비아에서 대학을 마치면 외국으로 가서 금융, 통신 또는 부동산 업계에 진출할 포부를 품고 있었다.

이런 포부는 국내에서 더 긴급한 필요가 발생하는 바람에 무산되었다. 열일곱 살 때 제일 큰 이복형 파흐드가 갑자기 죽었다. 왕궁에서는 심장마비라고 했지만 파흐드는 건강했다. 파흐드는 살만이 불과 열아홉 살 때 낳은 큰아들이었다. 그는 정부관리를 지냈고 사업가였으며 경주마의 마주였다. 그의 갑작스러운 죽음으로 살만은 크게 상심했다.

두 달 뒤인 2001년에는 뉴욕에서 9·11 테러가 발생했고, 살만이 이슬람 자선단체에 지원한 자금 중 일부가 테러 활동에 전용된 것으로 밝혀졌다. 파흐드가 죽은 지 거의 1년이 되는 다음 해 7월, 살만의 다른 아들 아흐메드가 43세의 나이에 심장마비로 죽었고, 사촌인 왕자 한 명은 장례식에 오다가 리야드에서 교통사고로 죽었다.

살만 왕세제로서는 도저히 견딜 수 없는 비극의 연속이었다. 모하메드는 그런 아버지의 곁을 지켰다. 많은 사우디아라비아 왕자들이 보스턴, 런던, 파리 등지에서 교육을 받기 위해 왕국을 떠날 때 모하메드는 주의를 안으로 돌렸다. 그는 킹사우드대학교를 다니면서 시간이 날 때마다 아버

신성한 달로 여겨 이슬람교도는 한 달 동안 일출에서 일몰까지 의무적으로 금식한다.
9 Eid al-Fitr, 라마단이 끝나는 날 사원에 모여 예배를 드리고 성대한 음식을 장만해 축하하는 축제.

지가 마즐리스[10]를 열거나 응접실에서 보좌관들이나 청원자들을 접견하는 내용을 관찰자로서 노트북에 적어놓았다. 살만에게는 자신이 가장 좋아하는 아들을 리야드에 계속 데리고 있어야 할 또 다른 이유도 있었다. 나이 든 아들들 중 일부가 해외에 나가 있는 동안 사우디인으로서의 정체성을 잃어버리는 것을 보면서 살만은 모하메드와 그의 형제들을 자신의 이미지로 다듬어 내고 싶었던 것이다. 살만은 "나는 왕자가 되는 법을 배우러 소르본대학에 간 것이 아니다"라고 한 미국인에게 말했다.

살만만 그랬던 것이 아니다. 이븐 사우드도 "지도자가 되려면 자기 나라에서, 자기 국민 속에서, 자기 동포의 전통과 심리에 푹 빠진 환경 속에서 교육을 받아야 한다"라고 말한 바 있다.

리야드 주지사로서 살만은 일부의 형제들보다 국제적인 인지도가 비교적 낮았지만 알 사우드 일족의 선조 때부터의 본거지였던 네지드[11]를 통치했다. 그는 부동산 거래를 통제하고, 왕가를 지원하는 종교지도자들과 협상하고, 체포와 흔히 참수 광장Chop Chop Square이라고 불리는 리야드의 디이라 광장Deera Square에서 자주 집행되는 참수 처형을 관장했다. 그는 제멋대로 행동하는 왕자들을 규제하고, 왕족들 사이의 분쟁을 조정하고, 수세대에 걸친 사우디 부족들의 가족관계를 추적하는 족보관리자였다.

살만은 또한 와하브주의 교단과 왕가가 오랫동안 협력해오는 과정에서 지도자 역할을 해왔다. 그는 전 세계 이슬람학교에 보내는 자금을 통제했다. 그는 또한 왕국의 가장 중요한 국제관계에 대해 삐딱한 견해를 가지고 있었다. 사우디-미국 동맹관계는 본질적으로 거래관계이며, 외교정책에 초점을 둔 왕자들이 그동안 미국의 상대방들에게 천명해온 것처럼 깊

---

10 majlis, 아랍지역에서 지도자가 사저에서 일반 국민으로부터 청원 등을 받고 수리 여부를 결정하는 공적 회합으로 일종의 법정이다.
11 Najd, 사우디아라비아의 수도 리야드 주변에 있는 아라비아반도의 중앙 평원으로 사우디 전체 인구의 3분의 1이 거주하는 지역이다.

은 우호관계가 아니라는 믿음을 가지고 있었다.

리야드에 주재한 한 미국 관리는 살만의 요청으로 처음 마즐리스에 참석했을 때, 양쪽에 긴 소파가 놓인 동굴 같은 방에서 왕자가 매주 일반인들의 청원을 받던 모습을 기억하고 있다. 한 직원이 축구장 절반 정도의 크기에 정교한 카펫이 깔려 있고 크리스털 샹들리에가 달린 방으로 안내했다.

살만은 벽을 등지고 가운데 놓인 큰 의자에 앉아 법정을 열고 있었다. 오른쪽에는 청원자들이 줄지어 앉아 있었다. 왕자는 그 외교관에게 자신의 옆에 있는 의자에 앉으라고 손짓을 했다. "대단히 환영합니다. 사우디아라비아와 미국은 언제나 특별한 관계를 유지할 것입니다"라고 살만이 말했다. 그러나 외교관이 감사의 뜻을 표하는 중간에 경고하듯 "귀국이 우리에게 무기를 판매하는 한"이라며 경고하듯 주의를 덧붙였다.

또 다른 미국 관리도 살만이 리야드 주지사였던 시절, 당시 미국 부통령 딕 체니가 리야드를 방문하여 만찬을 가졌을 때 살만 옆에 앉았던 경험이 있었다. 체니가 국왕과 대화하고 있는 동안 살만이 그 관리에게 "내가 지난 40년 동안 리야드 주지사직을 어떻게 계속할 수 있었는지 알고 싶습니까?"라고 물었다. "물론입니다"라고 관리가 대답하자, 살만이 말했다. "나는 마즐리스를 매주 세 번 엽니다. 한 번은 종교학자들 대상으로, 두 번은 일반 국민들 대상입니다. 심지어 방글라데시에서 온 거리의 청소부들도 오게 합니다. 왜냐하면 그들이 어떤 생각을 하고 있는지 모르게 되는 날이 바로 우리가 권력을 잃는 날이기 때문입니다."

가끔 저녁때가 되면 모하메드는 친구들과 함께 사막으로 나가 직원들에게 텐트를 치고 모닥불을 피우게 했다. 자주 참석하는 사람들은 동생 칼리드와 사촌 바드르 빈 파르한과 압둘라 빈 반다르였다. 그들은 모래언덕에서 사륜구동 자동차로 질주하기도 하고 축구 경기도 하고 비디오게

임도 했다. 맥도날드의 패스트푸드를 먹거나 모닥불에 전통적인 음식을 만들어 먹으면서 모하메드는 억만장자가 되는 계획을 말하곤 했다. 스티브 잡스나 빌 게이츠 등 결과에 초점을 맞추고 경쟁자들보다 더 용의주도함으로써 사라지지 않는 전설을 만들어낸 사람들에 대한 이야기를 들려주었다. 그는 또한 카리스마와 사명감을 가지고 사우디 청년들에 대한 점차 커지는 실망감과 좌절감을 토로했다. "우리는 우리 세대의 미래를 결정할 수 있는 사람들이다. 만약 우리가 앞으로 나아가지 않는다면 그 누가 할 수 있겠는가?"

모하메드는 일찍이 알렉산더 대왕에 매료되어 그에 관한 역사책을 닥치는 대로 읽었고 그 대담한 제국 건설 과정에 탐닉했다. 당시에 그의 절친한 친구 몇 명은 나중에 모하메드를 그들의 "이스칸데르Iskandar", 즉 "아랍의 알렉산더"라고 부르곤 했다.

어느 날 리야드에 본사를 두고 종이, 통신서비스, 가구 등을 판매하는 70대 재벌총수인 압둘라만 알-제라이시Abdulrahman al-Jeraisy는 예상하지 못한 메시지를 받았다. 살만 왕세제의 아들 모하메드가 100만 리알, 약 25만 달러를 차용하고 싶다는 메시지였다. 그것은 팔을 비트는 정도로 강압적이지는 않았지만 그렇다고 제라이시가 쉽게 무시할 수 있는 요청도 아니었다. 그의 가문의 사업은 리야드에 근거를 두고 있고 살만 왕세제는 리야드의 통치자였다. 거절함으로써 발생할 문제와 씨름을 하느니 차라리 25만 달러를 빌려주는 편이 어쩌면 더 나았다. 리야드에 제조업체를 가지고 있는 파흐드 알-오베이칸Fahd al-Obeikan도 같은 요청을 받았는데, 액수가 50만 달러였다. 이 제조업자도 다른 사람들처럼 돈을 냈다.

왕자는 이 돈을 미국 주식에 쏟아부었고 몇 년 뒤 사우디아라비아가 증권거래소 타다울[12]를 개설하자 여기에도 투자를 했다. 왕자가 돈을 벌기 쉬운 곳이었다. 상장된 회사의 숫자는 많지 않았다. 이들 대다수는 정부의 조치에 좌지우지되는 회사들이었으므로 온종일 왕궁에 있는 사람들은 정보를 계속 먼저 얻을 수밖에 없었다.

모하메드는 자신의 회사들을 세우기 시작했고 다른 회사들의 지분을 획득하기도 했다. 그는 쓰레기 수거 사업을 시작했으며, 리야드 남서쪽에 있는 멋진 절벽산의 명칭인 '투와이크Tuwaiq'를 새로 설립한 부동산회사 그룹의 이름으로 명명했다. 그는 결국 사우디아라비아에 있는 12개가 넘는 회사들의 지분을 자신의 명의로 소유하게 되는데 이것은 사우디아라비아에서는 상대적으로 드문 일이었다. 사우디아라비아에서 유력자들은 보통 소유자를 대리인 명의로 하거나 비밀계약 등을 통해 광범위한 투자를 했다. 이 투명성은 진지함과 동시에 순진함의 징표였다.

기업 등기부를 보면 모하메드와 친형제들은 정부의 광역통신망 허가를 받은 누구나 탐내는 기술회사의 지분을 소유하고 있다. 그리고 양어장, 빌딩개발회사, 무역회사, 레스토랑 등을 가지고 있다. 그들은 리야드 오피스 파크[13]를 소유하고 있으며 그들의 지주회사는 루이지애나병원과 합작으로 미국에 사우디의 장기이식환자들을 보내는 회사를 소유하고 있다.

모하메드는 부동산 개발사업에 진출했다. 리야드 주지사로서 살만에게 가장 골치 아픈 문제가 바로 토지 투기였다. 리야드에 돈이 쏟아져 들어오면서 사업가들과 왕족들이 미개발 토지를 사들여 놓고는 미래에 엄청난 이윤을 붙여 팔겠다는 생각으로 개발은 하지 않고 꼭 붙들고 있으려고만 했다.

모하메드는 아버지를 위한 일을 하기 위해 주택 건설에 초점을 맞추었다. 그는 부유한 지주들과 협상을 시작했다. 만약 그들이 토지의 일부를

---

12 Tadawul, 2007년 3월에 설립한 사우디증권거래소.
13 office park, 보통 대도시 교외에 있는 사무실 건물로서 공원, 주차장, 오락시설, 음식점 등이 갖추어진 곳을 말한다.

기부하면 자신이 그 땅에 집을 지을 개발업자를 찾아내겠다고 했다. 그런 다음 개발업자와 지주들이 개발사업을 공동으로 소유하되 모하메드 가문이 일정 수수료를 받는 방식이었다. 새로운 주택에 대한 엄청난 수요가 있을뿐더러 리야드 주지사 아들의 요청을 편한 마음으로 거절할 수 있는 지주나 건설회사는 없었기 때문에 일은 순조로웠다. 이것은 그가 나중에 훨씬 더 큰 규모로 재현하려고 한 사업모델이었다.

국내에서 어느 정도 성공을 거둔 모하메드는 해외 인맥을 쌓기 시작했다. 왕궁의 고위급 왕자들이 자신은 구할 수 없는 정보에 접근할 수 있다는 것을 알고 모하메드는 자신의 정보수집능력을 개발할 방법을 궁리했다. 2006년경 그는 공개된 정보를 이용하여 불법금융네트워크를 알아내는 워싱턴 D.C. 소재 싱크탱크인 첨단국방연구센터Center for Advanced Defence Studies를 접촉한 뒤 자신의 집무실을 갖춘 민간연구소를 설립하자고 요청했다. 하지만 그 싱크탱크의 경영진은 이를 거부했다.

왕자는 자신이 접촉한 외국 사업가들을 사저로 초대하여 살만 및 그의 수행자들과 함께 인생이나 철학에 관해 사적인 이야기를 나누게 했다. 10대 소년에서 이제 우람한 젊은이가 된 모하메드는 한쪽 구석에 자리를 잡고 앉아 열심히 그 이야기를 들었다. 하지만 직접 대화에 참여하는 일은 드물었다. 그가 대화에 끼어들 때는 역사책이나 종교 서적에서 읽은 일화를 인용하는 경우가 많았다. 한번은 파리에서 우주와 신의 본질에 관한 대화를 나누었는데 모하메드는 쿠란의 한 소절을 인용했다. 이즈음 그는 사촌인 사라 빈트 마흐슈르Sara bint Mahshoor와 결혼을 한 상태였고 곧바로 아이를 가지기 시작해 두 아들과 두 딸을 낳았다.

역사책을 읽은 후 그는 세계를 대결이라는 관점에서 보았다. 그는 미국과 같은 강대국이 식민지시대를 연상시키는 방식으로 사우디아라비아에 장악력을 행사할 수 있다는 아이디어에 대해 분노했다. 한 절친한 친구의 회상에 따르면 "그는 머릿속에 반드시 적이 하나 있어야만 했다. 서양은 로마제국이거나 비잔틴제국 같은 존재였다. 오스만제국이기도 했다." 2000년대 초, 모하메드 왕자는 그 친구에게 서양의 강국들이 "우리에게 잘하고 있지 않다"라고 말했다고 한다.

이 대화를 보면 아랍어만 하는 모하메드는 그의 서구화된 형들보다 더 전통적인 '사우디인'처럼 보인다. 그러나 모하메드는 한 미국인이 그를 두고 "자석 같은 매력"이라고 말한 것으로 사람들을 끌어당겨 자신과 더 가까워지고 싶게 만들었다. 이 미국인은 모하메드가 아버지의 권력과 자신의 야망을 통해 충성심을 유발한다는 것을 발견했는데, 그보다 더 중요한 발견은, 모하메드가 자신의 궤도 안으로 끌어들인 사람들이 특별한 대우를 받는다고 느끼게 하는 타고난 정치력을 지녔다는 점이다.

모하메드는 그 매력을 사업의 기회로 전환해, 중개인을 통해 미국 이동통신의 최강자인 버라이즌 커뮤니케이션스Verizon Communications Inc.를 설득하여 사우디아라비아에 광케이블망을 깔도록 했다. 2008년에 거래가 완결되어 버라이즌이 합작법인의 소주주로 참여하고 모하메드가 소유하고 있는 많은 회사 중 하나가 최대주주로 참여했다. 당시 버라이즌 법률팀의 팀장 윌리엄 바르William Pelham Barr는 현재 버라이즌의 수석변호사가 되어 있는 크레이그 실리먼Craig Silliman 변호사를 사우디아라비아에 보냈다. 실리먼은 모하메드와 거래를 완결했다. 바르는 나중에 미국 검찰총장이 되었다.

이 거래 성사는 모하메드의 평판을 높이는 데 도움이 되었다. "내 아들이 수백만 달러를 집안에 벌어왔다"라고 살만은 한 방문객에게 자랑했다. 지역 내 경쟁국가들이 사우디아라비아보다 더 좋은 광통신망을 개발할까 염려하던 정부관리들도 좋아했다.

그러나 모하메드는 아직 젊은 청년이었고 사업 경험이 거의 없었다. 그의 회사는 국제적인 합작회사를 제대로 운영하는 데에 필요한 역량을 갖추지 못했다. 약 2년 뒤 버라이즌은 보따리를 싸서 떠났고 투자한 금액을 손실로 처리해버렸다.

모하메드의 국내 회사들은 그보다는 성공적이어서 수백만 달러씩 벌어들여 그의 걱정을 덜어주었고, 중요한 부족들이나 종교단체에 대한 기부금을 내는 데 필요한 새로운 전쟁금고 역할을 톡톡히 해주었다. 이것은 아버지가 국왕 후보로 나서는 데에 도움이 되는 지지 기반을 구축하는 선결조건이었다.

그러나 그때 아직 20대였던 모하메드는 시장교란혐의와 관련해서 조사를 받았다. 규제기관에서 모하메드를 포함하여 일단―團의 왕자들의 거래 계좌에서 의심스러운 패턴을 발견했기 때문이다. 결정적인 사항이 공시되기 직전에 그들은 주식에 투기적인 투자를 하여 큰 이윤을 남겼다. 규제기관에서는 운이 좋아서 특정 주식을 선정한 것이 아니라 내부자 거래가 아닌지 의심했다. 거래에서 손해를 보는 쪽은 정부인 경우가 흔했다.

당시 사우디아라비아의 주식 규제기관 책임자인 모하메드 알 셰이크 Mohammed Al Shaikh가 이를 조사했다. 그는 모하메드에게 깐깐하게 캐물었지만 모하메드 본인이 아니라 왕자를 대리하고 있는 거래자가 위법에 대한 책임이 있는 것으로 결정했다. 알 셰이크는 모하메드에게 주식 자산을 투자펀드에 넣는 것이 좋다고 충고를 했다.

이 사건으로 압둘라 국왕은 격노했고 왕자들도 시장법 위에 있을 수는 없다고 말하면서 칙령을 내렸다. 모하메드의 이름은 거명되지 않았지만 그는 이 경험으로 상처를 입었고 집안에서 위상이 떨어졌다.

모하메드는 자본시장감독원 의장이자 화이트앤드케이스[14]에서 근무했

---

14 White and Case LLP. 1901년 뉴욕시에 설립된 세계 10대 로펌 중 하나이다.

빈 살만의 두 얼굴

던 변호사인 알 셰이크에게 깊은 인상을 받았다. 알 셰이크는 그에게 단호하지만 경의를 가지고 대했고 문제가 없도록 인도해주었다. 그는 법을 지위보다 위에 두었는데 이것은 '왕이 제일 잘 안다'라는 사우디의 낡은 전통을 과감히 깨는 것이었다. 알 셰이크는 미국에서 공부했고 세계은행[15]에 근무했다. 왕자는 본인에 대한 조사 임무를 맡았던 이 사람이 언젠가 강력한 동맹자가 될 수 있을 것으로 인식했다.

2012년 10월, 이슬람 지도자 살만 알-오우다[16]는 모하메드의 저택 거실에서 마주 앉은 왕자를 도대체 어떻게 이해해야 할지 몰랐다. 그는 왕궁에서 불분명한 영향력을 행사하는 애송이 왕자쯤으로 자신이 알고 있던 모하메드 빈 살만이 자기를 초치한 이유도 모르고 있었다. 오우다는 만남 자체를 거절하고 싶었지만 이미 1년 전 결혼식 때 한 번 퇴짜를 놓은 적이 있었다. 왕세제의 아들을 무시하는 것은 좋은 일이 아니었다.

그리하여 모하메드가 소파에 앉아 커피를 마시면서 세계 역사에 대해 말하고 있고, 전 세계에 1,300만 명 이상의 트위터 팔로워를 가지고 있는 이슬람세계에서 가장 인기 있는 이맘[17] 중 한 명인 오우다가 그 자리에서 그가 하는 이야기를 경청하고 있었다. 모하메드는 이슬람에 대한, 아랍 지도자들에 대한, 그리고 통치자가 나라를 어떻게 통치해야 하는지에 대한

---

15 World Bank, 국제부흥개발은행(IBRD)의 약칭. 1944년 7월 조인된 브레튼우즈협정에 기초해 1945년 12월 미국 워싱턴에 본부를 두고 설립된 국제협력기구. 장기개발자금의 공여를 통해 제2차 세계대전 후 전재복구를 도모하고 개발도상국의 경제 개발을 지원하는 것을 목적으로 한다.

16 Salman al-Ouda, 1956년 출생. 사우디아라비아의 유명한 이슬람학자이자 지도자. 1993년 설립된 '정당한 권리 보호를 위한 위원회(Committeee for Defense of Legitimate Rights)'라는 반체제 단체의 핵심으로 1994년부터 1999년까지 투옥되었다. 2017년 사우디아라비아 주도로 주변국들이 카타르를 봉쇄했을 때 그 정당성을 트위터에 올리라는 정부의 요청을 거절한 뒤 투옥되어 2018년 9월 사형이 구형되기도 했다.

17 Imam, 이슬람 종교지도자에 대한 경칭.

자신의 견해를 이야기했다. 오우다에게는 그것이 도서관이나 왕국 밖에서 그리 많은 시간을 보내지 않다가 최근에 졸업한 학생의 천박한 지식 정도로 느껴졌다. 이윽고 모하메드는 이 성직자의 주의를 끄는 말을 했다. "나의 롤모델은 마키아벨리입니다." 그가 선언했다.

오우다는 말이 없었다. 자신의 태생이 아니라 지식으로써 존경을 받으려는 모하메드의 시도가 성직자에게 깊은 인상을 주었다. 그러나 메시지의 본질이 꺼림칙했다. 이 왕자는 『군주론』을 인용하고 있었다. 그것은 왕국에 닥쳐올 그리고 나중에는 오우다 본인에게 닥쳐올 소용돌이치는 시대의 전조가 되었다.

이때쯤 모하메드는 왕가의 위아래 사람들로부터 칼날처럼 날카롭다는 평판이 자자했다. 허리둘레가 넓고 성질이 급하고 헝클어진 턱수염을 목까지 내려뜨리고 있어서 적들로부터 "길 잃은 곰"이라는 별명을 얻었다. 매번 새로운 버전으로 변조되어 자주 되풀이되는 에피소드가 하나 있었는데, 모하메드가 어떤 토지에 대한 권리를 요구했는데 한 토지 담당 관리가 이를 거부하자 그에게 총알을 보냈다는 이야기였다. 이로써 그는 또 하나의 별명을 얻게 되었다. '총알의 아버지'라는 뜻의 '아부 라사사Abu Rasasa'였다.

공적인 일을 처리할 때도 모하메드는 유력한 친척들을 난폭하게 다룬다는 평판을 받았다. 언젠가 그는 필리핀 노동자들을 가득 태운 버스를 여러 대 끌고 나타나 파흐드 국왕의 부인 중 한 명이었던 큰어머니에게 새로운 용도로 써야 하니 궁전에서 나가달라고 통보하면서 자정부터 전기가 끊어질 것이라고 그녀에게 말했다. 이런 행위는 나이와 지위를 가장 중요시하는 사우디 문화에서는 특히 강압적인 것으로 받아들여졌다.

유복한 사우디인들은 늦은 밤 잡담을 나눌 때면 모하메드의 사람됨이 어머니 쪽 부족의 전통 탓이라고 비판하면서 그쪽의 베두인 혈통에서 비롯하는 것이라고 손가락질을 해댔다. 그의 어머니 파흐다는 사우디아라비아 북동쪽의 아즈만 부족 출신이다. 부족 중 가장 유명한 사람은 라칸 빈 히슬라인Rakan bin Hithlain으로 오스만제국 시절에 존경받는 투사였다. 한편 모하메드의 할아버지 이븐 사우드는 193센티미터의 키에 건장하고 전략적이며 대담했던 완벽한 전사였다. 모하메드는 이들 두 혈통이 하나로 모인 경우였다. 이것은 민담 수준의 전설에 불과했다. 그러나 이 전설은 후일 국민과 직접 소통하는 개혁가 왕자를 옹호하려는 사우디아라비아 청년층을 향해 신화적 배경 스토리를 창출하는 매우 중요한 소재가 되었다.

알 사우드 왕가 안에서 모하메드는 야심만만하고 자기확신에 가득 차 있으며 강력한 아버지 살만 왕세제의 보호를 받고 있다고 알려졌다.

2011년 살만의 형으로 48년간 국방장관으로 있었던 술탄이 사망하자 살만이 그 자리를 맡았는데 이것은 중요한 권력이 이동했다는 표시였다. 군에 대한 통제 권한은 술탄 일가에 거대한 권력과 엄청난 부를 주었다. 그것이 살만에게 이전됨으로써 이미 영향력이 있는 왕자에게 새로운 권력의 기초가 더해졌다. 곧이어 살만은 모하메드에게 군사 보좌관의 직책을 주었다.

아직 20대였던 젊은 왕자는 오랫동안 장교로 있었던 나이 든 왕자들에게 명령을 하기 시작했다. 전임 국방장관과 압둘라 국왕의 아들들도 가리지 않았다. 어느 날 그는 자신보다 서른 살이나 더 많은 한 사촌을 모욕함으로써 선을 넘었다. 칼리드 빈 반다르Khalid bin Bandar라는 왕자로 오랫동안 장군으로 있었던 사람이다. 이 나이 든 왕자가 모하메드의 명령에 따르기를 거부했다. 모하메드는 화가 났다.

그때까지 모두 왕자였던 고위 군 장교 네 명이 모하메드 때문에 군을 떠났다. 그중 한 명은 압둘라 국왕의 아들이었다. 국왕이 이 사실을 알고 이 젊고 건방진 녀석의 고삐를 죄지 않으면 안 되겠다고 판단했다. 국왕은 모하메드를 탕헤르에 있는 자기 별장으로 소환했다. 그러나 모하메드가 도착했을 때 그는 압둘라가 통상적으로 주던 엄중한 경고를 받지 않았다. 대신에 국왕은 왕궁실장 투와이즈리를 시켜서 그를 질책했다. 매우 모욕적인 처사였다. 모하메드가 볼 때 투와이즈리는 하나의 종복에 불과했는데 여기 이자가 이븐 사우드의 손자에게 깔보는 투로 말하고 있었다. 그는 리야드로 돌아와 아버지에게 이 사건에 대해 보고했다.

당시 국방장관에다가 왕세제였던 살만은 아들보다 더 속이 뒤집혔다. 살만은 압둘라 국왕에게 전화를 걸어 모하메드는 자신을 대리하여 행동한 것인데 만약 국왕이 그것이 싫었다면 자신이 사임하겠다고 말했다. 압둘라는 뒤로 물러섰고 모하메드는 국방부의 직책에 복귀했다.

아버지가 매일 여는 마즐리스에 참석하면서 그는 사우디아라비아에서 권력이 내부적으로 어떻게 작동하는지도 배웠다. 그는 살만에게도 취약한 점들이 있으며 아버지와 가문을 보호하는 것을 자신의 몫이라고 인식했다.

당시 70대였던 살만은 왕위를 승계하게 되어 있었지만 압둘라와 마찬가지로 건강문제로 고통받고 있었다. 그는 척추 수술을 받은 뒤로 진통제에 중독된 상태였다. 이로 인해 그는 성질이 나빠졌고 건망증이 생겼다. 칼리드 알-투와이즈리와 그 일당들은 이런 점을 압둘라가 죽기까지 몇 달 동안 그를 치는 데에 악용하려고 했다.

모하메드는 아버지의 중독증을 억제시키기 위해 아버지 주위에 24시간 머무르면서 그가 몇 년 동안 복용해온 것과 똑같은 약을 주었다. 그런데 그것은 모하메드가 특별히 지시하여 용량을 이전보다 낮춘 새로운 약이었다. 이 덕분에 아버지는 몇 주 사이에 오랜 무감각 상태에서 벗어나게 되었다. 이미 가까워질 대로 가까워진 두 부자는 사우디아라비아의 병폐와 그것들을 타파할 방안들에 대해 의논하면서 시간을 같이 보냈다.

모하메드는 가족의 친구 한 사람에게 "왕세제께서 뭔가 달라진 점이 있는가?"라고 물었다. 친구가 "네, 왕세제께서 저에게 소리를 지르지 않습니다"라고 답하자 모하메드는 눈이 거의 안 보일 정도로 크게 웃었다.

외국인들은 알 사우드 왕가의 야심 찬 새 얼굴을 2011년과 2012년이 되어서야 비로소 주목하기 시작했다. 전직 외교관, 첩자, 기타 왕자들에 대한 관찰자 등이 기고하는 배타적인 『걸프스테이츠뉴스레터Gulf Sates Newsletter』는 살만이 아직 리야드 주지사로 있었던 2011년 3월 21일에 열린 국가은퇴자협회National Association of Retired Persons 대회를 주관하는 모하메드에 관한 기사를 게재했다. "평소에는 별로 눈에 띄지 않던 왕자가 최근 공직인 존재감을 가시적으로 드러냈다. 관찰자들은 모하메드 왕자가 특히 야심만만하고 지사 업무를 계속 주시하고 있으며 기타 정부 조직에 대한 통제력을 가지고 있는 것으로 간주하고 있다"라는 내용의 단신이었다.

그의 야심은 대체로 경제에 집중되어 있었는데, 모하메드는 스스로 사업을 운영하고 주식시장에서 놀아본 터라 경제를 자신의 전문 분야로 간주했다. 모하메드는 자신의 주위를 경제학, 경영학, 법학을 전공한 한 무리의 보좌관들이 둘러싸게 했다. 그들은 몇 시간 동안 즉흥적으로 떠오르는 생각들을 뱉어냈고, 나중에 사우디아라비아의 국가개혁계획National Transformation Plan과 20년 이내에 석유의존경제에서 탈피하는 계획인 '비전2030Vision 2030'을 추진하는 핵심동력에 대한 제안서를 작성했다. 혁신적인 것은 별로 없었지만, 변화에 저항해온 이 나라의 역사라는 맥락에서 보면 제시된 아이디어들은 가히 혁명적인 것들이었다. 사우디아라비아는 1962년 존 F. 케네디 대통령으로부터 압력을 받을 때까지 노예제도를 불법화하지 않을 정도로 변화를 싫어하는 나라였다.

모하메드는 시험 삼아 자신 이외에 그 누구의 승인도 받을 필요가 없는 자신의 재단을 설립하기로 결정했다. 시작 단계에서부터 현대적인 사우디연구소를 창설할 수 있는 기회가 될 것이었다. 재단의 명칭은 '모하메드 빈살만빈압둘아지즈재단'인데 주로 'MiSK재단'[18]이라고 부른다. 그는 과거에 겪었던 위험을 피하기 위해서 재단을 기초부터 설계하는 데에 도움을 줄 컨설턴트들을 공개경쟁을 통해 모집했다. 서구의 기업들이 그 기회를 잡으려고 뛰어들었다.

모하메드는 또한 부유한 사촌 알왈리드 빈 탈랄과 동맹을 맺었다. 2012년 알왈리드는 압둘라 국왕의 왕궁실장 칼리드 알-투와이즈리에게 편지를 써서 보냈다. 그는 편지에서 사우디아라비아가 위기를 향해 나아가고 있는지도 모른다고 말했다. 당시에는 원유 가격이 높았음에도 불구하고 막대한 보조금과 국민들에게 나눠주는 다양한 지원금으로 인해 예산이 크게 압박을 받고 있었다. 의료서비스는 대부분 무료였고 해외 유학도 국가가 지원했으며 국민은 아이를 낳을 때마다 특별혜택을 받았다. 리야드 주민은 수돗물을 몇 시간 동안 틀어놓고 흘려버려도 아무런 비용도 지불하지 않았다. 그러나 사우디아라비아는 세계에서 물이 가장 부족한 국가 중 하나로서 지구상 그 어느 나라보다도 많은 양인 연간 12억 톤의 바닷물을 담수화하지 않으면 안 된다.

왕국의 인구는 증가하고 있고 원가는 올라가고 있는데, 다른 나라들은 모두 석유를 덜 쓰는 것을 매우 긴급한 문제로 논의하고 있었다. 석유 가격이 폭락하면 어떤 문제가 발생할 것인가? 파국이 임박한 상황에서 사우디아라비아는 다각화해야 하고 태양에너지와 핵에너지에 투자를 해야 하

---

18 Mohammed bin Salman bin Abdulaziz Foundation, 2011년에 설립하였으며 'MiSK'라고도 한다. MiSK는 'musk' 즉 '사향'에서 따온 것으로 사향은 관용과 자선을 상징한다. 재단 사업은 교육, 문화, 매체에 집중되어 있다.

빈 살만의 두 얼굴

며 오일 달러 일부를 해외로 이동시켜 다양한 소득의 원천을 확보해야만 한다고 알왈리드는 역설했다.

이를 위해 알왈리드는 사우디아라비아 정부 소유의 투자기관인 PIF[19]를 사우디의 오일 수입을 다른 산업들에 투자하는 거대한 자금운용사로 탈바꿈시켜야만 한다고 제안했다. 이웃 국가인 아부다비, 쿠웨이트, 카타르 등이 원유에서 비축된 자금을 운용하는 것과 같은 모델이었다. 알왈리드는 압둘라 왕궁의 고위 왕자들과 다른 고위관리들과의 회의에서 그 계획을 발표했다. "나는 알왈리드의 제안에 동의합니다"라고 모하메드는 말했다. 두 번째 회의에서는 그 계획을 압둘라 국왕에게 보고했다.

그러나 국왕과 그의 보좌관들은 제안을 묵살했다. 원유에서 나온 자금을 다른 산업에 투자하는 것은 리스크였고 알 사우드 왕가는 리스크에 대한 알레르기가 있었다. 사우디아라비아는 이전에 오일 자금을 다른 산업에 투자해본 적이 없었다. 게다가 PIF는 오래된 투자 건들이 잊힌 채 쌓여 좀벌레가 들끓는 옷장 같았고, PIF 자금을 일종의 구제금융 정도로 생각하는 투자기업들이 가득했다. 그 기업들의 소유주 중 상당수가 왕실과 관련이 있는 인물들이었다. PIF를 세계 수준의 투자자로 만들 수 있다는 생각은 하나의 판타지처럼 보였다. 더군다나 늙은 왕궁실장 투와이즈리는 세계가 여전히 석유를 필요로 하고 있다는 논리를 폈다.

모하메드는 또 공직자였던 투르키 알 셰이크와도 가까워졌다. 그는 모하메드보다 몇 살 위의 경찰관으로 호사스러운 차와 시계에 취미가 있었는데, 18세기 와하브주의의 창시자 와하브의 직계 자손인 알 셰이크 가문 출신이었다.

2015년 초, 살만이 왕위에 오른 뒤 모하메드의 모든 아이디어가 갑자

---

19 Public Investment Fund. 공공투자펀드. 1971년 파이살 빈 압둘아지즈 국왕이 설립한 사우디 정부자금운용기관으로, 모하메드 빈 살만 왕세자가 회장이다.

기 최우선순위에 올랐다. 압둘라 국왕의 장례식을 치른 다음 날 모하메드는 왕궁을 완전히 장악하고 새벽 4시에 사우디아라비아의 최고위관리들과 사업가들에게 그날 늦은 시각에 회의를 하러 들어오라는 지시를 내렸다. 그는 모든 질문에 앞서, 압둘라 국왕이 10년 이상 설치하고 활용했던 위원회와 단체를 전부 철폐했을 때 나라가 뒤집힐 수 있는 어떤 리스크가 있는지 그들에게 물었다. 그런 변혁은 예상 못한 충격이 없는지 점검하면서 완만하게 추진해 나가야 한다는 의견을 참석자 몇 명이 표했다. 그는 "말도 안 되는 소리. 만약 그게 옳은 일이면 오늘 바로 하세요"라고 말했다.

아버지가 왕이 된 지 6일 안에 모하메드는 새로이 설치된 경제개발위원회의 의장으로 지명되었는데 이 위원회는 앞으로 모든 국가 사무를 관장할 위원회 두 개 중 하나였다. 그는 이제 국가의 모든 재정 및 개발계획을 대대적으로 개혁할 수 있는 백지위임장을 받았다. 그는 자신을 정부에 근무한 경험이 거의 없는 보좌관들로 에워싸게 했고 그들과 밤을 새워가면서 정책에 대해 토론했다.

두 달이 되지 않아 그는 사우디아라비아를 세계투자지도 위에 올려놓고 개혁을 선도할 기관으로 PIF를 선정했다. 4월에는 나라의 돈 버는 기계인 사우디 아람코[20]를 접수함으로써 세계에서 가장 많은 이윤을 내고 가장 큰 회사에 대한 통제권이 모하메드의 손으로 들어왔다.

모하메드가 첫 번째로 취했던 조치들 가운데 하나는 국제 여론조사 기업을 고용하여 사우디아라비아에 대한 인식, 특히 어떤 부정적인 견해가 있는지를 조사하도록 한 것이었다. 결과는 놀라울 것도 없었다. 사우디는 자생적인 테러리스트가 있고, 영화관이나 오락시설이 없고, 여성의 인권이 고도로 제약되어 있는 폐쇄사회로 인식되어 있었다. 모하메드는 대책

---

20 Saudi Aramco. 공식명은 'Saudi Arabian Oil Company'이다. 1933년 설립된 사우디 국영석유회사로 2021년 매출이 3,591억 달러에 달한다.

본부를 만들어 문제점 하나하나에 대응하는 실행 계획을 세우도록 했다. 바야흐로 사우디아라비아가 세계사회에 동등한 지위로 진입하는 시점이 되었다고 그는 보좌관들에게 말했다. 또 그는 보좌관들에게 사우디아라비아는 더 이상 석유에 의존하지 않는 강력한 경제를 바탕으로 세계무대의 강국이 되는 데 필요한 모든 것을 가지고 있다고 되풀이해서 강조했다.

무엇보다 가장 중요한 일은 살만이 왕위계승서열에서 동생 무크린이 물러난다고 공표한 것이었다. 모하메드는 새로운 부왕세자로 지명되어 사촌인 모하메드 빈 나예프 다음으로 왕위계승서열 2번이 되었다. 모하메드는 이제 실질적인 권력을 갖게 되었다. 이러한 권력 이동으로 사우디아라비아가 살만 중심의 새로운 시대로 들어가는 것을 바라보며 사촌들은 몸서리를 쳤다. 만약 모하메드가 아버지의 전철을 따른다면 그 시대는 수십 년 동안 지속될 것이었다.

이 권력 이동은 거의 헤드라인을 장식하지 않은 채 비교적 조용히 일어났지만 이 나라의 역사상 그 유례를 찾아볼 수 없는 것이었다. 모하메드는 부왕세자였고 군의 지휘자였으며, 그가 생각해내는 거칠기 이를 데 없는 아이디어들까지 확실하게 실행할 수 있게 해주는 오일을 토해내는 위대한 유정油井들을 통제할 수 있게 되었다.

3장

몰디브 파티

리야드에서 수백만 달러짜리 해외 저택을 바라보는 모하메드의 경쟁자들은 점점 더 불안해졌다. 더 이상 살만 국왕이 죽기만 하면 압둘라 국왕의 아들이나 오랜 내무부 장관이었던 고 나예프 왕세제의 아들이 알 사우드 왕가의 3세대 중 처음으로 왕위에 오를 수 있는 상황이 아니었다. 모하메드는 아버지인 국왕의 승인하에 이미 쇼를 지휘하고 있었다. 비록 모하메드 빈 나예프 왕세자가 모하메드와 왕좌 사이에 서 있었지만, 모하메드 빈 살만은 이전의 어느 국왕보다도 더 막강한 권력을 지닌 국가의 실질적인 지도자가 되기 위한 조치들을 취하고 있었다.

2015년 7월

 제일 먼저 긴 다리의 젊은 여자 모델들을 가득 태운 배들이 계속해서 벨라 프라이빗 아일랜드Velaa Private Island 리조트의 선착장에 정박했다. 리조트에 근무하는 집사나 객실 청소담당자들은 눈이 휘둥그레졌다. 대략 총 150명의 모델 대다수가 인도양의 이 작은 나라 몰디브의 수도 말레까지 브라질과 러시아 등지에서 며칠이나 걸려 날아왔다. 모델들은 말레에서 북쪽의 군도까지 경비행기를 타고 가서 배로 갈아타고 인도양의 청록색 바다를 가로질러 벨라로 왔다. 대기하고 있던 리조트의 직원들이 도착하는 여자들 한 명 한 명을 맞아들여 골프 카트에 정중하게 태우고 의료 센터로 모시고 가서 성병 검사를 받게 했다. 검사를 받은 여자들이 빌라에 자리를 잡은 뒤에 비로소 모하메드 빈 살만과 친구들이 수상비행기를 타고 도착했다.

 때는 2015년 여름이었다. 아무도 예측하지 못했지만 모하메드는 그 누구보다도 사우디아라비아의 왕좌에 가까이 다가가 있었다. 아버지가 왕위에 오르고 6개월 동안 모하메드는 그 어느 왕자보다도 더 강하게 그리고 더 신속하게 리야드를 공략했다. 그는 지구상에서 가장 부유한 나라들 가운데 하나인 사우디아라비아의 경제를 손에 틀어쥐었고 국가의 자금을 자신이 적절하다고 생각하는 그 어떤 방식으로든 마음대로 쓸 수 있게 되었다. 그는 예멘에서 전쟁을 하고 있었고 세계 각국의 수도에 있는 정치가들을 알아가고 있는 중이었다. 지난 3년 동안 일에 중독된 사람처럼 아버지의 자선재단을 개혁하고 알 사우드 가의 강력한 인물들을 중심으로 정치적 자본을 구축한 뒤였다. 이제 축하를 해야 할 시간이 되었다.

축하를 위해서는 높아질 대로 높아진 그의 새로운 위상에 걸맞은 비밀스러운 장소가 필요했다. 몰디브는 완벽한 선택이었다. 망망대해 속 눈에 띄지 않는 휴양지로 가득한 놀랄 만큼 아름다운 곳이었다. 그곳은 왕자가 원하는 만큼 치밀하게 통제할 수 있었고, 그곳 정부는 사우디에 군도 하나를 통째로 매각하는 협상을 진행하고 있을 만큼 사우디인들에게 친화적이었다.

모하메드는 1년 전 아버지의 수행단을 데리고 벨라를 처음 방문했을 때 이 리조트에 매료되었다. 체코 출신의 개발업자가 자연 그대로의 오염되지 않은 섬의 개발권을 획득하고 세계 최고의 호화롭고 비싼 리조트로 설계한 곳이었다. 벨라의 50여 개 빌라들은 산호초 위에 지어진 것도 많은데 각각 전용 선착장과 수영장을 가지고 있고 빌라마다 전용 집사가 딸려 있다. 디스코와 제설기가 있어서 술 마시고 흥청대는 난봉꾼들이 열대의 해변에서 눈 폭풍을 맞으며 즐거운 놀이를 할 수도 있다.

몰디브 정부에서 주변의 나무들보다 높은 건물을 짓지 못하게 금지하기 때문에 벨라의 개발업자는 한쪽 해변에 아주 키가 큰 야자나무들을 심어 놓고 바다를 바라볼 수 있는 타워를 세웠다. 그 지붕은 야자나무의 꼭대기와 정확히 같은 높이다. 타워 아래에는 어이없을 정도로 비싼 프랑스 와인들로 채워진 와인 저장고가 있다. 이와 별도로 물 위에 지어진 리조트의 메인 레스토랑에서 손님들은 최고의 셰프가 조리한 요리를 먹으면서 발밑의 물속에서 오가는 바다거북들을 지켜볼 수도 있다.

벨라에서는 세계 어디에서도 누릴 수 없는 서비스와 비밀이 제공되었

빈 살만의 두 얼굴

다. 모하메드가 처음 방문했을 때 리조트의 총괄지배인이었던 한스 카우치는 몰타¹의 호텔 지배인 출신으로 왕자에게 깊은 인상을 주었다. 그의 직원들은 흠잡을 데 없이 완벽하게 훈련되어 있어서 열성적으로 섬세하게 서비스하는 방법을 잘 이해하고 있었다. 일부 직원들은 국제현대집사연구소 International Institute of Modern Butlers에서 훈련을 받기도 했다. 사무실 직원들까지도 모하메드나 살만 국왕이 지나갈 때 절하는 방법을 잘 알고 있었다.

2015년의 파티를 준비할 때는 카우치가 벨라를 그만둔 뒤였다. 그는 대신 모하메드를 위해 집이나 요트를 구입하는 사치스러운 거래를 맡아서 하고 있었다. 모하메드는 그를 고용해서 2015년의 파티를 준비하게 했다.

왕자에게 어울리는 파티였다. 직원들이 소위 "바이아웃buyout"이라고 부르는 방식으로 모하메드와 그의 손님들이 한 달 가까운 기간 동안 섬 전체를 독점했다. 마이애미 출신 래퍼 핏불이 오기로 했지만 그는 근처의 다른 섬에 있는 리조트에 묵었다. 한국 가수 싸이와 세계에서 가장 유명한 DJ 중 한 명인 아프로잭도 왔다.

모하메드에게 돈은 문제가 아니었다. 그의 비서실은 300명이 넘는 리조트 직원들에게 1인당 5,000달러의 보너스를 주기로 합의했는데, 월급 1,000달러에서 1,200달러를 받는 이들에게는 하나의 중대 사건이었다. 여기에 현찰로 받는 팁까지 기대할 수 있었다.

왕자의 프라이버시를 지키기 위해 벨라의 간부들은 직원들이 그 기간에 스마트폰을 가져오지 못하게 했다. 기본기능만 있는 노키아 3310 핸드폰을 가져오든지 아니면 아예 핸드폰을 가져오지 못하게 했다. 이 규정을 위반한 두 명의 벨라 직원은 현장에서 해고되었다.

비밀을 지켜야 할 충분한 이유가 있었다. 모하메드는 사우디아라비아

---

1 Malta, 정식 명칭은 Republic of Malta. 지중해 중앙부에 있는 몰타제도로 이루어진 섬나라.

의 젊은 세대들이 지난 수십 년 동안 왕족들의 터무니없는 지출 행태에 짜증을 느껴왔고, 왕자들의 화려하기 이를 데 없는 저택, 런던의 해로즈백화점에서 흥청망청 써대는 소비 행태, 메이페어의 거리를 질주하는 스포츠카 등에 대해 인터넷에서 읽고 좌절을 느껴왔다는 사실을 잘 알고 있었다. 그는 개혁가의 이미지를 쌓아가는 중이었으므로 사치에 빠져 있는 것으로 유명한 자기 세대의 왕자들과 비슷하게 비치는 것을 원하지 않았다. 예를 들면 파흐드 국왕의 아들 압둘아지즈 빈 파흐드는 전 세계를 20-30명의 수행단을 데리고 돌아다니는 것으로 유명했던 유력한 왕자였다. 그의 여행에는 섹스와 폭행에 관한 추악한 이야기가 뒤따라 다녔다고 공소장에 씌어 있었다. 2012년 그의 일행 중 한 사람은 압둘아지즈가 일정 구역의 방을 통째로 빌렸던 맨해튼의 플라자호텔에서 한 여성에게 마약을 하게 한 뒤 강간한 혐의로 피소되었다.

그러한 행태는 성장하는 국가를 관용과 한결같은 손길로써 그리고 가장 보수적인 이슬람 성직자들과 오랫동안 협력하면서 통치하는 자애롭고 경건한 모습을 자처해온 왕가에게 하나의 정치적 리스크가 되었다. 국민들에게는 엄격한 종교법을 강요하면서 왕족이 이슬람율법을 어기는 것은 국민들의 대중적 지지를 잃기 쉬운 일이다. 어떤 왕자가 알코올과 거의 옷을 걸치지 않은 모델들이 난무하는 파티에 수백만 달러를 날려버리는 모습이 보일 때마다 왕가와 국민들 사이에 이미 존재하는 균열의 망에 또 하나의 균열이 더해지는 것이다.

모하메드는 사우디아라비아의 변화하는 인구 구조에 비추어 볼 때 이것은 시급한 문제라고 믿었다. 사우디 국민들의 상당수가 빈곤층이었고, 소도시들과 상대적으로 가난하고 시아파가 주류인 동부지역에서는 제대로 교육받은 사람들조차 직장을 구하기 어려웠다. 그들 지역에는 불안정을 초래하는 핵심적 요인이 이미 존재하고 있었으므로 모하메드는 왕가에 대한 불만이 그들을 자극하지 않도록 세심하게 주의를 기울였다. 그는 일명 '아랍의 봄'[2] 저항운동 당시에 어떤 상황이 전개될 수 있는지를 똑똑히 보았다. 그때 90년의 역사를 지닌 이슬람 운동단체인 무슬림형제단[3]이 잠시 이집트의 대통령직을 획득했을 때 걸프지역 국가들의 부패 증거로 사치스럽고 알코올에 찌든 사우디아라비아의 왕족들을 예로 든 바 있다.

따라서 사우디 국민들에게 모하메드가 벨라에서 일행을 데리고 파티를 하는 데 5,000만 달러를 썼다는 사실이 알려지지 않도록 하는 것은 특히 중요했다.

손님들이 도착하자 벨라의 직원들은 외곽으로 밀려나 있었다. 왕자 일행은 각자 시중드는 직원들을 개별적으로 데리고 왔다. 이것은 분명 사우디인 손님들이 자신들의 술 마시는 모습을 다른 무슬림 국가의 주민들에게 보이기 싫었기 때문이었을 거라고 두 명의 몰디브인 직원이 말했다.

벨라의 집사들, 청소부들과 셰프들은 사우디인이 아닌 여자들의 엄청난 숫자에 비해 사우디인들의 숫자가 매우 적은 것을 보고 놀랐다. 왕국에서 온 남자들은 몇십 명에 불과했는데 직원들은 이들 모두가 모하메드의 친구나 친척들이라고 들었다. 그들은 도착한 뒤 각자의 빌라로 들어가서 거의 저녁이 될 때까지 머물렀지만 모하메드와 몇몇 친구들은 제트스키를 타고 적어도 한 바퀴씩은 돌았다. 그들이 해변에서 파파라치들에게 사진을 찍히는 것을 두려워해서였는지 아니면 단순히 사우디아라비아 여름의 관습적인 야간 일정에 맞추는 것이었는지 직원들로서는 확실히 알

---

2 Arab Spring. 2010년 튀니지에서 시작하여 중동국가 및 북아프리카 일대로 확산된 반정부 시위 운동. 리비아와 이집트, 예멘에서는 정권이 교체되었고 아프리카의 독재 국가 및 아랍국가에서도 대규모 반정부 시위로 이어졌다.

3 Muslim Brotherhood. 이집트의 이슬람학자이며 사회운동가인 하산 알-반나가 1928년 '진정한 이슬람 가치의 구현과 확산'을 목표로 이스마일리야에서 설립한 이슬람 근본주의 조직. 전 세계에서 가장 오래되고 규모가 큰 이슬람조직으로 알려져 있다. 2012년 6월 직선 투표에서 모하메드 무르시를 이집트 대통령에 당선시켰지만 2013년 6월 반정부 시위가 일어나고 7월 3일 군부가 무르시 대통령을 축출했다. 이후 무슬림형제단 또한 몰락 위기를 맞이했다.

수 없었다.

해가 떨어지고 연예인들이 도착하자 남자들이 나타났다. 수영장 주위의 주무대에는 DJ(어떤 날은 밴드)가 준비되었고 섬의 여기저기에 있는 작은 무대에 여러 가지 여흥거리가 준비되었다. 어느 날 밤 네덜란드 출신의 DJ로서 스타디움 관중들에게 공연을 하는 아프로잭이 쇼를 펼쳤다. 처음에는 조용한 전자 리듬으로 시작해서 심장을 두드리는 것 같은 강한 리듬이 절정에 이르자 흥분한 모하메드가 무대 위로 뛰어올라 갔다. 모하메드가 DJ의 테이블을 접수하고 자신이 좋아하는 레코드를 틀기 시작하자 남자들과 모델들은 함성을 질렀다. 아프로잭은 중얼거리며 슬그머니 물러나와 모하메드가 들을 수 없을 만큼 거리가 떨어진 곳에서 욕지거리를 해댔다. 대다수의 남자가 빌라로 돌아간 새벽까지 파티는 계속되었고 그들은 다음 날 오후 늦은 시각에야 나타났다.

흥청망청하는 때조차도 모하메드는 자신을 완전히 놓아버리지 못하는 것처럼 보였다. 그곳에서 그를 관찰했던 한 사람은 모하메드가 낮에 반바지에 티셔츠를 입고 두어 명의 친구들과 걸을 때 생각에 잠기는 것처럼 보였다고 회상한다. 다른 사람들이 신나게 이야기하는 동안에도 모하메드는 말을 하지 않고 여자나 음악보다 심각한 다른 무엇에 대해 생각하는 것이 분명했다.

그러다가 갑자기 모든 것이 끝났다. 모하메드의 방문 소식이 현지 신문에 노출되었고 이란이 지원하는 통신사가 이 뉴스를 게재했다. 여행이 시작된 지 채 일주일도 지나지 않아 모하메드와 일행은 가버렸다. 여자들도 곧이어 떠나갔다.

모하메드는 또한 장난감치고는 심각한 것들을 사들였다. 그는 비행기를 타고 가던 중 빌 게이츠가 2014년 일주일에 500만 달러로 임대했던 134미터 길이의 요트 서린호[4]를 공중에서 발견하고는 반나절 동안 임대했다. 모하메드는 그 요트를 매우 좋아했다. 요트에는 해저관찰실, 자쿠지, 헬리콥터 착륙장 2개, 비즈니스용 회의실 등이 있었다. 그것은 날렵하고, 사치스럽고, VIP를 초대하기에 완벽한 요트였지만 동시에 절친한 친지들과 함께 파티를 벌이는 밤의 궁전으로 변모할 수도 있었다.

그 후 6주 동안 모하메드의 팀은 요트의 소유자 유리 셰플러의 대리인들과 협상했다. 그들은 최종적으로 원래 가격의 두 배에 가까운 4억2천9백만 유로에 거래를 마쳤다. 그의 팀은 또한 베르사유 근처에 있는 프랑스풍의 요란한 샤토[5]를 (분수, 궁전에나 어울릴 중정, 해자까지 있는) 3억 달러가 넘는 가격에 구입하기도 했다.

요트와 프랑스 샤토의 최종소유자는 모하메드의 절친한 친구 바데르 알-아사케르가 수장으로 있는 에이트인베스트먼트컴퍼니Eight Investment Company였다. 이 회사는 모하메드가 2014년 만만치 않은 돈을 벌기 시작할 무렵 세운 기라성 같은 사우디 국내 회사들의 일부이다. 에이트인베스트먼트컴퍼니는 스리헌드레드피프티식스홀딩컴퍼니Three Hundred Fifty Six Holding Company가 소유하고 있는데 이 지주회사는 2012년 그가 주식거래를 열심히 하던 시절 이래의 개인 자산을 소유하고 있다. 이곳은 피프티파이브인베스트먼트컴퍼니Fifty Five Investment Company와 나인티인베스트먼트컴퍼니Ninety Investment Company를 포함한 회사들을 소유하고 있다. 회사명에 붙은 숫자, 즉 356, 55, 90 등은 각 회사가 소유하고 있는 회사들의 숫자를 의미한다.

시간이 흐르면서 이들 가운데 일부 회사는 미국에 있는 회사들과 합병

---

4 The Serene. 러시아의 보드카 재벌 유리 셰플러가 3억3천만 달러에 발주해서 이탈리아의 핀칸티에리 조선소에서 2011년 8월에 완성한 세계 10대 요트 중 하나. 전장 139.9미터. 무게는 8,231톤에 달한다.
5 Chateau. 프랑스의 대저택.

되기도 했다. 요트 서린호는 가끔 외국 관리들이나 높은 관심을 끄는 사업가들과의 미팅을 위한 물에 떠 있는 마즐리스 역할도 했다. 사실상 이 요트는 모하메드가 가족들의 시선을 떠나 휴식할 때 사용하는 열한 척 선단으로 구성된 해상 궁전의 중심이었다.

리야드에서 수백만 달러짜리 해외 저택을 바라보는 모하메드의 경쟁자들은 점점 더 불안해졌다. 더 이상 살만 국왕이 죽기만 하면 압둘라 국왕의 아들이나 오랜 내무부 장관이었던 고故 나예프 왕세제의 아들이 알 사우드 왕가의 3세대 중 처음으로 왕위에 오를 수 있는 상황이 아니었다. 모하메드는 아버지인 국왕의 승인하에 이미 쇼를 지휘하고 있었다. 비록 모하메드 빈 나예프 왕세자가 모하메드와 왕좌 사이에 서 있었지만, 모하메드 빈 살만은 이전의 어느 국왕보다도 더 막강한 권력을 지닌 국가의 실질적인 지도자가 되기 위한 조치들을 취하고 있었다.

2015년 5월, 모하메드 빈 살만이 사우디아라비아의 국영석유회사를 감독하는 새로운 정부위원회의 의장으로 임명된 것은 특히 수많은 숙부뻘 왕자들과 사촌뻘 왕자들을 분통 터지게 했다. 아람코는 전체 국부의 원천이었으며, 그 이윤 가운데 한 덩어리로 사우드 왕가 전체가 사치스러운 삶을 살고 있었다. 게다가, 만약 살만이 아들 중 한 명에게 아람코를 맡기고 싶었다면 압둘아지즈가 (수년간 석유부 차관으로 재직해서 국제적 석유 협상에 정통한) 명백한 선택이 아니겠는가?

모하메드의 주요 경쟁자 중의 하나는 사망한 압둘라 국왕이 병원 침상에서 뚱뚱하다고 모욕했던 아들 투르키 빈 압둘라였다. 국왕이 2014년 리야드 주지사로 임명했던 공군 조종사 투르키는 자신이 왕위계승서열 4번이라고 즐겨 주장했다. 그러나 만약 모하메드가 왕위에 오르면 이 젊은 국왕은 투르키가 늙어서 기운이 다 빠질 때까지 오래도록 사우디를 통치할 수 있을 것이었다.

공군을 떠난 후 투르키는 사치에 빠져 737기 두 대에 친구들과 보좌관들을 태우고, 내리는 데 몇 시간이나 걸릴 정도로 많은 짐을 싣고 여행을 자주 다녔다. 그는 또 현대판 하렘[6]을 가지고 있었다. 그가 원하면 언제 어디에서든 픽업을 하고 만나주는 조건으로 그로부터 매달 수표를 받아 사치스럽게 살아가는 일단의 매력 있는 여자들이 세계 각지에 널려 있었다. 리야드에 있는 형제들이나 누이들의 궁전을 개인적으로 방문할 때에도 투르키는 금실로 장식한 갈색이나 흑색의 비시트[7]를 걸치고 갔다.

자신이 아버지의 인색함의 희생양이었다고 믿었기 때문에 투르키 역시 돈에 집착했다. 그리고 이로 인해 그는 여러 가지 스캔들에 휘말리게 되었다. 그중 하나가 2015년 말에 드러난 1말레이시아개발회사1MDB, 1 Malaysia Development Berhad의 국부펀드가 요동을 치고 붕괴된 사건에 관하여 멀지만 중요한 역할을 했다는 스캔들이었다. 그는 자신의 사업참모들이 그의 이름과 연줄을 이용하여 말레이시아가 사우디아라비아 정부와 합작기업을 설립하는 것처럼 보이도록 하는 계획에 일부 역할을 한 대가로 1MDB로부터 수천만 달러를 받았다는 혐의를 받았다. 이러한 술수를 통해 음모자들은 수억 달러를 주머니에 챙겼다고 전해진다. 투르키와 다른 연루자들은 그 혐의를 부인하고 있다.

많은 부자가 그렇듯이 투르키의 권력욕은 점점 커지고 있었다. 그는 모하메드가 하나의 위협이긴 하지만 동맹자들을 규합하면 살만의 아들에 대항할 수 있을 것처럼 느낀다고 보좌관들에게 말했다. 그의 계획은 사우디아라비아의 특이한 군사 구조에 기초를 두고 있었다.

---

6 harem, 부인들이나 첩들이 사는 집 안의 격리된 금남의 공간.
7 bisht, 이슬람 남성의 전통적 정장 겉옷. 사각형의 망토 형태로 어깨에서 발목까지 길게 걸쳐 입는데, 저녁에는 몸을 덮는 용도로도 쓰인다.

왕족 내의 권력 균형을 유지하는 방편으로 왕국의 군대는 3개의 독립된 부처가 나누어 통제하고 각 부처는 이븐 사우드의 서로 다른 세 아들이 각각 관장했다. 한때 강력했던 술탄 왕자와 그의 아들들이 수십 년 동안 육군과 공군을 휘하에 거느리는 국방부를 관장했다. 국가방위부는 압둘라 국왕과 그의 일족이 맡았다. 나예프 왕자와 아들들은 오랫동안 제3의 조직인 내무부를 관장했다. 살만은 왕위에 올랐을 때 모하메드에게 국방부를 맡겼지만 나머지 조직들은 오랫동안 그들을 관장해온 가문의 통제하에 놔두었다.

　　투르키는 젊은 모하메드를 여전히 견제할 수 있다고 생각했다. "그에게는 군밖에 없다. 자신이 생각하는 것만큼 강하지 않다"라고 한 보좌관에게 말했다.

　　그러나 모하메드를 열 밖으로 밀어내는 계획은 허점투성이였다. 그는 자신을 꺾으려는 음모를 잘 피하는 것으로 정평이 나 있었다. 한 친구는 그

압둘라 국왕의 아들 투르키 빈 압둘라

빈 살만의 두 얼굴

가 "위험을 감지하는 놀라운 능력"을 가지고 있다고 말할 정도이다. 압둘라의 아들들은 그가 도청을 하고 있는지 모른다고 두려워했다. 벌써 오래전에도 왕자들은 살만이 자기들의 개인적 대화를 엿듣고 있다고 믿었다.

투르키는 쿠데타가 일어나는 경우 미국 정부가 어떤 입장을 취할지에 대해 감을 잡아보려고 은밀하게 노력했다. 그는 살만과 모하메드에게 말이 돌아 들어가지 못하도록 로스앤젤레스에 있는 전직 정보기관 변호사들을 만났다. 투르키는 정부관리들을 만나는 것도 피했다. 이런 움직임은 누군가에 의해 어디서든 포착될 수밖에 없었다. 그는 "만약 장악 이외에 다른 선택이 없는 경우 미국 정부가 나를 지지해줄 것인지 알고 싶다"라고 한 변호사에게 말했다. 새 정부는 압둘라와 나예프의 아들들이 주도할 것이라고 했다. 투르키는 모하메드를 변덕스럽고 타고난 폭군의 모습으로 묘사했다.

모하메드 빈 나예프는 더 정교했다. 자신 이전에 내무부를 관장했던 아버지와 마찬가지로 MBN은 가문 사이의 균형을 흔드는 일은 무엇이나 조심했다. 그는 알 사우드 왕가의 타성적 전통에 대해서도 깊은 믿음이 있었다. 그것은 수십 년 동안 가문의 상층부에서 어떤 커다란 반란도 일어나지 않도록 예방해주었다. 그는 거의 15년 동안 왕국의 반테러 전략의 핵심 담당자로 있었으므로 아마도 사우디 왕가의 그 누구보다 미국 정보안보관리들과 밀접한 관계를 유지해왔을 것이다. 미국과의 관계가 중요하면 할수록 그것이 자신의 안전을 지키는 데 도움이 될 것이라고 MBN은 생각했다.

2015년 중반에 이르러 모하메드는 그 어느 때보다도 광범위한 권력을 갖게 되었지만, 만약 자신의 개혁계획들을 제대로 해내지 못한다면 그 권력이란 것이 아무런 의미가 없다는 것을 잘 알고 있었다. 자신이 최근에 그 일원으로 참여한 안보정무위원회Security and Political Affairs Council 위원들과 긴 테이블에 둘러앉아 있을 때면, 모하메드는 개혁이라는 것이 얼마나 어려운지 잘 알 것 같았다.

위원으로 참여하고 있는 MBN은, 비록 대놓고 말은 하지 않았지만, 어떤 계획에도 반대하는 것으로 보였다. 모든 제안(여자들의 운전, 관광 개방)에 대해서 그와 그의 보좌관들은 그것이 초래할 잠재적 결과를 일일이 열거했다. 가장 오래 근무한 무사드 알-아이반Musad al-Aiban 역시 또 하나의 현상유지 세력이었다. 프린스턴에서 교육받고 외교정책 보좌관으로 있는 사우드 빈 파이살 알 사우드[8]는 파킨슨병과 다른 질병을 앓고 있었는데, 이스라엘-팔레스타인 문제 같은 낡디 낡은 분쟁에 매달리고 있는 것 같았다. 전임 국왕의 무뚝뚝한 아들이며 파리의 오텔 드 크리용Hotel de Crillon의 소유주인 미테브 빈 압둘라[9]는 모하메드에 대한 경멸심을 겨우 숨기면서, 짧은 콧수염을 쓸어내리고 이중턱을 만드는 것으로 끝없는 반감을 표시하고 있었다. 모하메드는 권력을 통합하면서 자신이 보기에 변화에 저항적인 위원들을 점진적으로 배제해 나갔다.

모하메드는 또한 자신의 입지를 강화하기 위해서는 이미지를 쇄신할 필요가 있다는 것을 이해했다. 국가를 급진적으로 개조하기 위해서는 사우디 청년들의 동조가 필요했다. 인구의 60% 이상이 30세 미만이었다. 그들은 가장 권력이 없는 국민이었고 수많은 청년들이 직장을 구하려고 사투를 벌이고 있으며 왕국의 반기업적 분위기 속에서 애를 태우고 있었다. 그러나 그들은 가장 교육을 많이 받은 국민이었고, 그들의 숫자는 제복을

---

8 Saud bin Faisal Al Saud, 1940-2015. 3대 국왕 파이살 빈 압둘아지즈의 아들. 1975년부터 2015년까지 사우디 외무장관을 역임했다.
9 영국 샌드허스트 출신. 2010-2013년 국가방위부 사령관, 2013-2017년 국가방위부 장관 역임. 2017년 리츠칼튼호텔에서 체포되어 장관에서 해임되고 10억 달러를 헌납하는 조건으로 풀려났다.

입은 종교이론가들이나 삐쳐 있는 왕자들보다 몇 배나 많았다. 아랍의 봄 저항운동에서 보듯이 불만에 찬 청년층은 알 사우드의 통치에 위협이 될 수도 있었다. 반대로 그들을 개혁 성향의 통치자가 자신의 편으로 끌어들인다면 권력을 강화하는 기반이 될 수도 있었다.

모하메드의 경쟁자들은 이 전략에 착안하지 못한 것 같았다. 이들은 권력을 구축하는 전통적 수단, 즉 늙은 종교지도자들과 부족의 원로들에게만 공을 들였다. 이것은 경쟁자들의 최대 실수였다.

청년층을 자기편으로 끌어들이기 위해서는 그들이 시간을 보내는 공간, 즉 인터넷에서 그들과 접속할 필요가 있었다. 공공장소에서 남녀의 상호접촉, 음주, 춤, 음악회 참석, 영화 관람, 물담배hookah 등이 금지된 사회에서 온라인 생활은 하나의 결정적 출구이며 소통 방식이었다.

어쩌면 이에 못지않게 중요했던 것은, 경직된 왕정체제와 수십 년 동안 그들의 권력 유지에 도움을 준 성직자들의 지지를 잃지 않으려고 근본주의 종교법을 지키려는 체제로 인해 사우디 청년들이 잃어버린 것들을 인터넷은 정확히 보여주었다는 것이다. 남녀가 섞여 놀거나 공공장소에서의 여흥으로부터 전반적으로 차단된 상태였으므로 그들은 점점 더 가상공간에서, 유튜브와 넷플릭스의 동영상을 보고, 페이스북이나 트위터, 인스타그램을 통해 국제적인 셀럽문화를 추종했다.

모하메드는 왕국의 다른 늙어빠진 왕자들보다 훨씬 먼저 소셜미디어의 중요성을 파악했다. 여론조사나 선거가 없는 나라에서 트위터는 대중이 어떤 정책이나 지도자에 대해서 어떤 느낌을 가지고 있는지를 나타낼 수 있고, 따라서 야심만만한 젊은 왕자가 자신이 대중의 지지를 받고 있다는 사실을 나이 든 왕자들에게 입증하는 데 도움이 되었다. 대중의 지지는 국민들의 반란을 끊임없이 두려워하며 살아온 왕가로서는 매우 중요하게 고려해야 할 문제였다. 다른 한편으로 트위터상에 오가는 왕가에 대한 비판적 정서는 통치자의 기반을 무너뜨릴 수도 있다. 압둘라 국왕의 통치가 거의 끝나가던 2014년, 모하메드는 아버지가 치매에 걸렸다는 주장을 유포하는 익명의 트위터 사용자들 때문에 우려하고 있었다. 루머가 손을 쓸 수 없을 정도로 퍼져나가 사우디인들과 외국인들이 사실로 받아들이게 되면, 살만의 형제들은 경쟁자 중 한 명을 추대해야 한다는 압력을 느끼게 되고 살만 일족의 왕위계승권을 박탈할 가능성도 있었다.

그래서 모하메드는 보좌관 바데르 알-아사케르를 (요트와 샤토를 막후에서 구입하고 MiSK재단의 책임자였던) 시켜서 트위터상의 비판자들을 찾아내는 수년 동안에 걸친 작업을 시작했다. 그 작업에는 결국 이스라엘의 최첨단 스파이기술이 활용되었지만 처음 시작할 때는 훨씬 더 전통적인 전략, 즉 뇌물이 사용되었다. 아래에 기술한 이 작업에 대한 설명은 법무부의 법적 기록에 기초한 것이지만, 기술하는 시점에서는 다만 혐의였을 뿐이다. 왜냐하면 2020년 당시에는 여전히 이에 관한 소송이 진행 중이었기 때문이다.

짙은 색 사각 안경을 쓰고 친절해 보이는 아사케르는 IT 컨퍼런스에 참석해도 어울릴 만한 사람이었는데 2014년 당시에는 정부관리가 아니었다. 그는 모하메드의 개인보좌관이었다. 하지만 왕세제 아들의 보좌관이었으므로 손이 닿지 않는 곳이 거의 없었다. 그해 6월 13일 아사케르는 샌프란시스코로 가서 트위터의 중동 합작파트너인 이집트 출신 미국인 아흐마드 아부암모Ahmaad Abouammo를 만났다.

아사케르의 방문은 트위터 시장의 주요 인사가 통상적으로 방문한 것처럼 꾸며졌다. 아부암모는 샌프란시스코의 사우스 오브 마켓[10] 지역에 있는 트위터 본사의 여기저기를 보여주었다. 아사케르는 자신이 트위터를 엄청나게 사용하는 매우 중요한 왕자 한 사람을 모시고 일하고 있다고 설

---

10 South of Market, 약칭 SoMa. 샌프란시스코의 마켓 스트리트 남쪽 지역으로 박물관들과 소프트웨어 기업들과 인터넷 기업들 다수가 본사를 두고 있다.

명했다. 그들은 연락처를 서로 교환했고 가을에 런던에서 후속 미팅을 하기로 했다. 그 미팅 중 아사케르는 그에게 선물을 주었다. 가격이 적어도 2만 달러나 되는 위블로 시계였다.

이윽고 요구사항이 나왔다. 트위터 사용자들이 모하메드를 괴롭히고 있는데, 그중 닉네임을 무즈타히드Mujtahidd로 쓰는 사람이 있었다. 이 사람은 왕가를 뻔뻔하게 비판하고 왕가의 어른들에 대해 좁쌀 같은 사실 하나를 근거로 소문을 지어내 퍼뜨리고 있었다. 그것이 정치적으로는 하나의 혼란스러운 문제였지만 테러나 범죄적 성질의 행위는 아니었으므로 트위터는 사우디아라비아 사법당국에 그런 사용자들의 신상정보를 알려주려 하지 않았다. 아사케르는 아부암모에게 이들의 회원등록정보를 찾는 것을 도와줄 수 있는지 물었다.

아부암모는 내부 시스템에 대한 접근 권한을 사용하여 무즈타히드의 이메일 주소와 전화번호를 알려주었다. 그것은 트위터 직원으로서는 무모한 행동이었고 반대자들을 감금하는 정부에 비판자들의 정체를 노출시킬 가능성이 있었다.

이런 요청은 몇 달 동안 지속되었다. 그사이에 살만은 국왕이 되었고 모하메드는 왕세자가 되었다. 이제 아사케르는 사우디아라비아의 최강자들 가운데 한 사람을 위해 일하게 되었다. 아사케르는 아부암모가 친척을 통해 레바논에 개설한 은행 계좌로 20만 달러가 넘는 금액을 송금했다. "선제적으로나 대응적으로나 우리는 악을 제거할 것입니다, 형제여!"라고 아부암모는 9,911달러를 송금받은 후 아사케르에게 문자 메시지를 보냈다.

아부암모의 기술적 숙련도는 별로 높지 않았고, 겨우 한 명의 스파이를 두는 것은 트위터 사용자들의 개인정보를 지속적으로 빼내기에는 그다지 신뢰할 만한 방법이 아니었다. 아사케르에게는 더 유능한 스파이가 필요했다. 운이 좋았는지 트위터는 사우디장학금을 받아 미국에서 공부한 젊은 사우디인 알리 알자바라Ali Alzabarah를 채용했다. 샌프란시스코에 살고 있는 알자바라는 친구들에게 전형적인 소프트웨어 엔지니어라는 인상을 심어주었다. (한 친구는 그를 칭찬하는 의미에서 '컴퓨터밖에 모르는 괴짜'라고 불렀다.) 그는 소프트웨어 이외에는 아무런 관심이 없는 것처럼 보였고, 프로그래밍이나 기술의 미래 같은 것들이 화제에 오르기 전에는 말도 별로 하지 않았다. 회사에서 일하는 시간을 제외하면 거의 모든 시간을 집에서 보내거나 베이 지역¹¹의 기술기업에서 근무하는 현지 사우디인들 몇 명과 교류하며 지냈다.

2015년 2월, 아사케르는 한 중개인을 알자바라에게 접근시켰다. 알고 보니 그 엔지니어는 사우디아라비아에 대한 애국심이 깊었고 본인이 할 수만 있다면 어떻게든 왕국에 도움이 되기를 원했다. 알자바라의 직책은 트위터의 시스템이 제대로 작동하도록 유지하는 것이고 사용자의 계정에 접근하는 것이 아니었지만, 트위터는 그가 사용자의 개인정보에 접근하는 것을 허용했다. 그 정보에는 많은 사용자의 경우 전화번호, 이메일 주소, IP 주소 등이 포함되어 있는데, IP 주소를 알면 사용자가 어디에서 로그인하는지 그 물리적 위치를 확인할 수 있다. 그것은 알자바라가 익명의 체제비판자의 정체를 밝혀낼 뿐 아니라 그 사람의 위치까지 콕 집어낼 수 있다는 것을 의미한다.

몇 달 뒤 아사케르는 사우디아라비아 대표단에 끼여 미국으로 가서 알자바라에게 만나자고 요청했다. "모하메드 빈 살만 비서실의 요청을 받고 워싱턴에 가요"라고 알자바라는 부인에게 문자메시지를 보냈다.

그 미팅을 한 지 얼마 지나지 않아 알자바라는 트위터의 내부 시스템을

---

11 Bay Area, 샌프란시스코 인근의 9개 카운티를 지칭. 주요 도시는 샌프란시스코, 오클랜드, 산호세 등이다.

이용해서 트위터 사용자 6,000명 이상의 계정 정보를 샅샅이 뒤졌다. 특히 무즈타히드는 진행 중인 목표물이었다. 그는 왕가에 대한 비밀정보라고 주장하는 것을 계속해서 트위터로 내보내고 있었다. 그중 일부는, 예컨대 살만 국왕의 동생 무크린이 2015년 4월 왕세제 자리에서 축출되는 상황이 닥쳐오고 있다고 한 것은 사실로 판명되었다. 그다음 달 무즈타히드는 전임 왕세제의 미망인이 사치스러운 호텔 체재비용 수백만 달러를 지불하지 않고 있는 사건을 상세히 설명하는 당혹스러운 문서를 프랑스에서 입수하여 트위터에 올렸다.

그로부터 며칠 뒤에 알자바라는 아사케르의 요청을 받고 무즈타히드의 계정에 접근하여 전화번호와 IP 주소를 알아냈다. 다른 사용자들에 대한 추가 요청이 뒤따랐다. 알자바라는 아사케르에게 어떤 사용자가 터키와 이라크에서 번살아 가며 시간을 보내고 있다고 알려줬다. 또 한 사용자는 터키에 근거지를 두고 있었다. 세 번째 사용자는 사우디인이고 자신의 정체를 감추기 위해 암호를 사용하는 '프로'였는데 한번은 암호를 사용하지 않고 로그인을 하는 바람에 알자바라는 그의 IP 주소를 추적할 수 있었다.

알자바라는 자신이 모하메드의 부하에게 귀중한 정보를 주고 있다는 사실을 깨달았다. 자신이 접근 중인 계정들 중 일부는 왕궁 측이 테러에 관련되어 있는 것으로 의심하는 자들의 것이었다. 사우디 관리들이 테러 공격범을 전향시키는 데 조력한 사람 누구에게나 190만 달러를 지급하겠다고 공포했다. 그의 개인 계정 애플 노트에는 알자바라가 아사케르에게 자신이 그 상금을 요구할 수 있는지 묻는 글의 초안이 적혀 있었다.

알자바라는 6월 18일 아사케르와 전화로 대화한 뒤 다음 날 사우디인 오마르 압둘아지즈의 트위터 계정에 접근했다. 정부를 공공연하게 비판한 데 대한 응징으로 왕국에서 학교 교육을 차단당하고 캐나다로 망명한 오마르 압둘아지즈는 사우디인 언론인이자 체제비판자인 자말 카슈끄지

(영어명 '자말 카쇼기')와 강한 연대를 형성하려고 했다.

감시작업에 힘이 붙고 고도화되면서 알자바라는 리야드로 날아가 사우디아라비아에서 사용자들의 계정에 계속해서 접근했다. 한때의 '컴퓨터밖에 모르는 괴짜'가 이제 국제적으로 신비의 인물이 되었으므로, 그는 사우디 정부로부터 칭찬과 문제가 생기는 경우 도움에 대한 재확인을 받고 싶었다. 알자바라는 "나는 어디에 있는 것인가? 그리고 이 일은 나에게 어떤 영향을 줄 것인가?"라고 또 애플 노트에 써놓았는데, 어려움을 겪고 있는 아버지를 위해 자신이 정부에서 어떤 도움을 받아낼 수 있을지 또는 모하메드의 재단에서 업무훈련을 받을 수 있을지를 궁금해 하는 글도 있었다. 고위관리들을 위해 자신이 부담하고 있는 위험 때문에 그는 어떤 "영속적인" 직무, "나와 내 가족의 미래를 안정시킬 수 있는 어떤 것" 등을 원했다.

알자바라 같은 인적 자산은 오기도 하지만 가기도 한다는 것을 (무서움을 느껴서, 또는 체포되어서, 또는 귀중한 정보에 대한 접근권을 잃어서) 이해하고 있기 때문에 모하메드의 부하들은 모하메드의 또 다른 절친한 측근인 사우드 알-카흐타니의 후원 아래 다른 스파이방법을 개발했다. 사우드 알-카흐타니는 압둘라 국왕의 왕궁에서 일했던 직원이었는데 모하메드에게 빠져들었고 후에 모하메드가 가장 신뢰하는 부하 중 한 명이 되었다. 2015년 6월 사우드는 해킹 팀Hacking Team 사장에게 이메일을 보냈다. 이 이탈리아 회사는 온라인으로 스파이 업무를 가능하게 하는, 첩보영화에 나올 것 같은 소프트웨어를 정부 상대로 개발해주는 곳이다. 알-카흐타니는 "국왕 비서실이 귀사와 생산적인 협력관계 속에서 장기적이고 전략적인 파트너십을 발전시키기를 원합니다"라고 썼다. 온라인상에 유출된 해킹 팀의 깊이 숨겨져 있던 내부서류를 보면 사우디 정부가 결국 그 스파이용 소프트웨어에 수백만 달러를 지불한 것으로 되어 있다.

빈 살만의 두 얼굴

카흐타니는 모하메드에게 비판자 개개인을 찾아내는 것을 넘어, 트위터를 활용하여 그의 개혁에 대한 지지를 끌어내고 왕가의 다른 사람들과 그의 지지도를 비교 평가할 수 있다고 보고했다. 교육부의 자금을 받는 정체 미상의 그룹이 이미 그러한 목적의 프로젝트를 진행하고 있는 것으로 드러났다.

사우디인 컴퓨터과학자 나시르 알-비카미Nasir al-Biqami의 지원 아래 록히드[12]에서 일했던 한 미국인이 이끄는 일단의 프로그래머들이 트위터에서 아이디어와 전략을 개발하는 방식을 이해하기 위해서 인공지능을 사용하고 있었다. 카흐타니는 그 그룹을 왕궁의 자신 밑에 데려다 놓고 모하메드와 압둘라의 아들들과 왕세자 모하메드 빈 나예프를 포함한 경쟁자들에 대한 트위터상의 여론을 조사하라고 프로그래머들에게 지시했다.

사우드는 모하메드의 존재감을 더 확장하고, 이미지 쇄신을 위한 노력을 더 강화하고, 그의 이미지를 더럽히려고 하는 자들을 공격할 필요가 있다는 결론을 내렸다. 사우드는 리야드의 외교지구에 있는 왕궁부의 한 사무실에 전문가 그룹을 모아놓은 다음 평범한 사우디인 청년들의 것처럼 보이는 사진과 이름으로 수천 개의 가짜 트위터 계정을 만들게 했다. 그들은 모하메드와 그의 계획을 칭송하는 내용과 경쟁자들에 대한 비판적 내용의 글을 트위터에 올렸다.

주목할 만한 것은 투르키 빈 압둘라의 팀도 소셜미디어의 중요성을 인식하고 그것을 하나의 무기로 생각했다는 것이다. 그들은 스위스에 전문가를 고용하여 모하메드 빈 살만에 대한 공격적인 프로파간다를 트위터와 인스타그램에 홍수처럼 쏟아 부었다.

---

12 Lockheed Martin Corp. 미국 메릴랜드 주 베데스타에 본사를 둔 세계적인 우주·방위산업·정보기술기업. 한국이 도입한 스텔스전투기 F35A의 제조업체이기도 하다. 1995년 록히드와 마틴 마리에타가 합병한 회사이다.

카흐타니는 외국인의 것으로 보이는 계정을 이용하여 모하메드를 지지하는 글을 올리면서 훨씬 더 공격적이고 훨씬 더 많은 돈을 쏟아 부어 역공을 취했다. 일부 계정들은 가짜였다. 사망한 기상학자, TV 금융평론가, 올림픽 스키 선수 등이 포함된 미국인들의 계정은 진짜였지만 사우디인들이 관리했다는 사실을 카타르에 있는 영국인 교수가 밝혀냈다. 카흐타니는 또한 왕자를 비판하는 사람들도 추적하기 시작했고, 때로는 트위터 봇[13] 군단을 동원하여 그들을 공격했다. 트위터상의 공격적인 존재감 덕분에 그에게는 '미스터 해시태그'라는 별명이 붙여졌고, 사우디인 청년들 사이에서 그의 군단은 '파리떼'로 통하게 되었다.

아사케르가 혐의를 받은 트위터 침입행위는 그의 우물이 말라 가는 데다가 카흐타니의 작업으로 인해 빛을 잃게 되었다. 그의 스파이였던 알자바라는 조심스러운 기술전문가에게 당연히 요구되는 수준만큼 신중하지는 못한 것으로 판명되었다. 알자바라는 아사케르와 보안이 되지 않은 전화로 통화를 하고 이메일로 교신했다. 미국 정보요원이 그것을 포착했다.

민감한 상황이었다. 정보기관들은 미국 법원에서 형사소송에 부칠 목적으로 작업하지는 않는다. 그들은 미국 밖에서 일어나는 일에만 집중한다. 그들이 수집한 엄청난 양의 데이터를 소송을 제기하는 데 활용하는 경우 해외에서 누구를 도청하고 있는지 노출되는 것을 포함하여 모든 종류의 잠재적 문제들이 활짝 드러나게 된다.

그러나 그들은 분명히 검찰이 조사해야 할 만한 것들을 우연히 마주치게 될 때가 있다. 어떤 미국 기업의 직원들이 외국 정부로부터 현금을 받고 사용자 정보에 접근하는 경우가 그런 예 중 하나다. 그래서 정보관리

---

13 bot, 특정 작업을 반복 수행하는 프로그램.

빈 살만의 두 얼굴

들은 그 정보를 법무부에 전달했고, 그 정보는 다시 샌프란시스코 FBI 지국에 전달되었다.

2015년 말, FBI 수사관 한 명이 샌프란시스코의 지저분한 텐더로인[14]에 있는 케네디 시절 연방 건물에서 주사기 등이 널려 있는 한 블록을 지나 트위터 본사가 있는 마켓 스트리트로 걸어 내려갔다. 그 수사관은 회사의 변호사들에게 소식을 전했다: 트위터에 스파이가 있다.

이때 아부암모는 회사를 그만둔 뒤였지만 알자바라는 여전히 현직에 있었다. 수사관은 민감한 상황이지만 수사는 초동단계라고 설명했다. 수사관은 회사에, 알자바라에게 무슨 일이 벌어지고 있는지 알려주지 말라고 요청했다. 만약 그가 수사가 진행되고 있다는 눈치를 채면 사건을 망치게 될 것이라고 했다.

그러나 트위터의 변호사들은 연방수사관에 대해 회의적이었다. 기술거뮤니티 사람들이 대체로 그렇지만, 그들은 사법당국이 자신들이 원하면 모든 개인정보를 획득할 수 있다고 추정하는 것을 개탄스럽게 생각했다. 트위터의 변호사들에게 있어서 사용자 정보는 신성불가침이었다. 심지어 미국 정부가 정보를 외국 정부에 넘겨주는 자를 때려잡기 위해서 요청한다 하더라도 트위터는 협조하기를 주저할 것이었다. 따라서 사건을 비밀에 부쳐달라는 FBI의 요청에 부응하는 대신 트위터의 변호사들은 알자바라를 다음 날 오후에 불러서 사용자 계정을 부당하게 접근한 데 대해 비난하고 그를 일시적으로 정직시킨다고 통보했다.

알자바라는 집에 가서 베이 지역의 기술커뮤니티에서 사건 사우디아라비아 태생의 벤처투자가인 친구에게 전화를 했다. 그 친구가 두 시간 뒤에 그를 픽업했고 알자바라는 문제가 생겼다고 말했다. 자신이 "호기심" 때

---

14 Tenderloin, 샌프란시스코의 유니언스퀘어와 시빅센터 사이의 지역.

문에 사용자 정보를 들여다보기 시작했는데 문제가 터졌다고 했다. 이제 트위터에서 정직이 되었으니 왕국으로 돌아가야만 할 것 같다고 말했다.

"왜?" 그의 친구가 차에서 물었다. "나는 이것이 그렇게 심각한 문제가 아니라고 생각해." 그는 만약 법적 측면이나 또는 보안적 측면에서 어떤 문제가 있었다면, 경찰이 억류를 했거나 또는 마음대로 떠날 수 없도록 어떤 조치를 취했을 것이라고 알자바라에게 말했다.

알자바라는 "아냐. 나는 떠나야만 해"라고 말했다. 그는 친구의 전화기로 아사케르에게 전화를 했고, 아사케르가 결국 로스앤젤레스 주재 사우디아라비아영사와 접촉했다는 사실이 FBI가 확보한 통화기록에 나온다. 오랫동안 전화를 주고받은 뒤 자정이 조금 지난 시각에 알자바라는 총영사와 통화했다. 이로부터 일곱 시간도 지나지 않아 알자바라 부부와 딸은 로스앤젤레스를 경유하여 리야드행 항공편에 탑승했다. 탑승 후 그는 트위터의 상사에게 사직서를 이메일로 제출했다.

법무부 관리들은 격노했다. 트위터가 자신들이 체포하려고 했던 사람에게 정보를 귀띔해줌으로써 사건을 망쳐놨다는 이유였다. 그는 트위터의 규정을 어겼고, 외국 정부를 위한 첩보라는 명목으로 사용자들의 개인 비밀을 훼손한 혐의로 자신들이 고발하려 했던 사람이었다. 이제 그는 손이 닿지 않는 곳으로 가버렸다. 알자바라의 염려에 대해서는 아사케르가 모하메드의 재단에 일자리를 주선해줌으로써 그의 미래가 안정되도록 도와주었다. 법무부의 법률자료에 의하면 알자바라의 책임은 사우디 왕국을 위해 "소셜미디어를 추적 관찰하고 조작한 것"이었다.

모하메드의 트위터작전은 잘 먹히는 것처럼 보였다. 많은 사우디 국민이 그의 속도 있는 개혁 조치들에 진정으로 감동하는 것 같았다. 심지어 역사적으로 사우디아라비아의 정책을 앞장서서 비판해오던 사람들의 상당수도 그랬다. 전직 사우디 정부 공무원이고 트위터 팔로워가 100만 명이 넘는 노련한 언론인 자말 카슈끄지[15]도 처음에는 그런 이유로 생각을 바꾼 사람들 가운데 한 명이었다. 2015년 『미들이스트모니터Middle East Monitor』와의 인터뷰에서 그는 '결정적 폭풍' 작전을 사우디아라비아가 지역을 통제하려는 이란의 책동을 참지 않겠다는 중대한 징표라고 옹호했다. 그는 모하메드의 개혁에 열광하는 것 같았다. "사우디는 이러한 자유를 위한 르네상스의 일부여야 한다"라고 인터뷰에서 말했다. "나는 조국이 이 역사의 옆에 서 있기를 바란다"라고도 했다.

흑백이 어우러진 턱수염을 가지런히 기르고 좋은 이야기를 할 때면 냉소에 가까운 미소를 짓는 카슈끄지는 1980년대부터 사우디 왕궁 주변에 계속 머물러 왔다. 그는 살아오는 과정에서, 오사마 빈 라덴 및 그의 지하드[16] 전사들과 아프가니스탄에서 함께 지내면서, 또 워싱턴의 사우디아라비아대사관에 근무하면서 많은 것을 보았고, 따라서 고위 왕족들에 대해서 때로는 호의적이고 때로는 적대적으로 입장을 계속 바꿔왔다.

비록 카슈끄지가 한때 빈 라덴이 아프가니스탄에서 벌인 노력에 대해 칭찬을 한 적은 있었지만 이 언론인은 그의 국제적 테러에 대해서는 반대했다. 빈 라덴이 사살되었을 때 그는 트위터에 "나는 조금 전 주저앉아 울고 말았습니다. 아부 압둘라Abu Abdullah 당신을 생각하면 가슴이 미어집니다"라는 글을 올리면서 빈 라덴을 향해 '압둘라[17]의 아버지'라는 뜻의 아주 친밀한 별칭으로 불렀다. "증오와 분노에 굴복하기 전 그 아름다운 아프가니스탄 시절, 당신은 아름답고 용감했습니다."

---

15 압둘아지즈 국왕의 주치의 무하마드 카슈끄지의 손자. 아버지는 아흐마드 카슈끄지. 백부 아드난 카슈끄지는 1970-1980년대 사우디아라비아 최고의 무기중개상으로 당시 재산이 50억 달러에 이르는 세계 최고의 부자였다.
16 jihad, 이슬람을 위한 성스러운 전쟁.
17 Abdullah bin Osama, 1976년 출생. 오사마 빈 라덴이 첫 번째 부인과의 사이에서 낳은 아들.

그의 알 사우드 왕가에 대한 정치적 협력과 비판은 받아들일 수 있는 경계를 아슬아슬하게 맴돌았다. 어떤 때는 그 선을 넘기도 했다. 바레인 당국은 카슈끄지가 바레인의 운동가와 했던 인터뷰를 방송한 지 몇 시간 만에 그가 공동설립한 알 아랍 텔레비전 채널을 폐쇄해버렸다.[18]

그러나 카슈끄지는 가문에서 거의 괴짜 취급을 당했다. 다른 언론인들의 커리어를 끝장낼 정도의 일화가 있은 후에도 결국엔 다시 선호의 대상이 될 정도였다. 한번은 투르키 빈 압둘라의 사우디 사업파트너에게 10만 달러를 받고 말레이시아 총리에 대한 아첨 기사를 써준 적이 있었는데 이는 나중에 드러나는 커다란 1MDB 스캔들 중 작은 사건에 불과했다. 그러나 이전에 왕국의 지도자를 비판했던 카슈끄지가 2015년에 쓴 모하메드를 칭송하는 기사를 외국의 영향력 있는 사람들은 비중 있게 받아들였다. 그는 매력이 넘치고 교활한 인물이었는데, 일면으로는 언론인, 다른 일면으로는 PR 책임자였으며 후일에는 또 다른 일면으로 반체제주의자였다.

대중적인 평판을 높이는 것도 모하메드의 이미지 메이킹 노력의 일환이었다. 그러나 이에 못지않게 중요한 것은 그가 젊고, 경험이 없고, 왕위계승서열이 2번임에도 불구하고 외국의 지도자들에게 모하메드 왕자야말로 새로운 사우디아라비아에서 중요한 인물이라는 점을 보여주는 것이었다.

---

18 'Al-Arab News Channel'을 말한다. 이 채널은 사우디아라비아의 알왈리드 빈 탈랄 왕자가 바레인 수도 마나마에서 2015년 2월 1일 설립했는데, 설립 당일 이 인터뷰를 방송하고 몇 시간 만에 채널이 폐쇄되었다. 저자는 카슈끄지가 공동설립자라고 기술하고 있지만 이 채널은 온전히 알왈리드 왕자가 출자하여 설립한 것이고 카슈끄지는 초대 방송국장으로 참여했다. 첫 번째 인터뷰를 본인이 직접 했던 것으로 보이는데, 인터뷰 내용이 사우디아라비아에 비판적이어서가 아니라, 바레인에서 수니파인 왕가가 시아파가 대다수인 국민을 탄압하고 있다며 시아파 운동가인 칼릴 에브라힘 알-마르주크가 비판한 것이 폐쇄된 이유였다.

빈 살만의 두 얼굴

그래서 국방장관에 취임한 후 예멘 폭격을 개시하고 사우디아라비아의 석유회사의 통제권을 확보하면서 모하메드는 국가수반처럼 행동할 작정을 했다. 어느 날 밤 10시쯤 그는 리야드의 집무실에 신뢰하는 중재자인 미국대사 조 웨스트팔과 함께 앉아 있었다. 미국의 전직 군 고위관리였고 상냥한 성격의 웨스트팔은 전통적 외교관의 전형이었다. 그는 따뜻하고 경계심을 풀게 하지만 교활할 정도로 명민했다. 둥근 얼굴에 편안한 미소를 지닌 그는 긴장이 팽팽한 회의 도중 얼빠진 농담이나 스스로를 깎아내리는 이야기로 과열된 회의의 열기를 식힐 수 있는 인물이었다. 그는 미국에 갈 때마다 반드시 그리니치빌리지의 단골 서점에서 아동도서를 구매해 살만 국왕에게 갖다 주었다. 왕국에서는 그런 책들을 살 수 없었는데 국왕은 그런 책을 손자손녀들에게 읽어주기를 좋아했다.

웨스트팔은 살만에게 '립 밴 윙클'[19]을 사다준 적이 있었다. "어떤 사람이 당신이 리야드 주지사가 되었을 때 잠들었다가 48년 후 지사직을 물러날 때 깨어났다고 상상해보십시오. 그 사람은 알아보지 못할 정도로 현대화된 장소를 보게 될 것입니다."

이렇게 웃고 아첨을 하는 한편 웨스트팔은 살만이 즉위하기 오래전에 모하메드에게 주목하고 이 젊은이가 호기심이 있고, 야심만만하고, 왕궁에서 보기 드문 직업윤리를 가지고 있다고 백악관 관리들에게 보고했다. 모하메드는 웨스트팔의 주의 깊은 관심에 부응했다. 그는 대사가 자신의 이야기를 경청한다고 느꼈고 권력을 잡은 다음에는 웨스트팔을 워싱턴을 향한 음향판이나 유도관으로 점점 더 많이 활용했다. 그는 이를 위해 대사와 심야 회동을 정기적으로 가졌다. 밤 10시 회동에서 모하메드는 대사

---

19 Rip Van Winkle, 미국 작가 워싱턴 어빙의 1820년작 『Sketch Book』에 실렸던 단편소설. 낮잠을 자고 일어났더니 세상이 바뀌어 있더라는 이야기로 미국 작가가 미국에 대해 쓴 최초의 단편소설로 알려져 있다.

에게 블라디미르 푸틴 대통령이 자신을 직접 만나기 위해 크렘린으로 초청했다고 알려줬다. 모하메드는 그러나 자신은 미국을 제일 먼저 공식방문하고 싶다고 말했다. 웨스트팔은 버락 오바마 대통령의 초청장이 반드시 올 것이라고 답했다. 그는 또한 만약 왕자가 푸틴을 실제로 만나게 되면 자신에게 그 이야기를 들려주면 좋겠다고 덧붙였다.

모하메드가 미국 방문을 갈망했던 이유는, 그것이 갑자기 권좌에 오른 왕자가 양국 간의 특별한 유대를 존중하는 세계적 지도자가 되었다는 것을 명백하게 보여줄 수 있기 때문이었다. 그러나 미국 대통령은 보통 국가수반들을 만나지 그들의 후계자를 만나지는 않는다. 그 시점에는 모하메드 빈 나예프 왕세자가 왕위계승서열 1번이었다. 모하메드 빈 살만은 그다음 순위였으므로 왕위에서 두 발짝이나 떨어져 있었다.

그래서 모하메드는 푸틴을 먼저 만나기로 결정함과 동시에 백악관의 뒷문도 궁리해냈다. 이란의 핵무장 야심을 꺾기 위해 미국이 사우디아라비아와 진행하고 있는 협상에 긴장이 높아졌으므로 오바마의 관리들은 미국의 걸프지역 동맹국들과 지역 현안을 논의하기 위해 캠프 데이비드[20]에서 회담을 갖기로 결정했다. 살만 국왕이 참석을 거절하자 오바마 대통령의 참모들은 국왕이 몸이 좋지 않기 때문이라는 사실을 알기 전까지는 혹시 냉대가 아닌지 우려했었다. 국왕은 대신 왕세자 MBN과 자신의 아들 MBS를 보냈다.

나이로 보나 타이틀로 보나 MBN이 선임 왕자였다. 하지만 두 왕자를 수행하여 회의에 참석했던 한 보안관리는 모하메드가 "MBN에게 별로 양보하지 않았다"고 말했다. 미국은 이 역학관계를 면밀히 주목했다. 사

---

20 Camp David, 미국 메릴랜드 주 카톡틴 마운틴 파크에 있는 500,000제곱미터의 대통령 휴양시설. 루스벨트 대통령이 샹그릴라라고 명명했던 것을 1953년 아이젠하워 대통령이 아버지의 이름을 따서 캠프 데이비드라고 개명했다. 1979년 이집트-이스라엘 평화협정이 체결된 역사적 장소이다.

우디 문화의 특성상 연장자나 고위인사에게 복종하는 것이 통상적이었는데 모하메드는 전혀 거기에 개의치 않고 미국 관리들이 물어보는 것이라면 무엇이든지 자신의 생각을 밝혔다. 오바마는 사우디아라비아의 인권 상황 개선을 요구했다.

모하메드는 그 여행을 자신의 공격적인 경제개혁 전략을 오바마의 핵심보좌관들에게 선보이는 기회로 활용했다. 그는 압둘라가 국왕이었던 시절부터 지난 2년간 그 작업을 해왔는데 이제 그 결과를 세계 최대 경제대국의 지도자들에게 보여줄 기회가 생긴 것이다. 웨스트 윙[21]의 루스벨트 룸에 있는 루스벨트 대통령의 초상 밑에서 재무장관 잭 루Jack Lew를 포함한 관리들에게 그는 사우디의 경제가 석유에서 탈피하도록 하기 위한 계획을 설명했다. 루스벨트 대통령은 1945년 이븐 사우드와 배 위에서 사우디-미국 동맹의 기초를 다진 바 있다.[22]

이 계획은 매끈하게 취합되었고, 거의 유토피아 같은 프로젝트도 현실감 있게 들리도록 만들어주는 미국의 컨설턴트들에 의해 번쩍번쩍 광이 나도록 닦였다. 왕국은 최초로 지방세를 창설하고 전기보조금을 삭감하고 민간부문에서 외국인 노동자보다는 사우디인의 고용을 장려하겠다고 모하메드는 설명했다. 석유 수입에만 거의 전적으로 의존하는 것에서 벗어나기 위하여 석유에서 생기는 부를 외국에 투자하는 쪽으로 바꿀 것이라고 했다.

아이디어는 좋았다. 그러나 숫자들, 특히 사우디아라비아의 경제성장률과 새롭게 창출되는 일자리 개수 등에 대한 가정은 지나치게 낙관적으로 보였다. 루의 후속 질문에 대한 모하메드의 답변은 깊이가 없어 보였다.

---

21 West Wing, 백악관 서쪽의 사무동으로 대통령집무실, 오벌 오피스, 국무회의실, 상황실, 루스벨트실, 부통령 집무실, 비서실장실, 대변인실 등이 있다.
22 1945년 2월 14일 두 정상이 USS 퀸시호 위에서 회담하고 미군의 공군기지를 사우디아라비아에 설치하는 데 합의했다.

"경제계획의 실질과 관련해서 그가 한층 더 깊이 내려갈 수 없다는 것은 명백했다"라고 회의에 참석했던 한 관리는 말한다.

루는 고개를 끄덕이며 왕자의 설명을 들었다. 그는 나중에 백악관 관리에게 정부에 참여한 지 얼마 되지 않은 젊은이치고는 모하메드가 보기 드문 확신을 가지고 있다고 말했다. 회의에 참석했던 또 한 명의 백악관 관리는 덜 외교적으로 핵심을 찔렀다: 왕자의 경제적 가정들 뒤에 있는 숫자들은 틀렸다.

그것은 단순히 사우디아라비아에 국한되는 문제가 아니었다. 만약 모하메드가 정말로 국민에 대한 지원금을 삭감하고 새로운 세금을 부과하고 전기 등 공과금을 올렸는데 경제가 그가 예측한 만큼 새로운 일자리를 만들어내지 못한다면 사우디아라비아는 혼란에 빠질 것이고 그 지역은 불안해질 것이었다.

모하메드는 며칠 뒤 러시아에 가서 푸틴을 만나 몇 가지 별로 중요도가 높지 않은 정부 간 거래에 서명했다.

이어지는 여름에 걸쳐서 백악관 관리들은 20년 가까이 워싱턴 붙박이인 주미 사우디아라비아대사 아델 알-주베이르[23]와 대화하는 과정에서 어떤 변화를 감지했다. 주베이르는 비공식적인 자리에서도 그랬지만, 그해 8월 존 케리 국무장관을 난터켓 섬의 관저에서 만나는 공식적인 자리에서도 모하메드에 대해 점점 더 많이 이야기하기 시작했다.

한 전직 미국 관리는 주베이르가 "MBS를 50년 동안 사우디아라비아의 국왕으로 있을 미래의 국왕"이라고 선전하는 것을 듣고 "매우 혼란스러웠다"라고 회상한다. 모하메드는 왕위계승서열 2번이었다. 그의 사촌 MBN이 다음 국왕으로 예정되어 있는 터에 어째서 그를 미래의 국왕이라

---

23 Adel bin Ahmed al-Jubeir. 1962년 출생. 2007년부터 2015년까지 주미대사를, 2015년부터 2018년까지 사우디 외무장관을 역임했다.

빈 살만의 두 얼굴

고 말하는가?

그 관리는 "우리는 그 말을 조금 평가절하했다. 왜냐하면 아델을 장관에 임명되도록 한 것이 그였던 것처럼 보였기 때문이었다"라고 말했는데, 아마도 그를 사우디아라비아 외무장관으로 입각시킨 것이 카리스마 넘치는 그 왕자라는 취지였을 것이다. 백악관과 국무부의 참모들은 그 대화를 불편하게 생각했다. 그들은 알 사우드 왕가의 집안싸움에 끼어들고 싶지 않았기 때문이었다. "사우디아라비아의 다음 통치자를 선정하는 것은 우리 일이 아니다"라고 서로 이야기했다.

9월에 모하메드는 백악관에 다시 왔는데 이번에는 감기에서 회복된 아버지가 오바마와 좀 더 공식적인 회담을 하러 오는 길에 함께 왔다. 이때는 미국이 이란과의 핵 협상을 종결지은 뒤였는데 모하메드는 자신의 좌절감을 분명히 표현했다. 케리의 조지타운 저택에서 저녁식사를 한 뒤 모하메드는 케리의 작은 그랜드 피아노 쪽으로 가서 베토벤의 〈월광소나타〉를 연주하기 시작했다. 참석자들은 너무나 놀라서 국무부가 백악관에 보낸 공식보고서에 기록했을 정도였다. 후일 그는 보좌관들에게 피아노곡 몇 곡을 독습했다고 말했다.

모하메드는 또한 미국인들이 사우디아라비아 왕자들과 얼굴을 맞대고 회담을 할 때 직접적인 대결을 피하려는, 익히 보아온 예의 바르게 묵묵히 따르는 태도를 벗어던졌다. 목소리를 높이거나 화를 내지 않고 때로 미소를 지으며 모하메드는 케리에게 오바마가 중동에서 세 가지 중대한 실수를 저질렀다고 말했다. 아랍의 봄 저항운동 당시 이집트의 호스니 무바라크[24] 대통령을 버린 것, 시리아가 화학무기를 사용함으로써 '레드 라

---

24 Hosni Mubarak, 1928-2020, 제4대 이집트 대통령. 1975년 안와르 사다트 대통령이 당시 공군 사령관이었던 무바라크를 부통령에 임명하였고. 1981년 사다트 대통령이 암살된 후 대통령에 취임하여 30년간 대통령직에 있다가 2011년 아랍의 봄 때 이집트혁명으로 실각했다. 2012년 종신형을 선고받았으나 2017년 이집트 최고법원인 파기원에서 무죄선고를 받고 풀려났다.

인'을 넘었을 때 무력 제재를 하지 않은 것, 사우디아라비아의 동의 없이 이란과 핵 협상을 한 것 등이었다. 그러나 살만이 오바마와 공동성명을 발표할 때 국왕은 동맹국 사이의 균열을 공개적으로 보여주지 않으려고 이란 협상을 지지한다고 발표했다.

현기증이 날 정도로 더운 여름날이었다. 고위관리가 된 지 채 1년도 되지 않아서 모하메드는 지정학적 난관의 숲속으로 발을 들여놓고 있었다. 사우디아라비아의 가장 강력한 동맹국의 지도자 오바마는 냉담한 것처럼 보였고, 왕정에 대해 회의적이었고, 사우디아라비아의 불구대천의 원수인 이란과 협상을 하고 싶어 했다. 크렘린에 있는 미국의 오랜 숙적은 계산적이고 거래중심적이어서 사우디아라비아에 줄 것이 별로 없는 지도자 같았다. 모하메드는 귀국 후 리야드에 있는 친구에게 실망감을 표시했다.

그러나 중요한 의미에서 방문은 성공이었다. 전 세계의 뉴스 통신사들과 특히 가장 중요한 사우디아라비아에 있는 통신사는 모하메드가 다른 나라들의 지도자와 진지하게 대화하는 모습을 보여주었다. 푸틴과 오바마와 대화하는 이미지는 그가 해외에서 중요한 인물이 되었다는 증거였고 왕위에 오르기에 적합하다는 것을 나타냈다.

모하메드의 떠오르는 프로필은 그가 목표로 하고 있는 사우디아라비아의 청년층에게 그의 위상을 높이는 데 도움이 되었을 것이다. 그러나 그럴수록 국내에 있는 그의 적들은 불안을 느끼고 점점 더 큰 절망감을 느꼈다. 이븐 사우드의 손자라고만 밝힌 한 경쟁자는 목을 칼로 찌르려고 결심했다. 그는 익명으로 격렬한 편지를 여러 통 써서 왕가의 고위 구성원들에게 보냈고 트위터에 올려놓아 수백만 명이 공유하고 읽게 했다. 영국의『가디언』을 포함한 많은 신문사가 그 익명의 편지에 관해 눈에 띄는 기사들을 써댔다.

비판은 거칠었다. 살만 국왕은 "무력화"되어 있고 왕국은 "속수무책인 국왕의 파사드 뒤에 숨어서" 작동하는 "어린 바보들"에 의해 통치되고 있다고 편지의 작자는 썼다. 그 바보들의 우두머리는 "조국의 부패하고 파괴적인 도둑 모하메드 빈 살만"이라고 했다. 그는 살만의 살아있는 형제들에게 국왕을 몰아내고 모하메드보다 나이가 들고 더 경험이 많은 사람을 지명하여 국정을 운영하게 하라고 요구했다. "우리는 최연장자인 반다르부터 최연소자인 무크린까지 이븐 사우드의 아들들이 왕가의 어른들과 긴급회의를 열어, 상황을 조사하고, 나라를 구하기 위해 무엇을 해야 하는지 확인하고, 중요 직책 책임자를 변경하고, 세대를 불문하고 왕가로부터 전문가를 등용할 것을 요구한다"라고도 썼다.

표면적으로는 사우디아라비아에서 아무런 일도 일어나지 않았다. 왕궁에서는 어떤 코멘트도 하지 않았다. 국왕이 그 편지를 읽거나 또는 받았는지에 대해서 공식적인 확인은 없었다. 그러나 모하메드는 격노하고 누가 그걸 썼는지 조사하라고 명령했다. 그의 적들이 대담해지고 있었으므로 그들에게 자신이 훨씬 더 강력하고 더 투지만만하다는 것을 보여줄 필요가 있었다.

4장

지휘는 내가 한다

모하메드는 사우디아라비아에서는 돈이 권력을 얻는 핵심이라는 것을 여러 측면에서 이해했다. 살만과 그의 가까운 가족들에게 돈은, 잠재적인 적대 부족들에게 뿌릴 후원금을, 그리고 더 큰 정치권력을 원하지만 돈만 주면 양보할 수 있는 신흥 왕자들에게 지불할 수 있는 능력을 제공했다. 더 높은 수준에서는, 국가 재정기구에 대한 통제권을 통해 모하메드는 자신이 주창하는 새로운 경제에서 승자와 패자를 선택할 수 있게 되었다.

2015년 9월

2015년 9월 11일 오후 5시 직후의 메카에는 종말을 앞둔 세상 같은 분위기가 감돌았다. 하늘은 모래와 비로 어두컴컴하고 시속 100킬로미터로 부는 바람이 고막을 찢을 듯한 소리를 내고 있었다. 갑자기 메카의 대大모스크¹ 위에 서 있는 12개가 넘는 타워크레인 가운데 하나가 거의 슬로모션으로 앞으로 꺾이기 시작했다. 거의 190미터나 되는 (워싱턴 기념탑보다 높은) 크레인의 팔이 굉음을 내며 벽에 충돌하자 크레인은 자체의 중량으로 녹아내리듯 무너졌다. 무슬림들이 기도할 때 그쪽을 향하는 카바라고 불리는 검은 육면체가 놓인 마당 안쪽에서 참배하던 111명의 사람들이 무너져 내린 쇳덩이에 깔려 죽었다. 이들의 대다수는 이집트와 방글라데시에서 이슬람의 지성소 카바에 평생 한 번은 꼭 와야 하는 순례를 왔던 무슬림들이었다. 400명 이상이 부상을 입었다. 사방이 온통 피투성이에 부서진 대리석 천지였다.

이루 말로 표현할 수 없는 참극이었다. 세계 역사상 최악의 크레인 사고였다. 대모스크 마스지드 알-하람²의 보수작업을 맡은 건설회사에 모

---

1 mosque. 이슬람교의 예배당.
2 Masjid al-Haram. 메카에 있는 세계 최대의 모스크로 이슬람 최고의 성소인 카바를 둘러싸고 있다. 이슬람 전설에 의하면 아브라함이 신의 계시를 받아 이곳에 최초로 모스크를 세웠다고 한다.

2015년 메카에서 벌어진 크레인 사고 현장

든 탓이 돌아갔다. 사우디빈라덴그룹Saudi Binladin Group은 사우디아라비아 최대의 민간재벌 중 하나였다. 모하메드 빈 라덴은 남예멘의 해안에서 태어나 트럭을 타고 사우디아라비아로 들어와 왕국 초기 부유한 왕족들에게 궁전과 빌라를 지어주고 메카에서 크게 주목받는 정교한 프로젝트들을 수행했다.

모하메드 빈 라덴은 왕족이 아닌 사람 중 가장 큰 부자가 되었고 1967년 그가 죽은 뒤 56명의 자식이 그 유산을 이어받았다. 아들 중 하나가 오사마 빈 라덴으로 알-카에다 테러집단을 창설하고 탈취한 항공기로 세계무역센터와 펜타곤을 공격함으로써 미국이 이라크와 아프가니스탄에서 일련의 전쟁을 하게 만든 장본인이다.

이 사고는 모하메드 빈 라덴의 아들들이 소유하고 있는 사우디빈라덴그룹이 수년에 걸쳐 대모스크의 보수작업을 해오던 중에 발생했다. 살만과 모하메드는 격노했다. 비단 사상자들과 그 가족들에게 큰 재앙이었던

빈 살만의 두 얼굴

것뿐만 아니라 사우디아라비아와 왕국을 통치하고 있는 알 사우드 왕가의 평판에 심각한 타격을 주는 사건이었다. 국왕 자신이 이슬람의 지성소인 이 모스크의 보호자인데, 바로 여기 이슬람의 중심 그 자체인 곳에서 일대 재앙이 일어난 것이다.

메카와 메디나는 성스러운 도시인 동시에 사우디아라비아에서 석유 다음가는 제2의 수입원으로 매년 수십억 달러를 벌어들이고 있다. 이론적으로는 여기에서 벌어들이는 돈이야말로 사우디아라비아가 가지고 있는 비석유경제에 가장 가까운 것이었지만, 이것 역시 하나의 신기루에 불과했다. 관리 역량이 부족해 사우디 정부는 이들 성스러운 도시들을 바람직한 수준으로 운영하는 데 매년 100억 달러 이상을 지출하고 있었다. 그럼에도 불구하고 왕가는 이 모스크를 정통성의 기둥으로 지키겠다는 약속을 실천하고 있었다.

모하메드 빈 살만에게는 이 비극이 이미 거대해진 권력을 더욱 강화할 기회였다. 아버지가 국왕이 된 다음 모하메드는 사우디빈라덴그룹의 자손인 69세 바크르 빈 라덴을 계속 만나 자신이 추진하는 국가경제활성화 계획에 참여하는 문제를 논의해 왔다. 그는 바크르에게 "당신 회사를 상장시켜야만 합니다"라고 말하고, 사우디 주식시장의 규모를 확대하는 것이 개혁계획의 핵심 중 하나라고 설명했다. "우리는 파트너가 될 수 있습니다."

자문단의 조언을 받은 모하메드는 가족재벌들을 덩치가 큰 과거의 잔재로 보았다. 그는 소유와 경영의 분리, 재무자료 공개, 자본시장 활성화를 원했다. 이것은 또한 가장 쉽게 달성할 수 있는 목표로 보였다. 여자의 운전을 허용하는 것 같은 프로젝트들을 막고 있는 이슬람 보수주의의 기반이 흔들릴 이유도 없었다.

신앙심이 깊고 겸손한 바크르는 변화에 신중하고 특히 2005년에 사망한 파흐드 국왕이나 압둘라 국왕 같은 사우디 왕족들과 함께 일하는 낡은 방식에 젖어 있었다. 레바논의 하리리 가문이 소유했던 기업 사우디오거 Saudi Oger Ltd.가 그랬듯이 빈라덴그룹의 경우에도 알 사우드 왕족들이 무엇을 원하는지 정확하게 파악한 것이 급성장을 가능케 한 부분적 이유가 되었다. 그것이 새 부인이 살 궁전을 몇 달 안에 짓는 일이라 해도 그들은 해냈다. 대금은 아주 늦게, 심지어는 영원히 받지 못할 수도 있었다. 빈 라덴 사람들은 꿈쩍도 하지 않았다. 그러나 여기 이 젊은 왕자는 더 큰 요구를 했다. 그는 사업과 관련한 핵심적인 의사결정 과정에 발언권을 달라고 하고 있었다.

바크르는 아직 시장 여건이 좋지 않다고 말하면서 정중하게 모하메드의 제안을 거절했다. 모하메드는 짜증이 나서 그 결정이 별로 현명한 것 같지 않다는 뜻을 슬쩍 비쳤다. 모든 대규모 프로젝트들이 재검토 과정에서 취소되거나 늦춰질 수 있는 상황이라는 점을 고려하라는 취지였다. 바크르는 형제들을 불러 모아 이 두려움에 대해 의논했다.

크레인붕괴사고 이후 빈라덴그룹은 공격의 대상이 되었다. 살만 국왕은 회사와의 모든 계약을 중지하라는 명령을 내렸고, 조사도 예정되어 있었다. 기존 사업이 갑자기 동결되고, 모든 정부 공사에 대한 추가 수주가 금지되고, 공사가 진행되고 있는 프로젝트에 대한 대금 지불도 정지되었다. 당시 30만 명이 넘는 사람들을 고용하고 있었는데, 대다수의 인부가 인도나 파키스탄에서 온 사람들이었고, 사업자금이 거의 바닥이 나면서 최악의 고비가 닥쳤다. 모하메드는 또한 크레인 사고와 관련된 고위 임원들과 함께 빈 라덴 일족 중 일부 형제들에 대해서도 여행 금지 조치를 내렸다.

문제의 심중함을 느끼고 바크르는 크레인 사고에 대해 모든 책임을 진다는 의미로 사업에 대한 경영권을 다른 형제에게 넘기는 것을 포함해서 온갖 노력을 다했다. 그는 회사의 구조조정을 위해 독일의 재정전문가를 포함하는 한 팀의 서구 전문가들을 고용하였으나 별로 효과가 없었다. 심각한 동결상태가 지속되었다.

사우디오거의 소유주 사드 하리리[3]는 레바논 총리를 역임한 레바논-사우디의 이중국적자였는데 회사의 현금 흐름을 개선해보려고 사투를 벌였다. 오거의 사업은 미숙한 경영 때문에 대금 지불이 지연되면 버틸 수 있는 완충자금이 거의 없었다. 사드는 모하메드 빈 살만의 승인을 얻기 위해 탕헤르의 해변에 있는 넓은 살만 국왕의 궁전을 모하메드를 위해 확장해주는 등 필사적 노력을 기울였다. 모하메드가 사촌인 모하메드 빈 나예프 쪽 현관으로 직접 접근할 수 있도록 왕궁의 통로를 고쳤으면 좋겠다고 운을 떼자 사드 본인이 인부들과 밤을 새워 대리석과 콘크리트를 부숴 작업을 마무리했다. 모하메드는 그에게 고맙다고는 했지만 대가가 주어질 것이라는 낌새는 전혀 없었다. 사드는 그로부터 어떤 호의도 얻어내지 못했다.

파흐드 국왕과 압둘라 국왕 치하에서 자라난 사드는 알 사우드 왕가의 상호거래 규칙이 전과 달라졌다는 것을 알고 충격을 받았다. 그의 가족회사는 국왕, 왕자, 정부 고위관리들에게 궁전을 지어주는 대가로 정부 공사를 수주하여 몇 배가 넘는 이윤을 남겨왔다. 이제 그는 거대한 가족기업을 보존하는 방도를 찾아내기 위해 힘겨운 싸움을 해야 했다. 게다가 살만 국왕은 사드를 아첨하는 족제비 정도로 혐오했다.

더욱 나쁜 것은 사드가 사망한 압둘라 국왕의 신하들, 특히 압둘라의 왕궁실장 칼리드 알-투와이즈리와 가까웠다는 사실이었다. 즉위한 뒤 몇 달 동안 살만 국왕과 모하메드는 하리리 가문이 압둘라의 아들들로부터

---

3 1970년 리야드 태생으로 2009~2011년, 2016~2020년 레바논 총리를 역임했다.

전 레바논 총리 사드 하리리

위탁받았다는 어마어마한 액수의 현금에 관한 이야기를 많이 들었다. 왕궁 안팎에서는 사드가 자가용비행기에 싣고 리야드에서 베이루트나 제네바로 옮겨간 현금 트렁크들에 대한 이야기가 파다했다. 2000년대 초반 어느 날 그는 자가용비행기에 같이 탔던 한 친구에게 가로세로 3미터씩이나 되는 가죽가방 더미를 가리키며 그 속에 100달러짜리가 가득 들어 있는데 스위스에서 쇼핑할 때 쓸 돈이라고 말했다.

압둘라가 사망하고 정부와 압둘라 국왕 및 그의 가족들의 은행 계좌를 모두 들여다보고 나서 모하메드는 경악했다. 살아있는 동안 사우디아라비아의 국왕치고는 자식들에게 비교적 검소했던 압둘라는 어마어마한 액수의 돈을 자식들에게 남겨놓았다. 딸들은 1인당 최소 10억 달러를, 아들들은 최소 그 두 배를 받았다. 압둘라의 궁전 한 곳에서 글자 그대로 10억 달러에 달하는 현찰이 100달러짜리 지폐묶음으로 발견되었다. 국왕 본인이 자선을 위한 기구로 설립했고 이제 아들들이 운영하는 압둘라국왕재단으로 수십억 달러가 유입되기도 했다.

그 외에 압둘라 주변의 인물들 특히 투와이즈리와 압둘라의 의전장 모하메드 알-토바이시에게 흘러들어간 돈이 있었다. 이들 각각은 공무원 신분으로서는 너무나 부유했고 하리리 가문과 의심스러울 정도로 가까웠다.

모하메드는 살만이 국왕에 즉위할 때까지 수년 동안 투와이즈리가 자기 가문의 적이었다는 사실을 알고 있었다. 그러나 토바이시는 살만의 통

126

치가 시작되고도 처음 몇 달 동안은 직책을 유지할 수 있었다. 다만 그가 기자의 뺨을 올려붙이는 비디오가 발각되기 전까지만이었다. 살만은 그를 즉시 해고했고 모하메드는 토바이시의 재정 상황을 깊이 파보았다. 본질적으로 국왕의 집사장에 불과한 인간이 도대체 어떻게 리야드 외곽에 거대한 말 목장을 소유하고, 차고 가득 최고급 차들이 즐비하고, 살만 국왕의 아들 두 명과 런던투자회사의 파트너가 될 수 있을 만큼 충분한 돈을 가질 수 있단 말인가? 외국인 경주마전문가들과 수의사들이 근무하는 아라비아 종마사육장을 지을 자금의 여유가 도대체 어디에서 나온 것인가?

그 부의 큰 덩어리는 하리리 가문과 연결되어 있었다. 사드의 아버지로 가족회사 사우디오거를 창업하고 아들보다 먼저 레바논 총리를 지낸 라피크는 압둘라가 국왕이 되기 오래전부터 수년 동안 토바이시와 관계를 치밀하게 구축했다.

모하메드는 부패한 공무원과 뇌물을 통해 부자가 된 민간인들에 대한 충돌의 강도를 점점 더 높여나갔다. 아버지에 의해 경제개혁을 총괄하는 직책을 받은 왕자는 사업가들이나 왕족들이 설령 재정적인 손실을 보더라도 애국적 의무를 다해주기를 기대했다. 그것은 수십 년 동안 전혀 변화가 없었던 이 나라에서 하나의 거대한 변화였다. 똑같은 부자 기업들이 똑같은 왕족들과 똑같은 정부관리들에게 뇌물을 주어왔고, 시스템을 바꾸면 어쩔 수 없이 생기기 마련인 적을 만들려고 나서는 국왕이나 왕자는 아무도 없었다.

공개된 곳에서는 단 한마디의 불평도 들을 수 없었다. 사망한 압둘라 국왕의 자식들은 아무도 없는 데서 구시렁거렸다. 투르키 빈 압둘라는 누이들과 앉은 자리에서 (장차 왕위를 계승하게 될 예정이지만 모하메드 때문에 급격히 하찮은 존재가 되어가고 있는) 살만을 항상 이상한 사람이라고 불평을 늘어놓았다. 그는 살만이 리야드 주지사를 48년 동안이나 지냈는데 그 이유는 너무나 예측하기 어려운 성격이라 정부의 중요 부처를 맡아서 지휘할 수 없기 때문이었다고 말했다. 물론 그런 불평은 비밀리에만 했다. 국왕이 사망한 뒤 그는 모하메드의 부하들이 집에서 나누는 대화까지 엿들을지 모른다는 불안감 때문에 말을 할 때면 핸드폰을 다른 방에 두는 습관이 생겼다. 후일 밝혀졌듯이 실제로 그런 때가 있었다.

빈 라덴 일가와 하리리 일가는 모하메드에게 뺨을 얻어맞았다. 서구 사업가 한 사람이 그 철학을 간결하게 표현했다. "더할 수 없이 혹독하게 얻어맞아도 당신은 여전히 웃는다."

동시에 모하메드는 정부의 권력을 모두 가지고 있지만, 권력 없이도 민간부문과 정당하게 경쟁해서 이길 수 있다고 생각하는 것 같았다. 그와 대항한다는 것은 총싸움에 버터나이프를 들고 나가는 것과 마찬가지였다. 그는 싸우는 족족 이겼다. 본인은 그저 자신의 아이디어가 더 좋았기 때문이라고 생각했다.

모하메드의 최고의 사업계획들 역시 메카 그리고 연례적 순례행사인 하지Hajj와 연결된 사업 기회에 집중되어 있었다. 매년 전 세계에서 250만 명 이상의 무슬림들이 메카에 와서 기도하며 카바 둘레를 돎으로써 믿음의 약속을 완수한다. 왕국 밖에서 오는 180만 명에 대해서 사우디아라비아의 국영항공사 사우디아Saudia는 가장 가까운 제다공항까지의 노선을 거의 독점하고 있다.

세계에서 가장 큰 규모의 순례 행렬을 고정고객으로 가지고 있음에도 불구하고 사우디아는 이익을 내지 못했다. 이 항공사는 미숙한 운영, 고가 정책, 사우디 정부를 벌집처럼 쑤셔놓은 구매 계획으로 유명했다. 사우디아는 새 항공기에 대한 투자가 부족하고 기존의 항공기들은 정비를 하기 어려울 정도로 심하게 노후화되었다. 외국의 구조조정 전문가팀을 연이어 투입했지만 흑자 전환을 시키지 못했다.

살만이 왕위에 오른 뒤 모하메드는 사우디아의 중요한 부분을 공략하기로 결정했다. 그는 새 항공기 편대를 들여오고 싶었다. 그것은 아마 100억 달러가 넘는 거대한 거래가 될 것이었다. 하지만 장애요인이 하나 있었다. 사우디아는 압둘라 국왕이 사망하기 직전에 유럽의 항공기제작사 에어버스Airbus와 이미 계약을 한 뒤였다. 사우디아는 에어버스로부터 50대의 새 여객기를 구매하기로 합의했고 사우디아라비아 PIF가 금융을 제공할 계획이었다. 항공사로서는 좋은 거래였다. 그토록 많은 항공기를 한꺼번에 구매하기로 함으로써 가격을 대폭 할인받을 수 있었다.

하지만 모하메드가 보기에는 그 거래에 큰 문제가 있었다. 거래에 본인이 빠져 있었던 것이다. 몇 달 전부터 가족과 연결되어 있는 한 회사가 항공기사업을 시작했기 때문에 특히 문제였다.

일련의 거래를 통해 모하메드의 동생 투르키는 2014년 퀀텀투자은행Quantum Investment Bank이라는 두바이 소재 회사의 대주주이며 회장이 되었다. 이 투자은행은 사실상 모하메드가 최종적으로 지배하는 회사였다. 금융기관으로서 퀀텀은 실적이 없었다. 그러나 회사는 이슬람 금융에 깊이 관여하고 있는 두바이의 오랜 금융가와 연결되어 있었다.

이슬람율법은 이자를 받고 돈을 빌려주는 것을 금하고 있다. 진취적인 금융가들은 최근 몇십 년 동안 이슬람 전문가들의 승인을 받은, 이자를 받지 않고 기술적으로 돈을 빌려주는 여러 가지 구조를 개발했다. 쉽게 말해, 이러한 구조들은 계약 시 이자 대신에 소정의 수수료를 내게 하는 방식이다. 시장에 존재하는 하나의 전문화된 방식이긴 하지만, 사우디아라비아, UAE, 쿠웨이트 등 석유를 많이 생산하고 신앙심이 깊은 투자자들의 거대한 자본을 이용하여 이익을 많이 낼 수 있는 일종의 틈새시장이었다.

빈 살만의 은행, 즉 퀀텀은 두바이에 있는 거의 이름을 들어본 적이 없는 또 다른 회사와 결합하여 놀라운 발표를 하고 나섰다. 둘을 합쳐서 세계 최대의 항공기 리스회사를 설립한다는 것이었다. 눈에 띄지 않는 이 회사는 석유가 풍부한 걸프지역 국가들에 존재하는 자금 파이프 역할을 하기 위해 레바논과 모로코 출신의 세련된 금융운용가들이 두바이에 회사를 세운 것이 계기가 되었다. 그들의 전략은 이슬람 투자자들의 돈을 조성해서 그 돈으로 항공기를 구매하여 항공사에 렌트해주는 것이었다. 항공기 구매에 지불한 자금의 조성비용과 항공사로부터 받는 렌트 수수료의 차액이 투자자들의 이윤이었다.

살만 가문의 퀀텀에게는 특별히 좋은 거래였다. 왜냐하면 이 작은 은행은 소위 사모대리인으로서 수수료를 받게 되었기 때문이다. 퀀텀은 펀드를 위해 투자자의 자금을 조성하는 임무를 수행하고 모집한 돈의 일정 부분을 보관한다. 리스 사업이 성공하든 실패하든 퀀텀에게는 수수료의 지급이 보장되어 있는 것이었다. 회사가 빈 살만 가문과 연결되어 있다는 것은 가문의 환심을 사고 싶어 하는 잠재적 투자자들이 투자를 함으로써 그 환심을 살 수 있다는 것을 의미했다. 펀드는 수십억 달러가 조성되었다. 이제 모하메드의 남은 과제는 그 항공기를 렌트할 고객을 확보하는 일이었다.

아버지가 국왕이 된 뒤라 일은 쉬웠다. 살만이 왕위에 오른 직후 모하메드는 부하를 시켜 사우디아에게 이제부터는 에어버스 항공기를 직접 구매하지 말라고 말했다. 대신 퀀텀의 자매회사가 항공기를 구매하고 사우디아는 그 회사로부터 항공기를 리스할 것이라고 했다. 리스 조건은 사우디아가 새 에어버스에 대한 시장의 정상요율에 따라 렌트하는 것으로 되어 있었다. 모하메드는 친구에게 "그것은 모두에게 좋은 거래이다"라고 말했다. 그의 가족은 돈을 벌게 되었고 사우디아는 새 항공기를 시장요율대로 빌리게 되었다.

당시에 사우디아의 임원들이 볼멘소리를 했듯이 이전에 맺었던 거래조건은 사우디아가 그 시장요율만큼 지불하지 않도록 되어 있었다는 것이 문제였다. 사우디아는 항공기의 구매자에게 주어지는 할인율을 누릴수 있었다. 새 계약서에 따르면 리스트 가격에서 60% 또는 그 이상의 할인이 빈 살만의 은행과 연결되어 있는 회사에 주어졌다. 그리고 이 회사는 할인된 가격이 아니라 할인되지 않은 가격으로 항공기를 사우디아에리스해 주었다. 그러나 모하메드가 그렇게 해야 한다는 명령을 내렸고, 에어버스도 (일부의 직원들은 그런 거래가 부패에 가까운 것이라고 염려를 했지만) 진행하기로 합의를 했다.

모하메드는 이것이 아버지가 즉위한 후 사업상으로 거둔 최초의 큰 승리인 것처럼 행동했다. "이 거래는 막후에서 내가 지휘한 것이다"라고 그는 얼마 뒤 궁전에서 있었던 모임에서 한 참석자에게 자랑스럽게 말했다.

모하메드는 사우디아라비아에서는 돈이 권력을 얻는 핵심이라는 것을여러 측면에서 이해했다. 살만과 그의 가까운 가족들에게 돈은, 잠재적인적대 부족들에게 뿌릴 후원금을, 그리고 더 큰 정치권력을 원하지만 돈만주면 양보할 수 있는 신흥 왕자들에게 지불할 수 있는 능력을 제공했다.더 높은 수준에서는, 국가 재정기구에 대한 통제권을 통해 모하메드는 자신이 주창하는 새로운 경제에서 승자와 패자를 선택할 수 있게 되었다.

그는 빈라덴그룹과 오거에게 건설프로젝트를 계속 맡길 수도 있었지만 그 대신 경쟁관계에 있는 알 사우드 가문의 분파들과 덜 유착되어 있고 소유주들이 더 순응적인 소규모 건설회사들을 선정했다. 그러나 가장중요한 것은 오일머니였다. 그것은 현대 사우디아라비아를 지탱해주었고,

앞으로 이 유전들을 어떻게 운영하느냐에 따라 왕국의 방향이 결정될 것이기 때문이었다.

모하메드는 석유에서 나오는 부를 관리하는 방법에 대해 분명한 비전을 가지고 있었다. 사우디아라비아가 원유를 뽑아 판매하는 것을 주된 수입의 원천으로 삼는 한 석유제품으로 살고 죽는 낡은 경제에 예속될 수밖에 없었다. 그러나 기술에 집착하는 밀레니얼 세대인 그는 이러한 시대가 쇠퇴하고 있으며, 자신의 개혁이 나라를 더 지속가능한 수입원 쪽으로 전환할 수 있다고 확신했다.

모하메드는 아버지에게 자신의 가장 공격적인 경제계획을 추진하겠다고 말했다. 사우디아라비아의 석유회사 (세계 최대의 회사이며 불모의 사막을 현대국가로 변화시킨 엔진이었던) 지분을 매각하여 거기서 나오는 현금을 다른 산업에 투자하고 싶다고 했다. 자기처럼 용의주도한 투자자가 키를 잡고 있으면 그 전략은 석유만 가지고 있을 때 나오는 수익보다 더 큰 수익을 가져올 것이라고 모하메드는 논리적으로 주장했다.

왕자는 살만 국왕에게 그 계획이 자신의 것이라고 역설했지만 그것은 사실 사촌인 알왈리드 빈 탈랄의 2012년 계획에 뿌리를 두고 있었다. 차이점이라면 알왈리드는 큰아버지였던 당시의 국왕 압둘라에 대한 영향력이 크지 않았던 반면에, 모하메드는 이 계획을 제안할 당시 그의 아버지가 국왕이었기 때문에 큰 영향력을 가지고 있었다는 것이다.

그러나 이 영향력을 행사하기 위해서 모하메드는 자신의 권력에 대한 위협에 대해 끊임없이 경계해야만 했다. 위협은 왕자들의 반대와 궁정 직원들의 불복종으로 나타났다. 최대의 위협은 미국과 가장 깊은 유대를 가진 사우디아라비아의 왕세자 모하메드 빈 나예프였다.

9·11 테러 공격 이후 모하메드 빈 나예프는 미국과의 반테러 협력을 맡고 있었다. 이것은 매우 중요한 임무였다. 만약 사우디아라비아가 이슬

빈 살만의 두 얼굴

람 테러분자들을 제거하려는 미국의 대의에 동참하지 않는다면, 가장 강력한 국가들에 의해서 배척당하게 될 것이다. 테러 공격에 가담한 사우디인들이 많았기 때문에, 사우디아라비아가 단순히 신뢰할 수 있는 동맹국일 뿐만 아니라 똑같은 원칙을 신념으로 가지고 있는 나라라는 것을 증명해야 했다. 미국인들은 그를 점점 좋아하게 되었다. 그는 조용하고 침착했다. 그는 경청했고, 비현실적인 약속을 하지 않았고, 맡은 일은 해냈다. 만약 미국 정보기관이 중동 어느 지역에서 이슬람극단주의자들을 지원하는 부유한 사우디인에 대한 정보를 입수한다면 모하메드 빈 나예프는 더 많은 정보를 얻도록 도와주고 자금을 동결하거나 체포할 것이었다.

미국인들은 모하메드 빈 나예프의 약점도 포착하고 있었다. 그는 2009년 암살 시도 때 부상을 입은 후 예전보다 더 쉽게 피곤을 느끼는 것처럼 보였다. 회의를 하는 도중에 잠드는 경우도 있었다. 미국 정보기관 관리들 사이에서는 그가 유럽에서 쾌락에 탐닉하는 행위를 했을 가능성이 있다는 소문이 돌았다. 살만이 국왕이 된 뒤로는 훨씬 더 좋지 않은 풍문들이 미국에 전달되었다. 미국 정부의 일부 관리들은 그런 정보들을 유용하다고 보았는데, 필요하면 언제든지 영향력을 행사할 수 있었기 때문이다. 하지만 다른 관리들은 불안하게 생각했다. 만약 이 정보가 외부로 유출되면 알 사우드 왕가 내에서 MBN의 왕위계승권을 약화시키는 데 사용되기 쉬웠기 때문이다.

미국 정보기관의 많은 사람이 모하메드 빈 나예프에 대한 존경심을 유지하고 있었는데, 다른 사우디 왕자들이 무시하는 임무, 감사 인사도 받지 못하는 임무에 헌신적인 것으로 보였기 때문이다. 개인들이 권력을 쥐고 있는 나라에서 MBN은 강력한 기관을 구축하려는 의지가 강한 것 같았다.

절대왕국 사우디아라비아의 큰 약점은 국왕과 그가 임명한 사람들이 모든 것을 통제하고 있다는 것이다. 새로 취임한 국왕과 그가 요직에 임

명한 인물들은 또 자기 사람들을 여기저기 심어서 기존의 축적된 경험이
나 지식을 모두 없애 버렸다. 고위직은 능력보다는 개인적인 인연에 따라
임명되었다. 미국 관리들은 사우디아라비아의 업무 상대역들에게, 안정되
고 유능한 정부를 만들기 위해서는 왕국에 그들만의 문화와 승계 계획과
지속성을 가진 기관들이 필요하다고 거듭 강조했다. 문제는 알 사우드 왕
가에서는 강력한 기관을 가문에 대한 하나의 위협으로 간주하는 것이었
다. 그들은 권력이 비록 국가에는 최선이 아니더라도 자기들 개개인의 수
중에 남아 있기를 원했다. MBN은 예외처럼 보였다. "우리는 단둘이 앉아
서 기관을 구축하는 문제에 대해서 논의했는데, 나는 이에 대해 깊은 인
상을 받았다"라고 데이비드 페트리어스는 말했다. 페트리어스는 오랫동
안 장군으로 근무했고 후일 미국 CIA 국장이 되었는데, 워싱턴과 사우디
아라비아에서 MBN과 장시간에 걸쳐 논의를 했다.

　자신의 권력을 능가하는 강력한 안보기구를 구축하는 데 초점을 두고,
MBN은 신뢰하는 보좌관 사드 알-자브리Saad al-Jabri에게 미국과의 반테
러 관계를 유지하는 중심적 역할을 맡겼다. 알-자브리는 깔끔하게 손질한
턱수염을 기른 아주 신앙심이 깊은 인물이었다. 직업공무원인 알-자브리
는 수년간 미국과의 첩보 업무를 담당했다. 그는 CIA, 군, 국무부와 신뢰
관계를 쌓았다. 이들 부처 내에서는 그가 박사 학위를 가지고 있었기 때
문에 "사드 박사"로 알려졌다. 알-자브리는 또한 극단주의자들을 개심시
키는 프로젝트의 첨병 역할도 했는데 미국의 업무 상대역들로부터 긍정
적인 평가를 받았다.

　미국 정보계의 많은 사람으로부터 알-자브리는 왕족에게는 결코 주어
지지 않았던 신뢰를 받았다. 모하메드는 이를 인식하고 미국의 대테러 관
리들에게 접근하고 신용을 얻는 길이 될 수 있다고 보았다. 아버지가 즉
위한 직후 MBS는 알-자브리를 왕궁의 장관급으로 승격시켰다. 그것은

알-자브리나 MBN이 요청한 승진이 아니었다. 알-자브리의 동지들은 이 것을 모하메드가 경쟁자의 보좌관을 자기편으로 끌어들여서 영향력 있는 미국 인사들에게 접근하려는 의도를 가진 것으로 의심했다.

살만이 즉위한 뒤 처음 몇 달 동안 모하메드는 안보 현안들, 특히 미국 과 관련된 것들에 대해서는 알-자브리와 의논했다. 그러나 그는 모하메드 의 핵심층으로 편입되지는 못했다. 사우드 알-카흐타니 같은 모하메드의 오랜 동지들은 장기간 MBN에게 충성해오다가 이제 자기들 편에 들어와 있는 그에 대해 의심을 품었다. 이들은 모하메드가 차기 국왕이 되기를 바랐는데, 알-자브리는 모하메드의 가장 강력한 경쟁자와 직결되어 있는 게 아닌지 우려했다.

UAE의 한 에미리트인 아부다비 정부에 있는 모하메드의 협력자들 역 시 알-자브리에 대해 시큰둥했는데, MBN과 아부다비의 알 나흐얀 왕가 사이의 수년에 걸친 악감정 때문이었다. 2015년 2월 아부다비에서 열린 국제무기구매회담에서 모하메드 빈 자예드 알 나흐얀[4] 왕세제는 모하메 드에게 알-자브리에 대한 충격적인 혐의를 제기했다. 알-자브리가 알 사 우드 왕가의 숙적인 이슬람 정치집단 무슬림형제단의 비밀회원이라는 것 이었다. 그것은 근거 없는 혐의였지만 아부다비의 지도자는 미국 정부 측 에도 이를 반복해서 제기했다.

모하메드와 알-자브리 사이의 마찰은 예멘 폭격전 이후에 본격적으로 시작되었다. 알-자브리는 그것이 수렁이 될 수도 있다는 우려에서 폭격에 반대했다. 알-자브리는 모하메드가 이 조언을 거들떠보지도 않자 사의를 표시했지만 모하메드는 수리하지 않으려 했다. 알-자브리는 장기휴가를

---

4 Mohammed bin Zayed Al Nahyan, UAE의 초대 대통령이었던 자예드 빈 술탄 알 나흐얀의 3남. 2대 대통령이자 아부다비 왕이었던 이복형 칼리파 빈 자예드가 2014년 심장마비를 일으키자 왕세제로서 전권을 행사하다가 2022년 5월 칼리파가 사망하면서 아부다비 왕에 즉위하고 바로 UAE의 3대 대통령으로 취임했다. 학자들은 철권통치자로 평가하고 있다.

내고 아들이 있는 미국과 사우디아라비아를 오가면서 몇 달 동안 결정을 기다렸다.

백악관과 미국 정보당국에서 예멘전쟁과 관련하여 미국과 사우디아라비아 간 이견을 해소하기 위해 알-자브리와 협상하면 좋겠다고 요청하자 모하메드는 알-자브리를 짧은 기간 업무에 복귀시켰다. 그러나 알-자브리는 자신이 점점 더 하찮은 존재가 되어가는 것처럼 느꼈다.

이윽고 2015년 9월 살만 국왕이 여행 중이라 MBN이 국왕대리로 사우디아라비아에 있을 때, 알-자브리는 트위터에 자기가 해고되었다는 충격적인 뉴스가 올라온 것을 보게 되었다. MBN도 그에 못지않게 놀랐다. 그와 알-자브리는 그것이 이중 모욕이라는 데 동의했다. MBN의 최고보좌관을 MBN이 국왕대리를 하고 있는 중에 해고하는 것은 왕세자를 비하하려는 의도로 보였다. 모하메드는 알-자브리를 해고한 이유가, 그가 영국의 관리들 및 CIA 국장 존 브레넌을 포함한 미국 관리들을 국왕의 허가를 받지 않고 비밀리에 만난 혐의로 조사를 받고 있기 때문이라고 말했다. 왕궁에서는 15년에 걸친 알-자브리의 첩보관리 접촉 내용을 조사하기 위한 위원회를 설치했으나, MBN이 알-자브리가 자기의 지시를 받고 그 관리들을 만나온 것이라고 보고하자 살만 국왕은 그 위원회를 해체했다.

알-자브리와 오랫동안 관계를 맺어 온 미국의 정보관리들은 충격을 받았고 MBN은 격노했다. 그러나 알-자브리는 그에게 그대로 흘려보내라고 조언했다. 해고 사태는 MBN과 모하메드 사이의 긴장을 고조시키기 위한 책동으로 보이므로 문제를 삼아 봐야 좋은 결과를 기대하기 어렵다는 이유였다.

알-자브리에 대한 해고는 미국과 MBN의 관계에 타격을 입혔고 모하메드 빈 살만이 그 기반을 약화시키려고 한다는 경고 신호였다.

이는 또한 알-자브리가 더 이상 국내에서 살 수 없다는 것을 의미했다.

빈 살만의 두 얼굴

왕국에 계속 머물면 모하메드가 자신을 연금시킬 것을 두려워한 알-자브리는 오래 협력해온 서구의 첩보기관과 접촉했다. 그 후 수년간 사우디아라비아는 그를 돌아오게 하려고 시도했지만 그는 망명 상태로 남아 있다.

5장

맥킨지를 데려와

모하메드 빈 살만은 아버지가 즉위하기 이전, 자신의 회사들과 MiSK재단을 설립
하던 시절부터 컨설턴트에게 매료되었다. 그가 좋아했던 아이디어 중 하나는 곧
모든 정부 부처와 정부 관련 기업에서 'KPI'로 알려지게 될 핵심성과지표를 만드는
것이었다. 모하메드는 숫자로 뒷받침되지 않은 전략은 거들떠보지도 않았다. 그
는 숫자에 대해 대단한 기억력을 가지고 있어서 종종 부하들이 몇 달 전에 제시했
던 예상 수치를 자세히 되풀이하여 자신이 현안들을 확실히 파악하고 있다는 것
을 입증하기도 했다.

　사우디아라비아의 걸프 해안에 있는 아람코 본사의 직원들은 패닉에 빠져 말을 잃었다. 2016년 1월의 그날 아침, 런던의『이코노미스트』에 실린 출간 전 기사 하나가 회사의 그 누구도 예상하지 못한 뉴스를 싣고 도착했다. 모하메드 빈 살만이 금융 역사상 최대 규모로 회사의 지분 일부를 공개 매각하기로 결정했다는 뉴스였다.

　"침묵 속의 전율"이 임원실이 있는 공간 전체를 휩쓸었다고 한 직원은 회상한다. 아람코의 고위관리들은 모하메드에게 사우디아라비아 경제의 다각화계획에 대해 조언해왔지만 왕국의 재정 동력 일부를 매각하는 것은 전혀 고려해보지 않았다. 그것은 그 작업이 얼마나 어려운지 모르는 사람들이 밀실에 모여 앉아 즉흥적으로 만든 아이디어 같은 것이었다.

　아람코의 홍보팀 직원 10여 명은 최고경영진들과의 긴급회의를 통해, 경영진이 사전 자문에 응했고 매각 논의과정에 참여했다는 모양새를 갖추는 데 필요한 성명서를 고안했다.

　처음 정부관리들과 비밀회의를 할 때 기업공개IPO, Initial Public Offering에 반대했던 칼리드 알-팔리Khalid al-Falih 회장은 회사가 주식 매각을 고려하고 있다고 인정하면서 탁월한 경영진을 치켜세웠다. 그는 며칠 뒤『월스트리트저널』에 "회사에 취약점이 전혀 없다는 것을 의심할 사람은 없습니다"라고 말했다. 그 주장은 사실이 아니었다. 엑슨[1] 스타일의 기업효율성이라는 겉모습 이면에는, 해외 투자자들의 흥미를 잃게 할 만한 회계 및 경영상의 의문점이 가득했다. 그중 일부는 적신호로 간주될 수 있었다.

뉴욕, 런던, 도쿄처럼 거대한 증권거래소에 상장된 회사들은 투자자들에게 설명할 때 반드시 엄격한 규칙에 따라야 한다. 장부는 투명해야 하고, 회계는 국제기준을 따라야 한다. 이에 반해서 아람코는 기본적으로 세계에서 가장 큰 영세기업이라고 해야 할 정도였다. 회사는 사우디아라비아 국왕 한 사람의 뜻에만 따르면 되고 그 밖의 어떤 사람의 지시도 따를 의무가 없었다. 아람코의 기록은 정말 체계적이지 못해서 기장하는 외국인 회계담당자들은 공개법인의 기초적 요건인 매분기말 손익조차 일관성 있게 계산할 수 없을 정도였다.

아람코는 외부에는 "자발적으로" 국제적 회계기준을 "준수하고 있다"고 주장했다. 사실상 아람코는 시추비용을 절약했는데, 이런 세부사항은 투자자들이 석유회사의 경영상태를 계량화하는 데 사용하는 매우 중요한 사항이다. 예컨대 아람코의 회계담당자들은 유전에 대한 감가상각비율을 간단히 조정하고 엑슨이나 로열더치셸Royal Dutch Shell 같은 큰 회사들이 사용하는 표준적 계산방식을 따르지 않았다. 국왕이 소유하고 있는 회사에 감가상각 같은 것이 뭐가 중요하겠는가? 그러나 국제시장에서 주식이 거래되는 회사가 그런 세부사항을 조작하는 것은 범죄가 될 수 있다.

회사는 서구의 투자자들이 기대하는 회계에 대한 책임성이 결여되어 있었다. 회사의 경영진과 보상의 구조는 성과주의를 흉내도 내지 않았다. 의사결정을 하는 고위 직책은 외국인 부하직원들보다 경험이나 자격이 떨어지더라도 사우디인들이 독차지하고 있었다. 게다가 외국인 직원들의

---

1 Exxon, ExxonMobil Corporation의 약칭. 세계 최대의 다국적 석유·가스기업 중 하나로 1999년 엑슨(Exxon)과 모빌(Mobil)이 합병하여 탄생했다.

급료와 수당 등은 그들의 성과보다는 대체로 인종이나 국적에 의해 결정되었다. 미국과 영국에서 온 기술자들과 회계사들은 인도나 파키스탄에서 온 사람들보다 더 높은 급여를 받았고, 아프리카 출신 전문가들은 더 적은 돈을 벌었다.

그리고 이 산업에 속해 있는 다른 거대 기업들이 엑슨 발데스호 오일 누출 사건[2]이나 BP의 멕시코만 유정 폭발 사건[3] 같은 대형사고로 천문학적 벌금과 합의금을 지불한 뒤 안전에 대한 강박관념에 사로잡혀 있을 정도인 데 반해, 아람코는 그와 같은 기준을 적용해본 경험이 전혀 없었다. 아람코는 사우디법원의 관할하에 있는데 이 법원들조차 회사를 소유하고 있는 바로 그 왕가가 통제하고 있었다. 따라서 이 회사로서는 큰 비용을 부담하거나 공개적인 치욕을 당할 수 있는 사고를 피하려고 애써야 하는 동기 자체가 부족했다. 모하메드가 IPO 계획을 공표하기 불과 몇 달 전, 아람코는 오일산업계에서 수년간 경험하지 못한 최악의 재앙을 겪었는데, 그것은 아람코가 기본적 안전조치를 고의적으로 무시하여 발생한 사고였다.

참사는 아람코가 미국인 이외의 외국인 직원 거주용으로 본사 근처에 임차한 신축 주택단지에서 일어났다. 그 아파트 건물은 사우디 기업이 지어서 소유하고 있으며 안뜰에 수영장과 운동시설이 있고 겉보기에는 현대적인 아파트였다.

아람코는 직원들이 입주하기 전에 건물안전전문가 토마스 마이어스를

---

2 1989년 3월 알래스카에서 엑슨의 초대형 유조선 엑슨 발데스호가 좌초하여 37,000톤의 원유가 누출되어 1,600킬로미터의 해안을 오염시킨 사건.
3 2010년 4월 20일 멕시코만 북부 중앙 해상에서 BP가 운영하던 마콘도 광구에서 유정이 폭발하여 11명이 사망하고 17명이 부상을 입었다. 2010년 9월 19일까지 총 78,000톤의 원유가 유출됨으로써 총 6,500~176,100제곱킬로미터의 해역을 오염시킨 사상 최대의 환경오염사건이다.

보내 일상적인 점검을 했다. 콜로라도주 출신으로 말수가 적은 마이어스는 오랫동안 지방정부의 건물 검사 업무와 민간기업들에 대한 컨설팅을 해오다가 몇 년 전 아람코 직원 숙소에서 치명적인 화재가 발생한 뒤 채용되었다. 그는 별로 어렵지 않은 일을 하며 많은 급여를 받았고, 아람코 사택단지에서 편하게 살 수 있는 데다가 안전에 관한 전문성을 필요로 하는 나라에 정보를 제공할 기회를 가져서 기분이 좋았다.

마이어스는 새 콘도단지를 점검한 뒤 충격을 받았다. 6층짜리 건물 8개 동에는 각각 개방형 계단통이 있었는데 그 계단통은 화재가 발생하면 "굴뚝처럼" 기능하여 아래로부터 산소를 빨아올려 열과 불씨를 상층부로 올려보낼 것이라고 그는 보고서에 썼다. 건물에는 규격에 맞는 용량의 스프링클러가 없었고 (아람코의 자체 규정을 위반한 것이었다) 적합한 비상구도 없었다. 연기감지기도 없었다. 전기 배선은 테이프로 두 가닥을 하나로 조잡하게 붙여놓았다. 마이어스와 그의 상사는 문제점을 종합해 보고서에 "중대한 생명 안전 우려"라고 쓰고, 직원들을 입주시키지 말아야 한다고 아람코 경영진에게 보고했다.

경영진은 보고서를 무시하고 수십 명의 직원과 가족들을 입주시켰다. 입주하자마자 파키스탄인 지질전문가와 회계담당자가 새집의 건축 및 안전상의 문제를 발견했다. 화재경보기는 작동하지 않는 것 같았고 화재안전등도 없었다고 한 입주자가 불만 사항을 써서 주택관리담당자에게 이메일로 보냈다. 회사는 문제점을 바로잡지 않았다.

2015년 8월 30일 새벽 4시 45분, 한 건물에서 지하 주차장의 변압기가 작동하지 않았다. 아래층 합숙소에 사는 필리핀 출신의 인명구조원이 연기 냄새를 맡고 동료들을 깨웠다. 그들은 단지 곳곳으로 뛰어다니며 주민들을 깨우려고 애를 썼다. 그러나 불이 그들보다 훨씬 더 빨리 번져나갔다. 변압기의 불붙은 기름이 자동차 타이어에 옮겨 붙었고 몇 분 안에 폭발이 일어나 건물을 흔들었다. 지하에 주차되어 있던 모든 자동차가 하나하나 폭발했다.

마이어스가 예견했듯이 불길이 계단통 위쪽으로 치솟는 바람에 위층에 사는 주민들은 대피할 길이 없었다. 임신 중인 한 여자가 창문에서 안뜰에 있는 수영장으로 뛰어내리다가 머리를 콘크리트 모서리에 부딪혀 즉사했다. 다른 가족은 발코니에서 아래에서 팔을 넓게 벌리고 기다리고 있는 남자를 향해 영아를 던졌다. 한 파키스탄인 부부는 아이를 한 명씩 품에 안고 창문에서 뛰어내렸다. 그렇게 감싸 안음으로써 자신들의 몸이 추락할 때의 충격으로부터 아이들을 보호해주기를 바랐던 것이다. 남편은 외상성 뇌 손상을 입었고 두 다리가 부러졌지만 아이들은 살렸다.

주민들은 안뜰에 모여 머릿수를 세어본 뒤 파키스탄인 지질기술자 아흐메드 라지와 그 가족이 안 보인다는 것을 알았다. 친구 한 명이 위쪽으로 소리쳐 부르자 라지의 아내 니그하트는 아파트에 연기가 가득 차 있고 남편은 의식이 없는 상태라고 말했다. 그녀는 창문 밖으로 손을 흔들었지만 단지 입구가 너무 좁아서 구조대는 작업 크레인을 안뜰로 들여올 수 없었다.

수단인 암석물리학 기술자 모하메드 게브렐다르는 두 살배기 딸을 데리고 겨우 빠져나왔다. 그러나 집 안에 남아 있는 두 아이, 아내, 어머니를 구하려고 다시 들어갔을 때 이미 연기가 너무나 짙게 차 있었다. 캐나다인 기술자 타리크 민하스의 아내, 아들, 두 딸 역시 안에 갇혔다.

불길이 꺼진 뒤 구조대는 단지를 수색했다. 니그하트 라지는 딸 둘과 함께 살아남았다. 남편과 딸 한 명은 사망했다. 게브렐다르의 두 아이와 어머니도 사망했다. 민하스는 전 가족을 잃었다. 최종적으로 10명이 사망하여 10년 동안 발생한 오일산업계의 최악의 인명 사고를 기록했다.

그러나 세계 최대의 석유회사 중 하나인 BP를 미국에서 무릎 꿇게 만든 민형사상의 책임을 아람코는 전혀 지지 않았다. 직원들은 아람코를 사우디법원에 고소하지 못했다. 회사는 다수의 주민에게 비교적 적은 금액만 보상했고 일부에게는 한 푼도 주지 않았다. 어떤 사람들은 타버린 차의 처리비용을 강제로 지불해야 했고 자동차 관련 미납 채무를 완불한 뒤에야 비로소 사우디아라비아를 떠날 수 있었다.

사망 피해를 입은 가족들은 대단치 않은 보상금을 받았다. 니그하트 라지는 딸 한 명이 심신이 허약해지는 영구적 부상을 입어서 병원을 떠날 수 없는 상태이므로 사우디아라비아에 계속 머무르게 해달라고 했지만 32,000달러를 받고 파키스탄으로 추방되었다. 그 후 『월스트리트저널』의 기자들이 그녀의 상황에 대해 질의를 하자 아람코는 상당한 금액을 더 지급했다.

캐나다인 기술자 민하스는 다른 종류의 보상을 받았다. 그는 독실한 무슬림이었으므로 아람코는 그의 아내와 아이들을 성스러운 도시 메디나 근처의 유명한 공동묘지에 매장하는 데 동의했다. 회사는 민하스에게 6개월 휴가를 주고 캐나다, 미국, 파키스탄에 있는 12명 이상의 가족을 항공편으로 오게 하여 메카를 방문토록 했다. 당시 아람코는 회사의 "책임이나 재무적 책임에 대한" 판결이 없었음에도 불구하고 "회사는 발생한 피해에 대한 적절한 위로와 보상을 제공하기로" 결정했다고 말했다. 그들은 "우리 직원 및 그 가족과 계약자들의 안전이야말로 가장 중요한 문제다"라고 말했다. 그러나 결국 아람코가 지불한 최대의 합의금은 화재 탈출구가 없는 건물을 지은 사우디의 건설회사에 돌아갔다. 직원들을 불에 탄 단지에서 퇴거시킴으로써 임차 계약을 조기에 종료시켰다는 이유로 500만 달러를 지불했던 것이다.

아람코의 안전 기록은 투자자들에게는 붉은 깃발이었다. IPO를 하더라도 값비싼 소송에 휘말릴 수 있다는 사고 위험이 외부에 알려지면 주가를 저해하는 요인이 될 수 있을 것이었다.

또 다른 우려는 아람코가 석유를 생산하고 가공해서 판매하는 것 이외에 다른 사업들을 수도 없이 하고 있다는 점이었다. 회사의 기술자와 직원들은 사우디아라비아에 많은 인프라를 건설했다. 회사는 왕국 최초의 현대식 도로를 깔았고, 학교, 대학, 병원들을 건설했다. 심지어 석유와는 아무런 연관성이 없는 투자나 경제계획까지도 비밀리에 분석하고 자문해주었다. 모하메드 빈 살만은 회사의 경영권을 접수한 직후 사우디아라비아에 테마파크를 들여오는 것 같은 아이디어들을 실현하기 위해 사방에 제안서를 보내기 시작했다.

아람코에는 그런 일을 해온 긴 역사가 있다. 20세기 전반, 아직 유전이란 것이 생소하고 사우디아라비아가 가난했던 시절에 아람코 직원들은 말라리아 박멸에도 나섰다. 나라에서 기술이나 프로젝트 관리 역량이 가장 뛰어난 회사였으므로 아람코는 사우디아라비아에서 다른 누구도 할 수 없는 프로젝트들을 설계하고 실행할 수 있었다. 회사는 사우디아라비아의 경제에 대한 지원까지 해줬다.

전제주의 통치하에서 국민들을 행복하게 하기 위해 알 사우드 왕가는 아람코가 연료를 거저 나눠주도록 했다. 천연가스는 손해를 보면서 팔았고 일부의 정부 측 고객들은 아예 한 푼도 안 내는 경우도 있었다. 2015년 당시 사우디아라비아 최대의 전력회사는 15년 동안 아람코에 대금을 지불하지 않고 연료를 받아온 결과 200억 달러의 채무를 지고 있다고 보고했다. 연료를 공짜로 쓰기 때문에 이 전력회사는 사우디 시민들에게 전기를 거의 공짜로 공급할 수 있었다. 이익을 주주들에게 배당하는 대신 사우디 국민들에 대한 보조금으로 사용하는 회사의 주식에 투자하는 외국 투자자들은 어떻게 느낄 것인가?

그 밖에 허영에 가득 찬 프로젝트들도 있었다. 압둘라 국왕은 아람코에 스타디움과 모스크를 포함하는 10억 달러짜리 "스포츠 도시"를 개발하라고 지시했다. 국왕은 이것을 매우 좋아해서 죽기 직전에 35개를 더 만들라고 지시했을 정도였다. 살만은 즉위하자마자 들어갈 비용과 노력을 이유로 그 지시를 철폐했다. 아람코는 스웨덴의 디자인회사를 고용하여 박물관과 공연 공간이 있는 킹압둘아지즈 세계문화센터를 유전 근처의 사막에 건설했는데, 영화 「스타워즈」에 나오는 우주선을 닮은 건물이다. 그리고 모하메드가 IPO를 공표하는 시점에 아람코는 왕자가 좋아하는 사우디아라비아의 전통행사인 아름다운 낙타선발대회를 열기 위해 5,500만 달러짜리 단지를 건설했다. 왕가는 좋아할 일이었지만, 미국과 영국의 주주들은 현금 배당을 훨씬 더 선호했다. 자본주의라는 것은 상대적으로 적은 마케팅 비용이라면 몰라도 자선을 장려하지는 않는다.

당시 아람코의 한 고위간부는 국가의 지도자가 아람코가 사업과 관련 없는 프로젝트에 지출한 엄청난 금액을 제대로 파악하지 못하고 있다며 우려했다. "MBS가 소수점을 이해할까?"라고 그는 물었다.

모하메드가 IPO를 공표한 후 아람코 지도부는 회사를 정부와 왕가로부터 분리하는 계획을 만드느라고 아우성을 쳤다. 사우디인 관리자 모타심 알-마슈그는 핵심직원들을 회의실에 모아놓고 그 프로젝트가 아람코를 좀 더 효율적이고 투명하게 만들 것이라고 선언했다. 그러더니 그는 그것을 달성하는 절차라며 거의 아무도 이해하기 어려운 절차를 제시했다. 그는 팀에 암호명을 부여한 뒤 믿을 수 있는 직원 20명을 그 팀원으로 지명했다. 팀원들로부터 비밀준수 서약을 받고 가능성이 있는 여러 가지 전략에 착수하도록 했다. 문에 번호자물쇠가 달린 회의실 하나에는 회사 전체를 공개하는 계획을 개발하는 프로젝트 X팀이 들어갔다. 각각 전용 룸을 가진 프로젝트 Y팀과 Z팀은 회사의 일부를 한 번에 하나씩 매각하는 방안을 개발했다.

그럼에도 불구하고 모하메드는 석유 이외의 문제에 대해서도 계속 아람코에 의지했다. 그는 회사 내부의 기획자들에게 나라의 경제를 재건하기 위한 자기 계획의 핵심 부분을 작성해달라고 요청했다. 그리고 몇 달 동안 아람코의 석유산업분석가들에게 코모로 군도, 일본의 투자기업 소프트뱅크, 그리고 한 개 이상의 놀이공원 회사를 포함한 투자 기회를 분석한 보고서를 일주일에 10개씩 준비하라고 지시했다. 한 석유분석가는 당시 회사에서 발생한 혼란에 대해 이렇게 회상한다. "도대체 식스 플래그스[4]가 석유와 무슨 관계가 있다는 거야?"

아람코의 일부를 매각하는 것은 오랜 사우디 방식과의 결별이었다. 이것은 석유를 떠나 왕국의 경제를 다각화하고, 폭발하는 청년들을 위해 새로운 일자리와 사회적 자유를 창출하려는 모하메드의 전략의 첫 단계에 불과했다.

아버지와 고령의 알 사우드 지도부에게 이 계획을 설득하는 방법의 핵심은, 이것 없이는 필연적으로 경제 위기가 닥쳐 사우디아라비아에 대한 왕실의 장악력이 위협을 받을 수밖에 없다고 주장하는 것이었다. 여기에는 이 비전이 어떻게 작동할 것인지를 숫자로 보여주는 것과 왕국의 세계적 위상을 높이는 데 도움이 될 것이라는 국제적 동조의견이 반드시 포함된 구체적인 계획이 필요했다. 그는 어디로 가야 도움을 받을 수 있을지 잘 알고 있었다.

압둘라 국왕이 모하메드에게 경제개혁에 관한 연구를 허락한 뒤 2년이 넘는 시간 동안 그는 맥킨지앤드컴퍼니McKinsey & Company에서 준비된 협

---

4 Six Flags Magic Mountain, 미국 내에만 20개의 테마파크를 운영 중인 놀이공원.

력자를 발견했다. 1974년, 이 세계 유수의 컨설팅기업은 새로운 석유회사의 새로운 본사를 계획해달라는 대단치 않은 과제를 받고 왕국에 들어왔다. 이 미국 컨설팅기업은 1995년 비왕족 출신으로 사우디아라비아에서 가장 강력한 자리인 석유장관이 될 젊은 사우디인 기술자 알리 알-나이미Ali al-Naimi와 함께 일하는 행운을 누렸다.

아람코로부터 시작해서 맥킨지는 사우디 정부의 관료사회로 뻗어 들어갔다. 최근 들어 그들은 젊은 사우디인들을 채용함으로써 왕국과의 유대를 단단히 다졌다. 그들 중 일부는 정부관리들의 친척이었는데, 아람코의 회장이면서 에너지산업부 장관인 칼리드 알-팔리의 두 아들도 있었다.

2015년 12월, 이 컨설팅기업의 연구 부문인 맥킨지글로벌연구소는 "석유 그 이상의 사우디아라비아"라는 보고서를 발표했다. 이 보고서는 왕국 경제에 대한 혁신계획을 다루고 있었다. 보고서에서 맥킨지는 2015년과 2030년 사이 사우디아라비아는 GDP를 2배로 증가시킬 수 있고 "600만 개의 일자리를 창출할 수 있다"라고 썼다. 맥킨지는 이 보고서를 사우디아라비아 자금을 받아서 쓴 것이 아니라 자체 자금으로 수행한 독립적 연구보고서라고 밝혔다. 그러나 대표 저자는 사우디 정부의 자문을 맡고 있는 맥킨지 컨설턴트 가산 알-키브시였다. 보고서는 가장 중요한 고객에 대한 맥킨지의 거창한 마케팅 노력과 다름없었다.

세계 최대의 기업들과 정부들을 자문해온 컨설턴트들로부터 진품 도장을 받음으로써 모하메드는 새로운 국제적 신뢰를 얻게 되었다. 2016년 1월, 그가 IPO 계획을 발표할 때에는 왕궁의 지지를 충분히 확보했고 아버지로부터 충분한 권력도 주어졌기 때문에 회의적이던 아람코 회장 겸 석유장관 팔리도 IPO 계획을 저지하지 못했다.

모하메드 빈 살만은 아버지가 즉위하기 이전, 자신의 회사들과 MiSK재단을 설립하던 시절부터 컨설턴트에게 매료되었다. 그가 좋아했던 아이디어 중 하나는 곧 모든 정부 부처와 정부 관련 기업에서 'KPI'로 알려지게 될 핵심성과지표Key Performance Indicator를 만드는 것이었다. 모하메드는 숫자로 뒷받침되지 않은 전략은 거들떠보지도 않았다. 그는 숫자에 대해 대단한 기억력을 가지고 있어서 종종 부하들이 몇 달 전에 제시했던 예상 수치를 자세히 되풀이하여 자신이 현안들을 확실히 파악하고 있다는 것을 입증하기도 했다.

맥킨지와 다른 컨설턴트들 모두가 모하메드의 경제개혁계획과 관련하여 그가 하는 어떤 요청이든 수용할 준비가 되어 있었다. 그의 관심을 끌어내기 위해 그들은 예상치, 도표 및 그래프를 수없이 많은 파워포인트 슬라이드로 만들었다. 그리고 각 슬라이드 장표에는 왕자가 좋아하는 방식으로 숫자, 통계, KPI를 작성해 넣었다.

모하메드는 왕국에 와 있는 맥킨지의 수석 파트너인 가산 알-키브시를 알게 되었다. 그는 MIT를 나와서 중동에 근무해왔다. 모하메드는 그에게 대담한 비전 하나를 제시하고 번쩍번쩍하게 다듬어 달라고 요청했다. 사우디아라비아가 국부를 석유라는 쇠사슬에서 풀고 섬처럼 고립되어 있던 경제를 외부 세계 국가들과 연결하는 비전이었다.

컨설턴트들은 모하메드가 풀어놓는 아이디어들을 세계은행과 국제통화기금은 물론, 회의적인 나이 든 사우디 관리들을 만족시킬 수 있는 믿을 만한 지표와 기준이 담긴 계획들로 구체화했다. 모하메드는 자기 비전의 모든 측면을 분석한 보고서를 제공받기 위해 맥킨지와 또 다른 회사인 보스턴컨설팅그룹(BCG)에 수천만 달러를 지급했다. 맥킨지는 경제현대화와 관료개혁에 대한 작업을 했다.

모하메드는 자신의 정부개혁계획에 KPI를 원용하기 시작했다. 팔리와 경제개혁 담당 및 심지어는 대중문화 담당 장관들에게도 KPI가 부여되었고, 이들은 정기적인 점검회의 이전까지 그것을 달성해야만 했다. 달성에 실패하는 자는 해임의 위험을 감수해야 했다. 장관들이 정부계약을 수주한 회사들로부터 돈을 받아먹지 않고 정당하게 관리하는 데에 에너지를 집중할 수 있도록 더 큰 인센티브를 주기 위해서 모하메드는 장관에 대한 급여 구조를 바꿨다. 과거에는 장관들에게 월 1만 달러의 급여에 수당과 보너스를 주되 국왕은 그들이 받아먹는 뇌물에 대해서는 대체로 눈을 감아주었다. 모하메드 치하에서 장관들은 1년에 수백만 달러를 받았다. 다만 그들은 KPI를 달성해야 하고 정부는 더 이상 그들이 받는 뇌물에 대해 눈감아주지 않았다.

그는 또한 재무부 같은 부처의 나태하고 경직된 문화에도 주목했다. 공무원들은 누구나 은퇴하기 전 몇 년 동안은 그저 관성적으로 적당히 세월만 흘려보내려고 했다. 그는 자신이 오랫동안 여러 가지 강력한 임무들을 맡겨온 기업전문 변호사인 모하메드 알-자다안에게 재무부를 뒤집어엎고 직급에 상관없이 은행 출신의 젊은 직원들로 채워 넣을 수 있는 권한을 부여했다. 여유로운 시간, 안정된 직책, 보장된 연금의 나날은 이제 영원히 사라졌다.

정부의 행동방식 변화는 모하메드가 낡고 관료적인 조직을 대체하기 위해 신설한 경제개발위원회Council of Economic and Development Affairs의 주례회의에서 가장 선명하게 드러났다. 무미건조한 업데이트를 듣고 그들의 등이나 두드려주고 위대한 지도자의 비전을 칭송하고 끝내는 이전의 회의방식 대신 장관들은 이제 연단 위로 올라가 자기 부처의 비전과 그 달성을 위한 전략 그리고 진척상황에 대한 최신정보를 보고해야만 했다. 그들이 보고하기 전에 위원회 소속 특별 그룹이 보고 내용을 사전에 점검했다. 그런 다음 당시 서른 살의 모하메드가 질문을 던지고 때로는 두 배의 나이 차가 나는 완고한 장관들에게 소리를 지르기도 했다. 장관이 70페이

지짜리 서류를 회의참석자들에게 한 장 한 장 차분하게 보여주고 있는 동안, 모하메드는 서류 전체를 내달리듯 미리 읽고 후속 질문들을 적어두느라고 서류를 흩뜨리는 것으로 유명했다.

"처음에는 모두 힘들어했습니다"라고 점검회의에 참석했던 당시 문화부 장관 아델 알-토라이피는 회고했다. "이것은 사람들에게 매우 생소한 방식이었습니다."

맥킨지와 아람코 이외에도 모하메드는 서구의 규범과는 거리가 먼 일들도 주관했다.

알-아와미야Al-Awamiyah는 아람코 본사에서 사우디아라비아의 걸프 해안 북쪽으로 50킬로미터쯤 떨어진 곳에 위치해 있으며, 석유를 뽑아내기 시작한 이후 수십 년 동안 왕국의 다른 지역이 누려온 평화와 번영을 상대적으로 경험해보지 못한 인구 25,000명 정도의 오아시스 도시이다.

알-아와미야가 다른 지역과 다른 점은 주민들 대다수가 시아파 무슬림으로 왕국 내에서 소수파라는 것이다. 이것은 수니파와 동맹해온 왕정으로서는 문제였다. 왕국이 창건된 이후 알 사우드 왕가를 뒷받침해온 성직자들의 눈에는 시아파 무슬림은 진정한 무슬림이 아니다. 그들은 이교도이다. 그리고 사우디 정부의 눈에는 시아파 무슬림은 왕국의 숙적인 이란에 동조하는 자로 의심된다.

역사적으로 사우디아라비아의 시아파 무슬림은 쓸 만한 일거리를 얻거나 정부의 혜택을 받기가 곤란했다. 수십 년 동안 알-아와미야와 주변 마을들은 일상적으로 반대시위를 하고 잔인하게 진압당해왔다. 최근 몇 년 동안 주민들은 니므르 알-니므르Nimr al-Nimr라는 시아파 종교지도자에 이끌려 국내는 물론 국제적인 문제에 대해 거리로 뛰쳐나와 데모를 했는데 이것은 공공의 데모를 금하는 사우디법령을 위반한 것이었다.

데모를 선동한 것보다 더 나쁜 것은 그가 전하는 메시지였다. "그가 통치하는 곳이 어디든 상관없이 (바레인이든, 예멘이든, 이집트든, 그 어디든) 정의롭지 못한 통치자는 증오받아 마땅하다"라고 니므르는 유튜브 설교에서 말했는데 이 방송을 160만 명이 시청했다. "압제자를 변호하는 자는 그가 누구든 압제의 동업자이며, 압제받는 자와 함께하는 자는 그가 누구든 압제받는 자가 신으로부터 받는 보상을 함께 나눌 것이다." 또 다른 설교에서 국왕과 그의 가문을 "폭군들"이라고 지칭하면서 "우리는 알 사우드를 통치자로 받아들이지 않는다. 우리는 그들을 받아들이지 않으므로 그들을 제거하길 원한다"라고 말했다.

모하메드는 시아파의 반대를 전임자들만큼도 관용하지 않았다. 그리고 전임자들과 마찬가지로 특히 알 사우드 통치의 정당성에 의문을 제기하는 자들에 대해 극도로 민감했다. 그것이 2016년 1월 초 어느 날 아침 니므르와 47명이 리야드의 광장으로 끌려와서 일부는 참수형을, 나머지는 총살형을 당했던 이유였다.

처형은 대중의 분노를 불러왔다. 정부는 니므르가 무기를 들고 사우디아라비아의 문제에 외국을 끌어들이려고 획책하는 등 국가에 불복종한 죄로 처형된 것이라고 주장했다. 한 사우디 관리는 니므르가 왕세자 모하메드 빈 나예프에게 물리적 위해를 가하려 한 책임이 있다고 말했다. 그러나 국제앰네스티와 다른 인권단체들은 그가 저지른 진짜 범죄는 단순히 왕가를 비판한 것에 불과하다고 말했다. 니므르의 형제는 트위터에 처형 소식을 올린 죄로 체포되었다.

이 대립으로 이란에서는 반대시위가 이어졌고 그곳의 정부관리들은 선동적인 성명서를 내놓았다. 이 발언을 "적대적"이라고 비난하면서 사우디아라비아는 이란외교관들을 추방했고 이란 역시 같은 조치로 대응했다. 모하메드는 이 처형사건 및 예멘전쟁과 나란히 이란과 충돌의 길로 나섰다.

그러나 왕국 내 많은 사람이 니므르에 대한 처형이 의미하는 메시지를 분명하게 느꼈다. 모하메드가 변화시키지 않는 그 무엇이 있었다. 그중 하나는 자기 가문의 통치에 의문을 제기하는 자들은 머리가 날아갈 수 있다는 것이었다.

그렇지만 모든 것을 감안했을 때 결국 모하메드는 영향력 있는 서구사람들에게 그들이 수십 년 동안 기다려왔던 사우디아라비아의 개혁가가 바로 자신이라고 설득하는 데에 성공했다.

니므르가 참수된 바로 그달인 2016년 1월, 퇴역 4성 장군으로 CIA 국장을 지낸 데이비드 페트리어스가 리야드에 왔다. 그는 국제자본시장에 대한 전문성을 인정받아 사모투자펀드인 케이케이알앤드컴퍼니KKR & Company에 고용되었는데, 그와 회사의 창업자 헨리 크래비스Henry Kravis는 이 지역에 대한 잠재적 투자에 관심이 있었다.

페트리어스는 2008년부터 2010년까지 중동에서 미국의 몇 가지 활동을 선도했고, 중동지역에서의 군사적 활동을 관할하는 미국 중부군사령관을 역임했다. 그는 왕국과 알 사우드 왕가와 오랜 인연을 가지고 있었다. 장군 시절 그는 파흐드 국왕과 압둘라 국왕과 시간을 함께했다. 그는 압둘라의 아들로 국가방위부 장관이었던 미테브를 잘 알았고 2012년 살만의 미국 방문을 주관했다. 2015년에는 모하메드를 워싱턴에서 만났다.

모하메드는 페트리어스가 리야드에 있다는 말을 듣고 그에게 만나자고 했다. 모하메드의 밀사는 왕자가 그에게 무언가를 보여주고 싶어 했다고 말했다. 크래비스는 일정에 따라 여행을 계속했지만 페트리어스는 왕자와의 만남을 위해 리야드에 머무르기로 동의했다.

모하메드의 부하들은 퇴역 장군을 궁전으로 데려와 큰 방을 계속 지나 마침내 모하메드의 집무실로 안내했다. 거기에는 낯익은 얼굴의 주미 사우디아라비아대사 아델 알-주베이르가 모하메드에게 통역을 해주기 위해 기다리고 있었다. 모하메드는 컨설턴트들과 함께 작성한 사우디아라비아 경제개혁계획의 상세한 내용을 브리핑 받는 최초의 미국인들 중 한 명이 페트리어스이기를 원했다. 왕자는 그것을 '비전2030'이라 불렀다.

페트리어스는 말할 수 없을 정도로 감동했다. 그는 변화가 자신들의 통치체제를 뒤엎어 놓을지 모른다는 두려움 속에서 살아온 허리 굽은 늙은 왕자들과 오랫동안 만나왔다. 여기에 사우디 경제를 급진적으로 변혁하는 상세한 계획을 설계하고 즉시 시작하려고 하는 서른 살의 왕자가 눈앞에 있었다. 모하메드는 키 크고 생기가 넘쳤으며 오똑 솟은 콧날에 환한 미소를 지니고 있었다. "잘생긴 모습이었다. 사우디 왕자를 그리겠다면 모하메드가 바로 그 모습일 것이다"라고 페트리어스는 생각에 잠겨 회고한다. 더욱 놀라운 것은 지도자들과 진보가 빙하처럼 느리게 움직이는 나라에서 "그는 에너지를 전달한다. 그는 긴박함을 전달했다."

모하메드는 두 시간 동안 쉬지 않고 말하는 도중 놀라울 정도로 상세한 재무적 예상치를 노트도 보지 않고 기억에만 의존해서 설명했다. 그는 실현 가능한 경제의 범주를 하나씩 하나씩 거명하고, 또는 사우디아라비아의 석유의존도를 경감시키는 방안을 원점에서부터 창안하고, 각각의 범주가 얼마나 빨리 성장할 수 있으며 어느 정도의 소득을 가져올 것인지를 줄줄 외워서 이야기했다. 그 계획에는 실질적인 변화들과 (지원금 축소, 세금 신설 등) 얼핏 보기에는 황당한 것들이 혼재되어 있었다. 사우디아라비아의 홍해 연안에 날아다니는 자동차와 로봇 노동자가 있는 새로운 주를 건설하는 계획도 들어 있었는데 이 계획은 그 후 1년 이상 공개되지 않았다.

"장군, 보십시오. 만약 우리가 달성하려고 싸워나가려는 목표의 60%만 달성해도 놀라운 일이 되지 않겠습니까?"라고 모하메드가 말했다. "정말 놀라운 일이 될 것입니다. 그건 정말 경이로운 일이 될 겁니다"라고 징군이 화답했다.

방문하는 동안 모하메드가 가문의 경쟁자들을 제압할 정도의 권력을 획득하기 위해 보이지 않는 계책을 가지고 움직이는 듯한 작은 조짐들이 있었다. 미국의 다른 정보관리들도 그랬지만 페트리어스는 모하메드와 왕위 사이에 서 있는 모하메드 빈 나예프 왕세자와 오랫동안 다정한 관계를 맺어왔다. 페트리어스는 주미 사우디아라비아대사 주베이르에게 왕세자와의 만남을 주선해달라고 요청했다. 그러나 그런 일은 결코 일어나지 않았다.

페트리어스는 왕세자가 바쁘기 때문이라고 이해했다. 하지만 미국으로 돌아왔을 때 모하메드 빈 나예프와 가까운 사람으로부터 수수께끼 같은 메시지를 받았다. "MBN은 당신을 보고 싶어 했습니다. 왜 들르지 않으셨습니까?"

세계 최대의 IPO에서 초기 역할을 한다는 데 열광해서 미국과 유럽의 은행가들은 왕자를 만나기 위해 리야드로 가는 항공편의 일등석을 예약했다. 그들 중에는 런던에 기반을 둔 제이피모건의 은행가 아친티아 망글라와 골드만삭스그룹의 조너선 펜킨이 포함되어 있었다. 이들은 세계 최고의 IPO 전문가였고 그들의 상사들과 마찬가지로 왕자를 향해서 모든 노력을 쏟아 붓고 있었다. 수억 달러에 달하는 수수료뿐만 아니라 수년 동안 주요 거래에 참여할 수 있는 기회가 있었다. 그것은 투자은행업계의 골드러시였다.

미국 재무부 장관과 하버드대학교 총장을 역임한 래리 서머즈가 방문하러 왔다. 미국 하원의 여당 원내총무였던 에릭 캔터도 왔다. 두 사람은 각각 아람코 프로젝트의 일부분이라도 따내려고 노력하는 작은 투자은행을 위해 일하고 있었다. 영국 총리를 역임한 토니 블레어도 마찬가지였다.

그는 공직에서 물러난 뒤 다른 나라의 지도자들에게 (일부는 널리 독재자라고 받아들여지는) 개혁에 대해 조언하고 전체주의 국가들에서 사업을 하는 회사들에게 컨설팅을 해주면서 수천만 달러를 긁어 들이고 있었다. 그는 하루 저녁을 사막의 텐트에서 모하메드와 함께 보내면서 통치 철학과 권력에 대해 토론했다. 블레어는 이때 제이피모건체이스를 위해 일하고 있었지만 그들은 은행 일에 대해서는 논의하지 않았다고 직원 한 사람이 말했다.

상담 초기 단계에서부터 부산하게 돌아다녔던 사람은 전직 씨티뱅크 딜메이커 마이클 클라인이었는데 알왈리드 빈 탈랄과 오랫동안 밀접한 관계를 맺어온 인물이었다. 한 금융회사의 사주이기도 한 그는 다른 거래 과정에서 알게 된 에너지부 장관 칼리드 알-팔리를 지렛대로 아람코에 대한 초기 컨설팅 역할을 해보려고 노력했다. 그는 곧 사우디 국부펀드 책임자의 환심을 사게 되었고 국제 투자자들이 아람코를 2조 달러까지 평가할 수 있다고 제안한 최초의 인물 중 하나였다.

모하메드가 미국과 유럽에서 온 은행가들의 후속 방문 때 2조 달러의 가치 평가를 기대한다고 말하자 그들은 고개를 끄덕이면서 "예스"라고 했다. 사실, 왕자는 나중에 사람들에게, 한 유럽의 대형 은행은 그것이 2조 3,000억 달러의 가치가 나갈 수 있다고 말했다고 한다.

금융계의 거물들이 왕국에 매력을 느끼는 동안, 모하메드는 그의 비전을 공식화하기 위해 의존했던 컨설턴트들에 대해 무언가 사라지지 않는 의구심이 생겨나기 시작했다. 맥킨지와 BCG 사람들은 분명히 똑똑했지만 또한 돈이 목적인 사람들이기도 했고, 그들에게는 본질적으로 이해충돌의 문제가 있었다. 컨설턴트들은 "노"라고 말할 필요가 전혀 없었다. 만약 왕자가 어떤 황당한 계획이 타당성이 있냐고 묻는다면 "예스"라고 말하는 편이 항상 그들의 이익에 부합했다. 컨설턴트들은 거대한 프로젝트를 맡음으로써 돈을 버는 것이지 자기를 고용한 사람들에게 그런 프로젝트를 나쁜 아이디어라고 말함으로써 돈을 버는 것이 아니다.

모하메드는 이러한 이해충돌을 이해하고 있었으며, 맥킨지와 다른 컨설턴트들에게 정부 전반에 걸쳐 수십 개의 프로젝트에 참여하도록 하면서도, 사우디가 외국인 전문가들에게 너무 많이 의존하고 있다고 생각한다고 친구들에게 말했다. 석유 또는 기술이나 경제학에 대한 지식 때문에 사우디아라비아에서 넉넉한 급여를 받고 있는 외국인들은 왕국의 성패에 개인적인 이해관계가 걸려 있지 않았다. 그들의 계획이 제대로 작동하든 안 하든 상관없이 그들은 돈을 지급받았다.

모하메드는 이러한 이해충돌의 예를 컨설팅 작업의 모든 측면에서 보기 시작했다. 왕자는 KPI를 좋아했지만 맥킨지가 제시한 KPI 중에는 자기가 생각했던 것보다 불분명한 것들이 있었다. 그리고 대다수의 컨설팅기업이 사우디아라비아에 비중 있는 사무실을 두지 않았다. 대신 그들은 전문가들을 두바이에서 오고 가게 했다. 술을 마실 수도 없고 여자들은 법적으로 남자들보다 열등하게 취급을 받기 때문에 미국인이나 영국인 직원들은 사우디아라비아에 사는 것을 싫어했기 때문이다. 모하메드는 도대체 이 나라에 잠시도 살기 싫어하는 사람들에게 어떻게 이 나라의 미래를 맡길 수 있다는 것인지 의구심을 갖게 되었다.

사우디아라비아가 2030년까지 특정의 목표를 달성할 수 있도록 돕는 것이 프로젝트의 핵심이었다. 그래서 모하메드는 컨설턴트들에게 결과에 따라서만 돈을 지불하겠다고 제안했다. "나는 당신들이 2030년에 KPI를 이룩하면 돈을 지불하겠습니다"라고 왕자가 말했다. 컨설턴트들은 망설였다. 그들은 진도가 나가는 대로 돈을 받든지 아니면 일을 그만두든지 선택을 해야만 했다.

비용은 급증했다. 약 5년 동안, 사우디군은 비전2030에 따라 군을 개혁하는 컨설팅 비용으로 2억5천만 달러를 지불하고도 별로 보여줄 만한 변화를 이루지 못했다. 컨설턴트들은 제복을 입은 지휘관들 위에 대규모 민간인 관료조직을 두는 복잡한 구조를 추천했다. 그 구조가 제대로 작동하도록 하기 위해서는 반드시 끌어들여야만 할 장교들을 배제하는 구조였다. 교착상태에 좌절감을 느낀 개혁 담당 관리는 기존의 컨설턴트들이 해놓은 작업을 평가하는 새로운 컨설턴트를 고용하여 문제를 풀어보려고 했다. 새 컨설턴트는 기존의 계획이 전체적으로 실패할 수밖에 없으며 왕국이 안고 있는 최대의 군사문제를 제대로 대응하지 못하고 있다고 결론을 내린 보고서를 제출한 뒤 해촉되었다. 그가 지적한 최대의 문제는, 사우디아라비아는 GDP의 10%를 군비에 지출하고 있는데 이것은 지속적으로 감당하기 어려운 금액이며 상당 부분이 강력한 베두인 부족의 사람들에게 일거리를 제공하는 데 쓰이고 있는 것이라고 했다. 그 지출을 깎아내지 못한다면 사우디아라비아는 모하메드가 추구하는 경제성장을 이룩하기 어려울 것이라고 컨설턴트는 평가했다.

많은 미국 정부관리들에게 있어서 아람코 IPO와 다른 화려한 성과들은 우선순위에서 한참 밑에 있었다. 주사우디아라비아 미국대사 조 웨스트팔은 뉴욕증권거래소의 지도자들 그리고 모하메드와 IPO를 뉴욕에서 하는 방안에 대해서 논의하는 한편, 다른 미국 정부관리들과 함께 모하메드에게 국경 안보나 사우디의 석유시설에 대한 공격을 방어하는 효과적인 시스템 개발 등 대중이 덜 주목하는 우선과제에 집중해야 한다고 강조했다.

그것은 만우절 농담처럼 들렸다. 옥스퍼드 출신 「블룸버그뉴스」의 편집장 존 미클쓰웨이트는 2016년 4월 1일 TV에 나와서 사우디아라비아가 2조 달러에 달하는 투자펀드를 개시할 예정이라고 보도했다. 미클쓰웨이트는 그것을 "놀라운 일"이라고 불렀다. "그것은 구글, 마이크로소프트, 알파벳(구글의 모회사) 모두를 살 수 있는 금액입니다."

모하메드는 사우디아라비아 경제를 재창조하려는 자기 전략의 윤곽을 설명하는 다섯 시간에 걸친 인터뷰에서 IPO 계획을 공개했다. 그 핵심 개요를 본 외국의 경제전문가와 비즈니스 지도자들은 그의 아이디어를 타당한 것으로 받아들였다. 모하메드는 아람코 IPO에서 나오는 현금을 새로운 산업에 투자함으로써 왕국에 석유를 뛰어넘는 새로운 소득의 원천을 만들어 놓으려고 했다.

그러나 그것이 실제로 어떻게 구현될 수 있을지 아무도 가늠하지 못했다. 거대한 버블을 발생시키지 않고 그렇게 많은 돈을 세계시장에 쏟아붓는 게 가능한가? 모하메드는 투자 관리를 누구에게 맡길 것인가? 현재 국부펀드를 운영하고 있는 책임자 야시르 알-루마이얀Yasir al-Rumayyan은 국내외에서 리야드 골프계의 태평스러운 유명인사로 알려진 인물인데, 고급 시가를 즐기고 긴 다리에 짧은 스커트를 입은 러시아 여자들이 자주 오는 두바이의 심야 바를 좋아했다.

회의적이든 아니든 상관없이 서구의 주목을 받는 것만으로도 왕자에게는 하나의 승리였다. 4월 말에는 『블룸버그비즈니스위크』가 커버스토리로 그와 그의 컨설턴트들이 준비한 사우디아라비아의 개혁계획을 상세히 다루었다. 비전2030은 수백 명의 사우디인들과 외국 컨설턴트들이 몇 달이나 걸려 완성했고, 미국과 세계은행이 수년간 권해온 광범위한 목표들을 설정했다. 기업가 정신, 혁신에 인센티브를 부여하는 경제, 여자들이 노동인구에 합류하는 자유는 분명히 더욱 강한 국가를 창조할 것이라고 외국인들은 분석했다.

사우디아라비아가 반세기 전 오일달러가 쏟아져 들어오기 시작하던 때와 크게 보면 똑같은 경제 구조를 가지고 있는 나라라는 점을 고려할 때, 모하메드의 계획은 목표 달성 시점을 거의 터무니없다고 할 만큼 야심적으로 잡고 있었다. "모든 성공스토리는 비전으로부터 시작되는 것이고,

성공적인 비전은 강고한 기둥에 그 기초를 두고 있는 것이다"라고 비전 2030은 선언했다. 세 개의 기둥은, 사우디아라비아를 아랍과 이슬람세계의 핵심으로 만들고, "글로벌 투자의 강국"이 되고, 나라를 "3대륙을 연결하는 글로벌 허브"이며 "무역의 핵심"으로 변화시키는 것이었다.

모하메드는 일단 공표를 했으니 진전되는 모습을 빨리 보여줄 필요가 있다는 것을 잘 알고 있었다. 그 후 몇 주일 동안 그는 자기들의 아이디어가 작동한다는 것을 어떻게 보여줄 것인지를 놓고 사우디 공무원들과 컨설턴트들을 닦달했다. 말하자면 그는 재무장관에 대해서 인내심을 잃었고, 그 대신 긴급한 과제에 대해 경제기획부 쪽을 바라봤다. "원칙은 매주 바뀌었다. 바퀴는 며칠마다 다시 만들어졌다"라고 BCG의 한 직원은 불평했다.

국부펀드의 데뷔는 모하메드가 계획하고 있는 자금을 세계에 보여주었다. 한 달 뒤 그는 미 국무부 장관 존 케리를 자기의 요트 서린호에 초대했다. 그러나 그가 PIF를 신예新銳 투자자로 소개하기 위해서는 눈에 확 띄는 딜이 필요했다.

얼마 전 모하메드는 당시 뜨거운 관심을 받았던 신설회사 우버Uber의 창업자 트래비스 칼라닉을 소개받았다. 이들 두 사람은 친밀한 관계가 되었고 (왕자는 후일 이 기업가를 '친구'라고 불렀다) 모하메드는 우버를 매력적인 투자대상으로 보았다. 경제 언론들은 그 회사에 대해 온갖 좋은 소리를 했다. 우버는 전 세계에서 고속으로 성장하고 있었고 아직도 여자들의 운전이 금지되어 있는 사우디아라비아 내에서 큰 역할을 할 수 있을 것으로 보였다. 모하메드와 칼라닉은 투자에 대해 논의했다. 6월 초 PIF는 총 35억 달러를 우버에 송금했다. 그로써 모하메드는 전 세계에서 가장 주목받는 신생기술회사의 최대 투자자가 되었고, 우버의 이사회에 국부펀드의 책임자 야시르 알-루마이얀을 이사로 올려놓았다. 그는 왕국이 무언가 다른 식으로 한다는 것을 증명했다.

그 투자는 서구의 사업가, 컨설턴트, 은행가 등이 젊은 왕자에게 약속했지만 가져다주지 못했던 수많은 투자 프로젝트 가운데 첫 번째 사례가 되었다. 그는 우버에 투자해서 돈을 벌지는 못했다. 또한 우버가 사우디아라비아에 크게 투자하지도 않았다. 실제로는, 사우디아라비아가 우버의 투자자라고 공표하는 특권을 위해 35억 달러를 내어준 것이었다. 그 돈을 돌려받을 수는 있겠지만 그 이익은 별로 인상적이지 않을 것이다.

국부펀드에 대한 오랜 경력으로 그 과정에서 냉소적으로 변한 중동의 베테랑은 걸프지역 투자에 대해서 이렇게 설명한다. 최선의 딜이나 기회는 뉴욕시에 있는 은행들의 도움을 받는 미국의 대형 기관투자자들이 모두 장악한다. 2류 딜은 유럽 투자자들에게 간다. 그리고 보잘것없는 딜은 잘 포장되어 은행가들이 "멍청한 돈dumb money"이라고 비꼬아 부르는 중동 투자자들을 위해 새 브랜드를 달게 된다. "그들은 우리에게 신경도 쓰지 않는다. 그들은 다만 우리의 돈을 원할 뿐이다."

며칠 뒤 모하메드는 실리콘 밸리로 향했다. 회사의 임원들은 왕자를 뜨겁게 맞았다. 빳빳하게 다린 데님에 블레이저 재킷을 입은 모하메드가 페이스북[5]의 CEO 겸 회장인 마크 저커버그와 포즈를 취하고 구글의 창업자들을 만나러 갔다.

모하메드가 그 대열에 합류하고 싶어 하는 벤처자본가VC, Venture Capitalist들의 접대는 덜 야단스러웠다. 기업가들은 사우디아라비아 돈에 배가 고팠던 반면에 VC들은 또 다른 종자였다. 그들은 종종 거만하고, 팔로 알토[6] 위 높은 언덕에 있는 샌드 힐 로드의 낮게 지어진 그들의 사무실

---

5   현재 메타(META)로 사명이 바뀌었다.
6   Palo Alto, 애플, 페이스북(메타), 구글 등 하이테크 회사들의 본사가 있었던 곳이다.

로 테슬라를 운전하면서, 가능성은 희박하지만 성공만 하면 엄청난 수익을 올릴 수 있는 초기 단계의 신생회사에 적은 투자를 하는 데 전문화되어 있었다. 그 업계에는 붐이 일었다. 성공적인 VC들은 절대로 수천억 달러를 가진 왕자를 필요로 하지 않았다. 그런 왕자는 새로운 신생기업들의 가치만 폭등시켜 놓고 시시콜콜 이래라저래라 할 뿐이었다.

"우리는 당신의 돈이 필요 없습니다"라고 한 유명한 VC가 모하메드가 캘리포니아에 오기 전에 그의 밀사를 먼저 만난 자리에서 말했다. "우리에게도 돈은 많습니다." 또 다른 VC는 자기 회사에는 이미 사우디인의 돈이 들어와 있다고 설명했다. 모하메드의 수행단은 이 말을 듣고 짜증이 났는데, 이 자금운용자가 사우디 개인부자의 돈과 사우디 국가 자금을 운영하기 위해 모하메드가 제공하는 기회의 차이를 모르는 것이 분명했기 때문이었다.

왕자를 만나는 데 진심으로 열성적인 것처럼 보이는 VC들은 업계의 또 다른 쪽에 있는 사람들, 즉 야심만만한 신진 인사들뿐이었는데, 이들은 자신들이 사우디인들에게 영향력이 있다고 뻐기는 바람에 왕자의 수행단을 화나게 했다. 이들 중에는 VC로 성공한 피터 틸과 함께 일했던 데이터 분석기업 팔란티어Palantir의 공동 창업자 조 론스데일이 있었다. 투자자들의 회고에 의하면, 방문 전에 론스데일은 그들에게 자기가 사우디인의 투자를 받았다고 말했는데, 실제로 그는 에너지부 장관의 아들로부터 적당한 금액의 투자를 받고 있었다. 그것은 왕국 정부와의 관계하고는 거리가 한참 멀었다. 그것에 대해 질문을 받자 론스데일은 자신이 운영하는 돈의 소유자의 이름을 "공유하는 것은 적절치 않다"라고 말하면서 사우디인의 투자를 받았다고 자랑해본 적이 없다고 말했다. 론스데일은 결국 그 지역의 투자를 유치하지 않기로 했다고 말한다. "그 지역의 사회에서는 무언가를 창조하거나 정확한 지성을 적용하는 것이 아니라 연줄을 여기저기

팔아먹으면서 돈을 버는 사람들이 많은 것 같다"라고 덧붙였다.

그러나 샌프란시스코 놉 힐 꼭대기에 있는 페어몬트호텔에서 저녁식사를 하는 동안 좀 더 성공한 VC들의 태도는 변화하는 것처럼 보였다. "나에게는 사우디아라비아와 실리콘 밸리를 연결하는 다리가 필요합니다. 우리의 개혁에는 당신들의 도움이 필요합니다"라고 모하메드는 마크 앤드리슨, 피터 틸, 존 도어, 마이클 모리츠 등 수십 년 동안 신생기업들을 지원해서 수십억 달러짜리 회사로 키워낸 경험을 가지고 있는 VC의 거물들에게 말했다.

왕자가 보기에 벤처 캐피털이라는 사업모델은 규모가 무한대일 수 있었다. 그들이 상대적으로 적은 금액을 투자해서 거대한 수익을 올리는데, 만약 자기가 그들의 자본을 10배로 늘려준다면 도대체 얼마의 수익을 올릴 수 있을지 상상이 되지 않았다. 저녁식사가 끝나고 존 도어가 에너지부 장관 칼리드 알-팔리를 팔로 감싸 안고 흥분한 어조로 "우리 함께, 에너지산업을 재창조합시다"라고 말했다.

그러나 실리콘 밸리의 VC들은 모하메드가 원하는 만큼 재빨리 움직일 수 없었다. 그들은 소규모 투자를 해온 자신들의 옛날 방식에 고착되어 있었다. 모하메드는 거액을 투자하고 싶어 했고 게다가 지금 당장 하고 싶어 했다. VC들이 모하메드의 요청에 부응하는 방법을 고안해 내기 전에 왕자는 일본에서 온 같은 마인드를 가진 거대 투자자를 만났는데 그는 밸리의 낡은 파수꾼을 피하게 해주겠다는 약속을 했다. 하지만 우선 다뤄야 할 성가신 목소리들이 있었다.

6장

캡틴 사우드

"내 총을 줘!"라고 그는 고함을 질렀다. 경호원 한 명이 거절했다. 사우드 기장의 부하들은 총을 가지고 있었다. 기내에서 총격전을 벌이는 것은 앞으로 생길 그 어떤 일보다도 더 나쁠 것이 확실했다. 따라서 왕자와 그의 일행은 고함질을 멈추고 착륙할 때까지 침묵으로 자리를 지켰다. 싸울 방법이 없었다. 술탄은 사우드 기장의 부하들의 부축을 받아 탑승교를 내려갔다. 그것이 그의 수행원 모두가 그를 본 마지막 순간이었다.

2016년 2월

　사우드 기장에게는 무언가 이상한 데가 있었다.

　파리에 있는, 맞춤형 목재 패널로 특별하게 치장한 보잉 737-800의 고급 가죽소파에 앉아 있는 사우드는 외형적으로는 파일럿처럼 보였다. 제복은 빳빳하게 날이 서 있고 몸가짐은 자신감이 넘치고 상냥했다. 그는 카이로까지 모시고 갈 VIP인 술탄 빈 투르키 2세 왕자의 수행원들에게 농담도 던지고 자기 아이들의 사진을 보여주기도 했다.

　하지만 조금 이상한 점들이 있었다. 레크리에이션 파일럿이었던 왕자의 수행원과 대화하는 동안 사우드는 737의 비행훈련에 대한 수행원의 이야기를 따라가지 못했다. 이 비행기에는 19명의 승무원이 있었는데, 파리-카이로 노선에 타는 평소 승무원 수의 2배가 넘는 인원이었다. 게다가 승무원들은 모두 남자뿐이었고 꽤 우락부락한 모습이었다. 사우디아라비아 왕궁 전용 비행기에 붙박이 가구처럼 항상 있기 마련인 다리가 긴 유럽 출신 금발의 여승무원들은 다 어디로 갔을까?

　그리고 그 시계가 있었다. 사우드는 왕자의 일행이 차고 있는 브라이틀링 이머전시 손목시계에 반했다. "이런 시계는 처음 봅니다"라고 그가 완벽한 영어로 말했다.

　가격이 15,000달러인 이 시계는 비행기가 추락 등의 비상상황에 빠지면 구조신호를 무선으로 보내는 송신기가 작동하게 되어 있어서 가처분 소득이 있는 파일럿들이 탐닉하는 물건이다. 비행기 기장이라는 사람이 어떻게 이 시계를 처음 보는 걸까? 그리고 어떤 파일럿이 사우드가 손목에 차고 있는, 일반 파일럿의 석 달 치 월급에 달하는 비싼 위블로 시계를 찰까?

그 시계, 19명의 승무원, 부족한 비행지식, 술탄이 오기도 전에 먼저 비행기로 전달된 술탄의 보안에 관한 상세한 정보 등 이 모든 것이 술탄이 비행기에 타면 안 된다는 경고였다. 그것은 함정이었다.

그러나 술탄 왕자는 외롭고 피곤했다. 카이로에서 자신을 기다리고 있을 아버지가 보고 싶었다. 게다가 모하메드 빈 살만이 직접 이 비행기를 보내주었다. 술탄은 새로 권력을 잡은 사촌을 믿을 수 있다고 생각했다.

술탄 빈 투르키 2세 왕자는 그의 아버지가 이름이 투르키였던 이븐 사우드의 두 아들 중 둘째였기 때문에 (첫째는 어렸을 때 죽었다) 빈 투르키라는 이름을 갖게 되었다. 그는 알 사우드 가문에서 가장 강력한 일파였지만 문제가 많은 곁가지에서 태어났다. 파흐드 전 국왕과 살만 국왕의 친형이었던 그의 아버지는 수피[1] 무슬림 지도자의 딸과 결혼하기 전까지는 왕위 계승 후보처럼 보였다. 수피 무슬림은 알 사우드 왕가의 다수가 동의하지 않는 매우 경직된 이슬람 신비주의를 따르고 있었다. 수치스럽게 추방당한 투르키 왕자는 카이로의 한 호텔에 수년간 머물렀다.

그의 아들 술탄은 사우디아라비아에 있는 강력한 삼촌들 그리고 사촌들과 관계를 유지했고, 사촌 여동생인 당시의 왕세제 (나중에 국왕이 된) 압둘라의 딸과 결혼했다. 그러나 아내가 1990년 리야드에서 교통사고로 죽자 당시 22세의 왕자는 난봉꾼의 삶을 택했다.

---

1 Sufi, 이슬람교의 신비주의적 분파. 유일한 목적은 신과 하나가 되는 것이며 이를 위해 춤과 노래로 구성된 독자적인 의식을 갖고 있다.

파흐드 국왕이 넉넉한 액수의 수당을 주는 덕분에 술탄은 유럽 여기저기를 경호원, 모델, 해결사 그리고 친구들을 수행원으로 데리고 돌아다녔다. 늙어가는 국왕은 사치스럽게 사는 왕자들에 대해서 관용을 (일부에서는 애정이라고 했다) 베풀었고 조카들에 대해서는 한결같은 애정을 가지고 있었다. 파흐드가 2002년 눈 수술을 마치고 제네바의 병원을 떠날 때 술탄은 휠체어 바로 뒤에 있었는데, 물리적으로 국왕과 가까운 거리에 있으려고 왕족들이 애를 쓰는 것을 볼 때 그것은 하나의 특권적 위치였다.

술탄은 정부에서 직책을 맡지는 않았지만, 모국에 영향력이 있는 사람처럼 보이고 싶어 했다. 그는 종종 외국 기자들에게 사우디아라비아의 정책에 대해 자신의 견해를 말하곤 했는데, 다른 왕자들보다는 좀 더 개방적인 입장을 취하기는 했어도 항상 왕정을 옹호했다. 2003년 1월 그는 갑자기 방향을 크게 바꿨다. 술탄은 기자들에게 사우디아라비아는 레바논에 대한 원조를 중지해야 한다고 선언하고, 레바논 총리 라피크 하리리가 사우디아라비아 돈을 부정하게 사용하면서 극도로 사치스러운 생활을 하고 있다고 주장했다.

국제적으로는 그러한 발언이 별로 큰 문제가 아닌 것으로 보였다. 하리리는 사우디아라비아에서 한 번도 어떤 범죄에 대해 공개적으로 기소당한 적은 없지만 부패 의혹을 많이 받았고, 왕자가 레바논만큼 사우디 왕국을 비난한 것도 아니었다. 그러나 왕궁에서 볼 때 그런 말을 한다는 것은 화염병을 던지는 것이나 마찬가지였다. 정부관리로 있으면서 보통 아주즈Azouz라고 불리던 파흐드 국왕의 아들 압둘아지즈는 하리리 일가와 가까웠기 때문에 술탄의 발언은 자신의 사촌들을 향한 반감을 표현한 것처럼 보였다. 술탄은 몇 달 뒤 한 걸음 더 나아갔다. 그는 AP통신에 팩스로 성명서를 보내 "지난 25년간 국가의 부를 약탈해온" 사우디아라비아의 왕자들 및 다른 사람들의 부패를 척결하기 위한 위원회를 시작했다고 말했다.

한 달쯤 뒤, 아주즈는 술탄에게 초청장을 보냈다. 제네바에 있는 국왕의 맨션으로 오라고 썼다. 이견을 조정하자는 것이었다. 그 미팅에서 압둘아지즈와 또 한 명의 장관은 술탄에게 사우디아라비아로 돌아오라고 구슬렸다. 그가 거부하자 무장한 경호원들이 왕자를 덮치고 마취제를 주사한 후 끌고 가서 리야드행 비행기에 태웠다.

그다지 우아한 납치는 아니었다. 술탄은 체중이 약 180킬로그램이었고, 납치 과정에서 약물 때문인지 아니면 의식을 잃은 채 다리를 붙잡혀 끌려가다가 그랬는지 모르겠지만 횡격막과 다리에 연결되어 있는 신경에 손상을 입었다. 그는 그로부터 11년 동안 사우디아라비아의 감옥에 들락날락했는데 여행 제한도 자주 당하고 때로는 리야드에 있는 국영병원에 감금상태로 있었다.

2014년 술탄은 돼지독감에 걸렸고 그 후 생명을 위협하는 중증 질환을 계속 앓았다. 왕자는 이제 거의 반신불수가 된 상태로 젊은 시절의 반골기질도 거친 숨을 몰아쉬고 있었으므로 더 이상 위협이 될 수 없다고 판단한 정부는, 그에게 매사추세츠의 병원에서 치료를 받을 수 있도록 허가했다. 술탄에게는 그나마 자유가 주어졌다.

술탄이 왕국에 억류되어 있는 동안 사우드 왕가에는 어마어마한 변화가 휩쓸고 지나갔다. 파흐드 국왕은 2005년에 사망했고, 계승자 압둘라는 왕자들이 화려하게 부를 과시하는 데 대해 전임 국왕만큼 관대하지 않았다. 압둘라는 왕자들에게 하던 지원을 줄였고 왕자 무리들 중에서 가장 방탕한 자와 악행을 일삼는 자를 징계했다. 새 국왕은 가문의 명예를 실추시키고 수치심을 안기는 젊은 왕자를 용납하지 않았다.

그러나 급성질환에서 회복된 뒤에 술탄은 이러한 변화는 물론이고,

2015년 초에 비교도 안 될 만큼 더 엄격한 살만 국왕이 즉위했을 때 일어난 더 큰 변화의 의미도 제대로 이해하지 못한 것 같았다. 눈에 띄지 않는 삶 속에서 서서히 잊히는 대신, 술탄은 지방흡입술을 하고 성형수술을 하고 왕년의 패거리를 끌어모아 화려한 방랑자의 삶을 다시 살았다.

술탄은 납치 후 10년 이상 연락을 못했던 경호원, 보좌관, 친구 그리고 여러 사람에게 전화를 걸었다. 수행단이 재결성되자 술탄은 1990년대의 화려한 사우디 왕자의 전형에 맞게 다시 유럽행에 올랐다.

무장경호원들, 전담 간호사 6명과 의사 1명, 스위스 모델에이전시에서 고용하고 계속 다른 얼굴로 바뀌는 '여자친구들', 주위를 어슬렁대는 인간들 중에서 사우디인 몇 명과 유럽인 몇 명씩 뽑아 구색을 맞춰 전체 팀을 구성하다 보니 한 달에 드는 비용이 수백만 달러에 이르렀다. 마치 현대의 초호화판 캐러밴 같았다고 한 수행원은 회상한다. 오슬로에서 베를린, 제네바, 그리고 파리까지 그들은 오직 최고의 음식만 먹었고 최고의 와인만 마셨다. 한 도시에서 며칠 또는 몇 주가 지나면 술탄은 조바심이 나서 집사에게 가방을 꾸려달라고 지시하고, 사우디아라비아대사관에 전화하여 이븐 사우드의 손자에게 주어지는 에스코트를 요청하곤 했다. 그들은 전세를 낸 전용 비행기에 올라타고 다음 도시로 출발했다.

2015년 중반 술탄은 사르디니아 섬[2]의 가장 아름다운 해변에 있는 가장 호화로운 호텔을 통째로 빌려 들어가 지중해에서 매일 수영을 했다. 바다에 들어가면 부분적으로 마비된 하반신도 그의 체중을 지탱할 수 있었다. 그러면 술탄은 비로소 몸을 최대한 자유롭게 움직일 수 있었다.

그렇게 다니는 동안 왕궁에서는 그의 은행 계좌로 돈을 계속해서 보내주었다. 그러나 술탄은 왕궁에서 돈을 무한정 보내주지는 않으리라는 것

---

2 Sardinia, 이탈리아반도 서쪽 코르시카 바로 남쪽의 지중해에 있는 섬. 시칠리아 다음가는 지중해 제2의 섬이다.

을 알고 있었다. 다른 자금원도 없었다. 그에게는 아이디어가 하나 있었다. 술탄은 사우디 정부가 자기에게 보상을 해줄 의무가 있다는 결론을 내렸다. 2003년에 납치당할 때 그는 영구상해를 입었다. 장애가 있기 때문에 다른 사촌들처럼 회사나 투자펀드를 시작하기가 어려웠다.

그래서 술탄은 자신이 생각할 때 도와줄 것 같은 사람, 즉 국왕이 사랑하는 아들이며 친사촌인 모하메드 빈 살만에게 청원을 넣었다. 술탄은 모하메드를 아주 잘 알지는 못했다. 그 젊은 왕자가 10대 후반이었을 때부터 자신은 연금되어 있었기 때문이다. 그러나 왕가 사람들로부터 살만의 아들이 왕궁에서 가장 강력한 인물이 되었고, 헛된 약속이 아니라 실제로 돈을 지급할 수 있는 핵심관리라고 들었다. 그래서 술탄은 모하메드에게 상해에 대한 보상을 해달라고 요청했다.

소용이 없었다. 모하메드는 가문에 대한 불만을 늘어놓음으로써 스스로 문제를 초래한 자에게 돈을 주고 싶지 않았다. 그것은 다른 왕족들에게 어떤 교훈을 줄 것인가? 2015년 여름, 술탄은 전례 없는 일을 벌였다. 스위스법원에 왕족들을 납치혐의로 고소한 것이었다.

친구들은 불안해했다. "그들은 자넬 한 번 납치했어. 그러니 두 번은 왜 못하겠나?"라고 보스턴에 있는 술탄의 변호사 친구 클라이드 버그스트레서가 경고했다. 술탄은 버그스트레서의 충고는 들으려고 하는 편이었다. 무뚝뚝한 뉴저지 토박이인 이 변호사는 사우디아라비아에 인맥이 없었는데 술탄이 매사추세츠에서 치료받을 때 추천을 받은 사람이었다. 변호사는 술탄의 수행원들이나 가족들과 달리 조언을 할 때 매우 직설적으로 했기 때문에 신뢰 관계로 발전되었다. 그러나 이 문제에 대해서 술탄은 매우 완강했다. 그는 제네바에서 변호사를 고용하고 7월에 고소를 진행했다. 스위스 검찰이 조사를 시작했다고 신문들이 이 이야기를 다루었다. 왕궁에서 술탄에게 보내던 돈은 바로 지급이 중지되었다.

174

그의 수행단은 몇 주일 동안 문제를 모르고 있다가 어느 날 사르디니아에서 술탄이 룸서비스를 원했을 때 비로소 알게 되었다. 왕자와 수행원들이 두 달 동안 푸른색 만 위에 있는 호텔에서 묵느라고 나온 비용이 100만 달러도 넘었다. 이제는 레스토랑에서도 거절당하고 있었다.

왕자의 수행원 한 명이 술탄에게 "왕자님은 완전히 파산하셨습니다"라고 이유를 설명했다.

호텔에서는 그를 그대로 내쫓을 수도 있었지만 몇 주일 동안 밀린 청구서를 대손 처리할 수가 없어서 그렇게 하지 못했던 것이다. 왕자는 부하들에게 왕궁에서 다시 원래대로 돈을 보내도록 할 방법이 있다고 장담을 했다. 그들은 호텔에 신용한도를 풀라고 설득했다. 급기야 술탄은 도박을 감행했다. 그는 모하메드 빈 살만이 너무 많은 왕가의 실력자들을 화나게 했기 때문에 자신이 선술을 써서 국왕의 이들을 이길 수 있다고 생각했다.

술탄은 익명의 편지 두 통을 이븐 사우드의 살아있는 아들들에게 보냈다. 술탄은 살만 국왕이 "무능하고" 그리고 통치할 "기력이 없습니다"라고 썼다. 그는 또한 "정말 심각한 문제는 국왕이 정신건강이 매우 나빠져서 아들 모하메드의 신하가 되어 있는 상황입니다"라고 했다. 모하메드는 부패했고 국왕의 지근거리에 있다는 것을 이용해서 부자가 되려고 한다고도 썼다. 술탄은 모하메드가 정부 자금에서 20억 달러 이상의 돈을 개인은행 계좌로 빼돌렸고 석유 대금까지 도둑질하고 있다고 주장했다. 유일한 해결책은 국왕을 격리시키고 "왕가의 어른들이 긴급회의를 열어서 상황에 대해 논의하고 나라를 구하기 위해 필요한 모든 조치를 취하는 것"이라고 썼다. 술탄이 서명하지 않은 편지가 영국 『가디언』에 유출되었다. 그의 이름은 공개되지 않았지만 비판의 내용과 왕자의 이력으로 보아 편지를 쓴 사람이 술탄이라는 사실이 왕궁의 고위관리들에게 분명하게 드러났다.

술탄은 결과를 기다렸다. 어쩌면 그의 삼촌들이 모하메드의 고삐를 조이려고 힘을 쓸지도 몰랐다. 아니면 모하메드가 말썽을 더 부리지 말라고 돈을 좀 주겠다고 제의해 올지도 몰랐다. 모하메드가 자신의 개혁 비전을 대대적으로 펼쳐나가려고 애를 쓰고 있는 시점이었고, 소송과 편지로 인해 큰 소동이 벌어질 수 있기 때문에 왕궁에서는 혹시 돈으로 입막음을 하려고 나올 수도 있지 않을까 하는 희망을 술탄은 가지고 있었다. 그렇게 되면 아버지의 경우처럼 재정적인 지원을 받으며 소원한 관계로 살아갈 수 있을 거라고 술탄은 판단했다.

놀랍게도 효과가 있는 것 같았다. 편지를 보내고 얼마 지나지 않아 기적처럼 왕궁에서 술탄의 은행 계좌로 200만 달러가 넘는 돈을 입금했다. 그는 밀린 호텔 비용을 갚고 여행 계획을 다시 세웠다. 더욱 잘된 것은, 곧이어 아버지로부터 카이로로 오라는 연락까지 받았으니 그동안 균열이 생겼던 아버지와의 관계도 봉합할 희망이 생긴 것이었다. 게다가 아버지는 술탄이 카이로에 오는 비용도 들일 필요가 없다고 말했다. 왕궁에서 왕자와 그 일행이 카이로까지 타고 오도록 최고급 제트비행기를 보내줄 것이라고 했다. 모하메드 빈 살만이 다루기 힘든 사촌을 다시 왕가의 일원으로 받아들이려는 것처럼 보였다.

왕자의 참모들은 할 말을 잃었다. 그들 중에는 지난번 왕자가 알 사우드 왕가를 비난할 때 그 주위에 있다가 왕궁 비행기에 실려 갔던 사람들도 있었다. 그 사건은 결국 납치, 투옥 그리고 평생 벗어나지 못할 병고로 끝이 났었다. 이제 왕자는 다시 왕가를 비난하고 있고 왕궁에서는 다시 비행기를 보내오고 있었다. 도대체 왕자는 어떻게 그 비행기를 행여라도 탈 생각을 했던 것일까?

그러나 술탄은 그것이 화해를 나타내는 것이라고 믿고 싶어 하는 것 같았다. 어쩌면 모하메드 빈 살만은 새로운 유형의 지도자이고 결코 폭력적인 행위를 옹호할 사람이 아닐 수도 있었다.

왕실은 189명의 승객을 수용할 수 있는 특수 장비를 갖춘 737-800을 제네바로 보냈고, 술탄은 참모들에게 승무원들을 만나서 상황을 확인해 보라고 지시했다.

느낌이 좋지 않았다. 사우드 기장은 조종사로 보이지 않았고 19명의 승무원들도 비행기 승무원이 아니라 보안요원처럼 보였다. 술탄의 참모 한 명이 왕자에게 경고했다. "이 비행기는 카이로에 착륙하지 않을 겁니다."

왕자는 그런 걱정을 무시해버렸다. "자네는 그들을 믿지 못하는가?"라고 왕자가 물었다. "그들을 왜 믿습니까?"라고 참모는 대답했다. 술탄은 답하지 않았다. 그러나 그가 불안함을 떨쳐 버리지 못하는 것을 보고 사우드 기장이 납치가 아니라는 것을 보여주는 좋은 제스처로 승무원 중 10명을 파리에 남겨두겠다고 제안하자 왕자는 비로소 마음을 놓았다.

그는 일행에게 짐을 싸라고 지시했다. 집사, 간호사, 경호원, 모델에이 전시에서 고용한 '여자친구' 등 수행단은 10명이 넘었다.

비행기는 별다른 일 없이 파리를 떠났다. 두 시간 동안은 비행기 객실에 있는 스크린에서 카이로 항로를 볼 수 있었다. 그러다가 스크린이 깜빡이더니 꺼졌다.

왕자의 일행 중 서너 명이 깜짝 놀랐다. 그들 중 한 명이 사우드 기장에게 "무슨 일입니까?"라고 물었다. 기장이 확인하러 갔다가 돌아와서는 기술적인 문제가 있는데 그걸 해결할 수 있는 단 한 명의 기술자가 파리에 남겨진 승무원들 중에 있다고 설명했다. 그러나 걱정할 필요는 없고 예정된 시간에 도착할 것이라고 그는 말했다.

비행기가 하강하기 시작할 때 타고 있는 거의 모든 사람이 카이로에 착륙하는 것이 아니라는 걸 깨달았다. 창을 통해 아무리 바라봐도 도시를 뱀처럼 흘러가는 나일강도, 기자의 피라미드도 보이지 않았다. 무질서하게 뻗어 나간 리야드의 외곽지역이 의심할 여지없이 눈에 들어왔다.

냉소주의자들이 영화 「반지의 제왕」에 나오는 사우론의 눈을 닮았다고 비꼬았던, 가운데에 큰 구멍이 나 있는 킹덤센터타워³가 눈에 들어올 때쯤 비행기 안은 온통 아수라장이 되고 말았다. 술탄의 수행원들은 고함을 질렀다. 미국인들과 유럽인들은 비자도 없이 자기 의사에 반해서 사우디아라비아에 착륙하는 자신들이 앞으로 어떻게 되는 것인지 물었다. 억류될 것인가? 자국 정부가 개입해야 되는가? 대사관에 전화할 수 있는가? 기운 없이 목에서 쌕쌕거리는 소리만 내고 있던 술탄이 이제는 행동해야 할 때라는 결론을 내렸다.

"내 총을 줘!"라고 그는 고함을 질렀다. 경호원 한 명이 거절했다. 사우드 기장의 부하들은 총을 가지고 있었다. 기내에서 총격전을 벌이는 것은 앞으로 생길 그 어떤 일보다도 더 나쁠 것이 확실했다. 따라서 왕자와 그의 일행은 고함질을 멈추고 착륙할 때까지 침묵으로 자리를 지켰다. 싸울 방법이 없었다. 술탄은 사우드 기장의 부하들의 부축을 받아 탑승교를 내려갔다. 그것이 그의 수행원 모두가 그를 본 마지막 순간이었다.

보안요원들이 올라와서 왕자 주위를 어슬렁거리면서 함께 온 사람들을 공항 내 억류 장소로 몰고 갔다가 다시 호텔로 데려갔다. 거기에서 머무른 사흘 동안 그들은 아무것도 할 수 없었다. 비자 없이는 떠날 수가 없으니 그저 기다리는 수밖에 없었다.

드디어 나흘째 되는 날, 경비원들이 수행원들을 왕궁의 비밀 사무실로 데려갔다. 외국인들은 한 명씩 넓게 뻗은 큰 회의실로 소환되어 들어갔는데 그곳 한가운데에는 커다란 테이블이 놓여 있었다. 테이블 끝에 사우

---

3 Kingdom Center Tower, 리야드에 있는 약 300미터 높이의 41층짜리 건물.

빈 살만의 두 얼굴

드 기장이 기장 제복이 아니라 토브를 걸치고 앉아 있었다. "나는 사우드 알-카흐타니입니다. 나는 왕궁에 근무하고 있습니다"라고 그가 말했다. 이제 사우드는 더 이상 모하메드의 "미스터 해시태그"가 아니었다. 그는 왕궁 보안기구의 중심인물로서 모하메드가 민감하고 공격적인 임무에 관해 의지할 수 있는 중요한 인물이 되어 있었다.

술탄 왕자가 유력한 왕자는 아니었을지 모르지만, 모하메드는 그를 하나의 문제로 생각했다. 그는 왕가의 반대편에 서 있었고, 사우드는 모하메드가 가시라고 생각하는 사람들을 처리하기 위해서 어떤 일까지 할 수 있는지를 보여줬다. 사우드는 외국인들에게 비밀준수계약서에 서명하라고 했고, 몇몇 사람들에게는 돈을 주고 집으로 돌려보냈다. 작전은 성공적이었고 사우드는 이 경험을 그 후 반대자들을 침묵시키는 비슷한 임무에도 활용하게 될 것이었다. 이로부터 거의 3년 뒤, 사우드 본인의 인생을 완전히 뒤집어 놓고 모하메드의 개혁계획을 위험에 빠트리게 될 또 하나의 사건에서도 물론 같은 수법이 활용되었다.

7장

수십억 달러

첫 번째 사우디아라비아 여행에서 아람코와 사막을 방문하고 난 뒤 마사요시는 모하메드와 함께 알-아우자 궁전에서 점심을 먹기 위해 자리에 앉았다. 두건을 벗고, 살짝 벗어지기 시작한 헤어라인을 드러낸 채 윗옷 맨 위 단추를 푼 상태로, 왕자는 마사요시에게 자기가 계획하고 있는 '네옴'이라는 이름의 또 다른 프로젝트에 관해 들어보고 싶은지 물었다.

2016년 9월

　벌써 2년 동안 니자르 알-바삼은 모하메드 빈 살만과 사업을 해보려고 애를 썼다. 2016년 9월, 드디어 도쿄에서 기회를 잡을 순간이 왔다.

　2015년 말까지 도이치은행에 근무하면서 니자르는 매력 있는 전략을 가지고 유력인사들을 공략하는 데 전문가였다. 그런 노력에는 니자르가 가진 장기 하나가 동원되었다. 고객을 호화로운 점심식사에 초대해 본인이 직접 선정한 다양한 요리를 대접하면서 10억 달러짜리 프로젝트를 파는 방식이었다. 그는 관계를 만들어가는 면에서 흠잡을 데 없는 사람이었다. 보좌관이나 비서부터 시작해서 최종적으로 자기가 목표로 삼은 러시아의 재벌총수나 왕자와 관계를 맺었다.

　아버지인 나빌이 2007년 사망할 때까지 아람코의 고위 임원이자 이사회 이사로 있었기 때문에 니자르는 다흐란에서 태어나 아람코 '캠프'에서 자랐다. 캠프는 담장으로 둘러친 주택단지이다. 미국 교외의 전형적인 주택을 모델로 지어진 집들이어서 앞마당에는 잔디가 덮여 있고, 조그만 야구장이 있고, 영어를 주로 사용했다. 그는 어린 시절 이곳에서 학교를 다니다가 매사추세츠 주의 미들섹스 스쿨[1]과 메인 주의 콜비 칼리지[2]를 나와서 오히려 문화적으로는 미국인에 가까웠다.

　니자르가 도이치은행에 근무하던 마지막 몇 달 동안에 모하메드 빈 살만이 PIF를 주요 국부펀드로 탈바꿈시키는 계획이 갑자기 눈에 띄었다. 니자르는 즉시 책임자인 야시르 알-루마이얀을 포함해서 펀드의 핵심관계자들에게 접근하기 시작했다. 어느 정도 진전이 있어서 새로운 PIF팀이 2015년 6월 상트페테르부르크 국제경제포럼[3]에 참석했을 때 여러 회의를 주선해주었고, 이전에 자신의 고객이었던 건설회사이나 지금은 침몰 위기에 놓인 사우디오거에 대한 구제금융과 관련해서 PIF에 조언도 해주었다. 그러나 여전히 그 거물 당사자에게는 접근하지 못하고 있었다.

수백 명의 금융전문가, 변호사, 딜메이커들이 비전2030 및 관련 프로젝트로 생긴 기회에 참여하기 위해 애를 쓰고 (때로는 성공도 하고) 있었다. 공사채 공모, 사모 사채 그리고 전력투구를 해야 할 모든 방식의 거래 이외에도 자문계약과 컨설팅 프로젝트 등이 있었다. 바야흐로 10년에 걸친 금융의 골드러시가 다가오고 있었고 모두 그 와중에 한 조각이라도 차지하기를 원했다. 니자르로서는 사우디인의 뿌리에 수십 년 동안 잘나갔던 은행가 경력을 결합시킬 수 있는 완벽한 기회였다.

금융 관련 기회를 넘어, 모하메드 빈 살만은 관광산업에 국가를 크게 개방하고 있었다. 메카와 메디나로 오는 순례자를 제외하고 건국 이래 대부분의 역사에서 이 나라는 일반 방문객들에게 개방되지 않았었다. 모하메드는 사우디아라비아가 관광지로서도 엄청난 잠재력을 지니고 있다고 느꼈다. 왕국에는 홍해 연안에 약 2,000킬로미터의 해안선과 따뜻한 수온에 영향을 받지 않는 유명한 산호초가 있다. 그리고 역사적 유적지도 있

---

1 Middlesex School. 1901년 매사추세츠 콩코드에 설립된 남녀공학 고등학교. 1년 학비가 6만 달러에 달한다.

2 Colby College. 메인 주 워터빌에 있는 사립 자유예술대학.

3 St. Petersburg International Economic Forum. 1997년 이후 러시아 상트페테르부르크에서 매년 열리는 국제 정치경제포럼. 전 세계 120여 개국의 정상, 기업총수, 총리, 장차관 등 1만여 명 이상이 참석하여 '러시아의 다보스'로 불렸으나 러시아의 우크라이나 침공 이후 대다수 서구 진영에서는 불참하고 있다.

다. 요르단의 고대 도시 페트라[4]를 조각한 나바테아[5]인들이 거대한 사암 노두에 새긴 화려한 무덤이 있는 2,000년이나 된 마다인 살레[6]와 같은 역사적 유적지는 대부분의 중동 관광지 목록에 없는 곳이다. 왕자는 '홍해프로젝트'라고 불리는 대규모 해변 휴양단지를 포함하여 마다인 살레를 개방하는 프로젝트, 그리고 이를 지원하는 호텔과 교통 인프라를 건설하는 프로젝트를 시작했다.

그는 또한 나바테아 유적지 옆에 있는 도시 알-울라al-Ula에 거울로 장식된 콘서트홀과 리야드 외곽에 거의 라스베이거스만큼 큰 '엔터테인먼트 시티Entertainment City'를 건설하기 시작했다. '키디야'[7]라고 명명된 이 프로젝트는 디즈니의 전직 임원이 지휘하고 있고, 테마파크, 경마장, 두바이에 있는 것과 같은 스타일의 실내스키장 등을 건설하도록 설계되어 있다.

여기 이 젊은 왕자는 나라에 대한 완전한 통제권과 서대한 액수의 현금을 손에 쥐고 있었다. 앞으로 그의 손엔 훨씬 더 많은 것이 쥐어질 것이다. 비록 아직은 명칭에 조금 불완전함이 있지만, 그는 모두가 좋아하는 사우디아라비아의 새 통치자였다. 블랙스톤의 창업자 스티븐 슈워츠먼은 왕자의 고문이 되었다. 비행기를 가득 채운 은행가들이 한 조각이라도 차지하겠다는 일념으로 끊임없이 찾아왔다. 심지어 문신을 한 바이스 미디어 Vice Media Group LLC의 창업자 셰인 스미스까지도 이 흐름에 편승했다.

---

4 Petra, 고대 나바테아 왕국의 수도로 오늘날 요르단의 수도 암만 남쪽에 있는 고대 유적. 페트라는 '바위'라는 뜻이다.
5 Nabatean, 나바테아 왕국은 기원전 3세기부터 서기 106년까지 존재했던 고대국가로, 로마제국에 정복될 때까지 사우디아라비아 남부 헤자즈부터 시리아의 다마스쿠스에 이르는 지역에서 번성했다.
6 Madain Saleh, 사우디아라비아 알-울라에 있는 고대 유적. 나바테아 왕국의 최남단에 있었던 왕국 제2의 도시였다.
7 Qiddiya, 리야드에 건설되는 대규모 엔터테인먼트 신도시. 비전2030의 일환으로 2019년에 착공하여 2023년까지 식스 플래그스 키디야를 포함하는 1단계 45개 건설 프로젝트가 완공될 예정이다.

처음에 니자르는 도이치은행이 PIF나 새로 권력을 잡은 살만 일족의 거래은행으로 선택되는 것을 원했다. 그러나 은행이 2015년 말쯤 신흥시장에 대한 의욕을 내려놓는 것을 보고 불만을 품게 되었다. 2016년 5월, 그는 은행을 그만두고 골드만삭스그룹에 근무했던 달링크 아리부르누를 포함하여 다른 파트너들과 함께 투자자문회사를 설립했다. 첫 번째 아이디어 중 하나가 숨겨져 있는 돈주머니를, 특히 중동에 있는 것들을 열게 해서 일련의 투자펀드들에 가입시켜 보자는 것이었다. 파트너들을 물색할 때 니자르와 동료들은 또 한 명의 도이치은행 출신으로 일본의 기술재벌 소프트뱅크의 전략금융부문장으로 있는 라지브 미스라와 이야기를 시작했다.

부채와 위험에 대한 안목을 지닌 오만한 금융기술자 라지브는 금융위기 때 도이치은행의 간부로서 주택시장에 베팅해 결국 이익을 만들어낸 팀의 리더였다. 그 후 얼마 지나지 않아 그는 은행을 그만두고 UBS[8]와 포트리스인베스트먼트그룹에 잠깐씩 근무하다가 소프트뱅크에 정착했다.

라지브는 몇 달 전 이탈리아에서 열린 결혼식에서 소프트뱅크의 기술사업에 푹 빠져 있는 창업자 마사요시 손과 재회했고, 그 후 마사요시가 자신의 야망을 실현할 만한 자금을 조달할 수 있는 복잡한 부채구조를 개발하는 것을 도와주는 일을 맡기로 했다. 두 사람은 2006년 마사요시가 보다폰재팬[9]을 인수하기 위해 160억 달러를 조성할 때 그 작업을 라지브가 도와주면서 함께 일한 적이 있었다. 소프트뱅크는 성공한 주요 딜에 자금을 투입한 뒤라 여유자금이 부족한 상태였지만 마사요시의 포부는 그 어느 때보다도 컸다.

---

8 UBS Group AG. 스위스 연방은행과 스위스은행의 합병으로 탄생한 스위스의 금융그룹. 세계 최대의 비밀금융서비스를 제공하는 곳으로, 전 세계 억만장자의 절반 이상을 고객으로 가지고 있다고 한다.

9 Vodafone Japan. 2006년 10월 1일 SoftBank Mobile Corp.으로 개명했다.

빈 살만의 두 얼굴

키가 작고 웃는 얼굴의 한국계 일본인 마사요시는 2000년 닷컴버블이 정점에 있을 때 잠깐이지만 세계 최고의 부자가 되었다가 며칠 만에 재산의 대부분이 급감했다. 그러나 2000년에 중국 온라인 플랫폼 알리바바에 투자한 행운의 2,000만 달러가 2014년 알리바바의 상장으로 인해 주식 가치가 740억 달러로 불어났다. 마사요시는 이 거대한 자금을 이용해서 자신의 믿음에 큰돈을 걸고 싶었다. 세계는 '특이성'을 향해 가속으로 달려가고 있으며, 기술의 진보가 자기발전을 스스로 감당할 수 있는 상태에 도달하는 순간 우리가 알고 있는 기존의 세계는 전혀 다른 세계로 변환될 것이라고 그는 믿었다.

라지브는 소프트뱅크에서 자신의 자리를 찾기 위해 마사요시와 가까웠던 다른 두 명의 인도인 임원들과 충돌까지 하면서 무진 애를 썼다. 그는 그들을 공격하기 위해서 이탈리아의 사업가와 공모했다는 혐의까지 받았다. 그 사업가가 미인계를 썼다가 실패하자 그들을 해고하라는 가짜 주주 캠페인을 벌였는데 나중에 라지브는 여기에 관여한 사실이 없다고 부인했다. 1년도 채 되지 않아 라지브는 퇴사를 생각하고 있었다. 그러나 니자르 및 그의 사업 파트너들과의 대화에서 라지브는 자신이 채권시장을 전문으로 일해 오는 동안 자신이 알고 있던 것보다 훨씬 더 많은 돈이 비주력 분야에서 대기하고 있다는 걸 확신하게 되었다. 그때 경쟁자 한 명이 퇴사함으로써 그가 소프트뱅크에서 권한을 강화할 수 있는 길이 열렸다.

국부펀드들은 마사요시가 투자하는 수십억 달러에 정확히 일대일로 동일한 금액을 투자하려고 했다. 소프트뱅크와 니자르의 새 회사 FAB 파트너스는 (나중에 센트리커스Centricus로 개명한) 소프트뱅크의 자금과 마사요시의 직감적인 고속 투자 스타일을 기꺼이 받아들이는 파트너들의 자금으로 기술 스타트업에 투자하는 200억 달러 규모의 펀드 '크리스털볼 프로젝트Project Crystal Ball'를 함께 만들기로 했다.

그들은 우선 카타르를 이 프로젝트에 끌어들이기로 결심했다. 니자르는 그곳에 이미 강력한 유대를 가지고 있었는데, 그 작은 걸프국가는 거대한 천연가스전과 적은 인구 덕분에 지구상의 그 어느 국가보다도 1인당 저축액이 많았다. 그러나 마사요시가 2016년 8월 28일 새벽 4시에 전용제트기를 타고 도착해서 함께 차를 타고 호텔로 가는 길에 니자르는 충격에 빠졌다. 가는 도중 마사요시와 그의 참모들이 변경된 내용을 이야기했다. 크리스털볼 펀드가 목표를 1,000억 달러로 바꾸고 추종을 불허하는 역사상 최대의 펀드가 된다는 내용이었다. 마사요시는 호텔로 가는 차 안에서 "내가 펀드를 한다면, 그것은 온 기술세계를 흔들어 놓을 수 있을 정도로 커야만 합니다"라고 말하면서, 소프트뱅크는 일부의 부채를 포함해서 수백억 달러를 출연할 수 있다고 덧붙였다. 그것은 마사요시로서는 커다란 리스크였다. 대다수의 펀드 조성자들은 상징적으로 1%의 금액만 넣고 나머지 금액은 모두 투자자들에게 달라고 요구한다. 위험을 감수하고 상당한 금액을 들여놓는 것이야말로 걸프지역 투자자들을 큰 프로젝트에 가담하도록 설득하는 데 필요한 전략이라는 것을 당시에 니자르는 몰랐다.

카타르인들은 마사요시의 확신에 깊은 감동을 받았지만 논의 후 아무런 진전이 없었다. 1,000억 달러의 목표에 도달하려면 아직 거대한 액수의 돈이 필요한 상황에서, 니자르는 사우디인들, 특히 모하메드 빈 살만이 최적이라고 믿었다. 행운이 따랐는지 카타르 출장으로부터 며칠 뒤에 모하메드가 도쿄에 도착할 예정이었다. 니자르는 마사요시의 제트기를 얻어 타고 도쿄로 돌아갔다. 몇 달 동안 PIF팀은 마사요시를 기꺼이 만나겠다는 의사표시를 해왔는데 아무것도 구체화되는 것은 없어 보였다. 니자르는 상대 쪽 연락책들에게 메시지를 수도 없이 보냈다. 그는 최소한 마사요시를 모하메드를 수행하고 오는 핵심보좌관들이나 장관들 면전에라도 세우려는 희망을 가지고 있었다. 마사요시는 도쿄의 소프트뱅크 본사

빈 살만의 두 얼굴

26층에 있는 자신의 집무실 옆방을 깨끗이 치워놓게 했다. 그들은 마치 정치캠페인이라도 벌이듯 연락책들을 통해 로비를 했다.

모하메드가 도착하던 날 니자르는 전화기가 가슴 위에서 진동하는 것을 느꼈다. 전화기를 가슴 위에 얹어놓고 잠이 들었던 것이다. PIF의 책임자 야시르가 드디어 회답 전화를 걸어왔다. 야시르는 네 시간 안에 마사요시를 만날 수 있다고 했다. 팀은 재빨리 움직여 그를 맞을 준비를 했다. 그에게 크리스털볼을 팔 수 있는 시간이 불과 30분이라는 것을 그들은 잘 알고 있었다. "관심이 있습니다. 부왕세자와 의논을 해봐야겠습니다"라고 마지막에 야시르가 말했다.

이 팀은 에너지부 장관 겸 아람코 회장인 칼리드 알-팔리와 상무부 장관 마지드 알-카사비Majid al-Qasabi에게도 똑같이 설명했는데, 마지드는 매우 어려운 질문을 던졌다. 드디어 바라딘 진화가 왔다. 모하메드 빈 살만이 마사요시를 게이힌칸[10]에서 만나겠다고 동의했다. 그것은 그의 일본 방문 마지막 날이었으므로 위험 부담이 컸다. 국부펀드가 안 들어오면 펀드는 마사요시가 원하는 천문학적 금액에 도달할 수 없었다.

미팅은 친밀하고 단순했다. 모하메드와 그의 핵심보좌관들 그리고 마사요시를 필두로 소프트뱅크의 소수 팀원들이 금박을 입힌 가구들이 놓인 밝은 회의실에서 만났다. 니자르는 밖에서 기다렸다. 마사요시가 아이패드를 가지고 프리젠테이션을 끝냈을 때 (이것이 여섯 번째였다) 모하메드는 자기가 참모들과 함께 이 아이디어에 관해 긴 시간 논의했으며 새로운 펀드에 주춧돌투자자cornerstone investor로 참여하기를 원한다고 말했다. 모하메드는 또 사우디아라비아는 세계적인 기술 변환의 중심에 서 있어야 할 필요가 있고, 이 펀드에 참여하는 것이 혁신적인 기업들을 사우디

---

10 Geihinkan, 일본에 오는 국빈의 접대를 위한 영빈관으로 아카사카 이궁이라고도 한다. 1909년 건설된 신바로크양식의 메이지시대 최대의 건물이다.

PIF의 책임자 야시르 알-루마이얀과 함께한 소프트뱅크의 라지브 미스라(왼쪽)와 마사요시 손(가운데)

아라비아로 유치함과 동시에 탈석유 전환에 필요한 연료를 공급하기 위한 수익을 벌어들이는 길이라고 말했다. 결론적으로 그것은 그의 비전2030과 완벽하게 합치된다는 것이었다.

니자르는 마사요시가 몇 분 뒤에 그 소식을 전해주었을 때 할 말을 잃었다. 그는 딜이 완결되려면 몇 달은 기다려야 할 것으로 생각했었다. 대신에 그들은 450억 달러를 약속받았다. 미팅이 끝나기 직전에 모하메드는 마사요시에게 사우디아라비아를 며칠간 돌아보면 좋겠다고 말했다. "나는 귀하가 우리나라를 돌아보고 사랑에 빠지기를 기대합니다"라고 그는 말했다. 마사요시가 한나절 이상은 시간을 내기가 어렵다며 사양했다. "그렇다면 아예 오지 않는 게 좋을 것 같네요"라고 씩 웃으면서 말했다. 선택은 뻔했다. 마사요시는 3일 동안 방문하기로 합의했다.

이때로부터 딜의 구조와 조건을 확정하는 데 9개월이 걸렸지만 마사요시는 특유의 과장된 몸짓으로 45분에 450억 달러의 딜을 만들어냈으니 1분에 10억 달러짜리라고 즐겨 말했다. 이어서 아부다비가 150억 달러를 들고 사우디아라비아와 함께 펀드에 들어오기로 하는 데는 오랜 시간이 걸리지 않았다.

파워포인트로 크리스털볼 프로젝트라고 소개되었던 것은 금융 역사상 기술에 초점을 두고 조성된 최대 규모의 사모펀드인 '비전펀드Vision Fund'

로 이름이 바뀌었다. 그것은 모하메드 빈 살만이 단호한 행동으로 전 세계에 강력한 영향력을 행사하는 전형적인 방식이었다. 세계의 다른 지도자들은 더 강력한 군대와 더 큰 경제력을 통제하고 있었지만, 그는 지구상의 그 누구보다도 더 강력한 권력을 지니고 있으며 육감을 행동에 옮기는 자발적 의지를 가지고 있었다. 이 세상의 그 어느 투자자도 첫판부터 400억 달러라는 거액을 기복이 심한 투자 기록을 지닌 한 사람의 자금운용자에게 걸지는 않는다.

첫 번째 사우디아라비아 여행에서 아람코와 사막을 방문하고 난 뒤 마사요시는 모하메드와 함께 알-아우자 궁전에서 점심을 먹기 위해 자리에 앉았다. 두건을 벗고, 살짝 벗어지기 시작한 헤어라인을 드러낸 채 윗옷 맨위 단추를 푼 상태로, 왕자는 마사요시에게 자기가 계획하고 있는 '네옴 NEOM'이라는 이름의 또 다른 프로젝트에 관해 들어보고 싶은지 물었다.

한 시간에 걸쳐서 모하메드는 일본에서 마사요시가 꿈꾸기 좋아하는 미래의 비전보다 훨씬 더 급진적인 아이디어를 소개했다. 홍해 연안 지역의 길고 좁은 육지를 포함하여 사우디아라비아 북부의 12,500제곱킬로미터 넓이의 땅에 걸쳐, 기술을 DNA로 하는 완전히 새로운 도시를 건설한다는 아이디어였다. 그 땅에는 사람이 거의 살지 않고 있으며 이미 거기에 살고 있는 사람들은 본인들의 의사에 상관없이 이주시킬 것이었다.

"이 프로젝트에 참여하시겠습니까?"라고 모하메드가 물었다. 마사요시는 창립고문직을 수락하면서 "이것은 하나의 예술작품입니다"라고 답했다.

왕자는 마사요시에게 몇 달 뒤에 돌아와서 네옴 프로젝트의 대상 지역을 직접 둘러보라고 설득했다. 그들은 타북[11]이라는 도시의 공항으로 비

---

11 Tabuk, 사우디아라비아의 북서쪽 요르단과 국경을 접하는 지역의 중심도시로 최대의 공군기지가 있다.

행기를 타고 들어가 헬리콥터로 갈아타고 산맥 위를 넘어서 해안으로 날아 오래된 어촌 샤르마Sharma 근처 바다에 임대해 놓은 유람선에 내렸다. 왕자는 공상과학소설 속에서나 나올 법한 야심 찬 도시를 그렸다: 광활한 해안을 따라 고층빌딩이 우거진 도시에는 하늘을 나는 로봇 택시가 손님들을 실어 나를 것이다. 근처에 세워질 리조트는 유명 관광지인 프랑스 리비에라를 대체하는 휴양지로 오염되지 않은 산호초들이 사우디인이나 유럽인들을 끌어들일 것이다. 해안에서 조금 떨어진, 사람이 살지 않는 섬에는 실물 크기의 로봇 공룡들이 실제로 살아있는 것처럼 조종되어 움직이는 쥬라기공원 스타일의 매력 있는 명소가 들어갈 것이다.

더욱 충격적인 것은 계획이 실제로 진행되고 있는 것처럼 보였다는 점이다. 유람선 위에는 맥킨지, BCG, 올리버 와이먼 등에서 온 수십 명의 컨설턴트들이 네옴을 현실로 구현하는 방법에 대해 작업하고 있었다. 컨설턴트들로서는 흥망이 엇갈리는 중대한 입찰이었다. 입찰에 떨어진 두 회사는 승리한 회사에 자신들의 작업결과를 모두 넘겨주도록 계약상 규정되어 있었다. 이기는 회사는 5,000억 달러로 추정되는 프로젝트를 맡게 될 것이다.

사우디경제를 개혁하는 다른 프로젝트와 달리 네옴은 외국 컨설턴트나 경제전문가들이 개념화한 것이 아니었다. 그것은 어떤 영감의 순간에 모하메드에게 다가온 비전이었다.

아버지가 왕위에 오른 뒤, 모하메드는 이제 더 이상 왕위계승 문제나 왕궁 내 음모에 휩싸이지 않았다. 그는 한발 물러서서, 재창조된 사우디아라비아가 어떤 모습이어야 하고 그 비전을 실현하는 데에는 무엇이 필요한 것인지 생각하는 시간을 가졌다.

그것은 생각만 해도 주눅들만큼 중대하고 힘든 일이었다. 압둘라 국왕은 사회적, 경제적, 교육적 개혁을 제도화하려고 노력했지만 그가 10년 이상 통치하고 사망한 뒤에도 여성들은 여전히 운전을 금지당하고 있었다. 기업가적 문화는 아직도 겨우 시작 단계에 있었다. 그리고 젊은 남성은 가족이나 배우자가 아니면 여전히 젊은 여성과 카페에 함께 앉아 있을 수 없었다. 사우디 경제에는 자랑거리가 거의 없었다. 화제가 될 만한 혁신이나 국가적 영웅도 없었다. 킹압둘라경제도시[12] 같은 대형 프로젝트들도 두바이나 싱가포르에 있는 비슷한 개발단지를 모방해놓은 것에 불과했다.

경제는 석유에 의존하고 있고 바깥 세계로부터 유리되어 있었다. 왕국에 투자하려는 사람은 아무도 없었다. MBS의 컨설턴트가 파악한 바로는 2009년과 2016년 사이에 외국인의 연간 직접투자는 85%가 격감한 것으로 나타났다. 게다가 사태는 점점 더 악화되고 있는 것 같았다. 2011년에 사우디아라비아는 '국제적 기업들이 사업 하기 좋은 나라' 순위에서 세계 10위였는데, 2016년에는 82위로 떨어졌다고 그 컨설턴트는 말했다.

이웃의 작은 나라들과 달리 사우디아라비아는 국내에서 성장한 산업으로 내수 경제를 충분히 키워낼 수 있는 많은 인구를 가지고 있었다. 그러나 돈을 가지고 있는 자들은 돈을 쓰기 위해 밖으로 나가는 경향이 있었다. 유흥을 위해서 두바이로, 관광을 위해서 파리로, 치료를 받으러 런던이나 스위스, 미국으로 가는 식이었다. 사우디아라비아 안에서 '머무르는 휴가'는 거의 없었다.

모하메드는 이것을 '경제 유출'로 보았다. 사우디아라비아의 달러가 다른 나라에서 소비되면, 그것은 왕국의 경제가 흘러나가는 것이라는 거의 강박에 가까운 관념을 가지고 있었다. 정부는 시민들에게 지원금과 일거

---

12 King Abdullah Economic City. 압둘라 전 국왕이 2005년 발표한 6대 메가프로젝트의 하나. 2010년에 1단계, 2020년에 완공을 목표로 출발했다. 총 173제곱킬로미터의 토지에 완공 시 200만 명의 인구를 수용할 계획이었으나 2018년 기준 7,000명이 거주하고 있다.

리를 많이 주는데, 그 혜택은 국내에 있는 사업체나 소매업자들 사이에서 재순환되지 않고 나라 밖으로 도망치고 있는 형국이었다.

모하메드는 사우디아라비아가 지난 50년 동안 변함없는 낡은 습관에 갇혀 꼼짝 못하고 있다는 것을 깨달았다. 이 나라는 원유를 뽑아내고 팔아서 그 돈을 다른 곳의 물건을 사오는 데 썼다. 왕국의 인구는 급증하고 있는 반면 석유는 (아니면 적어도 석유에 대한 국제적 수요는) 고갈되어 가고 있었다.

어느 날 저녁 그런 어려운 문제들에 대해 깊이 생각하다가 모하메드는 컴퓨터 화면에 구글어스Google Earth로 사우디아라비아의 지도를 띄웠다. 우주에서 본 왕국의 이미지에서 시작하여 그는 아라비아반도를 서쪽의 제다와 메카에서 공백지역[13]을 가로질러 동부 다흐란의 유전지대까지 훑어보면서 자신이 무엇을 놓쳤는지 생각했다. 어떠한 진보의 기회가 사막 속에 숨겨져 있는 것인가?

그러다가 갑자기 그 지역이 떠올랐다. 제다 북쪽 지역은 요르단 국경을 따라 이어지는 산맥이 홍해를 향해 서서히 낮아지다가 텅 빈 점판암처럼 평평한 땅이다. 그 지역에는 작은 도시 하나만 있고 그나마 사방이 사막으로 둘러싸여 적은 수의 사람들이 뜨문뜨문 흩어져 살아가고 있다. 모하메드는 친구 몇 명과 함께 헬리콥터를 타고 현장으로 갔다.

하늘에서 현장을 바라본 모하메드에게 영감이 떠올랐다. 그는 전에 그곳에 와본 적이 있었지만, 왕국에 처음 온 사람처럼 새로운 눈으로 그곳을 바라보았다. 그는 겨울에 눈이 내릴 만큼 높은 산악지대와 고요한 만을 따라 놓여 있는 백색 해변 위를 날아다녔다. 바다에는 산호초들이 인근에 있는 이집트의 다이빙 휴양지 샤름 엘 셰이크Sharm El Sheikh의 산호

---

13 Empty Quarter, 아라비아반도 남쪽 3분의 1을 점하는 사막지대.

초들과 경쟁하듯 널려 있었지만 사실상 개발의 흔적이 전혀 없었다.

그 지역에는 담수가 거의 없다는 것을 포함해 분명히 많은 난관이 예상되지만 큰 장점도 있었다. 그곳에는 사람이 거의 살지 않았고, 사우디아라비아의 종교적 또는 경제적 기득권층에게 별 의미가 없는 지역이므로, 모하메드가 거대한 변화를 일으키는 데 거의 저항이 없을 것이었다. 지역주민들은 반유목 상태의 베두인족으로 오랜 세대 동안 사막지대를 유랑하며 살아왔다. 그들은 재정적 미끼를 주고 최소한의 위력만 가해도 몰아낼수 있을 것 같았다.

어쩌면 가장 중요한 점은 그 지역에는 기존 사우디아라비아의 도시들과 달리 노후화된 인프라, 경직된 관료조직, 부패한 정부관리, 사회 변화를 저해하는 (그리고 외국인 투자자를 방해하는) 완고한 종교법원 등이 없다는 것이었다.

리야드와 제다를 개조함에 있어, 비효율적 통치시스템을 개혁하고, 서구의 동맹들이 비난하는 채찍질과 가혹한 징역형을 선고하는 이슬람 판사들을 견고한 저항을 무릅쓰고 제거한다는 것은 정말 거대한 과제였다. 자신이 선언한 뉴프론티어에 원점부터 새로 건설된 대표적 도시에서는 반발이 없을 것이다. 그리고 그것이 성공한다면, 만약 네옴이 혁신적이고 살기 좋으며 자신이 꿈꾸는 것처럼 번영한다면, 왕국의 나머지 지역 또한 더 낙관적인 미래로 이끌 수 있을 것이다. 이것은 그가 사회생활 초기에 MiSK재단을 설립한 것과 같은 (외국인 자문가들의 도움을 받아 아무것도 없는 상태에서 자신의 회사를 설립한) 그러나 훨씬 더 거대한 규모가 될 것이다.

모하메드는 단순히 하나의 도시가 아니라 하나의 작은 왕국을 건설하기로 작정했다. 거기에는 첨단기술과 의료서비스가 들어갈 것이고 이들 모두를 위한 전력은 석유가 아니라 태양광 에너지가 공급할 것이다. 도시 인근에는 해변을 찾는 사람들에게 최고의 장소들이 제공되고, 요트, 산악

행글라이딩, 암벽 등반, 스키장 등 레저를 위한 시설이 들어설 것이다. 겨울에 사막에서 산 위로 불어오는 모래먼지는 기술자들이 만들어내는 눈으로 보완될 것이다. 이슬람법원을 설치하겠지만 와하브주의는 적용하지 않을 것이다. 여성들은 머리와 몸을 가리지 않아도 되고 심지어 술도 허용될 것이다. 그리고 모두가 (재판관, 관료, 금융 당국 등) 모하메드의 지휘를 받게 될 것이다.

그는 사우디아라비아 주택장관, 전직 리야드시장, 왕궁보좌관, 한때 증권감독관을 지내다가 이제는 그가 신뢰하는 협력자가 된 모하메드 알 셰이크를 포함하여 이사회를 구성했다. 사우디아라비아의 국부펀드를 담당하고 있는 은행가 야시르 알-루마이얀도 이사회에 있었다.

모하메드가 이사회 의장이 되고 외국인 컨설턴트들이 기획을 보좌했다. 초기에 정한 네옴이라는 명칭은 그리스어의 '새로운Neo'과 아랍어의 '미래Mustaqbal'를 혼성한 것으로 "이 프로젝트가 인간을 위한 문명의 도약을 대표하기 때문이며 이 명칭은 특정의 문명에서 유래한 것이 아니다"라고 모하메드는 후일 『블룸버그』와의 인터뷰 때 말했는데, 또 다른 사람에게는 네옴이 실제로는 '신경세포 도시neuron city'를 의미하며 그 목표 중 하나가 인간의 뇌의 능력을 활용하는 것이기 때문이라고 말했다.

2016년 8월 네옴의 첫 이사회가 열렸을 때 모하메드는 컨설턴트들에게 그들이 해야 할 일은 자신이 내리는 기이한 지시사항을 가까운 미래에 실행될 수 있는 계획으로 만들어내는 것이라는 점을 명확히 했다. 이사회에는 유능한 사우디인 관료들이 포함되어 있었지만 기술이나 대규모 기획에 경험을 가지고 있는 사람은 없었다. 타당성 있는 것들을 생각해 내고 그것을 실행하는 방법을 계획하고 작성하는 것이 컨설턴트들의 일이었다.

그러나 미래의 도시국가를 설계하는 방법에 대해 모하메드가 컨설턴트들에게 준 지시사항은 모호했다. 회색 토브를 입고 두건을 벗어던지고 이사회 테이블 끝에 앉아서 모하메드가 격언처럼 던지는 말들은 너무나 난해해서 컨설턴트들에게 별로 도움이 되지 않았다.

"네옴은 모든 혁신적인 아이디어들을 한 도시에 결합하는 새로운 세대의 도시들을 대표할 것입니다"라고 그는 선언했다. 컨설턴트들이 이 말을 어떻게 구체적인 계획으로 만들어 낼 수 있을까?

이사회에서는 "컨설턴트들은 미디어, 문화 콘텐츠, 책과 문학을 검토하여 상상 속의 미래에 대한 아이디어를 찾아내야 한다"라고 전문가들에게 과거의 사람들이 생각했던 미래의 모습을 기초로 미래의 도시를 설계하라고 핵심적인 방향을 제시했다.

"투모로우랜드[14]를 미래의 도시는 어떠한 것일까에 대한 영감으로 활용하라"는 결정을 함으로써, 컨설턴트들에게 3D로 된 마이클 잭슨 비디오, 모노레일, 「관객이 줄었어요Honey, I Shrunk the Audience!」라는 제목의 영화 등 디즈니테마파크가 가진 매력을 연구하라는 지시도 내렸다.

모하메드는 경제 유출 방지책을 포함하여 몇 가지 우선과제를 정해주기도 했다. 또한 네옴이 사우디인들이 해외에서 수십억 달러를 지출하는 리조트, 의료서비스, 심지어 자동차까지 제공함으로써 그 돈을 사우디 경제 내에 둘 수 있다고 역설했다.

왕자가 주시하는 또 다른 현안은 외국 기업들이 사우디아라비아에서 사업을 운영하는 데 겪는 장애물이었다. 왕국은 외국 기업들에 수십억 달러를 투자했다. 이제 모하메드는 그 기업들이 왕국에 투자하기를 원했다. 세계 최대의 기술기업, 자동차 제조업체, 항공우주기업들이 네옴에 와서 사무실과 공장 등을 설립하게 해야 한다고 모하메드는 말했다. 이를 위해

---

14 Tomorrowland, 디즈니랜드의 마법왕국 개념의 테마공원.

서는, 기능적인 파산법도 없고, 단순한 사업 분쟁을 중동판『황폐한 집』[15]으로 만드는 사우디아라비아의 이슬람법원을 피해갈 수 있는 새로운 법구조가 반드시 필요했다.

모하메드는 왕국이 가지고 있는 또 하나의 커다란 난관도 의식하고 있었다. 서구인 그 누구도 사우디아라비아로 이주하고 싶어 하지 않는다는 문제였다. 기후는 너무 고통스러운 데다가 모든 엔터테인먼트가 금지되어 있고 여성들의 인권은 정떨어질 지경이었다. 이것들 역시 네옴에서는 바뀌어야 했다. 마지막으로 그곳은 지역의 경쟁자 두바이를 반드시 능가해야만 했다. 그런 칙령 같은 주문들을 컨설턴트들이 믿을 만한 계획으로 구체화하는 것은 불가능해 보였다. 그러나 그 프로젝트에 5,000억 달러를 쏟아 붓겠다는 모하메드의 약속 덕분에, 컨설턴트들로서는 평생 할 수 있는 일거리이고 핵심역할을 맡는 사람은 수천만 달러를 벌 수 있는 기회였다.

초기의 네옴 미팅에서는 이사회 회의실의 긴 테이블에 맥킨지의 컨설턴트들과 BCG와 올리버 와이먼에서 온 경쟁자들이 사우디인 상대역들과 마주 앉아, 네옴의 초점을 어디에 두어야 하는지에 대한 아이디어를 설명했다. 그들은 네옴이사회의 동의를 거쳐 9개 분야(컨설턴트들의 전문용어로 '클러스터clusters'라고 하는)를 설정했다. 여기에 에너지, 기술, 제조업, 엔터테인먼트 등이 포함되는 것은 별로 놀랄 일이 아니었다. 드디어 컨설턴트들이 '아이디에이션 세션Ideation Session'이라고 부르는 미팅에서 모하메드가 '클러스터 0'이라고 명명하는 새로운 클러스터를 추가한다고 공표했는데, 이것은 '거주 적합성'이라는 개념이었다. 네옴은 세계에서 살기에 가장 즐거운 곳이어야만 한다.

수개월에 걸쳐 개최되는 이사회 회의에서 모하메드는 컨설턴트들에게

---

15 Bleak House, 1853년 출판된 찰스 디킨스의 소설로 당시 영국 사법제도의 결점, 재판 지연 문제, 여성에 대한 억압적인 이데올로기를 비판하는 내용이다.

끝나지 않을 것 같이 수많은 아이디어를 던져주었다. 네옴에는 비행자동차 그리고 수십억 달러가 들어가는 이집트와 연결되는 다리가 필요했다. 매일 밤 떠오르는 인공 달을 창조하는 것이 가능한가? 그리고 리조트 지역의 해변과 관련해서 모하메드는 "나는 모래가 빛을 내면 좋겠다"라고 한 기획자에게 말했다. 상업적 우주여행은 사람들을 끌어들일 수 있는 좋은 산업이 될 것이다. 농산품 시장도 있어야 한다.

모하메드는 네옴이 "미래의 모든 부문을 선도"하지 않으면 안 된다고 테이블에 둘러앉은 사우디인들과 서구인들에게 말했다. 인당 GDP는 세계 최고여야 하고 삶과 일은 더할 나위 없이 균형을 이루어야 한다고도 말했다.

그가 요청하는 것들은 상호 모순되는 경우도 있었다. 사우디 정부는 네옴에 5,000억 달러를 투입할 예정이지만 그 프로젝트는 "지원금으로 건설되지는" 않을 것이라고 이사회는 선언했다. "네옴은 모든 참여자에게 동등함과 공평함을 보장할 것이다"라고 국부펀드 책임자 루마이얀이 말했다. 한 미팅에서는 네옴에서 그 경계 안에 있는 모든 사람에 대해 어떤 방법으로 상시 감시를 해서 범죄자들을 범행과 동시에 체포할 것인가 그리고 어떤 자격을 가진 사우디인들만 입주를 허용할 것인가 등을 논의했다.

네옴의 '법률파트너'가 되기로 합의된 미국의 로펌 레이덤앤드왓킨스 Latham & Watkins는 사우디아라비아의 기존 법률시스템의 문제점을 확인하고, 모하메드가 모든 재판관을 지명하고 보고받는 새로운 구조를 시행함으로써 해결할 것을 제안했다. 이 로펌은 『월스트리트저널』이 이에 관한 보도를 하면서 질문을 했으나 자기 회사의 업무에 대해서 언급하기를 거부했다.

2,000쪽이 넘는 계획서에서 컨설턴트들은 모든 사항에 대한 답을 제시했다. BCG는 네옴에 의해서 국부 유출을 매년 1,000억 달러까지 막을 수

있다고 선언했다. 왕자가 제시한 '거주 적합성'은 이전까지는 개인적 선호의 문제였으나, 이제 맥킨지가 네옴을 위해 개발한 새로운 획기적인 시스템에 의해 계량화할 수 있게 되었다. 그 시스템은 "실증적 증거와 시민의 만족도, 행복, 몰입도 등을 측정하기 위한 빅데이터 활용에 그 기초를 두고" 있다고 컨설턴트들이 설명했다. 이것은 도시의 쾌적도를 객관적으로 측정하는 방법을 어떻게 고안했는지를 설명하면서 쓴 내용이었다. 사우디인 고객들에게 발표할 때 그들은 네옴이 모든 도시 가운데 가장 쾌적한 도시가 될 것이라고 약속했다.

컨설턴트들은 네옴이 지닌 명백한 약점을 강점으로 변화시켰다. 지역에 담수는 전혀 없지만 "염수는 무제한으로 얻을 수" 있으며 담수화 시설을 개발함으로써 "물에 관한 세계 챔피언"이 될 수 있다고 했다. 그리고 어쩌면 NASA가 왕자가 원하는 세계 최대의 인공 달을 개발하는 파트너가 될 수 있을 거라고 BCG는 제안했다.

한 번에 몇 달 연속 진행되는 워크숍을 네 번씩이나 한 끝에 이사회와 컨설턴트들은 프로젝트의 비전 선언을 확정했다. "위대한 정신과 최고의 재능들이 모여 선구적 아이디어를 구현하고 영감으로 충만한 상상력의 세계에서 한계를 초월할 수 있는 미래의 땅"이었다. 그것은 컨설턴트들이 야심만만한 왕자가 듣고 싶어 한 것을 정확하게 들려준 하나의 마스터클래스였다.

네옴의 해안 밖에 컨설턴트들을 가득 태우고 정박해 있는 유람선을 방문하고 난 뒤에, 마사요시는 모하메드를 선지자라고 하면서 소프트뱅크가 네옴의 가장 야심 찬 프로젝트 중 하나에 파트너가 되기로 합의했다. 컨설턴트들이 "인간의 육체적 힘과 IQ를 증강시키는 유전자 변이에 도달하는 출생부터 사망에 이르는 새로운 삶의 방식"이라고 묘사했던 프로젝트였다. 나중에 마사요시는 모하메드 빈 살만을 일컬어 "베두인 스티브

빈 살만의 두 얼굴

잡스"라고 했다.

소프트뱅크의 임원 라지브는 해결해야 할 엄청난 과제를 손에 들고 있었다. 그는 사우디아라비아와 아부다비에서 들어온 돈 때문에 소프트뱅크를 떠나려던 마음을 바꿔 먹었다. 이제 자신에게는 지구상 그 누구보다도 강력한 금융화력과, 잠깐 만나보고 '동물적 본능'에 따라 수십억 달러를 즐겨 투자하는 직감에 의한 경영을 하는 보스가 있었다. 유일한 문제는 비전펀드에 20여 명의 직원이 있는데 아직 투자 절차나 준법기구가 구비되어 있지 않다는 점이었다. 더 나쁜 점은, 이미 돈을 투자하기 시작했고 펀드팀이 확대되고 있는 와중에 자금이 일시적으로나마 소프트뱅크의 대차대조표에 묶여 있어야 한다는 것이었다.

PIF 측 팀원들은 그들의 보스가 서명한 비전펀드에 대해서 회의적이었지만 반대할 수 있는 위치에 있지 않았다. 대신 그들은 소프트뱅크가 그렇게 많은 액수의 현금을 받을 준비가 되어 있는지 세부사항과 증거를 달라고 압박하고 있었다.

비전펀드의 공식 마감일까지는 아직 몇 달이 남아 있었지만 마사요시, 니자르, 라지브가 리야드를 한 번 더 방문했을 때 왕자는 걱정하는 듯한 기색을 보였다. 해변에서 열린 만찬에서는 100만 대의 로봇을 도시에 투입해 로봇이 모든 집안일을 처리하고 인간은 더 중요한 일을 자유롭게 할 수 있게 만들자는 흥분된 논의로 가득했다. 그것은 마사요시 특유의 듣기 좋은 대략적인 숫자와 별로 실체가 없는 현란한 개념들이었다.

그 후 모하메드는 마사요시와 나란히 해변을 걸으면서 우버에 대한 투자를 검토해보라고 요청했다. 그 회사는 관리체제와 안전문제 그리고 고위 임원들이 경쟁사에 대한 스파이 행위에 관련되었다는 스캔들까지 포함하여 온갖 좋지 않은 이유로 뉴스를 타고 있었다. 우버는 PIF의 첫 번째 대규모 딜이었으므로 모하메드는 이 회사가 완전히 망하는 것을 원치 않았다. 그 경우 그의 초기 투자성적에 대한 대중의 평가가 손상될 수 있기 때문이었다. "걱정이 많습니다"라고 모하메드가 말했다. 마사요시는 우버와 엮이기는 싫었지만 좀 더 면밀히 들여다보겠다고 말했다.

모하메드 빈 살만의 걱정은 거기서 끝나지 않았다. 그는 재빨리 권력을 잡고, 80년 전 석유가 발견된 이후 최대의 국가 변환을 시작하는 한편 외국 투자에 몇십억 달러를 쓰고 있었다. 그러나 아직도 예멘에서는 전쟁이 치열하게 진행 중이고, 궤도 밖으로 내쫓아버린 오랜 기득권 엘리트들은 자신의 등 뒤에서 음모를 꾸미고 있었다. 살아남기 위해서는 큰아버지들이나 할아버지처럼 미국의 지지가 필요했으므로 다가오는 선거가 왕국으로서는 어마어마하게 요긴한 것이 될 수 있었다.

도널드 트럼프도 힐러리 클린턴도 딱 들어맞는 동맹이 아니긴 마찬가지였다. 사우디아라비아의 지도자들은 클린턴이 국무부 장관이었던 시절부터 그녀를 성가신 상대라고 생각했다. 클린턴은 만날 때마다 국왕과 보좌관들에게 인권문제와 여성의 자유에 관해 집요하게 압박을 가했다. 트럼프는 이슬람공포증을 적나라하게 드러냈고, 9·11 테러에 대해 미국 법원에 사우디아라비아를 고소할 수 있는 법안을 막으려 한 버락 오바마 대통령을 비판하는 등 문제가 더 많아 보였다.

그러나 모하메드는 동맹국 UAE의 조언에 따라 트럼프가 그나마 나은 선택이라고 믿게 되었다. 그는 사우디아라비아 지도부가 치를 떠는 이란과의 핵 협정을 폐기하려는 듯한 성향을 보였고 클린턴이 편견을 가지고 있는 인권문제에 대해 상대적으로 덜 집착하는 것 같았다.

그래서 모하메드는, 대통령 선거 3주 전에 자신의 먼 사촌이 유명한 민주당 기부자와 함께 LA에 나타나 민주당 출신의 유력한 하원의원 애덤 쉬프와 나란히 사진을 찍은 것을 보고 격분했다. 그로 인해 전 세계에 사

202

우디아라비아 왕가가 민주당을 지지하는 듯한 인상을 주었기 때문이다.

사촌 '살만 빈 압둘아지즈 빈 살만 알 사우드'는 엄밀히 말하자면 왕자는 왕자였다. 그러나 그는 모하메드와는 달리 왕국의 창건자 이븐 사우드의 자손이 아니었다. 살만은 이븐 사우드의 친척의 자손이었으므로 왕위 계승권이 없는 처지였다. 살만은 말끔한 외모를 가졌고 아버지 덕에 엄청난 부자였다. 그의 아버지는 파흐드 국왕의 보좌관으로 있는 동안 어마어마한 부를 축적했다. 모하메드는 그와 어렸을 때부터 알고 지낸 사이다. 그들이 10대 때 살만은 자신은 프랑스어에 유창하고 해외여행을 많이 하는 데 비해 모하메드는 뚱뚱하고 비디오게임만 하고 있다고 놀려대곤 했다. 20대에 들어 살만은 교양이 없고 불쾌하다고 모하메드를 무시하면서, 친구들에게 모하메드는 알 사우드 왕가의 다른 젊은이들이 피하려고 하는 사촌이라고 폄하했다.

이제 그 둘은 30대였다. 모하메드는 왕국에서 국왕 다음으로 가장 강력한 권력자였고, 모하메드의 눈에는 사촌 살만이 허풍쟁이 어릿광대에 불과했다. 부와 권력에 끌려서, 살만은 전 세계의 지도자들을 자선계획 속에 통합한다는 명분 아래 이름도 거창한 '선지자클럽Visionary Movers Club'이라는 것을 시작했다.

살만 왕자는 턱수룩한 수염을 가지런히 다듬고 깃이 넓다 못해 거의 우스꽝스러울 정도인 이탈리아 맞춤 정장을 입고 정치지도자들과 나란히 사진을 찍고 언론에 나오는 것을 좋아했다. 그는 자신이 소르본대학에서 공부했다는 것과 깨끗한 식수 문제 같은 글로벌 현안들을 해결하겠다는 약속을 떠벌리고 다녔다.

한 두바이 출신 사업가가 살만을 민주당 기부자이며 캘리포니아 주정부 요인인 앤디 카와자Andy Khawaja에게 소개했다. 이 사람이 살만에게 쉬프와의 미팅을 주선했는데, 쉬프는 후일 「CNN」에 자신이 기억하는 것은 그 미팅에서 중동 정치에 대해 일반적인 논의를 한 것이 전부라고 말했다. 이후 살만은 일행 중 한 사람에게 카와자 및 쉬프와 자선 노력에 관해 초점을 두고 대화를 나누었다고 말했다. (다른 이야기이지만, 카와자는 이후 모하메드 빈 자예드가 관련된 공작의 일환으로 불법 정치자금을 클린턴에게 제공했다는 혐의로 미국에서 재판에 넘겨졌다. 카와자는 "결코 외국의 지도자로부터 돈을 받은 사실이 없다. 그것은 모두 거짓말이다"라고 말했다.)

하지만 모하메드는 격분했다. 도대체 왜 이 이름도 없는 왕자가 왕가로 하여금 클린턴을 지지하는 것처럼 보이게 만들고 있는가? 그가 전화를 하자 살만은 그 미팅은 정치적인 것이 아니었다고 확인해주었다. 그날 밤 왕궁의 관리가 살만의 아버지에게 전화를 걸어 "그가 왜 미국에 있습니까?"라고 물었다. 겁을 먹은 살만은 잠깐이라도 조용히 있을 작정을 하고 미국에 사업과 개인적 약속 때문에 출장을 온 것이지 정치적 목적으로 온 것이 아니라고 왕궁에 편지를 써서 보냈다. 그러나 모하메드로서는 다가오는 선거가 중대한 순간이었으므로 사촌이 나타나 대중의 이목을 끄는 것은 시기적으로 매우 부적절했다.

8장

작은 스파르타

워싱턴으로 돌아온 오타이바는 전직 미국 정부관리들의 네트워크에 모하메드를 주목하라는 말을 퍼뜨리기 시작했고, 그들은 국무부, 펜타곤, 백악관의 옛 동료들에게 MBS에 대해 이야기하기 시작했다. 퇴역장군 데이비드 페트리어스는 오타이바의 강권으로 제일 먼저 모하메드 빈 살만을 만나러 갔다.

"솔직히 믿을 수 없음. 숨 막힐 정도의 엄청난 비전. 게다가 일부는 벌써 실행 중. 절반만 실현해도 놀라울 것." 이는 페트리어스가 모하메드와 미팅하고 나서 썼던 것으로 글로벌리크스가 해킹한 이메일에서 밝혀진 내용이다.

근육질의 아부다비 왕세제 모하메드 빈 자예드가 아랍식 흰 로브 대신 단추를 채운 와이셔츠를 입고 조종사용 선글라스를 쓰고 아랍의 제임스 본드 같은 모습으로 맨해튼의 트럼프타워에서 비밀회담을 하기 위해 도착했다.

그를 맞아들이는 그룹은 지난 몇 년 동안 가장 밀접한 동맹국이며 보호자인 미국과 외교를 해오면서 경험한 사람들과 전혀 달랐다. 한쪽에는 전직 은행가이자 우익 매체 임원이었던 스티븐 배넌이 앉았는데, 그는 불그레한 볼, 덥수룩한 잿빛 머리, 칼라가 있는 셔츠 두세 장을 겹쳐 입고 그위에 해어진 플리스 재킷을 걸치고 있었다. 그는 거만한 말투로 고대사에 대해 말하는 것을 좋아해서 몹시 보수적인 교수 같은 분위기를 풍기는 인물이었다. 그다음으로는 말쑥한 부동산재벌의 후계자로 이방카 트럼프와 결혼한 재러드 쿠쉬너가 있었다. 함께 비행기를 타고 가는 도중에 쿠쉬너는 배넌에게 과거를 깊이 이해하는 전문가라고 해서 반드시 지정학적 미래를 계획하는 데 최선이라고 생각하지는 않는다고 말했다. "나는 그것을 믿지 않습니다"라고 쿠쉬너가 말했다. "뭘 믿지 않는다는 겁니까?"라고 배넌이 대꾸했다. "역사 말입니다. 나는 역사를 읽지 않습니다. 그것은 우리의 발목을 잡습니다"라고 쿠쉬너가 말했다.

모하메드 빈 자예드

트럼프 대통령 재임 당시 보좌관이었던
스티븐 배넌

    그리고 그 둘 사이에 마이클 플린이 있었다. 플린은 훈장을 받은 퇴역 3성 장군으로 전역 후 외국 정부들을 위한 컨설턴트나 로비스트로 활동하다가 이제 막 민간부문에서 공직 세계로 나오려는 참이었다. 이들은 모두 부동산재벌 도널드 트럼프를 위해 일했는데, 트럼프는 모든 불리함을 극복하고 막 미국 대통령에 당선되었다. 당선의 부분적 이유는 거의 절반에 이르는 유권자들을 '미국 우선주의' 아래 결집한 것이었다. 그의 정책은 때때로 무슬림세계에 노골적으로 적대적이었다.

    그러나 'MBZ'로 알려진 모하메드 빈 자예드는 배넌이 이야기를 시작하자 갑자기 마음 깊이 편안함을 느꼈다.

    "나는 페르시아인들에 대해서 이야기하러 왔습니다"라고 배넌이 말했다. 모하메드 빈 자예드는 놀란 듯 미소를 지으며 "페르시아인이라고 하셨습니까? 나는 20년 동안 귀하 같은 분을 찾고 있었습니다"라고 말했다.

    배넌은 줄곧 이 에미리트의 지도자가 이해할 수 있는 방식으로 말했다. 버락 오바마 대통령은 '이란' 정부를 핵 협상을 할 만큼 신뢰했다. 반면에 '페르시아인들'은 이민족으로서 아랍인들의 오랜 적이었다. MBZ와 배넌의 관점에서는, 만약 그들이 300년 전까지 이 지역을 지배했던 사파비제국'을 재건하기로 결정한다면 UAE와 사우디아라비아에 대한 (그리고 서구

빈 살만의 두 얼굴

의 동맹국들에 대한) 위협이 될 것이었다.

2007년 6월 케빈 코스그리프[2] 제독과 논의하다가 MBZ는 자신의 문화적 관점을 간결하게 요약했다. 국무부 유출 자료에 의하면 이때 그가 "단한 장의 카펫을 짜기 위해 몇 년 동안 인내하고 집중할 수 있는 문화라면 더 위대한 성취를 위하여 몇 년 심지어 몇십 년이라도 기다릴 수 있습니다"라고 말했던 것으로 밝혀졌다. 이란의 목표는 "핵무기의 영향력을 행사하는 더 위대한 새 페르시아제국"이었다.

모하메드와 배넌은 역사, 안보, 오바마의 위험스러울 정도로 순진한 이란 협상으로 인한 좌절감 등에 대해 한 시간쯤 더 대화를 나누었다. 이윽고 이 에미리트인이 제안을 했다. 트럼프캠프에서 모하메드 빈 살만을 만나보라는 것이었다. "그는 여러분들의 대중동계획의 핵심인물입니다"라고 그가 말했다.

이 제안이야말로 자신들보다 훨씬 더 거대한 사우디아라비아의 떠오르는 왕자에 대한 신임장을 에미리트인들이 보강해주는 것이었다. 1971년 창건된 이후 UAE는 사우디인들 및 그들의 경직된 와하브주의 이슬람과 복잡한 관계에 놓여 있었다. 페르시아만 (그들은 아라비아만이라고 부른다) 연안의 왕자들이 두바이, 아부다비, 도하 등 유명한 국제도시를 건설해온 데 비해 나이 든 사우디아라비아의 국왕들과 그들을 지지하는 와하브주의자들은 20세기 초 이래의 케케묵은 현상유지라는 강박에 사로잡혀 있는 것 같았다. 현대 사우디아라비아의 역사는 (그리고 알 사우드 왕가가 주장하는 정통성은) 보수적인 이슬람 기득권층과 성스러운 도시 메카와 메디나에 대한

---

1 Safavid Empire, 1501-1736년 이란 일대를 지배한 대제국으로 사파비 이란 또는 사파비 페르시아라고도 한다. 7세기 이슬람정복 이후 이란의 여러 제국 중 최대의 제국 중 하나로 오늘날의 이란, 아제르바이잔, 바레인, 아르메니아, 동부 조지아를 지배했다. 현대 이란 역사의 시발점으로 인식된다.
2 Kevin Cosgriff, 2008년 호르무즈해협에서 일어난 미국-이란의 해상 분규 당시 중동지역을 담당하는 미국 중부군사령부 소속 해군 제5함대사령관.

관리인으로서의 임무와 뒤얽혀 있었다.

그렇지만 사우디아라비아는 실제로 인구수와 면적이 상당한 걸프국가이며 이 지역 내에서 유일하게 세계무대에서 중요한 국가이다. 그런데 이 나라는 오랫동안 주도권을 거부하고 미국에 의존해 지역 안보를 유지하는 쪽을 선택해왔다. 다른 한편으로 영화관에 가는 것이나 음악을 듣는 것을 죄악시하는 와하브주의를 전 세계 무슬림에게 전파하는 데 수십억 달러를 쓰고 있었다.

아라비아반도 전체 지역은 방대한 석유화학 자원, 막대한 부, 보수적 사회규범, 부족 관습, 사막 지형 등 몇 가지 공통 요소를 가지고 있다. 그럼에도 불구하고 걸프도시들은 서로 많은 차이점을 지니고 있었다. 두바이의 알 막툼Al Maktoum 가문은 철저한 중상주의자들로서, 수백만의 외국인들이 시드니, 런던, 뉴욕에서와 똑같이 살 수 있는 미래형 무역허브를 창조하기 위해 지난 수년간 노력해왔다. 쿠웨이트의 알 사바Al Sabah 가문은 이웃 국가들보다 먼저 자국에서 민주적 스타일의 기관들이 생겨날 수 있도록 허용해왔으며, 심지어 정부관리들을 비판하는 소란스런 신문까지 허용했다. 이것은 이 지역의 다른 어느 나라에서도 볼 수 없는 일이다. 오만의 알 카부스Al Qaboos 가문은 눈에 띄지 않는 외교관으로 정평이 나 있는데, 예를 들면 서방 국가와 이란 간의 논의에서 중요한 중개자 역할을 수행하고 있다. 그리고 작은 반도국가 카타르의 알 타니 가문은 무슬림형제단을 포함한 이슬람주의자들을 지원하고 있다. 심지어 다른 걸프국가들은 아랍세계에서 활동하는 다른 유사한 단체들을 자신들의 절대왕정에 대한 가장 큰 위협으로 간주하고 있지만 카타르는 이들 역시 지원하고 있다. 카타르는 가장 작은 나라들 중 하나지만 지역 전체에서 가장 진취적인 외교정책을 펴고 있다. 아부다비의 왕세제인 모하메드 빈 자예드는 나라를 창건한 자예드 알 나흐얀의 열두 명이 넘는 아들 중 한 명이나. 아버지가 사망한 뒤 그는 바로 가장 강력한 셰이크[3] 중 한 명이 되었다. 대통령이었던 형 칼리파가 2014년 병을 얻으면서 MBZ는 나랏일을 일상적으로 처결하는 통치자가 되었다. 다른 형제들도 외무부, 국가안보 보좌관, 내무부 등 정부의 전 부처를 관장하는 최고위직을 맡았다.

전직 헬리콥터 조종사인 MBZ는 모순적인 인간이었다. 그는 평화적 핵에너지계획, 외국인 학생만 입학할 수 있고 때로는 전액 장학금을 지급하기도 하는 뉴욕대학교의 분교 설치, 나라의 제일 큰 섬 옆의 섬에 루브르박물관 분소를 건설하는 프로젝트 등 아부다비의 가장 야심적인 프로젝트들을 총괄했다. 그러나 또한 자신의 주변에 미국과 영국의 스파이들, 블랙워터[4]라는 악명 높은 민간보안업체를 창업한 에릭 프린스 같은 인물 등 의심스러운 성향의 사람들을 두기도 했다. 미국을 돕기 위해 아프가니스탄으로 특수부대를 보내는 등 군사분쟁에서 UAE가 정당한 역할을 하도록 만들겠다는 MBZ의 포부 덕분에 2010년부터 2013년까지 미국 중부군 사령관이었던 해병대장 제임스 매티스로부터 아부다비는 "작은 스파르타"라는 별명을 얻었다.

MBZ는 아침에 전직 MI6[5] 요원으로 정보업무를 보좌하는 윌 트릭스와 집무실에서 대화를 나누고, 같은 날 온갖 이국적인 새들로 가득 찬 왕궁 경내의 거대한 새장 속에서, 아버지의 박식한 통역관으로 있었고, 집에 수천 권의 책을 꽂아둔 하젬 자키 누세이베[6]와 함께 거닐며 역사에 관해 대화할 수 있는 인물이었다. 서구의 친구들에게 그는 가식이 없고, 세상을 많이 알고, 비판을 두려워하지 않고, 적과의 대결에는 대담한 '철학자 왕'

---

3 sheikh. 아랍에서 왕자, 족장, 촌장, 가장, 지도자 등 사회적 거물을 지칭하는 말이다.
4 Blackwater. 2011년에 아카데미(Academi)로 개명했다.
5 Military Intelligence Section 6, 정식 명칭은 Secret Intelligence Service, SIS. 1909년 설립된 영국 외무부 소속의 비밀정보부.
6 Hazem Zaki Nuseibeh, 팔레스타인 출신의 요르단 정치인이자 외교관.

이었다. 일부 사람들이 주장하는 바에 의하면, 아부다비의 안보 수사망에 걸린 자들에게는, 잔인한 전제군주로서 자신의 손을 더럽히는 것을 주저하지 않는다고 하는데 본인은 이런 주장을 부인한다.

알-카에다의 고위지도자 아이만 자와히리[7]의 동생 모하메드 자와히리가 한 인터뷰에서, 본인이 1999년 UAE에서 체포되어 아부다비로 끌려갔을 때 모하메드 빈 자예드가 직접 심문하는 과정에서 구타를 했다고 말했다. 이 이집트인은 그 후 구멍이 뚫린 나무상자에 갇혀 이집트 보안국으로 보내졌는데, 이들은 자신을 감옥에 처넣은 뒤 7년 동안 거기 있었다는 사실조차 시인하지 않았다고 말했다. MBZ에 가까운 소식통은 이러한 주장을 부인했다.

수십억 달러의 부자임에도 불구하고 놀라울 정도로 절제된 삶을 사는 것으로 알려진 MBZ는 집무실에서 종종 야구 모자를 쓰고 있기도 하고, 시내를 직접 운전해서 돌아다니고, 찾아오는 외교관과 함께 아부다비에 있는 자신이 좋아하는 카페 존스 더 그로서Jones the Grocer에서 점심을 먹기도 한다.

지난 수년간 사우디아라비아의 늙은 지도자들에 대한 기대를 버리고, MBZ는 2008년 대사로 부임하여 짧은 시간 내에 워싱턴에서 가장 인맥 좋은 아랍인이 된 유세프 알-오타이바[8]라는 운동선수 출신의 에미리트인에게 의지하여 미국과의 관계 증진에 노력을 집중했다.

오타이바의 스킬은 워싱턴 교외에 있는 그의 화려한 대사관저에서 맥

---

7 Ayman Mohammed Rabie al-Zawahiri, 이집트 기자 태생의 테러리스트로 알-카에다의 2대 에미르가 되었으나 2022년 미국의 드론 공격으로 아프가니스탄에서 사망했다.

8 Yousef al-Otaiba, 1974년 아부다비 태생. 초대 UAE 석유장관을 지내고 OPEC의장을 6회 역임한 석유업계의 거물 마나 사이드 알-오타이바의 아들로 2008년부터 지금까지 주미 UAE대사로 재임 중이다.

주와 바비큐를 즐기며 스포츠팀을 응원거나, 볼프강 퍽과 다른 유명 셰프들이 준비한 특별한 저녁식사에 품격 있는 손님들을 초대하는 등 미국인들과 문화적 차원에서 관계를 맺는 능력에서 비롯했다.

UAE는 사우디아라비아 왕가와 오랜 역사를 가지고 있고 엄밀히 말하면 긴밀한 동맹이었다. 압둘라 국왕이 임종의 자리에 누워 있을 때 모하메드 빈 자예드는 그의 아들 미테브 빈 압둘라가 왕위에 오를 것이라고 굳게 믿었다. 아부다비는 모하메드 빈 살만이 억지로 무대 위에 등장하여 새로운 강자로 출현하고 나서부터 그를 주목하기 시작했다.

에미리트인들은 MBS의 많은 부분에 대해 매력을 느꼈다. 그는 젊고 기술 분야에 열성적이며 자기 나라가 UAE와 같은 변환과정을 밟아나가기를 원하고 있었다. 아부다비는 리야드보다 훨씬 오래전에 경영 컨설턴트들에게 2030 계획을 세우게 했었다. 아부다비가 개발되면서 세계가 이 도시를 중동의 워싱턴 D.C.로 취급하기 시작했고, 외교관들, 스파이들, 유력인사들이 정기적으로 와서 컨퍼런스를 열고 전략회의 등을 가졌다.

MBZ는 모하메드 빈 살만에게서 자신의 더 크고 더 강력한 이웃과 더 깊은 동맹을 맺을 수 있는 필생의 기회를 보았다. 모하메드는 사우디아라비아의 퇴행적 방식을 끝낼 뿐 아니라 함께 손을 잡으면 전 세계 외교무대에서 하나의 중요한 세력이 되고 지역의 좀 더 나은 미래를 구축할 수 있을 것 같았다.

MBZ가 문제로 보는 것은 MBS가 알 사우드 왕가의 경쟁자들 앞에서 아직 권력과 영향력을 견고하게 구축하지 못했다는 점이었다. 왕세자 모하메드 빈 나예프와 그들의 일부는 에미리트인들에 대해서 악감정을 가지고 있었다. (MBZ는 한때 왕세자의 아버지 나예프를 미국 외교관들에게 원숭이라고 사실상 욕을 한 적이 있었다.) 그래서 MBZ는 자신의 폭넓은 로비 능력과 영향력을 이용하여 서구에 다음과 같은 말을 퍼트리는 것을 목표로 정했다.

"아주 흥미진진한 인물이 사우디아라비아에서 떠오르고 있으니 그를 만나볼 필요가 있다." 이렇게 하는 것은 미국의 경우에는 특히 중요했다. 왜냐하면 미국 관리들은 모하메드 빈 나예프와 오랫동안 관계를 맺어왔기 때문이다. 이제 새로운 미국 대통령과 떠오르는 왕자 모하메드와 함께함으로써 MBZ에게는 더 큰 영향력을 갖는 기회가 생겼다.

오타이바는 이 캠페인의 핵심요소였고 MBZ의 동생이자 국가안보 보좌관(논쟁의 소지는 있지만 사실상 스파이 대장)인 타흐눈 빈 자예드도 못지않게 중요한 요소였다. 타흐눈은 주짓수 챔피언인데 빛에 민감해서 실내에서도 선글라스를 자주 썼고 무중력실에서 몸이 둥둥 뜬 상태로 휴식을 취하곤 했다. 타흐눈은 중간연락책으로서 모하메드를 탕헤르, 워싱턴 D.C., 리야드에서 자주 만났다. 타흐눈은 모하메드에게 피터 아티아Peter Attia 박사가 추천하는 케토제닉 다이어트[9]를 시도하게 하고 모하메드가 좋아하는 맥도날드 패스트푸드를 서서히 줄이도록 설득하기도 했다. 2016년 존 케리가 홍해 위 요트에서 모하메드를 만났을 때 타흐눈은 근처에 정박한 자신의 배에서 느긋하게 쉬고 있었다.

아부다비의 국부펀드 무바달라개발공사[10]의 책임자 칼둔 알 무바라크Khaldoon Al Mubarak 역시 사우디 측 상대역과 경제다각화에 대해 공동작업을 했다.

워싱턴으로 돌아온 오타이바는 전직 미국 정부관리들의 네트워크에 모하메드를 주목하라는 말을 퍼뜨리기 시작했고, 그들은 국무부, 펜타곤, 백악관의 옛 동료들에게 MBS에 대해 이야기하기 시작했다. 퇴역장군 데이비드 페트리어스는 오타이바의 강권으로 제일 먼저 모하메드 빈 살만을

---

9 ketogenic diet, 탄수화물을 줄이고 지방 섭취는 늘리는, 일명 '저탄고지' 다이어트.
10 Mubadala Development Company. 2017년 국제석유투자회사와 합병하여 현재 이름은 무바달라투자회사(Mubadala Investment Company)이다.

만나러 갔다.

"솔직히 믿을 수 없음. 숨 막힐 정도의 엄청난 비전. 게다가 일부는 벌써 실행 중. 절반만 실현해도 놀라울 것." 이는 페트리어스가 모하메드와 미팅하고 나서 썼던 것으로 글로벌리크스Global Leaks가 해킹한 이메일에서 밝혀진 내용이다.

"MBZ도 정확한 평가에 공감합니다"라고 오타이바가 답신했다. "내가 그들에게, 우리가 그랬던 것처럼 그에게 투자하라고 강권해왔다는 사실을 이제 극도로 불안해하고 경계하는 MBS행정부에 전달해야 합니다."

트럼프타워에서 가진 모하메드 빈 자예드의 미팅은 오바마의 백악관에 경보를 울렸고, 그 경보는 이후 두 달간 지속되었다. 외국의 지도자들과 새로 들어오는 행정부는 일반적으로 비밀회담을 하지 않는다.

미국의 지질학자들이 거의 100년 전 사막에 매장된 원유를 발견한 이래 미국은 사우디아라비아의 확고한 지지자였다. 미국 기업들은 사우디의 석유산업의 기반을 쌓았고 사우디 왕국에 무기와 군사훈련을 제공했다. 그 대가로 사우디아라비아는 그 지역에 있어서 가장 신뢰할 수 있는 미국의 동맹국이 되었다. 심지어 1973년의 석유 금수 조치, 9·11 테러 공격 그리고 셰일가스 추출법이 개발되어 사우디아라비아의 석유에 미국이 더 이상 의존하지 않게 된 이후에도, 미국의 국무부, CIA, 사우디아라비아 정보안보기관의 오랜 인맥 덕분에 2000년대 초반까지 양국의 관계는 굳건하게 유지되었다.

그러나 버락 오바마 대통령 재임 기간에 양국 관계는 틀어졌다. UAE와 사우디아라비아의 지도자들은 자신들의 최대의 적인 이란과 사전 협의도 없이 핵 협상을 하겠다는 오바마의 결정에 분개했다. 사태를 더 악화시킨 것은 그 협상이 걸프협력이사회Gulf Cooperation Council의 6개국 중 하나인 바로 옆의 오만에서 벌어졌다는 점이었다. 2015년 오바마가 압둘라 국왕의 서거에 애도를 표하기 위해 리야드로 전화를 했을 때, 그때까지 존재가 모호하던 모하메드가 장관 및 각료 회의석상에서 일어나 오바마가 왕국에 등을 돌렸다고 성토했다. 미국 대표단의 일부는 이 확신에 찬 젊은 왕자가 누구인지 전혀 알지 못했다.

그 후에도 계속해서 모하메드는 일단의 미국인들에게 "오바마는 우리에 대한 지원을 중단했다"라고 불만을 늘어놓았다. 그것은 심각하고 지나친 단순화였지만 (미국은 오바마 재임 중에 수십억 달러에 달하는 무기를 사우디아라비아에 판매했다) 사우디 왕궁과 지역의 일반적인 견해를 반영하는 것이었다. 모하메드는 사우디아라비아와 동맹관계를 유지하면서 동시에 이란과 협상을 진행하는 오바마의 교묘한 접근방식을 배신이나 마찬가지로 보았다.

오바마가 물러나고 트럼프가 들어오는 시점에 모하메드에 대한 호의적인 밑그림이 그려졌지만 다른 문제가 있었다. 라이벌인 모하메드 빈 나예프는 미국 관리들과 훨씬 강력한 관계였고 미국의 정보기관, 군부, 외교기관 저변에 정치적 수준을 뛰어넘는 깊고 두터운 우군이 있었다는 점이다. 모하메드가 MBN의 보좌관 사드 알-자브리를 해외로 축출한 뒤에도 사정은 바뀌지 않았다.

20년 동안 사우디아라비아 반테러 조직의 수장으로 있었던 터라 MBN은 국무부와 CIA 내부의 모든 주요 인사들을 잘 알고 있었다. 많은 인사가 여전히 그를 친구로 생각했다. 그와 가까운 정보요원 및 제보자 그룹에서 들어오는 정보에는 사우디아라비아와 미국의 일치된 이해관계에 위협적인 요소들이 들어 있었다.

도널드 트럼프가 당선됨으로써 모하메드는 스스로 미국과의 관계에서 중심점이 될 수 있는 기회를 맞이했다. 표면적으로만 보면 트럼프의 예상치 못한 승리는 무슬림세계의 패배처럼 보였다. 그가 캠페인 중 보여준

빈 살만의 두 얼굴

이슬람혐오증은 미국인들조차 충격으로 받아들였다. 그는 무슬림들이 미국에 입국하지 못하도록 하겠다고 말했다.

MBS는 이를 허세로 보았다. 그것은 트럼프가 실제로 이슬람에 대해 어떤 감정을 가지고 있느냐와 전혀 상관이 없는 것이라고 그는 나중에 역설했다. 왕자는 그것을 오히려 트럼프가 당선되는 데 필요한 말이었다고 생각했다. MBS의 계산 속에서 트럼프는 약간의 사탕발린 말과 미국 기업에 대한 수억 달러짜리 딜 몇 개로 쉽게 마음을 사로잡을 수 있는 사람이었다. 더욱이 모하메드도 이슬람 극단보수주의자들에 대한 혐오에는 공감하고 있었다. 그들의 과장된 독실함과 외부 세계에 대한 무지 때문에 이슬람은 악명을 뒤집어썼다. 회의적인 서구인들은 여전히 압둘아지즈 빈 바즈Abdulaziz bin Baz에 대해 조롱 섞인 글을 써대고 있었다. 예전 사우디아라비아 최고의 이슬람 권위자였던 그는, 살만 국왕의 장남 술탄이 사우디인 최초로 미국 우주왕복선을 타고 우주여행을 다녀와서 지구가 실제로 자전하면서 태양 주위를 공전한다는 사실을 자신에게 확인해주기 전까지는 지구가 태양 주위를 공전한다는 사실을 부인했던 인물이다.

새롭게 재편된 동맹국 미국에 모하메드와 기꺼이 협력하고자 하는 두 명의 파트너가 있었는데, 바로 MBZ가 트럼프타워에서 만났던 스티브 배넌과 재러드 쿠쉬너였다. 그들은 최우선순위의 중동지역 현안들에 대해서 아랍의 지원을 받아내기 위해서는 이슬람혐오증이라는 혐의를 반드시 벗어야 한다고 인식했다. 이를 위해 배넌은 이란에 대한 제재를, 쿠쉬너는 팔레스타인 평화협정에 대한 지원이 필요하다고 생각했다. 이 젊은 부동산업자는 옛날식의 사업 감각과 말 교역을 가지고 중동에 평화를 가져다 줄 방법을 찾을 수 있다는 아이디어가 마음에 들었다. 그것은 트럼프 대통령 시대의 특징이 될 것이었다. 모든 문제를 해결하는 것은 거래였다.

사우디아라비아에 대한 쿠쉬너의 구애는 일찌감치 시작되었다. 모하메드는 두 명의 고위 밀사, 안보관리 무사드 알-아이반과 당시 에너지부 장관 칼리드 알-팔리를 트럼프타워로 보냈다. 그들은 트럼프가 대통령 당선자 신분으로서의 첫 번째 방문을 리야드로 해주기를 원했다. 그것은 모든 면에서 좋은 계획으로 보였다. 모하메드로서는 자신이 미국과의 전통적 동맹에 새로운 힘을 불어넣고 있는 것을 보여줄 수 있었다. 트럼프로서는 이슬람혐오증이라는 혐의를 벗을 수 있었다. 양국의 지도자들은 그런 방문이 이란에 대한 공격적인 태세로 비춰질 것이라고 이해했다.

"트럼프 대통령과 좋은 관계를 맺는 방법은 매우 간단합니다. 테러 중지, 현대화, 극단주의 중지입니다"라고 쿠쉬너는 미팅 도중 아이반과 팔리에게 말했다. 또한 사우디아라비아가 이스라엘과의 관계 정상화를 진전시킨다면 좋을 것이라고 덧붙였다.

그리고 쿠쉬너는 만약 트럼프가 방문을 한다면 사우디아라비아도 미국에 보여주는 선의로써 어떤 변화를 만들어내야 한다고 말했다. "귀국은 여성들에게 운전을 허용하고 권리를 더 주어야만 합니다." 그러자 그들은 모하메드가 그런 계획을 하고 있으며 그것이 왕국에도 좋은 일이라고 믿고 있다고 말했다.

MBS는 이미 첫 번째 안건으로 여성의 운전 허용을 꼽고 있었던 것으로 밝혀진다. 거의 모든 서구인이 그것을 가장 간단한 결정이라고 보겠지만, 국왕들마다 그 후진적인 전통을 바로잡으려고 조치를 취하다가 마지막 순간에 중지했다. 수십 년간 새로운 법률이 작성되었다가 다시 수정되곤 했는데, 결국 늙은 왕족들이 그것을 너무나 위험하다고 느꼈기 때문이었다. MBS는 폭발하는 청년 인구의 정서에 초점을 맞추고서 그것이 더 이상 리스크가 아니라는 것을 느꼈다. 젊은 사우디인들과 서구 동맹국들을 낡은 제약 속에서 계속 멀어지게 하는 것이야말로 진정 더 큰 리스크였다. 2017년 후반 국왕은 2018년 6월부터 여성에게도 운전을 허용한다는 칙령을 발표했다. 쿠쉬너와 다른 사람들은 자신들의 영향력이 긍정적인 방향으로 작동하고 있다는 느낌을 받았지만 MBS는 그들을 만나기 훨씬 전부터 자신의 의제 속에 이미 그러한 변화를 포함시켜 놓았다.

취임 후 몇 주 동안 새로운 트럼프행정부의 다른 인사들은 그 방문에 대해 우려했다. 렉스 틸러슨 국무장관과 국가안보위원회의 다른 참모들은 반대했다. 그들이 보기에는 외교정책상 더 큰 우선사항과 만나야 할 더 신뢰하는 동맹국들이 있었다. 그들은 사우디아라비아의 민감한 시기에 미국이 MBS를 선호하는 것처럼 보일 리스크에 대해 경고했다. 미국이 가장 신뢰하는 사우디인 MBN이, 와하브주의자들에 동조적인 국왕과 왕위에 대한 노골적인 야심을 가진 그의 사랑하는 아들 사이에서 샌드위치가 되어 있는 상황이었다. 일부 참모들은 이번 방문이 자신의 사촌을 몰아내고 자신을 예비 국왕으로 자리매김하려는 모하메드의 계획에 가담하는 것이 될 수 있다는 점을 우려했다.

틸러슨은 다른 관리들에게 본인이 특히 우려하고 있는 것은 MBN의 입지가 약화되는 것이라고 말했다. 또한 여성들의 상황을 개선하고 극단주의와 싸우겠다는 사우디 측의 약속은 신뢰하기 어렵다고 주장했다. "사우디인들은 언제라도 우리를 실망시킬 수 있습니다. 그들은 결코 약속을 지키지 않을 것입니다"라고 어느 날 아침 회의에서 틸러슨이 쿠쉬너에게 말했다. 계획을 2018년 5월까지 연기한다고 틸러슨의 참모가 쿠쉬너에게 말했고 쿠쉬너는 이 소식을 백악관 회의에서 배넌에게 전했다. "빌어먹을! 지금 농담하는 거야?"라고 배넌은 말했다. 그는 직업관리들을 "딥 스테이트Deep State"라고 일축했는데 이 용어는 원래 튀르키예 정부에서 보이지 않는 곳에 숨어 국가를 운영하는 비선출직 실행자들을 지칭하는 말이다. 배넌은 이러한 관리들의 우선순위는 자신들의 권력을 유지하고 자신들의 해외 동맹국들을 지원하는 것뿐이라고 주장했다. 그들은 트럼프의 보좌관들이 구상해놓은 새로운 질서를 지지할 것이라고 믿을 수 없었다.

쿠쉬너가 백악관이 사우디 측에 결과를 내놓을 기회를 주어야한다고 주장하자 트럼프의 참모들은 새 대통령과 살만 국왕의 통화를 준비했다.

"대통령님, 저는 당신을 매우 존경합니다"라고 살만 국왕이 말했다. "오케이, 국왕님"이라고 트럼프가 답했다. 그는 사위 쿠쉬너에게 순방 준비를 맡기겠다고 말했다. 살만은 아들 모하메드에게 사우디 측 업무를 처리하도록 맡겼다고 대답하면서 전직 TV 리얼리티 쇼 스타에게 아첨하는 듯한 말을 건넸다. "만약 내 아들이 일을 잘한다고 생각하지 않는다면, 대통령께서는 그에게 '넌 해고야!You're fired!'라고 말씀하시면 됩니다"라고 살만은 트럼프의 유행어에 빗대 말했다.

쿠쉬너와 모하메드는 때때로 메신저 앱 왓츠앱WhatsApp을 통해 소통했고 둘은 잘 지냈다. 쿠쉬너는 모하메드로부터 자신은 사우디 이슬람을 현대화시키려고 하는 것이 아니라 좀 더 온건한 뿌리를 복원시키려고 하는 것이라는 설명을 듣고 좋아했다. 모하메드는 많은 외국 정치가와 언론인에게, 사우디아라비아는 1979년 메카의 마스지드 알-하람 대모스크에 대한 테러 공격 때문에 알 사우드 왕가가 보수파 성직자들에게 권력을 이양하기 전까지는 더 자유주의적인 사회를 향해 가고 있었다고 설명했다.

사실 이것은 지나친 단순화였다. 알 사우드 왕가는 와하브주의 전사들과의 동맹을 통해서 권력을 잡았다. 그리고 그 전사들의 정치적 후손들이 왕국의 종교적 기득권층이었다.

그러나 모하메드는 쿠쉬너에게 자신은 새로운 유형의 왕자로서, 돈과 기술이라는 세계의 중요성을 이해하고 있으며, 수세대에 걸친 해묵은 분쟁에 별로 관심이 없다고 확신시켜주었다. 모하메드에 비해 MBN은 답답하고 변화를 꺼리는 듯해 보였다.

틸러슨과 정치적 기득권층의 의구심에 부딪히자 쿠쉬너는 모하메드에게 전화를 걸어 순방을 둘러싸고 오가는 사우디아라비아의 모든 약속을 서면으로 작성해주면 좋겠다고 말했다. 왕자는 이에 대한 응답으로 안보책임자 아이반을 워싱턴에 몇 주간 파견했다. 그 기간에 회의를 통해서 그와 쿠쉬너는 미국의 요청과 사우디아라비아의 약속을 낱낱이 서면으로 작성했다. 아이반이 리야드로 돌아오자 모하메드는 잘 조직된 참모그룹을 투입하여 일련의 화려한 세리머니를 준비시켰다. 워싱턴의 쿠쉬너는 모하메드만큼 신속하게 움직이지는 않았다.

2월에 전직 대통령의 선발대원이었던 스티브 앳키스Steve Atkiss는 백악관으로부터 갑작스러운 전화를 받았다. "대통령이 첫 해외 순방을 사우디아라비아로 가게 될 것 같아. 그런데 여기에는 여행계획을 짜는 방법에 대해서 아는 사람도, 사우디아라비아에 대해서 아는 사람도 전혀 없어." 보좌관 조 헤이긴Joe Hagin이 앳키스에게 말했다.

앳키스는 도와주겠다고 했다. 그는 조지 W. 부시 대통령의 왕국 방문계획을 짜봤고 당시 대통령을 수행해서 리야드까지 다녀왔다. 그는 또한 압둘라 국왕이 부시의 텍사스 목장을 방문할 때도 수행을 했다. 앳키스는 트럼프백악관을 위해서 자원봉사자 자격으로 일해주겠다고 말했다. 옛친구 헤이긴을 도와주는 기회가 될 것이고 자신이 운영하는 자문회사 커맨드그룹Command Group에도 좋은 일이 될 것 같았다. 그는 쿠쉬너와 미팅을 하고 사우디 측 방문계획 상대역과 연락을 취하기 시작했다.

몇 주 뒤, 모하메드 빈 살만이 사우디아라비아 국방부 장관 자격으로 펜타곤 관리들을 만나러 워싱턴에 왔다. 그는 독일 총리 앙겔라 메르켈이 눈보라 때문에 예정된 방문 일정을 취소한 덕분에 트럼프와 일곱 시간 동안 점심식사와 대화 자리를 가질 수 있었다.

모하메드가 트럼프와 같이 찍은 언론 배포용 사진이 국내에 하나의 신호가 되었다. 왕세자인 MBN은 그 여행에 같이 오지 않았다. 서열상 MBN보다 아래인 모하메드가 미국과 새로운 동맹관계를 강화하고 있는 중이었다.

모하메드가 본 것은 고무적이었다. 회의적이었던 오바마행정부 사람들이 없는 그의 첫 백악관 방문에서 그는 훨씬 더 따뜻한 환대를 받았다. 특히 그가 오바마를 비판할 때 더욱 그랬다. 모하메드는 트럼프에게 전임 대통령이 가졌던 가장 큰 문제는 근본적으로 중동에 대한 잘못된 시각을 가지고 있었다는 점이라고 말했다. 그는 이란과 무슬림형제단에 권한을 주고 사우디아라비아는 제외하기를 원했다. 그리고 트럼프의 숙적이며 오바마의 첫 번째 국무부 장관이었던 힐러리 클린턴이 사우디아라비아에 대한 경의가 없었다고 말했다.

그 회담 이후 몇 주 동안 모하메드는 사우디가 이전에 만났던 그 어떤 백악관보다 훨씬 더 수용적이고 유연한 백악관을 상대하고 있다는 점을 깨달았다. 또 자신의 조직과 비교할 때 트럼프백악관은 극도로 무질서하다는 것도 인식하게 되었다. 이는 모하메드에게 유리하게 작용할 것이었다.

최종 방문일자가 결정되자 모하메드의 참모들은 밤낮을 가리지 않고 왕자가 지시하는 영접 계획을 실행에 옮겼다. 그는 최고의 셰프들을 해외에서 공수해오길 원했고 참모들은 그렇게 준비했다. 그는 트럼프와 살만 국왕이 상업거래에 서명하는 공개행사를 함으로써 트럼프가 사우디아라비아의 돈 수십억 달러를 가져가는 실적을 누릴 수 있기를 원했다.

트럼프에게 자기가 (MBN이 아니라) 사우디 정부에서 가장 열렬한 반테러 투사라는 것을 보여주기 위해 모하메드는 기술자들과 건설팀을 데려다가 가장 노후한 왕궁호텔의 로비를 미국의 SF드라마 「배틀스타 갤럭티카」 스타일의 '전쟁상황실'로 변모시켜 모하메드가 지휘하는 반극단주의 센터로 만들었다. 그는 심지어 공사가 진행되고 있을 때 데이비드 페트리어스를 오게 하여 이를 보여주었다. MBN이 수년 전부터 반극단주의 프로그램을 운영해 오고 있었기 때문에 비록 중복되는 측면이 있긴 했지만 이것은 굉장히 인상적이었다. 나중에 밝혀진 것처럼, 이는 사우디아라비아의 우선순위에 어떤 중요한 변동이 있었다는 것을 보여주는 지표라기보다는 오히려 세계의 지도자들이 회동할 수 있는 TV 촬영용 세트라고 하는 것이 더 적절했다.

그리고 트럼프에게 사우디아라비아가 미국을 사랑한다는 것을 보여주기 위해 모하메드는 참모들에게 할렘 글로브트로터스[11] 같은 공연단을 트럼프가 도착하는 일정에 맞춰 리야드에 오도록 준비시켰다. 방문 상대국의 셀럽들을 비행기에 태워 데려다 놓는 것은 색다른 전략이었는데, 모하메드는 너무 이국적인 것에 대해 트럼프가 오히려 불편함을 느낄 수도 있을 거라고 생각했다.

반면 미국 측은 그다지 세심하게 접근하는 것 같지 않았다. 트럼프백악관의 일상은 불운한 로맨스, 해고, 멕시코 국경에 장벽을 건설하는 등의 양극화 정책에 대한 풍문으로 가득한 미국 최고의 연속극이었다. 쿠쉬너와 배넌은 그 중심에 있었지만 사우디아라비아 방문이 즉시 이루어져야 한다는 것을 알고 있었고, '딥 스테이트'가 아니라 자신들이 그 일을 지휘해야 한다는 것도 잘 알고 있었다. 트럼프의 최측근 참모들이 볼 때, 대통령의 지시를 수행하는 것이 유일한 목적인 정부 참모는 없으며, 오랜 기간 근무한 참모들이 실제로는 트럼프행정부의 목표에 반하는 자유주의 이데올로기주의자들이라고 의심했다.

그래서 쿠쉬너와 디나 파월이라는 국가안보 부보좌관이 이 계획에서 주도적인 역할을 맡았다. 이집트 태생으로 아랍어에 유창하고 골드만 삭

---

11 Harlem Globetrotters, 미국의 묘기 농구단.

스 출신의 은행가로서 조지 W. 부시의 참모였던 파월은 백악관과 중동을 잇는 가교로 통했다.

파월과 쿠쉬너는 전직 선발대원 앳키스와 마주 앉아 실행계획에 착수했다. 그는 다음 날 리야드로 떠날 예정이었으므로 세부사항에 대한 설명과 지시를 받아야만 했다. 안전과 얽힌 문제를 바로잡은 뒤 또 하나의 우선사항은 대통령이 어떤 경우에도 난처한 상황에 놓이면 안 된다는 것이었다.

노련한 선발대원으로서 (대통령수행단이라고 하는 대규모 이동식 서커스단의 토대를 마련하는 사람으로서의) 앳키스의 역할은 얼핏 봐도 분명했다. 백악관과 상무, 군사, 외교, 안보 관련 부서로부터 계획의 상세 목록을 받은 다음 리야드로 가서 실행계획을 준비하고, 리스크를 분석·평가하고, 백악관의 지시사항을 실행하기 위한 모든 세부사항을 준비하여 방문이 안전하고 순조롭게 진행되도록 만전을 기하는 것이었다.

그러나 파월과 쿠쉬너가 백악관 미팅에서 내려준 지시는 모호했다. 그들은 대통령과 사우디 측이 하고자 하는 일의 기본적인 목록만 주었는데 그 속에는 미국-사우디 상업거래에 대한 서명식도 포함되어 있었다. 그 서명식은 얼마나 길게 할 것인가? 그들은 몰랐다. 한 시간 동안 미팅하는 것은 10분 동안 함께 앉아 있다가 헤어지는 것과는 보안상 고려해야 할 사항들이 전혀 다르다. 어떤 거래에 서명하는가? 그 미팅에 누가 참석하는가? 보잉의 CEO가 날아올 필요가 있는가? GE의 회장은?

"음, 나는 모르겠는데 목록을 누가 관리하고 있죠?"라고 쿠쉬너가 대꾸했다. 그와 파월과 앳키스는 서로 멍하게 바라봤다. "당신이 할 수 있겠어요?"라고 쿠쉬너가 앳키스에게 물었다.

그런 요청을 자원봉사자에게 한다는 것은 정말 기이한 일이었다. 참석자 명단은 전형적으로 국가안보위원회의 소관이었다. 그러나 백악관의

빈 살만의 두 얼굴

요청이었으므로 앳키스는 하겠다고 동의했다. 그는 리야드에 도착해 요새 같은 미국대사관으로 가서 그곳 직원들과 논의를 했다. "미국과 사우디아라비아 사이에 이번에 서명할 수 있는 모든 가능한 거래의 목록을 우리가 만들어야 합니다"라고 앳키스가 그들에게 말했다.

왕궁에서 보내온 곤란한 요청도 있었다. 예를 들면 사우디 측은 전 세계 모든 이슬람국가의 지도자들을 한 방에 모아놓고 트럼프를 만나게 하고 싶다고 했다. 하지만 이것은 큰 낭패가 될 요소를 갖추고 있었다. 이제 막 대통령에 취임한 트럼프가 그 자리에 올 가능성이 높은 50여 개국 정상에 대해 잘 알고 있기를 기대하기 어려웠기 때문이다. 경험 없는 대통령을 투르크메니스탄이나 부르키나파소, 요르단과 모리타니 등의 지도자들이 있는 방에 들어가게 해놓고 그냥 최선의 결과를 기대하는 것이 과연 좋은 아이디어일까?

"사우디 측에서는 그렇게 하길 원합니다"라고 쿠쉬너가 답했다. 그 아이디어는 승인되었다. 살만 국왕이 목걸이형 훈장을 트럼프의 목에 걸어준다는 사우디 측의 계획도 있었는데, 일부 백악관 참모들은 트럼프가 낯선 사람이 자기 몸에 손대는 것을 좋아하지 않기 때문에 이 요청에 대해 우려를 표시했다.

앳키스는 트럼프 대통령 내외가 요청한 별도의 스위트룸을 확보하고 각 회담실의 비상구 위치를 파악하는 등 리야드 리츠칼튼호텔 내부를 바쁘게 점검했다.

리야드에 온 첫날 아침, 앳키스는 앞으로 한 달 동안 계속될 화상회의를 위해 기기를 연결했다. 백악관의 핵심인물인 파월과 쿠쉬너가 화면에 들어왔다. 그들은 미팅 내용과 실행계획에 대해 물었다. 이윽고 앳키스가 중요한 질문 하나를 던졌다. "누가 목록 작업을 하고 있죠?" 그는 트럼프와 국왕이 어떤 거래들에 서명할 예정인지 알아야 할 필요가 있었다. 그는 대사관에서 작성한 리스트를 쿠쉬너와 파월에게 검토해달라고 주었었다. "목록이 어디까지 진행되었나요?" "나는 갖고 있지 않아요"라고 쿠쉬너가 말했다.

19일 동안 앳키스는 매일 똑같은 질문을 했다. 그리고 매일 똑같은 대답을 들었다. 지체되는 것이 누구의 책임인지 분명치 않았다. 쿠쉬너와 파월은 여러 가지 우선사항에 대해 작업하고 있었다. 상무부 장관 윌버 로스의 부처에도 거래를 검토하는 역할이 있었지만 그는 별로 관여하고 있지 않은 것 같았다.

앳키스는 사우디 측으로부터는 그런 문제없이 훨씬 더 자세한 내용을 받을 수 있었다. 일일회의 때 아이반 또는 방문계획을 담당하는 다른 정부관리는 앳키스에게 세부계획에 대해 브리핑을 한 뒤 미국의 피드백을 요청했다. 때로 MBS의 동생 칼리드가 미팅에 참석하면, 나이 든 장관들도 미국대사로 내정되어 있는 그에 대한 경의로 그가 말할 때까지 기다렸다. 대통령의 조찬, 만찬, 대통령이 돌아볼 곳 등의 일정이 계획되었다. 한 공주가 멜라니아 트럼프와 함께 리야드를 돌아보는 것도 준비되었다.

로열 디완Royal Diwan이라고 불리는 현대적 이슬람 스타일의 웅장한 백색 빌딩에 있는 왕궁부 청사에서는 흠잡을 데 없이 완벽한 잔디밭 주위의 진입로에 깔려 있는 자갈들을 작업자들이 일일이 꺼냈다가 길 표면이 완전히 평탄해지도록 다시 박아 넣었다. 어느 날 국왕의 의전장 칼리드 알-아바드가 앳키스를 데리고 이븐 사우드의 옛날 요새였지만 지금은 박물관이 된 알 무라바Al Murabba를 둘러보게 했다. 그들은 트럼프가 돌아볼 코스를 따라 새롭게 수리한 진흙벽 건물을 돌아보았다. 아바드는 그에게 입구, 출구, 보안점검 포인트 등을 보여주었다. 박물관 갤러리로 들어가다가 아바드는 "여기에 토비 키스[12]가 있을 겁니다"라고 말했다.

앳키스는 멈칫했다. 9·11 테러 이후 테러지망생을 자처한 이들을 향해

빈 살만의 두 얼굴

"너희들 엉덩이를 뭉개버릴 거야, 이게 미국식이야We'll put a boot in your ass, it's the American way"라고 노래한 컨트리 스타는 리야드에 데려오기에는 좀 이상한 인물이라는 생각이 들었다. 그러나 미국을 포용하려는 열의 때문에 모하메드는 부하들을 시켜 트럼프의 취임 전 축하공연에서 노래했던 그 가수에게 수백만 달러를 지불하면서 모든 일정을 취소하고 이븐 사우드의 옛집에 와서 대통령에게 놀라움을 선물하도록 했다.

모하메드의 참모들은 밤늦게 앳키스에게 전화를 해서 왕자가 직접 했던 질문들을 전달하기도 했다. 낮 동안 앳키스는 세부사항들에 대한 작업을 계속하면서 백악관에 계약리스트를 달라고 성가시게 조르기도 했다. 방문 며칠 전 아이반은 앳키스에게 거래목록을 달라고 또 요청해왔다. 앳키스는 그에게 목록을 입수하기 전에는 돌아오지 않겠다고 약속했다.

방문 이틀 전인 5월 18일, 앳키스는 백악관과 마지막 화상회의를 하려고 로그인을 했다. 쿠쉬너가 "일정을 전반적으로 검토해봅시다"라고 말했다. "아니요"라고 앳키스가 말했다. "우리는 일정을 진행하지 않을 겁니다." 그는 사우디 측에 거래목록을 반드시 가져오겠다고 약속했고 그것이 즉시 필요했다. 쿠쉬너는 난감한 표정으로 그를 쳐다봤다.

"스티브, 우리는 그걸 만들어낼 수가 없어요. 당신이 할 수밖에 없습니다"라고 쿠쉬너가 부드럽게 말했다.

그 말은 미국 대통령과 사우디아라비아 국왕이 서명할 수십억 달러에 달하는 계약이 어떤 것들이 되어야 할지 궁리하는 일을 자원봉사자에게 맡긴다는 의미였다.

놀란 앳키스는 미국대사관으로 달려가 존 고드프리라는 직업외교관과

---

12 Toby Keith, 미국의 유명한 컨트리 가수 겸 작곡가.

함께 관리들이 이전에 취합해 놓은 70여 개의 가능성 있는 계약 건을 검토했다. 그들은 그것들을 쌍무계약, 상업거래, 군사 판매 등의 카테고리로 나누어 가장 유력한 협상안을 선별했다. 그 결과 무기, 원자력발전소, 기타 전략적으로 중요한 프로젝트에 대한 거의 5조 달러 상당의 거래목록이 완성되었다.

사우디인들이 트럼프의 어법에 따르기 시작했다.

9장

신의 한 수

—

모하메드에게 어떤 행사보다 더 중요했던 것은 모하메드 부부가 쿠쉬너와 이방카 트럼프 부부를 초대해서 함께하는 만찬이었다. 방문에 동반하여 와 있는 렉스 틸러슨 국무부 장관은 직무상 미국의 대외정책을 선도하는 것으로 되어 있었다. 그러나 MBS는 그를 초대하지 않았고 틸러슨은 그런 만찬이 있었다는 것을 행사가 끝난 뒤에야 비로소 알게 되었다. 그것은 용의주도한 행동이었다. 그렇게 함으로써 모하메드는 자신의 비전, 자신이 해석하는 사우디아라비아의 역사를, 틸러슨처럼 자신에 대한 의구심이나 MBN에 대한 충성심이 전혀 없는 미국 관리들에게 설파할 수 있었다.

2017년 5월

2017년 5월 20일, 리야드의 리츠칼튼호텔에 도착한 도널드 트럼프는 궁전 같은 호텔의 정면 외관에 엄격한 표정의 자기 얼굴이 15미터 높이로 투사된 영상을 발견하고는 더할 나위 없는 기쁨을 느꼈다. 그의 거대한 얼굴 옆에는 두 손을 깍지 낀 채 부드럽게 미소 짓는 살만 국왕의 얼굴이 있었다. 시내에는 온통 가는 곳마다 두 사람의 모습이 나란히 내걸려 있었고 "우리 함께 승리하리라!"라는 간판이 도배하다시피 했다. 미국과 사우디아라비아의 국기가 온 천지에 게양되었음은 말할 것도 없었다.

이것은 대통령 트럼프의 첫 해외 순방이었으며 사우디 측은 그를 왕처럼 환대하고 있었다. 모하메드는 리츠칼튼 도착 장면은 물론 나머지 모든 방문 일정을 세심하게 지휘했다. 왕자는 트럼프를 상대하는 방법을 잘 알고 있었다. 모하메드는 굴욕을 두려워하고 존경을 염원하며 상속한 부를 늘리려는 강박에 사로잡혀 싸워온 늙은 왕자들이 지배하는 대가족 체제에서 성장했다. 따라서 그 노쇠한 인간들의 비위를 맞추는 방법을 터득하고 있었다. 아버지가 국왕에 오를 때까지는 자신이 그들에게 필수불가결한 존재가 되는 것만이 왕궁에서 권력을 잡는 유일한 길이었다. 이제 그는 똑같은 작업을 미국판으로 해내려는 참이었다.

트럼프를 리야드로 오게 한 것이야말로 모하메드가 사우디아라비아의 왕좌로 가는 과정에서 지금까지 해온 그 어느 것보다도 가장 뚜렷한 도약의 발걸음이었다. 그때까지 왕자는 아버지 살만이 국왕이 되는 데 필요한 재력을 쌓아왔다. 그는 잠재적 찬탈자들을 측면에서 우회공격함으로써 아버지가 압둘라의 왕관을 확실하게 승계하도록 했다. 그리고 그는 군부와 경제에 대한 통제권을 장악하고 사촌이자 경쟁자인 모하메드 빈 나예프를 열 밖으로 밀어냈다. 그런 작업을 모두 끝낸 뒤, 그는 왕국은 더 이상 오일달러를 취약한 현상을 유지하는 데 낭비하지 않겠다고 선언했다. 그리고 지금의 그가 믿을 수 없을 만큼 부유해졌다는 것은 말할 필요조차 없었다.

이제 그는 미국 대통령이 취임 후 첫 해외순방국을 사우디아라비아로 선택하도록 했다. 이로써 모하메드가 세계 최강국의 지지를 받고 있다는 메시지를 국내외에 보낼 것이었다. 이것은 또한 국무부와 국가안전보장위원회의 중동군사 전담 보좌관을 지낸 토니 파프Tony Pfaff가 말한 "왕다운 일"을 그가 해낸다는 사실을 가문 사람들에게 보여주는 것이기도 했다.

모하메드는 겨우 서른한 살이었다. 왕좌로 가는 길이 더 나이 많은 모하메드 빈 나예프에게 가로막힌 상태에서 "사우디아라비아의 왕좌를 향한 정통성을 확보하기 위해서는" 대중에게 지도력을 보여줄 필요가 있다고 미국육군전쟁대학U.S. Army War College 교수인 파프는 말하고 있다. 예멘 폭격과 경제개혁 공약도 도움이 되겠지만, 긴장 상태의 미국-사우디 관계를 재활성화시킬 수 있는 인물임을 스스로 입증하는 것보다 중요한 일은 없었다.

리야드는 이스라엘과 바티칸으로 이어지는 트럼프 대통령의 3대 종교도시 순방 일정 중 하나였다. 트럼프가 걸프지역의 도시를 처음 방문하는 것은 아니었다. 과거에 두바이에 건설되는 주택단지 겸 골프 코스에 붙이기 위해 트럼프로부터 이름사용권을 사들였던 한 개발사업자가 그 단지를 매물로 내놓은 것을 둘러보기 위해 트럼프가 2014년에 두바이를 방문한 적이 있었다. 또 트럼프는 사우디아라비아를 여행해본 적은 없지만 사업을 해오면서 빈 라덴 가문을 포함하여 몇 명의 사우디인들로부터 투자를 받아본 경험이 있었다.

트럼프는 1985년 파흐드 국왕이 미국을 방문하여 백악관에서 만찬을 가졌을 때 그 자리에 참석하여 사우드 빈 파이살 및 당시 주미대사였던 반다르 빈 술탄 등의 왕자들과 친밀하게 사귀었다. 같은 시기에 빈 라덴의 이복동생 샤피크Shafiq는 트럼프타워에서 트럼프가 사는 층보다 몇 개 층 밑에 살고 있었다.

트럼프는 이어서 빈라덴그룹의 자손인 살렘 빈 라덴과 관계를 맺었고, 리야드에 건설하는 최고급 프로젝트에 어떤 도움을 줄 수 있는지를 검토하는 팀을 파견하기도 했다. 그때 그는 빈 라덴 가에서 조사비용으로 1만 달러를 내야 한다는 이색적인 제안을 했다. 그러면서 그는 사업파트너가 제안서를 반드시 끝까지 읽도록 하기 위해서 그런 조건을 붙인다고 그들에게 설명했다.

당시에도 그는 미국의 걸프국가들과의 동맹을 강력히 지지하는 견해를 가지고 있었기 때문에, 『플레이보이』에 "사우디인들과 쿠웨이트인들은 우리 모두를 거침없이 대하고" 아랍인들은 자신의 카지노에서 돈을 펑펑 써댄다고 말했다. "그들은 테이블에서 100만 달러, 200만 달러를 잃고서도 아주 즐거운 주말을 보냈다며 정말 행복해 한다. 만약 당신이 100만 달러를 잃었다면 아마 평생 병들어 누웠을 것이다. 그들은 나에게 정말 꿈같은 시간을 보냈다는 내용의 편지를 써서 보낸다"라고 말했다.

그는 1995년 알왈리드 빈 탈랄이 포함된 투자자그룹에 플라자호텔을 매각했다. 3년 뒤 무기상으로 한때 지상 최고의 부자였고 자말 카슈끄지의 삼촌인 아드난 카슈끄지로부터 3,000만 달러짜리 요트를 사들였다. 그 요트에는 레이저빔으로 천장에 카슈끄지의 얼굴을 비추는 디스코텍이 있고 시체보관소가 딸린 수술실까지 갖춰져 있는 것으로 유명했다. 트럼프는 그 요트의 이름을 '트럼프 프린세스Trump Princess'로 바꿔 붙였다.

살만 국왕은 에어 포스 원Air Force One이 오전 10시에 천천히 이동해 들어올 때 대통령을 맞이하기 위해 아스팔트로 포장된 구역에 있었다. 축제는 왕실 전용터미널에서의 다과 의식으로부터 바로 시작되었다. 트럼프는 짙은 색 정장에 밝은 푸른색 타이를 허리선 훨씬 아래까지 늘어뜨린 차림이었고 멜라니아는 검은색 점프 슈트에 엄청나게 큰 금색 버클이 달린 벨트와 이에 어울리는 금목걸이를 한 차림이었다.

조금 뒤 살만 국왕은 트럼프에게 사우디아라비아가 외국인에게 수여하는 최고 영예인 '압둘아지즈 알 사우드 훈장'을 수여했다. 훈장 수여식에서 트럼프는 오바마 전 대통령처럼 국왕에게 절은 하지 않았고, 살만이 훈장을 자신의 목에 걸 수 있도록 엉거주춤 몸을 낮추었다.

트럼프와 살만은 카펫이 깔린 거대한 방 가운데 나란히 놓인 테이블 옆에 각각 앉았고, 양측 일행은 벽을 따라 놓인 팔걸이의자에 앉았다. 두 사람은 나중에 트럼프가 총 3,500억 달러에 달하는 거래라고 했던 무기 판매와 블랙록Black Rock 같은 글로벌 펀드운용기업에 대한 사우디아라비아의 투자를 포함하는 계약들에 서명했다. (이들 중 다수가 단순한 가계약이었던 것으로 나중에 드러났다.)

그들은 모하메드의 새로운 반테러센터를 그날 방문하고 호텔 로비 겸 최첨단 상황실을 둘러보았는데, 그 안에는 200여 명의 사우디인 컴퓨터 분석가들이 'AI 프로그램'을 사용하여 새로운 목표물이나 이데올로기 변동의 단서를 찾아내기 위해 소셜미디어에 올라오는 게시물들을 체로 치듯 면밀히 걸러내고 있다고 했다. 실제 프로그램 개발은 리야드 시내에

빈 살만의 두 얼굴

왼쪽부터 이집트 대통령 압델 파타 엘-시시, 살만 국왕, 멜라니아 트럼프, 도널드 트럼프

사무실을 가지고 있는 미국인 계약자가 주도했다. 그 센터는 대체로 보여
주기식의 쇼를 위한 것이었다.

트럼프는 깊은 감명을 받아 멜라니아, 살만 국왕, 이집트의 전제적 대통
령 압델 파타 엘-시시[1]와 옹기종기 모여 서서 방 중앙에 놓인 조명이 켜진
지구본 위에 손을 얹었다. 말레이시아 총리 나지브 라작은 이들과 함께
사진에 찍히려고 한 귀퉁이에 몸을 밀어 넣었다. 그는 말레이시아의 한
펀드에서 수십억 달러가 사라진 사건을 법무부가 조사하는 와중에 있었
고, 본인은 의붓아들의 집을 포함하여 호화주택을 구입한 혐의를 받고 있
는 처지였으므로, 미국 대통령과 함께 찍은 사진 한 장이 먼 길을 달려가

---

1 이집트의 6대 대통령. 2013년 7월 3일 쿠데타 당시 이집트군 총사령관. 모하메드 무르시 대통령
이 축출된 뒤 2014년 5월 26일~28일 실시된 선거에서 97%의 득표율로 대통령에 당선되었다.

국내 유권자들에게 보이기를 기대하는 것 같았다.

시선이 잘 닿지 않는 한구석에 트위터 스파이의 혐의를 받은 알리 알자바라가 서 있었다. 리야드로 돌아온 후 그는 모하메드의 MiSK재단에 근무해왔다. 그는 다른 사우디인 몇십 명과 함께 본인의 이름이 트럼프가 오기 훨씬 전에 미국 관리들의 보안점검에 통과하여 미국 대표단 근처에 머무를 수 있게 되었다고 한 친구에게 말했다.

왕궁 소속 사진사가 지구본 주위에 모인 정상들의 모습과 트럼프가 능글맞게 웃는 모습, 살만이 경이로움에 멍해진 눈으로 바라보고 있는 모습을 담은 사진을 한 장 찍었다. 모하메드는 아버지가 대중의 관심을 누리도록 장면 밖으로 벗어나 배경 속에서 지휘를 계속하고 있었다. 사우디 측에서는 나중에 이 지구본을 미국 정부에 선물로 주었는데, 미국 정부는 이를 리야드에 있는 대사관에 보이지 않게 숨겨두었다.

트럼프는 회담 내내 살만의 손을 잡고 걸었다. 하지만 이슬람 지도자들의 정상회담으로 무대가 바뀌면 국왕이 중심이 되어야 했다. 그래서 의전 요원들이 천장이 높은 팔각형 방 정중앙에 깔아놓은 복잡한 문양의 카펫 위에 있는 책상으로 국왕을 안내했고, 국왕은 그곳에서 트럼프가 도착하기를 기다렸다.

방에 도착해 이 장면을 본 트럼프가 그의 비밀경호원에게 "오! 어서 멜라니아를 여기에 데려와! 그녀가 이걸 꼭 봐야 해!"라고 말했다. 그의 경호원들과 사우디 상대역들이 공주 한 명과 다른 곳을 둘러보고 있는 퍼스트레이디를 데려오느라고 난리법석을 떨었다. 그 정상회담은 다소 어색하게 시작되었다. 전통적인 아랍 방식으로 무슬림 지도자들이 금박과 벨벳으로 장식된 방 주변 벽을 따라 놓인 의자에 앉아 회담을 시작했다. 이것은 나이 든 걸프지역의 왕족들이 순서나 계획을 사전에 정해놓지 않은 채 한 사람 한 사람씩 업무를 처리하는 마즐리스의 전형적인 배치였다.

시중드는 사람들이 아랍 정상들의 찻잔에 카르다몸[2] 향이 나는 커피를 채워주었다. 트럼프의 잔에는 그가 좋아하는 음료인 다이어트 콜라를 전통적인 커피포트에서 따랐는데 그러는 동안 트럼프는 어리둥절한 표정으로 의자에 앉아 있었다. 그는 이집트의 시시 대통령이나 튀르키예의 에르도안 대통령 같은 이슬람 강대국의 수반들을 알아볼 수 있었다. 그러나 그 외의 다른 인물들은 알아보기 힘들었다. 트럼프가 감비아의 아다마 배로 대통령, 우즈베키스탄의 샤브카트 미르지요예프 대통령을 몰라보았다고 누가 탓할 수 있겠는가? 백악관 관리들은 트럼프가 물어본 한 인물에 대해서 누군지 모르고 있다가 나중에 그가 미국이 지원하는 아프가니스탄의 아슈라프 가니 대통령이라는 사실을 알고서 매우 민망해 했다. 어느 시점에 아프리카의 소국 중 한 나라의 지도자가 일어나서 트럼프를 향해 걸어왔다. 다른 사람들은 그의 뒤에 줄지어 서서 대통령에게 인사하는 대형을 만들었다.

준비하는 동안 트럼프의 경호원 중 한 명이 선발대원 앳키스에게 귀띔을 해주었다. "대통령은 토비 키스를 정말 싫어합니다." 그는 사우디 측에 이 소식을 전했고 그 컨트리 스타가 대통령 앞이 아니라 리야드의 다른 장소에서 공연을 하도록 조치했다.

모하메드에게 어떤 행사보다 더 중요했던 것은 모하메드 부부가 쿠쉬너와 이방카 트럼프 부부를 초대해서 함께하는 만찬이었다. 방문에 동반하여 와 있는 렉스 틸러슨 국무부 장관은 직무상 미국의 대외정책을 선도하는 것으로 되어 있었다. 그러나 MBS는 그를 초대하지 않았고 틸러슨은 그런 만찬이 있었다는 것을 행사가 끝난 뒤에야 비로소 알게 되었다. 그것은 용의주도한 행동이었다. 그렇게 함으로써 모하메드는 자신의 비전,

---

2 cardamom, 서남 아시아산 생강과 식물 씨앗을 말린 향신료.

사우디 순방에 함께한 이방카 트럼프와
재러드 쿠쉬너 부부

자신이 해석하는 사우디아라비아의 역사를, 틸러슨처럼 자신에 대한 의구심이나 MBN에 대한 충성심이 전혀 없는 미국 관리들에게 설파할 수 있었다.

"나의 아버지 세대는 정말 무에서 출발했고, 그들은 오늘 자신들이 서 있는 곳을 바라보면서 지금까지 그들이 꿈꾼 것보다 훨씬 더 훌륭한 세상을 이루었다고 생각하고 있습니다"라고 모하메드는 손님들에게 말했다. "그러나 나의 세대는 무한한 가능성을 바라보고 있습니다. 게다가 우리는 그다지 인내심이 없습니다." 쿠쉬너는 감동했다.

순방 기간 중 다른 모임에서 모하메드와 그의 참모들은 쿠쉬너와 대통령에게 사우디아라비아 동부 해안의 반도를 차지하고 있는, 작지만 풍부한 가스를 가진 국가 카타르와의 문제에 대해 이야기했다. 국제무대에서 더 큰 위상을 차지하려고 노력하는 지도자로서 카타르의 에미르는 사우디아라비아를 분노하게 만드는 결정들을 내렸다. 특히 2011년부터 2013년까지 아랍의 봄 저항운동을 겪으며 이 지역에 서구식 책임 저널리즘을 도입한 국제뉴스 채널 「알자지라」[3]를 창립한 것이 가장 큰 문제였다. 기자들 다수가 전직 「BBC」 프로듀서였고 다른 유명한 회사 출신들이었다.

---

3 Al Jajeera, 1996년 설립된 카타르의 국영 텔레비전 · 라디오 방송.

빈 살만의 두 얼굴

이 지역 정치에 대한 그들의 보도는 심층적이고 직설적이며 계몽적이었다. 그들은 또한 클레이턴 스위셔Clayton Swisher라는 미국인이 팀장으로 있는 탐사보도팀을 가지고 있었다. 이 사람은 미 해병대 출신으로 한때 미국 국무부 장관 매들린 올브라이트와 콜린 파월의 경호원으로 근무하다가 중동에 초점을 둔 언론 쪽으로 전환한 사람이었다. 걸프국가 지도자들은 자신들의 정책을 비판하고 자신들이 조용히 넘기고 싶어 하는 문제를 파고드는 미국과 영국의 언론 때문에 화가 나 있었다. 그러니 자신들의 동맹이어야 할 다른 아랍국가에서 그런 언론을 허용한다는 것은 상상조차 할 수 없는 일이었다.

카타르는 무슬림형제단을 지원했다. 이 그룹은 1920년대 이집트에서 시작하여 중동 전 지역에 걸쳐 강력한 세력으로 성장했으며 걸프지역 왕정에 대해 깊은 적대감을 가지고 있었다. UAE와 사우디아라비아는 2013년에 처음으로 민주주의적 선거를 통해 이집트 대통령에 선출된 무슬림형제단의 지도자 모하메드 무르시에 대한 군사 쿠데타를 지원한 바 있다. MBZ는 이미 배넌을 포함한 다른 백악관 관리들에게 카타르가 이 지역을 불안하게 하고 있으며 테러분자들을 지원하고 있다고 말했다. 순방 기간 중 MBZ와 모하메드는 자신들이 카타르와 심각한 불화를 겪고 있다는 사실을 명확하게 밝혔다. 미국의 문제는 카타르에 중동지역 최대의 공군기지를 가지고 있다는 것이었다. 사우디아라비아가 지역 내 미국의 최대 동맹국이지만 군사작전에 관한 한 카타르가 전략적으로 더 중요하다는 것은 명확했다.

카타르는 걸프로 돌출된 엄지손가락처럼 생긴 아주 작은 반도다. 그러나 막대한 석유 및 가스 매장량과 260만 명에 불과한 인구 덕분에 지출 여력이 어마어마하다. 카타르는 런던의 72층짜리 마천루 더 샤드The Shard 와 해로즈백화점을 포함하여 전 세계의 트로피성 자산을 사들였다. 그리고 이 나라는 타국의 호의까지 사들였다. 도하에 있는 미군 기지는 카타르 국고로 건설되었고, 여기에 카타르가 무상으로 제공하는 무제한의 전기, 석유, 가스는 금액으로 따지면 수십억 달러에 이른다.

틸러슨은 이것을 고마워했고 이 동맹을 소중하게 생각했는데, 이번 순방 중 걸프국가 지도자들과 함께한 오찬에서 무언가 잘못되었다는 느낌을 받았다. 틸러슨이 사전에 받은 좌석 배정표에는 본인이 카타르 외무장관과 같은 테이블에 앉도록 되어 있었다. 그러나 도착해서 보니 카타르 외무장관의 좌석이 주방 근처의 테이블로 옮겨져 있었다. 이 일과 순방 중 국가정상회담에서 있었던 또 다른 명백히 모욕적인 일을 근거로, 틸러슨은 카타르에 무슨 일이 일어나고 있다고 결론을 내렸고, 나중에 하원위원회에서 그렇게 말했다.

사우디아라비아는 트럼프에게 사치스러운 선물을 (몇 개만 꼽아보면 보석이 박힌 조각품, 장검, 단검, 두건, 백호 모피로 안감을 댄 로브 등) 한가득 주었고, 트럼프와 참모들이 미국으로 돌아가면 중동의 동맹국들과 연대를 복원한 외교적 승리라고 주장하게 될 것이었다.

회담의 중대성은 2주일이 흐른 뒤에 비로소 명백히 드러났다. 트럼프사절단이 귀국하자 더욱 대담해진 모하메드는 카타르에 대한 공세를 개시했고 자신을 사우디 정부의 정상으로 밀어 올리는 내부 쿠데타에 착수했다.

이틀간의 회합에 정점을 찍은 것은 트럼프의 연설이었다. 오바마는 8년 전 카이로에 있는 아랍세계의 수니파 이슬람교육센터인 알-아즈하르대학교에서 가장 기억에 남는 연설 중 하나를 했다. 그는 청중석에 앉아 있는 학자들과 정치가들에게 자신이 온 이유를 "미국과 전 세계 무슬림 간의 새로운 시작, 즉 상호 이익과 상호 존중, 그리고 미국과 이슬람이 배타적이지 않으며 경쟁할 필요가 없다는 진리에 기반한 새로운 시작을 모색하기 위해서"라고 설명했다. 그는 식민주의가 이 지역의 분쟁을 부추기고 테러집단이 성장할 수 있는 여건을 조성한 것에 대해 통탄했다.

트럼프는 리츠칼튼호텔 옆 크리스털 샹들리에가 달린 화려한 회견장에서 연설하면서, 그들 앞에 놓여 있는 전쟁을 흑과 백의 문제라고 묘사했다. "이것은 인간의 생명을 말살하려는 야만적 범죄자들과 그것을 보호하려는 모든 종교를 가진 품격 있는 사람들의 싸움입니다. 이것은 선과 악의 싸움입니다"라고 그는 말했다.

연설 후반부에 그는 청중을 거의 꾸짖는 것처럼 말했다. "더 나은 미래는 여러분의 국가가 테러분자들과 극단분자들을 몰아냈을 때만 가능합니다. 그들을, 몰아, 냅시다! 그들을 몰아냅시다! 여러분의 예배공간 밖으로, 그들을 몰아냅시다! 여러분의 공동체 밖으로, 그들을 몰아냅시다! 여러분들의 신성한 땅 밖으로, 그들을 몰아냅시다, 이 지구 밖으로!"

여러 번의 기립 박수가 쏟아졌다. 배넌은 이 광경을 자랑스럽게 바라보았다. 이것은 진실로 새로운 시작이었다.

마사요시 손과 라지브 미스라도 트럼프의 방문 기간 중 리야드로 날아와 1,000억 달러의 비전펀드에 서명했다. 그들이 마침내 모하메드를 만났을 때 24시간 이상 제대로 자지 못했음에도 불구하고 맑은 정신에 기운이 넘치는 모하메드를 보고 그들은 놀랐다.

재러드 쿠쉬너와 밤늦게까지 대화를 하고 나서 모하메드는 아랍지도자 정상회담과 나란히 열리는 서너 개의 회담 현장으로 바로 갔다. 트럼프는 30여 명의 미국 기업 CEO들과 고위 임원들을 대동하고 왔는데 그들 대다수가 자신의 선거캠페인에 자금을 기부했던 보수파들이었다.

어느 날 아침 그들은 왕자와 함께 공개발표를 하기 위해 왕궁으로 갔다. 그들은 보안요원에게 핸드폰을 맡긴 상태였다. 그러나 왕자가 몇 시간 동안 나타나지 않는 바람에 기업인들은 외부와 아무런 연락도 하지 못한 채 그대로 앉아 기다릴 수밖에 없었다.

그 장면은 꽤 불편해 보였다. 서로 치열하게 경쟁하는 나스닥의 아데나 프리드먼과 뉴욕증권거래소의 톰 팔리, 레이테온의 톰 케네디와 록히드 마틴의 메릴린 휴슨, 제이피 모건의 제이미 디먼과 모건 스탠리의 제임스 고먼 등이 서로 하찮은 대화를 나누고 있었다. 그들은 모두 세계적으로 가장 중요한 기업인들이었지만 MBS의 노다지판에서 기회를 잡기 위해 몇 시간이 넘는 시간 동안 줄곧 자신들의 수석 보좌진이나 가족들과의 교신 일체를 기꺼이 포기하고 있었다.

전체 기업 가치가 2조 달러에 달하는 아람코의 지분 5%를 매각하는 것으로 알려진 IPO에 참여하려는 은행가 및 기업들 사이에는 흥분이 최고조에 달했다. 이런 거래는 수수료만 해도 10억 달러가 넘을 수 있었다.

마침내 발표가 시작되었다. 트럼프는 10년간 총 2,000억 달러의 사업 거래와 1,100억 달러 규모의 무기 구매 등 눈이 튀어나올 정도의 공약들이 발표되는 것을 애정 어린 시선으로 바라보았다. 하지만 그 숫자는 크게 부풀려진 것이었다. 발표된 공약들이 실제로 이행이 될지도 모르는 일이지만 설사 이행된다 하더라도 그 가운데 조속한 시간 내에 들어올 돈은 거의 없었다. 그러나 모하메드 빈 살만에게는 큰 도움이 되었다. 거래의 규모로 외교정책을 수립하는 미국 대통령인 그가 2017년 그리스의 GDP를 초과하는 규모의 거래를 발표한 것이다.

비전펀드에 서명을 하는 동안 미스라는 너무나 흥분한 나머지 서명된 서류를 테이블 위에 놔두고 오는 바람에 황급히 부하들을 보내 다시 가져올 정도였다.

블랙스톤의 창업자 스티븐 슈워츠먼은 선거 기간에 트럼프 지지자는 아니었지만 계속 중립을 지키다가 트럼프가 당선된 이후부터는 백악관에

빈 살만의 두 얼굴

조언을 하기 시작했다. 트럼프 주변의 기업인들과 더욱 밀접한 연대를 맺고 싶어 하는 사우디 측은 회담 중 슈워츠먼과도 거래를 맺었다. PIF가 대부분 미국 내의 프로젝트에 투입될 200억 달러의 특별 인프라 펀드를 출연하는 거래였다.

이것은 모하메드의 영리한 조치였다. 이로써 그는 트럼프의 보좌관들에게 한 발짝 더 가까이 다가갈 수 있을 것이고, 미국 경제에 크게 기여하는 호의의 징표가 될 것이며, 궁극적으로는 많은 경제적 수익을 가져오게 될 것이었다. 이것은 모하메드가 자신의 대표적 거래로 삼고 싶어 했던 종류의 거래였다.

곧이어 그러한 계약들에 가속이 붙었다. 미국 기업의 지도자들 사이에 모하메드 빈 살만이 거래를 할 준비가 되어 있다는 말이 퍼지자 그들은 왕자를 만나기 위해 아우성을 쳤다. 할리우드의 가장 강력한 에이전트인 아리 에마누엘도 모하메드와 만났다. 왕자는 에마누엘에게 "당신은 업계 최고입니다. 나는 당신이 여기에서도 최고로 해주기를 바랍니다"라고 말했다.

모하메드는 왕국에 여러 사업과 투자를 유치하는 데 열성적이었지만, 에마누엘이 온 것은 (슈워츠먼이나 왕자를 만나러 온 다른 미국 사업가들과 마찬가지로) 전혀 다른 목적 때문이었다. 그는 사우디아라비아의 돈을 원했다. 순방이 끝날 때쯤 그는 자신의 회사 인데버에 왕국으로부터 5억 달러를 유치할 수 있는 딜의 윤곽을 그렸다.

10장

"봉쇄"

트럼프의 방문으로 대담해진 모하메드 빈 살만은 만약 카타르가 「알자지라」채널의 폐쇄와 주변국들의 외교정책 기조에서 이탈하는 행위의 완전 중지 등 몇 가지 요구사항을 수용하지 않는 경우 육로를 통해 카타르를 침공하는 것까지 심각하게 고려했다. 체면을 중시하는 문화 속에서, 모하메드와 그의 지지자들은 카타르에게 과거의 반쯤 독립한 속국 상태로 돌아갈 것을 요구하고 있었다.

2017년 5월

2017년 5월 24일 이른 아침, 도널드 트럼프가 대통령으로서 첫 해외순방 일정의 이스라엘 부분을 마무리하는 중일 때, 카타르의 에미르가 낸 기이한 성명 서너 개가 「카타르뉴스통신QNA, Qatar News Agency」의 홈페이시에 갑자기 게재되었다. 사우디아라비아와 다른 나라의 지역미디어가 그 뉴스를 받아 몇 초 안에 널리 방송을 내보내서 수백만 명의 사람들이 그 보도를 보았다.

QNA의 보도에 따르면, "이란은 무시할 수 없는 지역 내의 이슬람 강국이므로 이에 적대하는 것은 어리석은 일이다"라고 카타르의 통치자인 타밈 빈 하마드 알 타니가 군사학교 졸업식에서 아랍어로 말했다. "이란은 이 지역을 안정시키는 데 있어서 하나의 큰 세력이다." 이 말은 이란을 지역 내 최대의 위협이자 침략자로 간주하는 가장 영향력 있는 걸프지역의 국가들 입장에서 보면 일종의 반역행위와 마찬가지였다.

이것은 계략이었다. 타밈은 이런 연설을 한 적도, 성명을 낸 적도 없다. 타밈이 트럼프는 임기를 마치지 못할 것이라고 말했다는 혐의를 받고 있어서 미국 대통령과 긴장관계에 놓여 있다는 내용의 기사를 포함하여, 카타르가 이스라엘과 좋은 관계를 유지하고 있다거나, 에미르가 팔레스타인 수니파 무장단체 하마스Hamas를 칭찬했다는 등의 다른 보도들 역시 가짜였다. 잠자리에서 일어난 37세의 타밈은 이러한 가짜뉴스들을 맹렬히 비난하는 성명서를 발표하라고 지시했고, 수하의 장관들은 45분 안에 성명서를 발표했다. 그러나 그때는 이미 사우디아라비아의 「알아라비야 Al Arabiya」와 UAE의 「스카이뉴스아라비아Sky News Arabia」 채널이 아랍어로 쏟아내는 뉴스를 멈추기에는 너무 늦었다.

카타르 왕가는 자신들의 정부시스템이 뚫렸다는 것을 즉시 알아차렸고, 점점 더 단호한 태도를 보이고 있는 이웃의 사우디아라비아와 UAE가 여기에 개입되어 있다고 확신했다. 그들은 몇 주간의 포렌식을 통하여 포착된 증거에 따라 러시아의 사이버용병들이 자신들의 시스템에 침입했다는 사실을 밝혀냈다.

알 타니 가문은 몇 년 동안 주변 강대국들과의 관계에서 살얼음판 위를 걷는 듯한 상황에 놓여 있었다. 몇십 년 동안 긴장이 지속적으로 고조되어 왔지만 이번처럼 갑자기 뒤통수를 치는 식의 공격은 당해본 적이 없으므로 처음에는 적들의 의지를 과소평가했다. 과거 걸프지역에서 벌어지는 입씨름은 갑자기 불꽃이 확 타오르다가 쿠웨이트의 에미르나 오만의 술탄¹의 중재 노력이 뒤따름으로써 지역 동맹관계가 구시렁거리면서도 봉합되는 식이었다. 이번에 발생한 새로운 분쟁은 갑작스럽고 전면적이었다.

13일도 지나지 않아 사우디아라비아, UAE 및 이집트와 아주 작은 코모로 등 이들과 가장 가까운 동맹국들이 정확히 발을 맞춘 듯 카타르에 대한 보이콧을 실시했다. 그들은 자국 내의 카타르 시민들을 내쫓고, 금융거래를 단절하고, 카타르 비행기들의 영공 통과를 거부했다. 식료품점에는 음식물이 바닥났다. 카타르는 축산품이나 다른 주요 물품을 사우디아라

---

1 sultan, 이슬람 국가에서 정치적 지배자인 군주를 가리키는 말로, 아랍어로 왕을 뜻한다.

비아와의 육상 교역에 의존해왔기 때문이다. 심지어 국경 바로 너머에서 풀을 뜯는 낙타들조차 내쫓겼다.

트럼프의 방문으로 대담해진 모하메드 빈 살만은 만약 카타르가 「알자지라」채널의 폐쇄와 주변국들의 외교정책 기조에서 이탈하는 행위의 완전 중지 등 몇 가지 요구사항을 수용하지 않는 경우 육로를 통해 카타르를 침공하는 것까지 심각하게 고려했다. 체면을 중시하는 문화 속에서, 모하메드와 그의 지지자들은 카타르에게 과거의 반쯤 독립한 속국 상태로 돌아갈 것을 요구하고 있었다.

그것은 걸프국가들이 이전에 보지 못한 외부 침공이었고, 사우디아라비아 주재 미국대사들이 몇십 년 동안 대대로 개인적인 외교 수완을 통해 방지하려고 노력해 왔던 사태였다.

아주 작지만 극도로 부유한 이웃 나라 카타르와 왕국 사이에는 1990년 이래 거의 변함없는 긴장상태가 이어져 왔다. 사우디아라비아의 통치자들은 특히 카타르가 무슬림형제단 같은 사우디아라비아의 적들에 대해 친화적 외교정책을 취하는 데 대해 격분했다. 사우디아라비아, UAE, 바레인 등은 2014년 카타르의 아랍의 봄 저항운동에 대한 지원을 문제 삼아 자국 대사들을 카타르에서 소환했다.

그러나 갑자기 타오르던 불꽃이 사그라들자, 오바마행정부의 사우디아라비아 주재 미국대사 조 웨스트팔은 거의 매주 모하메드를 만날 때마다 지역 내 안정의 중요성을 역설했다. 2017년 봄이 되면서 웨스트팔은 대사 임기가 끝났다. 그러나 트럼프행정부는 그를 바로 교체하지 않은 채 미국-사우디아라비아 관계를 주로 재러드 쿠쉬너에게 맡겼는데 쿠쉬너의 영향력은 사태를 진정시키기에는 역부족이었다.

웨스트팔은 모하메드에게 사우디아라비아가 외부를 공격하면 미국 내에서의 이미지가 손상될 것이고, 그렇게 되면 미국의 정치가들은 그를 공개적으로 지지하기가 더 어렵게 된다는 말을 자주 해주었다. 새 행정부에는 그런 말을 해줄 사람이 아무도 없었다. 지금 미국은 중재를 위해 영향력을 발휘하지 않고 오히려 카타르에 대한 적대감을 조장하고 있는 것처럼 보였다. 트럼프의 보좌관 스티븐 배넌은 "귀하께서 이 일을 수습해야 합니다"라고 모하메드 빈 자예드에게 말했다. "이 사람들은 이란보다 더 나쁩니다. 이들은 귀하의 바비큐그릴 위에 있습니다."

백악관이 갈등을 고조시키려는 이들의 욕구를 지지하는 것처럼 보였기 때문에 사우디와 에미리트의 두 왕자들이 카타르를 굴복시키려고 하는 데는 리스크가 거의 없는 것 같았다.

보이콧을 선언하기 한 시간 전, 사우디 측은 쿠쉬너에게 사전 통보를 했다. 쿠쉬너는 늦출 수 없는지 물었고 사우디 측 밀사는 "늦었습니다. 이미 움직이고 있습니다"라고 답했다.

보이콧 선언으로 공포에 빠진 카타르 측은 더 격앙된 "봉쇄"라는 단어를 썼다. 그 나라의 일부 부유층들은 침공에 대비해서 개인 무기를 별장과 궁전에 쌓기 시작했다. 그때까지 카타르 보이콧에 대해 모하메드 빈 살만과 논의하지 않았던 렉스 틸러슨은 사태가 걷잡을 수 없이 확대되는 것을 중단시키기 위해 노력했다. 틸러슨은 본인이 엑슨 모빌의 임원으로 있던 시절 타밈의 아버지가 천연가스 생산시설을 개발할 수 있도록 도와준 것을 계기로 알 타니 왕가와 오랜 인연을 맺어왔다.

틸러슨은 백악관 연설에서, 만약 세계 최대의 무기 구매국 세 나라가 갑자기 서로 총구를 겨눈다면 알 우데이드[2] 미군 기지가 위험에 빠질 것

이라고 강조했다. 사우디아라비아가 미제 탱크, 전투기, 미사일을 카타르를 향해서 동원하고 카타르 역시 똑같은 무기로 맞서는 상황은 도저히 용납할 수 없는 것이라고 했다.

틸러슨은 초기에 상황을 진정시키기 위해 대통령의 도움을 받는 데에 실패했다. 백악관에서 트럼프, 쿠쉬너와 함께 회의할 때 좌절 상태의 국무부 장관은 카타르 국민들의 삶이 송두리째 파괴될 위험에 빠져 있는 상황임을 강조하기 위해 무진 애를 썼다. "그들은 시험도 칠 수 없고 식료품점에서 우유도 살 수 없는 상황입니다."

"나는 빌어먹을 우유 같은 건 안중에도 없네"라고 트럼프는 응답했다. 그는 봉쇄가 반드시 나쁜 것만은 아니라고 보았다. "그들이 서로 '누가 테러분자들에게 돈을 덜 주느냐'를 놓고 싸운다면 그것은 올바른 방향이야"라고 쿠쉬너에게 말했다. 사우디아라비아에게 맡겨두라는 이야기였다.

보이콧 첫째 날인 6월 6일, 트럼프는 트위터에 "최근 중동 순방에서 나는 급진적 이데올로기에는 더 이상 자금을 대주면 안 된다고 선언했습니다. 지도자들은 카타르를 지목했습니다. 두고 봅시다"라는 글을 올렸다.

사우디아라비아와 UAE는 「카타르뉴스통신」에 대한 해킹과 관련하여 자기들은 어떠한 역할도 하지 않았다고 주장했는데, 해외정보 소식통들은 『뉴욕타임스』와 『워싱턴포스트』에 범인들이 외국 정부를 위해 일하는 러시아의 프리랜서 해커들이라고 알려주었다.

교착상태가 계속되자 모하메드 빈 살만의 참모들은 카타르와 사우디아라비아의 국경 70킬로미터를 따라 수로를 파서 그 반도국가를 섬으로 만드는 아이디어를 냈다. 그 아이디어가 실행에 옮겨질 가능성이 있는 것이었는지 아니면 카타르를 겁주기 위한 가짜였는지는 분명하지 않았다.

사우디아라비아와 UAE는 타밈의 가짜 성명을 포함하여 카타르에 대한 대치 국면을 확대하는 한편, 카타르를 고립시키고 무력화시키는 계획을 몇 달 동안 추진했다. 그 간교한 속임수와 음모를 후일 전문가들은 "토브의 게임"[3]이라고 불렀다.

2017년 3월 22일, 컨설팅기업 KPMG의 사우디전략가 압둘아지즈 알오타이비는 사우디대사관과 일하는 노련한 홍보전문가 마이클 페트루젤로가 사장으로 있는 홍보기업 쿼비스 커뮤니케이션스Qorvis Communications와 협력하여, 트럼프의 예정된 사우디 순방 직후인 6월부터 3개월간 집행할 미디어 공격계획을 파워포인트로 작성했다.

사우디아라비아는 오랫동안 쿼비스의 최고 고객 중 하나였다. 이 계획에는 또한 사우디와 UAE 양쪽과 함께 일해 온 홍보기업 하버그룹Harbour Group도 참여했다. 모하메드 빈 자예드가 모하메드 빈 살만이 지역에서 더 큰 역할을 할 수 있는 방안을 모색하고 있는 것과 동시에, 사우디아라비아는 2017년 초 하버그룹의 사장 리처드 민츠를 고용하여 모하메드 빈 살만의 동생 칼리드가 주미대사로서의 역할을 잘 수행할 수 있도록 준비시키는 일을 맡겼다. 그들은 밖에 나가 두 시간에 걸친 식사를 자주 함께하면서 미국의 정치와 외교정책에 대해 바닥부터 훑어 올라가는 식으로 토론했다. 칼리드는 모하메드가 가장 사랑하는 세 살 아래 친동생이었다. 두 형제는 자라면서 같은 배경을 지니고 있었다. 칼리드는 형과 마찬가지로 사우디아라비아에서 학교를 다니며 국내에 머물렀다. 그들은 함께 붙어 자라면서 컴퓨터게임을 같이 했고, 살만 국왕이 매년 한 달 휴가를 떠날 때면 교관을 데리고 따라가서 스쿠버다이빙을 함께 배웠다. 그들은 스페인과 프랑스의 도시를 함께 탐험하면서 현실의 삶이란 어떤 것인지 가까이에서 알아보려고 했다. 그러나 형과 달리 칼리드는 비교적 어렸을 때부

---

3 Game of Thobes. 미국 드라마 「왕좌의 게임」에 빗댄 표현이다.

터 영어를 잘 배웠고, 미시시피주의 콜럼버스 공군기지와 네바다주의 넬리스 공군기지에서 공군 훈련을 받기 위해 미국에서 오랜 시간을 보내면서 미국 문화를 이해하게 되었으며, 일과 시간 후에는 동료 군인들과 모험하듯 그 지역의 밤 문화를 경험하기도 했다. 형이 2015년 예멘의 후티 반군에 대해 전쟁을 선포했을 때 칼리드는 F15 전투기를 타고 출격했다가 척추 부상을 입고 귀환한 후 만성통증을 얻었다. 그는 국방부에 일정 기간 복무한 뒤 2017년 4월에 주미대사로 임명되었다.

리처드 민츠는 홍보기업 버슨 마스텔러Burson-Marsteller 시절 동료의 한 사람인 사이먼 피어스가 아부다비 정부에 상근 직원으로 들어간 뒤부터 UAE와 함께 일을 시작했다. 오스트레일리아 출신의 피어스는 모하메드 빈 자예드의 가장 가까운 고문 칼둔 알 무바라크가 맨체스터 시티 축구단 매입 등 기타 집중조명을 받은 아부다비의 딜에 관해 그리고 무슬림형제단과 이란을 반격하는 전략적 프로젝트를 수행할 때 조언해줌으로써 칼둔의 핵심참모가 되었다.

퀴비스의 계획 속에는 "카타르를 테러지원국으로 인식하는 대중을 더욱 증가시키는" 주 단위 전략이 들어 있었다. 거기에는 또한 카타르가 2022년 월드컵과 관련해서 뿌린 뇌물 자료표를 만들어 배포하고 심지어 카타르를 중동지역을 불안하게 만드는 나라로 보여주는 디지털 광고를 만드는 것까지 들어 있었다.

바로 그 문서에는 또 KPMG가 사우디아라비아의 비전2030 계획에 대한 '제3자 검증'을 만들어내는 전략과 함께, 언론인들을 우호적/중립적/적대적으로 나누고 다시 그 영향력을 고/중/저로 나눈 아홉 칸의 행렬표도 들어 있었다. 최고의 영향력을 지닌, 의지할 수 있는 언론인들은,『뉴욕타임스』의 칼럼니스트 톰 프리드먼,『워싱턴포스트』의 데이비드 이그네이셔스, 그리고「폭스뉴스」의 브렛 베이어와「CBS뉴스」의 노라 오도넬이었다. 「CNN」의 파리드 자카리아는 가장 적대적이고 영향력도 높은 기자로 분류되어 있었다.

카타르와의 냉전은 몇 년을 두고 조성되어 왔다. 그 나라가 이웃 나라들로부터 급격히 멀어지는 현상은 타밈의 아버지 하마드 빈 칼리파가 자신의 친아버지 칼리파 빈 하마드Khalifa bin Hamad를 1995년 무혈쿠데타로 전복시킨 때로부터 시작되었다.

하마드는 카타르가 걸프지역 외부에는 거의 알려지지 않았고 심지어 이 지역에서도 진주잡이 잠수부 외에는 별로 유명한 게 없었던 잠잠했던 초창기에 태어났다. 1971년 독립 이후 쿠데타 이전까지 칼리파는 카타르를 국내 문제만 자주적으로 처결하는 반독립국 상태로 통치하며 사우디아라비아의 안보 우산 아래 숨어 있었다. 카타르의 에미르가 아니라 사우디아라비아의 국왕이 외교정책과 국방문제를 지시했다. 카타르는 국력, 영향력, 면적 심지어 자기정체성 면에서도 사우디아라비아에 비하면 손톱만큼 작은 나라였다.

그러나 하마드는 더 범세계적인 세상에서 자랐다. 당시 적당한 국가의 부와 영국과의 역사적 유대 덕분에 그는 영국의 샌드허스트 육군사관학교를 다녔고 도하로 돌아와 군 장교가 되었으며 마침내 국방부 장관 겸 왕세자가 되었다. 그는 아버지의 점진적인 개발방식과 국제문제에서 독자적인 노선을 택하는 것을 주저하는 태도 때문에 점점 조바심이 났다.

당시 40대 중반이었던 하마드는 사담 후세인이 통치하던 이라크 및 아크바르 라프산자니 대통령이 통치하던 이란과 독자적인 관계를 발전시키려는 노력을 보임으로써 이미 사우디아라비아의 파흐드 국왕과 UAE의 자예드 알 나흐얀을 경악시켰다. 그는 가문의 핵심인사들의 승인을 거쳐 권력 장악 계획을 실행에 옮겼다. 결국 아버지가 제네바에서 휴가를 보내고 있는 동안 그는 권력을 장악했다. 아버지는 보좌관들과 함께 아부다비로 제트기의 호위를 받으며 도주했고, 몇 년 동안 그곳에서 머무른 뒤 프랑스로 망명했다가 2004년 도하로 돌아와 12년 뒤에 사망했다.

하마드는 에미르로서 카타르 정부에 활력과 독립적인 기풍을 불어넣어 심지어 이스라엘과 교역관계까지 맺었다. 그는 나라의 가스전[4]을 개발했는데, 당시에는 오늘날처럼 천연가스가 전 세계 산업 생산에 있어 수익성 있는 원재료가 아니었음을 감안할 때 그것은 큰 도박이었다. 그런데 그 도박이 엄청난 성공을 거둠으로써 카타르를 믿기 어려울 정도로 부유하게 만들었다. 부와 진취성으로 무장하고 하마드는 왕국 주변의 이웃 나라들에 국한하지 않고 카타르의 국제사회에서의 역할에 초점을 둔 외교정책을 수립하는 일에 착수했다. 가장 중요한 사항 중 하나가 「알자지라」 창립이었다. 이 뉴스 채널은 국제적 언론인들을 고용하는 데에 돈을 아끼지 않았다. 또 중동을 가장 집중적으로 다루면서 카타르를 분쟁을 조정하는 중립적 강국으로 그려냈다. 사실상 사회문제나 카타르 내부의 쟁점은 다루지 않았다.

카타르의 이웃 국가들은 「알자지라」가 결코 중립적이지 않다고 생각했고, 카타르의 외교정책이 자신들과 거의 정반대라고 여겼다. 아랍의 봄은 이러한 차이를 뚜렷하게 드러냈다. 이집트 청년들이 장기 집권해온 호스니 무바라크 대통령에 대한 반대시위를 벌이자 카타르는 이 젊은이들을 지지한 데 반해, 사우디아라비아와 UAE는 무바라크를 지지했다.

그리고 무바라크가 무너지자 카타르는 이집트의 무슬림형제단 출신 새 대통령 모하메드 무르시를 지지했다. 이후 에미리트인들과 사우디인들은 군부의 장군을 도와 무르시와 무슬림형제단을 진압했다.

---

[4] 상업적으로 가치가 있는 천연가스층이 하나 이상 존재하는 땅속의 지역.

사우디아라비아는 이 지역을 정체시키는 세력이었다. 무바라크나 요르단의 후세인 국왕을 소요사태로부터 보호하기 위해 수십억 달러를 써왔고, 가장 강력한 도구인 종교적 영향력을 이용하여 전 세계 무슬림 인구를 올바른 이슬람인의 생활에 대한 자신들의 보수적이고 케케묵은 해석 쪽으로 몰아왔다. 와하브주의 이슬람 성직자들은 설교시간을 통해 올바른 무슬림은 지도자들이 아무리 중대한 실수나 윤리적 위반을 저지르더라도 그들에 대항해 반기를 들면 안 된다고 말했는데, 그 이유는 그렇게 하면 피트나[5]처럼 무슬림 인구를 분열시키기 때문이라고 한결같이 훈계한다.

무슬림형제단은 와하브주의자들에 동의하지 않았고 오랫동안 걸프지역 왕국들에 반대하면서, 일반 아랍인들이 수입과 지출을 맞추려고 분투하는 동안 왕족들은 사치스럽고 불경스러운 삶에 빠져 있다고 비판해왔다. UAE와 사우디아라비아의 관리들은 카타르가 그들을 지원함으로써 어떤 게임을 하려는 의도인지 매우 궁금해 했다. 카타르 왕족들이라고 해서 과한 소비나 파티를 하지 않는 것도 아니었다. 그럼에도 불구하고 여기 이 작은 나라는 끊임없이 왕족들을 매도하고 그들의 신앙에 의문을 제기하는 무슬림형제단을 환대하고 있었다. 뿐만 아니라 전 세계가 자유의 투사를 가장한 테러집단으로 보는 헤즈볼라[6] 같은 단체들과 유대관계를 유지하고, 알 타니 왕가를 제외한 지역의 모든 왕국을 무너뜨리려는 서구식 탐사보도에 열심인 텔레비전 채널을 운영하고 있었다. 한 UAE 관리는 "아무래도 내 생각에는 그들이 결국은 자신들의 칼로 자신들의 목을 베이려는 계획을 하고 있는 것 같다"라고 말했다.

자신들의 세계관을 전파하고 소통하는 데 사우디인들보다 능숙한 카

---

5 fitna, 아랍어로 내전, 분쟁을 의미함. 이슬람 역사상 네 번의 피트나가 있었다.
6 Hezbollah, 레바논의 시아파 이슬람 무력집단.

빈 살만의 두 얼굴

타르인들은 스스로를 중동의 스위스로 비유하면서 협상을 더 쉽게 할 수 있도록 모든 그룹과 관계를 유지함으로써 지역에 평화를 가져올 수 있다고 생각한다. 그런 이미지와 부합하지 않는 경우도 많았다. 카타르의 금융인 칼리파 알-수바이Khalifa al-Subaiy가 그런 경우인데, 미국에 따르면 그는 9·11을 지휘한 칼리드 셰이크 모하메드Khalid Sheikh Mohammed를 포함한 알-카에다의 고위지도부에 오랫동안 재정 지원을 했다고 한다. 수바이는 2008년 바레인에서 테러 자금 지원과 편의를 제공한 혐의로 결석재판에 넘겨져 유죄 판결을 받은 후 카타르에서 체포되어 6개월의 징역을 살았다. 그러나 수바이는 석방된 후 알-카에다 요원들과 다시 접촉하여 그 단체를 지원하는 자금조성을 재개했고, 2009년, 2011년, 2012년에 이란 내의 공작원들과 동맹을 맺었으며 2013년에 파키스탄에 있는 알-카에다의 고위지도자들에게 헌금을 보냈다. 그는 2020년 현재 카타르에서 자유로운 삶을 살고 있다.

카타르는 수년간 자국의 외교정책에 대한 비판을 헤쳐 나왔지만 이집트 문제에 대한 이견으로 긴장은 새롭게 고조되었다. 카타르는 2년 동안 걸프지역과 긴장관계에 있는 무슬림형제단의 지도자 무르시를 지원했다. 걸프지역 왕국들은 오래전부터 무슬림형제단이 충분한 세력을 축적하면 자신들을 노릴 것이라고 믿어왔다. 사우디아라비아 외무부에서 유출된 문서에 의하면, 무슬림형제단이 주도하는 이집트 정부는 호스니 무바라크를 감옥에 보내지 않는 조건으로 사우디아라비아에 100억 달러를 요구했다. 이집트의 2011년 혁명을 뒤집기 위해 사우디와 UAE 측은 군부의 압델 파타 엘-시시 장군의 쿠데타를 비밀리에 지원했다. 쿠데타 과정에서 군부가 카이로의 이슬람주의자들을 소탕하면서 유혈사태가 발생되어 수백 명이 사망했다. 곧이어 엘-시시는 군복을 벗고 대통령 선거에 나가 압도적인 득표율(투표율 47%, 득표율 97%)로 당선되었다. 그러나 카타르는 다른 걸프국가들이 그를 지지하는 데에도 불구하고 동참하기를 완강히 거부했다.

주변국과의 다툼이 맹렬히 지속되는 가운데, 2013년 카타르의 에미르 하마드 빈 칼리파는 상황을 진정시키기 위해 퇴위하고 당시 33세의 아들 타밈에게 왕위를 물려주었다. 사우디아라비아, UAE, 바레인은 이를 받아들이지 않았고, 2014년에는 카타르가 지역 내 다른 국가들의 정치에 대한 개입을 중단하지 않는다고 항의하면서 카타르 주재 자국 대사들을 철수시켰다. 그들은 또한 타밈을 막후의 아버지로부터 지시를 받는 꼭두각시에 불과한 것으로 믿었다.

몇 년 동안 좋지 않은 감정이 쌓여온 또 다른 요인이 있었다. 카타르는 더 큰 주변국들을 습관적으로 무색케 하는 행태를 보여 왔다. 막대한 부를 활용하여 카타르의 국부펀드는 폴크스바겐그룹과 로열더치셸 같은 서구 기업들의 지분을 인수하여 세간의 이목을 끌었다. 상징적인 부동산 사업에도 진출하여 런던의 히스로공항과 카나리 워프 지역 비즈니스지구 개발사업에도 손을 댔고, 영국 최고의 빌딩인 더 샤드도 건설했다. 또 올림픽 다음으로 가장 인기 있는 국제스포츠대회인 2022 FIFA 월드컵축구대회의 개최권도 따냈다.

그리고 걸프지역의 부유층, 특히 그들의 처자식들에게는 런던의 올드 브롬튼 로드에 있는 상징적 백화점 해로즈를 2010년 15억 파운드(한화 약 2조3,880억 원)에 인수한 것이 특별히 중요한 의미가 있었다. 두바이, 리야드, 쿠웨이트 등지에서 휴가를 온 부유한 쇼핑객들로 인해 아랍어가 백화점의 제2 언어처럼 느껴질 때가 꽤 있었다.

1920년대 강도 남작[7] 같은 의기양양한 외양을 가진 타밈의 사촌 하마드 빈 압둘라 알 타니보다 알 타니 왕가의 터무니없이 부유한 생활방식을

빈 살만의 두 얼굴

극명하게 보여주는 카타르인은 없을 것이다. 프랑스의 장원과 최고급 호텔에 머물면서 박물관이나 돌아다니며 살아온 하마드는 영국 드라마 「다운튼 애비」에 묘사된 것 같은 삶을 누리고 있다. 그는 런던 시내에 있는 오래된 저택을 사들여 20세기 초의 장엄한 모습으로 일신시켰다. 저택에는 17개의 방이 있고 거기에서 일하는 많은 하인은 오후 6시 정각에 흰색 타이와 코트로 갈아입는다. 영국의 엘리자베스 2세 여왕도 만찬을 위해 서너 번 방문했을 정도였다. 하마드는 자신이 수집한 인도의 마하라자[8] 및 귀족들이 소유했던 보석 컬렉션을 즐겨 전시했다. 그의 런던 저택 하나만 해도 이 정도였다.

불과 보이콧 2년 전, 아버지가 국왕으로서 머리에 성유를 바른 지 몇 달 뒤에 모하메드 빈 살만은 도하를 방문하여 35세의 에미르 타밈을 만났다. 만찬 자리에서 모하메드는 카타르가 국제적 언론과 성공적 협력을 통해 세계적 위상을 격상시킨 방법에 특히 큰 관심을 가진 듯했다. 외교정책이 중심의제는 아니었다.

그는 국제적 신문사에 돈을 주고 긍정적인 기사를 쓰게 하는지 아니면 기사에 대해 단순히 비용만 지불하는지 물었다. 그가 서구 언론의 시스템에 대해 순진한 질문을 한 것인지, 단지 언론에 대한 냉소를 보인 것인지는 아무도 확실하게 말할 수 없다. 그 자리에는 사우디아라비아에 대한 특정의 기사나 뉴스 프로그램 때문에 왕국이 들끓을 때마다 카타르에 전화를 했던 모하메드의 보좌관 사우드 알-카흐타니도 있었다.

후일의 매사냥 원정 동안 모하메드 빈 자예드와 모하메드 빈 살만은 카

---

7 Robber Baron, 19세기 말부터 20세기 초 미국의 부도덕한 부유한 사업가, 즉 임금 착취, 부패한 관리와의 유착, 주가 조작, 독점에 의한 가격 인상 등을 통해 거대한 부를 쌓은 부자들을 풍자적으로 일컫는 말이다.

8 Maharaja, 산스크리트어로 '대왕'이라는 뜻이다.

타르가 그 지역의 안정에 어느 정도로 치명적인 위험요소이며 그들의 가문이 몇 년 동안이나 권력을 유지할 수 있을지 논의했다. 이집트, 레바논, 요르단 같은 더 가난하고 더 폭발력 있는 아랍 국가들과, 그리고 이들보다는 상대적으로 중요성이 떨어지는 북아프리카 국가들과 미묘한 균형을 유지하는 것은 자신들의 체제에 대한 적대적 움직임이 (수억 명에 달하는 실업 상태의 가난한 청년들이 기름을 붓는) 중동 전체를 휩쓸지 않도록 예방하기 위해서 매우 중요한 문제였다.

2017년이 되면서 UAE의 지도자는 카타르가 오만함 때문에 그 의무를 위반해 왔다고 확신했다. 카타르에는 알 우데이드 미군 기지, 세련된 세계적 언론기관 그리고 다른 나라들보다 더 많은 지출 여력이 있었다. 그들은 교만하고 지배하려 드는 듯한 태도를 보이고 있었다. 그래서 아부다비의 약삭빠른 셰이크들은 동맹국들과 함께 카타르를 잘라내고 고립시켜서 삶을 매우 불편하게 만들어 결국 자신들의 요구에 동의하도록 할 만한 구실을 오랫동안 모색해왔다. 이것은 그 지역의 짧은 역사상 가장 공격적인 외교정책 움직임이었다. 이는 극적인 역효과를 낳았다.

협조를 하는 대신 카타르는 참호 속에 몸을 숨겼다. 거대한 부가 도움이 되었다. 사우디아라비아를 통해서 우유를 수입할 수 없게 되자 카타르는 소를 수백 마리씩 들여와 자급자족할 수 있는 목장을 만들었다. 국민들을 지원할 수 있는 전체적인 공급망이 재설계되었다. 타밈은 걸프지역의 오랜 적국인 이란, 그리고 20세기 초까지 중동을 지배한 오스만 지배자들의 후손들이 통치하는 튀르키예와 더 밀접한 관계를 맺었다. 튀르키예는 오스만 시절 이후 최초의 중동지역 군사기지를 카타르에 구축했다. 경쟁국 이란과 튀르키예로부터 카타르를 떼어 놓기 위한 보이콧이 오히려 이 소국을 그들과 더욱 밀착시켰다.

계획상의 실수가 문제였다. 사우디아라비아와 UAE는 카타르에게 자신들이 원하는 바를 사전에 통보하지 않고 보이콧을 실행했다. 배넌은 UAE의 국가안보 보좌관 타흐눈 빈 자예드에게 이 행동이 국제적인 신뢰를 얻기 위해서는 사우디와 UAE 측에서 원하는 사항을 카타르에 통보해주어야만 한다고 말했다. "당신들은 무언가를 제시해야 합니다. 당신들이 요구하는 것이 무엇입니까?"라고 배넌은 물었다.

틸러슨은 결국 요구사항 목록의 공개를 요구했다. 트럼프가 보이콧을 지지하는 모습을 보이면서 카타르를 테러분자들에게 자금을 지원했다는 혐의로 비난한 데 반해 국무장관과 기타 고위관리들은 상황을 진정시키기 위해 노력하고 있었다. 전반적으로 엉망진창인 상황이었다. 틸러슨과 만난 뒤 사우디아라비아 외무부 장관 아델 알-주베이르는 보이콧의 존재 자체를 부인하면서 왕국은 카타르에게 자국의 영공 사용을 중단시킨 것뿐이라고 말했다. 결국 보이콧이 실행된 지 3주 만에 사우디아라비아와 UAE의 지도자는 13개 요구사항을 발표했는데, 거기에는 「알자지라」를 폐쇄하고 카타르가 그 지역에 의도적으로 초래한 손해를 복구하는 비용을 지불하라는 내용이 포함되어 있었다.

미국과 프랑스를 포함한 서구동맹국들의 개입으로 실제 전쟁을 피하게 된 상황에서 양측은 최근 역사상 유례없이 사이버전쟁을 강화했다. 어느 쪽도 공격을 시인하지 않았고 아무런 관련성이 없다고 부인했지만, 전투의 희생자는 이쪽 또는 저쪽에 정확히 발생했다.

주미 UAE대사 유세프 알-오타이바는 보이콧이 실행된 지 며칠 만에 이메일의 '받은 편지함'을 해킹당했다. 곧이어 전 세계의 신문사들은 오타이바의 매춘스캔들과, 재러드 쿠쉬너를 비롯한 미국 관리들과 싱크탱크 및 유력인사에게 영향력을 끼치려는 UAE의 노력에 대한 기사를 게재하기 시작했다.

그 해킹은 실제적인 파급효과를 끼쳤다. 해킹으로 유출된 자료에 따라,

트럼프의 자금모집 고위담당자인 엘리엇 브로이디가 트럼프와의 관계를 악용하여 오픈소스 기반의 반테러연구센터(트럼프가 리야드에서 방문했던 곳과 같은)의 건설과 행정부에 영향력을 행사해주겠다는 약속을 대가로 외국 정부에서 수천만 달러의 돈을 받은 사실이 드러났다. 법무부는 자금세탁과 불법로비에 대한 조사를 개시했지만, 브로이디는 어떠한 범죄행위도 저지른 적이 없다고 강력하게 부인했고, 카타르와 그 정보원들을 상대로 그들의 작전으로 인해 자신이 입은 피해보상을 청구하는 일련의 소송을 제기했다. 카타르라는 국가를 상대로 한 소송은 통치행위 면책특권을 이유로 기각되었지만 카타르를 위해 일했다는 혐의를 받는 기업들에 대한 소송은 2020년 초반 그 진행이 허용되었다.

해킹이 일어날 때마다 해킹을 당한 상대방의 더 강력한 해킹을 촉발했다. UAE는 NSO그룹테크놀로지스라는 이스라엘 회사의 소프트웨어의 부분적인 도움을 받아 대규모 감청작전을 벌였다. 이스라엘의 헤르츨리야에 본사를 둔 이 회사의 컴퓨터기술자들과 전직 정부소속 해커로 구성된 팀은 스마트폰을 손상시킬 수 있는 '페가수스Pegasus'라는 시스템을 구축했다. 회사는 이 시스템을 허용 가능한 목적으로 사용할 것으로 판단되는 정부에만 판매했으며, 판매할 때마다 이스라엘 정부의 허가를 받아야 했다. 카타르는 구매를 거부당했고, UAE는 정부 내 여러 정보 관련 기관에 사용하기 위해서 연간 이용료 5,000만 달러짜리 이용권 3개를 구입했다.

이렇게 높은 비용을 지불한 이유는 NSO가 '제로-데이zero-day'를 이용했기 때문이다. 제로-데이는 널리 사용되고 있는 소프트웨어에 존재하는 허점을 지칭하는 용어로 마이크로소프트, 구글, 애플 같은 대기업들도 모르는 것이다. 개발자들은 그러한 허점을 찾아내서 그것을 이용하여 디바이스를 통제하거나 액세스하는 프로그램을 만들어낸다.

전제적 왕국을 포함하여 다른 나라 정부에 그런 강력한 도구를 공급하는 것이 지닌 유일한 문제는 감독 기능이 극히 제한적이라는 점이다. NSO는 구매자들에게 페가수스를 정치적 반대파나 활동가들을 목표로 사용하지 않는다는 합의서에 서명하게 한다. 또한 그 소프트웨어는 미국과 영국의 전화번호에는 사용이 금지된다. 그러나 그들은 이용 상황을 실시간으로 감독하지는 않는다. 만약 사건이 발생하는 경우에는 NSO가 시스템 내부로 들어가 페가수스가 특정의 목표를 향해서 사용되었는지 확인하고 그 고객의 접근권을 폐쇄할 수 있다. 문제는 그 소프트웨어의 특성상 악용되는 사건을 발견하기가 극도로 어렵다는 점이다.

카타르에 대한 사이버공격과 기타 다른 방법으로 끌어모은 자료를 사용하여, UAE는 카타르가 2015년 1월 납치된 일단의 카타르인 사냥꾼들을 구출해내기 위해 이라크 테러집단에게 뇌물을 주려고 시도했다는 몹시 불리한 증거를 발견했다. 모든 세부사항과 메시지 하나하나까지 서구 언론에 자세히 기사화되었다. 런던의 「BBC」는 보도에서 그 자료의 소스가 "카타르에 적대적인 정부"라고 밝혔다.

납치범들은 '카타이브 헤즈볼라Khataib Hezbollah'라는 시아파 민병대로서 이란 정부, 특히 전설적인 이란의 장군 카셈 솔레이마니Qasem Soleimani와 연계된 것으로 밝혀졌다. (이 장군이 2020년 미군의 드론공격으로 살해됨으로써 이란과의 충돌이 격화되었다.) 카타르 정부는 억류된 카타르인들의 석방을 위해 10억 달러 이상의 몸값을 지불하기로 합의했고, 억류자들은 모두 구조되었지만 카타르는 최종적으로 돈을 받은 사람이 누구인지에 대해 이의를 제기하고 있다. 걸프지역 내 카타르의 적들이 보기에, 이란이 지원하는 민병대 또는 솔레이마니에게 돈을 지불하는 것은 향후 수년간 테러분자들을 보증하는 것과 마찬가지이고 이라크의 취약한 정부를 흔들어 놓는 것이었다.

걸프 냉전에는 재미있는 양상도 있었다. 사우디아라비아와 UAE가 카타르와의 모든 관계를 끊었지만, 런던에서 휴가를 보내는 많은 자국의 부유한 시민들은 해로즈백화점에 들러 쇼핑을 하지 않을 수가 없었다. 결과적으로 비공식적인 조치가 이루어졌다. 오전에는 사우디아라비아와 UAE의 시민들이, 오후에는 카타르인들이 백화점을 독점하게 되었다.

11장

마지막 키스

—

이윽고 당뇨와 부상으로 동작이 느려진 50대 후반의 MBN은 수행팀을 불러 메카 중심의 카바 너머에 있는 흑백의 알-사파 궁전까지 소규모 자동차 행렬로 출발했다. 이로부터 열두 시간 뒤, 그는 스포트라이트와 플래시 세례를 받으며 죄수로 나타나 모든 정부직책과 부와 왕위계승권을 박탈당한 채 가택 안에 연금되었다. 그것은 모하메드 빈 살만이 사우디아라비아 왕국의 왕위계승자로 부상하는 마지막 단계였다.

밤 10시에 걸려온 전화는 처음에는 그다지 불길하게 느껴지지 않았다. 2017년 6월 20일 라마단이 거의 끝나가고 있을 때였고 모하메드 빈 나예프 왕세자가 그날의 금식을 막 끝냈을 때였다.

다른 주요 왕자들과 마찬가지로, 그 역시 성스러운 달을 맞아 메카의 궁전으로 거처를 옮겼다. 더운 낮 동안에는 금식하면서 휴식을 취하고 기도를 했고 대추야자, 수프, 요구르트, 고기, 쌀밥을 친구나 방문객들과 나눠 먹는 전통적인 이프타르¹가 끝난 밤이 되어서야 정부 업무를 시작했다. 이것은 모하메드 빈 나예프에게 벨벳 의자나 실크 소파에 앉아 몇 시간 동안 끝나지 않을 것처럼 계속되는 회의, 청문회, 관료들의 보고를 들으며 가끔 노르스름한 카르다몸 향이 첨가된 커피를 홀짝이다가 졸기도 하는 것을 의미한다.

그날 밤의 전화는 일상적인 회의를 위한 것으로, 장군들 및 경찰들과 다가오는 이드 축제일의 보안상황을 논의하는 회의였다. 미국 국무부와 CIA 관리들에게 MBN으로 통하는 왕자는 내무부 장관으로서 사우디아

---

1 iftar. 라마단 기간에 해가 지고 난 뒤에 먹는 저녁. 금식을 시작하기에 앞서 일출 전에 먹는 아침은 수후르라고 한다. 라마단 기간 중에는 아침과 저녁 두 끼만 먹고 그 사이에는 물 이외에는 일절 금식한다.

라비아의 국내 치안에 책임을 지고 있었다. 그리고 이드 같은 대중축제 때는 테러집단들의 잠재적 공격대상이 될 수 있으므로 왕자는 회의에 직접 참석해야만 했다. 회의의 결론은 별로 우려할 만한 점이 없다는 것이었다. 명목상 자신의 수하였던 모하메드와 1년 남짓 긴장된 시간을 보냈지만 지금은 화해한 것으로 보였다. 지난봄 내내 사우디아라비아와 워싱턴 D.C.에는 모하메드가 나이 든 사촌형을 몰아낼 것이라는 소문이 파다했다. MBN은 심지어 자신의 정당성을 주장하기 위해 워싱턴에 로비스트를 고용하기까지 했다. 그러다가 라마단이 다가와서 모두 휴식을 취하는 모양새였다. 모하메드 빈 살만은 몇 달 동안 밖으로 내쳤던 MBN이 총애하는 경호원들을 다시 왕궁에 근무하도록 했다.

이윽고 당뇨와 부상으로 동작이 느려진 50대 후반의 MBN은 수행팀을 불러 메카 중심의 카바 너머에 있는 흑백의 알-사파 궁전까지 소규모 자동차 행렬로 출발했다. 이로부터 열두 시간 뒤, 그는 스포트라이트와 플래시 세례를 받으며 죄수로 나타나 모든 정부직책과 부와 왕위계승권을 박탈당한 채 가택 안에 연금되었다. 그것은 모하메드 빈 살만이 사우디아라비아 왕국의 왕위계승자로 부상하는 마지막 단계였다.

미국인들은 항상 MBN에게 약간 수수께끼 같은 구석이 있다고 느껴왔다. 그의 아버지는 냉혹함으로 유명한 나예프 왕자였다. 그는 살만 국왕의 한 살 위의 친형으로 35년 이상 내무부 장관으로 있으면서 사우디아라비아의 보안과 정보를 총괄했다. 나예프 왕자는 아들을 왕통 문제에 끌어들였다.

나예프는 완고하고 무뚝뚝하고 변화에 저항적이었다. 전임 미국대사 제임스 스미스James B. Smith는 유출된 2009년 비밀 전보문에서 "마음속부터 독재적인 인물"이라고 평했다. 미국 상원의원 척 슈머Chuck Schumer는

9·11 테러공격 후, 왕국 안팎의 테러에 대해 효과적으로 대응하지 못한다는 이유로 그를 해임하라고 사우디아라비아 정부에 요구했다. 전직 미국 정보관리로서 몇 명의 대통령 치하에서 중동 안보 담당으로 근무했던 브루스 리델Bruce Riedel은 2016년 문서에서 이보다 더 직설적으로 표현했다. 그를 잘 알고 있던 리델은 그 문서에 나예프가 "본질적으로 반미적"이라고 썼다.

그러나 아들 모하메드 빈 나예프에게는 그런 우려가 없었다. 9·11 공격 후 새 보안 책임자로 취임한 MBN은 의심의 시선을 심각하게 받고 있는 상황에서 대미관계를 회복하는 데 큰 역할을 했다. 그는 미국 정부 전반에 걸쳐 폭넓은 개인적 유대를 만들어냈다. 다른 나라의 정보관리들이 CIA와의 관계에 집중하는 것과 달리 MBN은 국무부에도 인맥을 형성했다. 그는 존 케리 국무장관은 물론 바이든의 다른 참모들과도 좋은 관계를 유지하려고 했다. 그는 또한 오바마행정부의 CIA 국장 데이비드 페트리어스와, 양국의 수뇌가 변경되는 것과 상관없이 대미관계를 변함없이 유지할 수 있는 기관을 사우디아라비아에 창설하는 문제를 논의하기도 했다.

그 후 몇 년 동안 알-카에다는 사우디아라비아 국내에 일련의 공격을 가했고, MBN은 선봉에 서서 정부의 대응을 지휘했다. 리델은 그의 부대가 표적공격을 선도해서 부수적 피해를 최소화하면서 국내의 알-카에다 거점들을 완전히 파괴했다고 말하고 있다.

그와 접촉했던 미국 측 인사들은 MBN을 유쾌하고 신사적이라고 느꼈다. 미국 측에서 사우디아라비아에 무언가를 요청하면 그는 대체로 요청에 응했다. 그리고 자신이 응할 수 없을 때는 정직하게 그 이유를 설명했다. 그는 미국의 요청을 즉시 정확하게 실행하는 것 같았고 다른 교섭상대자들과 달리 그에게는 왕국 내에서 그것을 실행할 수 있는 권력이 있었다.

1970년대 오리건 주의 루이스앤드클라크대학Louis & Clark College을 다니면서, 그리고 그 후에는 FBI에서 훈련을 받으며 갈고닦은 영어가 유창했던 MBN은 "전형적인 사우디의 비밀경찰"이었다고 존 케리의 국무부 장관 재직 시 참모장이었던 존 파이너Jonathan Finer가 말했다. 리야드와 워싱턴에서 열린 여러 회의에 줄곧 참석했던 파이너는, 다른 미국 관리들과 마찬가지로, 사람들을 편안하게 만드는 몸가짐과 왕국 내외의 테러분자들의 활동에 대한 유용한 정보를 일관성 있게 전달하는 왕자의 능력에 깊은 인상을 받았다.

"그들이 내 목숨을 살려주었다"라고 사우디아라비아에 근무했던 한 국무부 관리는 말하고 있는데, 그는 당시 MBN의 참모들로부터 구체적인 위협에 대한 정보를 받은 적이 있었다. 이 관리와 백악관, 펜타곤, 랭글리[2] 등의 관리들은 아버지가 죽은 뒤 바로 MBN이 내무부 장관에 취임한 것을 고무적으로 생각했다. 그리고 2015년 압둘라 국왕이 사망하고 몇 달 뒤 MBN이 왕세자로 지명된 것은, 미국에서 살았고 미국 관리들과 진정한 우의를 가진 사람이 다음 사우디아라비아 국왕이 될 것이라는 신호를 미국 측에 보내는 것이었다. 리델은 2016년 브루킹스연구소Brookings Institution에 기고한 글에서 "MBN은 역대 왕위계승권을 가진 왕자 중 가장 친미적일 수 있다"라고 썼다.

그는 모하메드 빈 나예프에 대해 들려오는 다른 소식에 대해서는 언급하지 않았지만, 워싱턴은 자기들이 좋아하는 왕자가 어쩌면 왕위를 차지하지 못할 수도 있다는 다른 소식에 대해 우려하고 있었다.

몇 년 동안 미국 관리들은 MBN의 건강과 사생활을 걱정해왔다. 그는 미국 측 상대역들과 협상할 때에는 매력이 있고 우호적이었지만 이상하

---

2 Langley. CIA의 본부 소재지.

리만치 초조해 했다. 미국 관리들은 최근 몇 년 동안 회의석상에서 그가 침착하게 앉아 있지 못하고 언제나 연필을 톡톡 두드리고 있거나 말할 때 다리를 떨고 있는 것에 주목했다. 그는 회의를 할 때 조용히 앉아 있다가 아예 잠에 곯아떨어지는 경우도 종종 있었다.

어쩌면 당뇨 때문일 수도 있었다. 아니면 2009년 그의 목숨을 노린 공격의 충격에서 완전히 회복되지 않았을지도 모른다고 미국 관리들은 추측했다. 그해 라마단 때 압둘라 알-아시리Abdullah al-Asiri라는 청년이 왕자에게 본인은 테러분자인데 MBN의 이슬람 무장세력을 개혁하는 계획에 참여하고 싶다며 접촉해 왔다. 왕자는 그를 직접 만나기로 동의하고 며칠 뒤 제다의 집무실로 그를 불렀다.

아시리는 MBN 옆 바닥에 앉아 핸드폰을 꺼내서 왕자에게 건네고 그 자리에서 자폭했다. 나중에 집무실로 찾아온 미국인에게 MBN은 자신이 천장을 올려다보니 아시리의 머리통이 부딪혀 움푹 파인 부분에 피가 묻어 있는 것이 보였다고 말했다. "바로 저깁니다"라고 왕자는 그 미국인에게 위쪽을 가리키며 말했다. 청년의 몸통은 직장 속에 숨겨놓은 폭약이 터지면서 갈기갈기 찢어져 방의 여기저기에 흩어져 있었다고 사우디아라비아 당국은 말했다. (미국 관리들은 폭탄이 사실은 팬티 속에 숨겨져 있었을 가능성이 있다고 말한다.)

MBN은 파편이 몸에 박혔지만 심각한 부상을 입지 않고 피할 수 있었다. 그는 그 직후 텔레비전에 나와서 겨우 손에만 붕대를 감은 상처를 보여주면서 사건에 대해 이야기했다. 그 이상의 "상처는 없는 것" 같았다고 며칠 뒤 왕자를 만났던 미국인이 나중에 말했다. 그것은 MBN의 목숨을 노린 수많은 암살시도 중 하나였고, 그는 나라를 위해 실제로 피를 흘린 극소수의 사우디아라비아 왕자들 중 한 명이었다. 공격을 받은 뒤 업무에 복귀했던 그의 결의는 미국 정부의 인사들로부터 존경을 받는 데 도움이 되었다.

오바마행정부 내내 관리들은 그의 부상이 그가 말한 것보다 더 심각한 것은 아닌지 궁금해 했다. 그가 회의 중 조는 것이 당뇨 때문이었을까? 그는 육체적으로 쇠약해진 것인가? 약물에 의존하지 않고는 제대로 기능하지 못하는 것인가? CIA는 그가 처방 진통제에 중독되어 있다는 정보를 입수했다. 살만 국왕도 알고 있었기 때문에 사우디의 핵심 왕자들에게는 새로운 문제가 아니었지만, 미국으로서는 중요한 신흥 동맹국에 관한 사안이므로 꽤 우려스러웠다.

살만이 즉위한 후 더욱 민감한 또 다른 첩보가 연이어 미국으로 흘러들어왔다. 미국 관리들이 접촉하는 현지인들로부터 들은 바에 의하면, MBN이 전 세계를 돌아다니면서 젊은 남녀들과 어울려 마약에 취해 섹스를 했으며 때로는 충격적인 변태 행위가 포함되기도 했다고 했다. 미국 정보관리들은 이 정보를 어떻게 해석해야 할지 난감했다. 그들은 MBN이 병원 때문에 제네바에 머무르는 동안 남성들과 밀회를 즐겼다는 믿을 만한 제보를 받기는 했지만 이제 가장 충격적인 정보가 흘러나오기 시작했다. 진위 여부에 상관없이 워싱턴의 관리들은 그런 풍문을 우려했는데, 그런 것들은 MBN이 왕좌로 가는 길을 막는 데 이용될 수 있기 때문이었다. 뿌리 깊이 전통적인 국가였으므로 왕자가 한 명의 부인과 아들 없이 두 명의 딸만 두었다는 사실 하나만으로도 약간의 의구심을 불러일으키는 원인이 되었다. 그의 유럽생활에 대한 풍문이 돌기 시작하면 어떤 일이 벌어질 것인가?

그밖에도 MBN이 배제되고 있다는 여러 가지 조짐이 보였다. 한 전직 미국 관리가 사우디아라비아를 방문했을 때 전임 국왕의 아들이며 사우디아라비아 국가방위부 장관을 지낸 미테브 빈 압둘라를 리야드 교외에 있는 그의 목장에서 만났다. 알 사우드 왕가의 전형적인 고급 텐트 캠프

별장에서 식사를 한 뒤 미테브가 모래사장을 걷자고 했다. 그 전직 관리는 왕자가 텐트에 도청장치가 설치되어 있을까 봐 걱정하는 것 같았다고 기억한다.

별빛 아래에서 심란한 미테브가 거의 두 시간 동안 이야기했다. 왕국의 통치 체계가 변경되고 있다고 그는 말했다. 과거와 같은 것은 아무것도 없었다. 그는 너무 자세한 내용은 피하면서 생략어법을 쓰듯 이야기했지만 한 가지 충격적인 정보를 흘렸다. 사우디아라비아의 왕세자이자 군부대 하나의 수장인 MBN이 공식적으로 자신의 차석인 모하메드 빈 살만이 예멘을 공격한다는 사실을 사전에 모르고 있었다고 말했다.

워싱턴의 고위관리들은 이러한 일들이 발생하면 신뢰할 수 있는 이 중재자가 (왕족 간의 낡아빠진 힘겨루기 없이) 자신의 업적을 바탕으로 왕위에 오르는 기회를 잃게 될 위험이 있다고 우려했다. 그들이 이성적으로 판단했을 때 MBN은 이슬람의 성지에서 알-카에다를 깨끗하게 청소한 스파이 대장이었으니 분명 집안 정치 또한 잘 처리해낼 수 있을 거라고 생각했다.

케리의 보좌관 존 파이너는 당시에 벌어진 일을 돌이켜 보면서 "우리가 예상하지 못했던 것은 MBS가 MBN보다 훨씬 수가 높았다는 것을 예측하지 못했다는 점"이라고 회상한다.

모하메드 빈 살만과 MBN의 관계는 현대 사우디아라비아의 역사에서는 그 유례를 찾아볼 수 없다. 이전에는 결코 서로 다른 아버지에게서 태어난 두 왕자가 왕위계승을 위해 한 줄에 서 있었던 적이 없었다. 왕국을 창건한 이븐 사우드가 1953년 사망한 이래 모든 국왕은 그의 아들 중 한 명이었다.

그의 아들들은 질서 없는 왕위계승이 얼마나 위험한 것인지 잘 알았다. 이븐 사우드가 살아있는 아들들 가운데 가장 나이 많은 아들 사우드에게 왕관을 물려주겠다고 결정한 것은 장기적으로 보면 엄청나게 불행한 일로 드러났다. 방탕하고 왕국의 치솟는 부채를 통제할 능력이 없는 사우드가 경제 위기에 빠진 나라를 통치했다. 5년 뒤, 수십 명의 형제가 뭉쳐서 그의 대부분의 권력을 빼앗아 보다 젊은 왕세제 파이살에게 주었고 결국 이 왕자가 국왕이 되었다.

파이살이 총의에 의해 등극한 것을 두고 전직 미국대사 제임스 스미스는 "아마도 이복동생이 승계한 세계 유일의 통치시스템"일 것이라고 했다. 그것은 전혀 가문 민주주의가 아니고, 수십 명의 사람과 가문의 족벌들에게 권력이 분산되는 것을 의미했다. 그럼으로써 합의 체제가 발전되었고 합의에 따르는 모든 사람에게는 보상이 주어졌다. 어떤 왕자가 본인의 행실로 인해 고립되면 왕위계승서열 밖으로 밀려난다. 스미스가 유출된 전보문에 썼듯이 결과적으로 그 통치체제는 "합의에 의한 것이고 속성상 조심스럽고 보수적이며 선행적이 아니라 반응적"이다. 그 체제는, 오일달러로 인해 급격한 경제변화가 일어난 뒤에도, 사우디아라비아 정부에 놀라운 안정성과 정체성을 부여했다. 이븐 사우드는 50년 이상의 기간에 22명이 넘는 부인들로부터 45명 이상의 아들을 두었고 그 체제는 50년 이상 지속되었다.

반세기 동안 가문에는 비교적 평화가 유지되었다. 이븐 사우드의 아들 다수가 정부 요직을 받았고, 그 직책을 이용해서 권력을 강화했고, 일부는 석유사업에 들어오려고 열심히 노력하는 외국 기업들로부터 돈을 받아 부를 쌓기도 했다. 그러나 통치권을 홀로 완전히 장악할 만큼 강력한 아들은 없었다. 특히 국방부, 국가방위부 그리고 내무부 등 무력을 지닌 세 개의 조직은 각기 다른 세 명의 왕자가 관장했고, 네 번째 왕자 살만은 또 하나의 권부로서 전통적인 알 사우드의 본고장 리야드와 와하브주의 성직자들을 관장했다. 어느 왕자도 가문 내에서 쿠데타를 일으키기에 충분한 무기를 마음대로 쓸 수 없었다.

미국과 사우디아라비아의 지도자들이 그 체제의 취약성을 우려한 때가 있었다. 2005년 압둘라가 국왕이 된 뒤부터 우려는 더욱 커졌다. 사우디아라비아 기준에서 엄격한 사람이었고, 왕국 내외로부터 존경을 받았던 압둘라는 자신의 친가 안에서 독특한 위치에 있었다. 그의 직전 국왕 파흐드에게는 왕국에서 가장 강력한 친동생 나예프, 술탄 그리고 살만 세 명이 있었다. 이들은 이븐 사우드가 좋아했던 부인 후사 알 수다이리가 낳은 7형제 중 세 명으로 언젠가 왕위에 오를 것으로 예상되었다. 반면에 압둘라에게는 친형제가 없었다. 그는 왕위에 올랐을 때 이미 80세를 넘긴 나이였고 개혁 성향을 지니고 있었다. 왕위계승에 대해 그가 어떤 결정을 내리느냐에 따라 정치적 현상유지 상태는 뒤집어질 가능성이 있었다.

압둘라는 그러한 우려를 잘 알고 있었다. 그 역시 암살시도 가능성을 걱정했다. 알-카에다는 가까이에서 존재하는 위험이었고, 직전의 개혁적인 국왕 파이살은 1975년 개혁에 대해 불만을 품은 조카의 총을 맞고 사망했다. 따라서 압둘라는 부시행정부에 보안 진단을 도와달라고 요청했다.

백악관은 보안팀을 파견해서 국왕의 사람들과 회의를 갖고 일련의 권고 사항을 제출했다. 그중 일부는 온건한 보안 조치였다. 그러나 백악관팀은 또 다른 제안을 했다. 압둘라가 왕위계승서열을 더욱 명확히 해야 한다는 것이었다. 그에 따라 2006년 그는 충성평의회를 설립한다고 공표했다.

압둘라가 서명한 법률은 국왕이 후계자를 지명하면, 평의회는 회의를 열고 국왕의 선택을 승인하거나 평의회가 이븐 사우드의 자손 가운데 "가장 강직하다"고 결정한 다른 왕자를 제안한다고 규정했다. 또한 평의회는 현재의 왕세자가 사망하는 경우 새로운 왕세자를 승인하기 위해 회의를 열 수 있었다. 평의회의 심의 내용은 이 회의에 참석할 수 있는 유일한 비왕족인 압둘라 국왕의 참모 칼리드 알-투와이즈리가 단 한 부의 회의록으로 작성하게 되었다.

압둘라의 치세기간 내내 한 왕세제가 사망하면 바로 또 한 명의 왕세제가 뒤따라 지명되었고 그런 절차는 유효한 것으로 보였다. 평의회는 그다음으로 자격 있는 형제를 지명했고, 드디어 2012년에 살만 왕세제가 지명되기에 이르렀다. 그러나 압둘라는 평의회를 실질적인 의사결정기관으로 보지 않았다. 그는 새 왕세제를 지명했고 평의회에 승인하라고 지시했다. 이것은 2년 후 압둘라가 사망하고 살만이 왕위에 올랐을 때, 그다음 왕위계승권자를 평의회에서 결정하지 않고 살만이 직접 지명할 수 있는 선례가 되었다.

처음에 살만은 서서히 움직였다. 석 달 동안 그는 압둘라가 선택한 전직 정보기관 책임자였던 왕세제 무크린을 그대로 곁에 두었다. 그는 오랫동안 정부에 근무했는데 살만의 친형제는 아니었다. 이것은 권력이 여전히 여러 가문에 분산되어 있다는 것을 의미했다. 부왕세자는 이븐 사우드의 손자로서는 그런 자리에 최초로 올랐던 모하메드 빈 나예프였다. 모하메드 빈 살만은 왕위계승서열 밖에서 눈에 띄지 않는 역할을 맡고 있었다.

이윽고 당시 주미대사로 나중에 외무부 장관이 되는 아델 알-주베이르가 당시 미국 국무부 장관이었던 존 케리에게 모하메드 빈 나예프가 다음 국왕이 될 것이라는 혼란스러운 새 메시지를 전하기 시작했다. 첫 번째 의미 있는 변화로 2015년 4월 29일 새벽 4시에 왕궁에서 왕세제 무크린이 사임했다는 발표가 있었다. 새 왕세자는 모하메드 빈 나예프가, 그리고 부왕세자는 현재 왕국의 국방부 장관인 모하메드 빈 살만이 되었다.

이는 이븐 사우드의 손자가 처음으로 왕위계승서열 1번에 올랐다는 표시였다. 그리고 그것은 미국 관리들 사이에 더 많은 혼란을 야기했다. 살만은 국왕이었고 자신의 아들에게 왕위를 계승시킬 것 같았다. 미국의 오랜 협력자 MBN을 샌드위치처럼 중간에 끼워 넣은 이유는 무엇일까?

리야드의 미국대사 조 웨스트팔은 모하메드 빈 살만에게 단도직입적으로 물었다. "다음 국왕은 누가 될 것입니까?" 모하메드 빈 살만은 "모든 왕위는 왕세자가 승계합니다"라고 말하며 MBN이 다음이라는 것을 외견상으로 확인해주었다.

그러나 워싱턴의 관리들은 회의적이었다. MBN은 하강하고 모하메드는 상승하는 것처럼 보였다. 홍해에서의 왕자의 요트 위에서, 사우디-이라크 국경 근처의 군사기지를 방문하는 동안에, 심지어는 조지타운의 자기 집 거실에서까지, 케리는 이란 핵 협상, 아랍의 봄 저항운동 시기의 미국의 정책 그리고 미국에 대한 본인의 좌절감 등 모하메드의 불평을 들어줘야 했다. 이는 자신에게 왕위에 오를 순서가 올 때까지 사촌을 국왕으로 섬겨야 할 사람의 말로는 들리지 않았다.

서서히 모하메드는 2015년 MBN의 참모 사드 알-자브리를 해임하는 등 더욱 공격적인 조치를 취하기 시작했다.

MBN은 처음에는 소극적으로 대응하는 것 같았다. 그는 유독 오랜 기간 알제리로 사냥여행을 떠나 있는 동안, 중동전문가들이 자신이 병들었거나 죽기 일보 직전이라는 기사를 써대는 것을 보고 발끈해서 몹시 화를 냈다. 그는 결국 살만 국왕에게 사우디아라비아 정치에 UAE가 개입하는 데 대해서 (『뉴요커』가 이런 기사를 나중에 게재했다) 불평하는 편지를 써서 보냈지만 별로 도움이 되지 않았다. 2017년 초 도널드 트럼프가 대통령직에 취임하자 모하메드는 이제 움직일 용기가 났다.

오바마 대통령 시절 국무부는 사우디아라비아에게 미국이 사우디 국내와 중동지역의 안정을 최우선순위에 두고 있음을 명확하게 했다. 미국은 유력한 파벌 간의 경쟁보다는 질서 있고 합의에 의한 지도부 변화를 바랐다. 미국은 젊은 왕자를 단순히 국왕이 총애하는 아들이라는 이유만으로 지지하지는 않으려 했다.

트럼프행정부는 달랐다. 이들은 안정을 그다지 중시하는 것 같지 않았다. 쿠슈너와 배넌은 MBN을 오랫동안 싫어했던 모하메드 그리고 UAE의 모하메드 빈 자예드와 죽이 잘 맞았다. 두 사람이 보기에는 대대적인 개편이 있더라도 백악관이 중지시키려고 나설 것 같지 않았다.

수개월 동안 보좌관들로부터 젊은 사촌이 움직이고 있다는 경고를 듣다못해 MBN은 결국 로버트 스트릭Robert Stryk이라는 미 공화당에 연줄이 있는 와이너리 소유주를 로비스트로 고용했다. 그로 하여금 새 행정부 인사들에게 MBN이 15년 이상 미국의 가장 신뢰받는 협력자였다는 사실을 상기시키는 데 도움을 받기 위해서였다. MBN에게 스트릭을 소개해준 사람은 정보 커뮤니티에 있으면서 양쪽을 다 아는 사람이었는데, MBN의 오랜 친구였으므로 MBN이 혹시 열외로 밀려날까 봐 우려했다. 스트릭은 그해 5월 사우디 내무부와 540만 달러짜리 계약을 체결했다. 하지만 스트릭은 별 역할을 하지 못했다. 계약에 서명하고 며칠 뒤 트럼프와 수행단이 리야드로 떠났고, MBN은 그의 방문일정에 겨우 이름이나 올릴 정도였다. 이로부터 며칠 뒤 라마단이 시작되었다.

성스러운 달이 거의 끝나가는 무렵이라 사우디아라비아 전체가 조용할 때 모하메드 빈 살만의 밀사 한 명이 메시지를 가지고 소리 없이 워싱턴으로 날아갔다. 그는 행정부 관리들에게 모하메드는 사촌을 버릴 준비가 되었다고 말했다. 곧이어 MBN은 알-사파 궁전으로 오라는 전화를 한밤중에 받았다.

MBN의 차량 행렬이 도착하자 궁전경비대는 그의 경호원 일부를 안으로 진입하지 못하도록 저지했다. 이프타르가 끝난 뒤처럼 궁전이 사람들로 붐빌 때 그것은 별로 이상한 일이 아니었다. 그들은 MBN의 나머지 경호원들에게 두 번째 검문소에 머물러 있으라고 했다. 그리고 왕자가 최측근 보좌관들만 데리고 궁전 입구에 다다르자 경비대원들은 왕자 혼자만 들어가라고 했다. 그들이 말하기를, 살만 국왕이 왕자를 독대하겠다고 했다는 것이다.

MBN이 벨벳이 드리워진 궁전 복도를 지나갈 때쯤, 뒤에 남겨진 보좌관들은 핸드폰과 무기를 모두 빼앗겼다. 경비대원들은 왕세자를 위층의 작은 라운지로 데려가서 그곳에 혼자 남겨놓았다. 거의 자정 무렵이었다.

사우디아라비아에서 아무리 철저한 비밀 속에 작전을 펼친다고 해도 왕실에서는 정보가 새어나가기 마련이다. 그날 밤 어느 순간, MBN과 연계된 누군가가 무슨 일이 벌어지고 있는지 낌새를 챘다. 살만 국왕의 동생이자 전직 정부관리였던 아흐메드 빈 압둘아지즈는 걱정이 되어 미친 듯이 국왕에게 연락을 시도했다. 그러나 한 보좌관이 전화를 받아 "국왕께서는 주무십니다"라고 답했다.

MBN이 기다리는 동안 모하메드의 참모들은 이븐 사우드의 자손 34명으로 구성된 충성평의회 의원들에게 연락을 취했다. 평의원 각자에게 국왕이 모하메드를 새 왕세자로 지정하기를 원한다고 알려주고, "어떻게 생각하십니까?"라고 물었다.

그것은 실제로는 의견을 묻는 것이 아니었다. 명목상으로는 평의회가 국왕과 왕세자를 선정하는 것으로 되어 있지만, 압둘라보다 합의 성향이 낮은 살만 같은 국왕은 쉽게 이 집단을 끌어들일 수 있었다. 모하메드의 앞길을 막아섰을 때 자신에게 어떤 징벌이 기다리고 있을지 그 어느 왕자가 알 수 있겠는가? 34명의 의원 중 31명이 왕세자 변경에 동의했다고 나중에 왕궁이 발표했다. 반대자 중 한 명이었던 아흐메드는 모하메드에 반대표를 던진 대가를 치르게 되었다.

한 밀사가 대기실에서 기다리고 있는 MBN에게 소식을 전하면서 사임서에 서명을 하라고 요구했다. "그는 공포에 질렸다"라고 후일 그와 가까운 사람이 말했다. 빈 나예프는 물러나기를 거부했고 전달자는 나가면서 문을 닫았다.

그 후 몇 시간 동안 모하메드의 충성분자들이 그 방에 줄지어 들락날락하면서 왕세자에게 평화롭게 물러날 것을 종용했다. 그렇게 하지 않고서야 어떻게 살아서 나갈 수 있겠느냐고 그들 중 한 명이 물었다. 다른 사람들은 MBN의 마약 사용에 관한 불리한 정보를 까발리겠다고 위협했다. 그들은 다른 왕자들이 모하메드를 지지한다고 말한 녹음파일을 틀어주며 그의 정신을 파괴하려고 했다.

MBN은 밤새 버텼다. 그러나 그는 당뇨환자였고 피곤했다. 게다가 그에게는 아무런 영향력도 남아 있지 않았다. 그리하여 새벽쯤 그는 거래에 합의했다. 사임서에 서명은 하지 않고 구두로 사임에 동의했다.

오전 7시쯤, 모하메드의 부하들이 드디어 그를 대기실에서 데리고 나왔다. MBN은 그날 늦은 시각에 사임을 공식화할 것으로 예상했다. 그러나 그가 궁전 복도를 지나 이끌려 가는 도중에 문 하나가 열렸다. 갑자기 카메라 플래시가 그를 둘러쌌다. 경비요원 한 명이 총에 손을 얹고 서 있었는데 그것은 왕세자에 대한 의전에 위반되는 행위였다. 거기에서 모하메드 빈 살만이 그를 향해 다가와 몸을 기울이는 순간을 모하메드의 부하 사우드 알-카흐타니가 촬영하고 있었다. 모하메드가 몸을 기울여 자신에게 키스할 때 이 나이 든 사촌형은 충성의 서약을 웅얼거렸다. "이제 나는 쉴 테니, 당신, 당신에게 신의 가호가 있기를."

12장

어둠의 기술

모하메드는 나라를 관광객들에게 개방하고, 부패를 척결하려고 노력하고 있었지만, 그 방식에 대해 의문을 제기한 사람들은 끌려가서 다시는 정부를 비판하지 않겠다는 서약서에 서명하라는 명령을 받았다. 사우디인들에게 주는 핵심 교훈은 '당신들은 모하메드 빈 살만이 결정해준 범위 안에서만 자유롭다'는 것이었다. 겉보기에는 사우디아라비아가 개혁되고 있는 것처럼 보였으나 그 기저에 도사리고 있는 문제는 심각했다.

2017년 9월

살만 알-오우다는 언젠가는 모하메드 빈 살만과 충돌하게 될 거라고 생각했다. 수년 전, 왕자가 이 설교자의 집에 와서 자신은 마키아벨리를 존경한다고 공언한 이후 줄곧, 만약 그가 권력을 잡는다면 아랍세계에서 오우다가 가지고 있는 것 같은 식의 영향력을 지지하지 않을 것 같았다. 그에게는 1,300만 명의 트위터 팔로워가 있었고 본인의 메시지를 왕가가 원하는 바에 맞춰 재단할 의사가 전혀 없다는 데 대한 관련 증거가 많이 있었다.

모하메드는 아버지가 왕위에 오른 뒤 2년 넘게 개혁가로서의 이미지를 만들어 왔다. 이제는 왕세자가 되었으므로 그에게는 개혁을 지휘할 수 있는 실질적인 권한이 훨씬 더 커졌다. 따라서 2017년 9월에 오우다가 다른 개혁 성향의 성직자들과 함께 체포되었을 때, 오우다 자신은 그렇지 않았는지 모르지만, 많은 사람이 놀라움을 금치 못했다.

정부는 이 엄중단속에 대해 종교지도자들이 "왕국의 안보와 이익, 방법론, 역량, 사회 평화에 위배되는 외국 단체들의 이익을 위해 폭동과 국가 통합을 저해하기 위한" 활동을 해왔다는 설득력 없는 설명을 내놓았다.

체포는 성직자들에게만 국한되지 않았다. 왕세자와 외견상 사소한 이견을 가졌다는 혐의를 받고 있는 다른 비판자들도 일제히 체포되었다. 경찰은 정부정책에 대해 공개적인 의견을 가끔 제시하는 유명한 경제학자 에삼 알-자밀Essam al-Zamil도 체포해 감옥에 처넣었다. 그는 아람코의 IPO 와 관련하여 모하메드가 예상한 시장가치에 의문을 제기했다. 모하메드의 아이디어들에 대해 회의적 입장을 트위터에 올린 다른 사람들도 알-카흐타니의 사무실로 소환되어 감옥에 처넣겠다는 협박을 받았다. 체포된 사람 중 범죄를 시인한 사람은 아무도 없었고, 그들에 대해 진행 중인 법적 절차는 대다수의 서구 기자들에게 공개되지 않았다.

이 엄중단속은 모하메드 개혁의 한계를 보여주었다. 여성의 행동과 복장을 제한하는 규칙, 음악회나 영화관 출입 금지와 같은 사회적 규제는 완화되었다. 모하메드는 이것을 1979년 이슬람주의 무장세력이 메카의 대모스크를 포위했을 때부터 시작되었다는 이야기로 반복해서 설명해왔다. 그는 그때까지 사우디아라비아에서는 자유화가 진행되고 있었으나, 정부가 포병과 프랑스 군대의 도움을 받아 공격을 진압하고 난 뒤, 왕가에서는 평화를 지키기 위해 여성교육과 여가 문화 등을 단속함으로써 가장 보수적인 종파를 달랠 수밖에 없었다고 설명했다. 모하메드는 그런 법률들이 사우디아라비아의 문화나 사우디식 이슬람에 내재되어 있는 것은 아니라고 주장하며 그 가혹한 법률들을 폐기하겠다고 약속했다.

모하메드는 사우디아라비아의 종교사상가이며 전직 법무부 장관이었던 모하메드 알-이사Mohammed al-Issa의 신학적인 도움에 깊이 의존했다. 이 사람은 압둘라 국왕 치하에서 와하브주의의 정통성에 대항하는 공격적이지만 잘 계산된 성명을 발표하면서 부상했다. 모하메드는 1979년 대모스크 사태 때문에 사우디아라비아가 보수주의 속으로 깊이 빠져들게 되었다는 이 사람의 견해에 동조하고 나서부터 그 견해를 개인적 또는 공적 포럼에서 계속 반복해왔다.

변화는 왕국 안팎의 많은 사람으로부터 환영받았다. 그러나 모하메드의 개혁 공약에서 정치적 자유에 대한 언급은 빠져 있었다. 그는 음악, 영화, 여성노동 등에 대해서는 언급했지만 언론의 자유에 대해서는 한 번도 거론하지 않았다. 왕정에 대한 비판은 (심지어 모하메드의 정책에 대해서 공개적으로 의문을 제기하는 것은) 범죄가 될 수 있었다. 왕궁 관리들은 비판자에게 반역자 딱지를 붙이고 그들이 외국의 적대적 정권으로부터 돈을 받고 있다는 혐의를 씌웠다.

이것은 의도적이었다. 모하메드는 커다란 경제·사회적 변혁을 동시에 밀고 나아가기 위해서는 공개적 반대를 허용할 여유가 없다고 느꼈다. 오히려 그는 국민들 앞에 단순한 선택이 있다는 것을 보여주려 했다. 변화에 동참해서 두바이나 바레인처럼 음악을 즐기고 레스토랑에서 남녀가 함께 즐겁게 어울리는 것과, 불평만 하다가 감옥에 가는 것 중 하나를 택하라는 것이었다. 긍정적인 뉴스를 퍼뜨리고 부정석 정서의 흐름을 막는 식으로 소셜미디어 메시지를 조정하는 것은 모하메드와 보좌관들이 몇 년 동안 우선적으로 해결하려 했던 과제다.

"이것은 사우디인들이 이전에 경험했던 그 어떤 것과도 다르다"라고 사우디인 시사평론가 자말 카슈끄지는 당시 『월스트리트저널』에 말했다. 그는 국내에서는 더 이상 외견상의 독립성마저 누릴 수 없게 되었다는 우려 때문에 얼마 전 미국으로 이주했다. 그는 "국내에서는 너무나 숨이 막힐 것 같고 두려웠다"라고 말했다.

카슈끄지는 워싱턴 D.C.의 사우디아라비아대사관에서 대변인으로 근무했고 9·11 테러공격 이후에는 런던대사관에서 근무했다. 당시 그는 정부의 공식적인 입장을 20여 명의 영향력 있는 기자들에게 앵무새처럼 불러주었고, 이슬람과격주의의 야만성에 경악한 세계에서 조국이 천민국가가 되지 않도록 하기 위해 자신이 해야 할 역할을 했다. 그는 왕가 전체와 관계를 맺어왔고, 한때 막강한 정보국장을 지냈고 여전히 왕국의 얼굴 역

자말 카슈끄지

할을 하고 있는 투르키 빈 파이살 왕자와 특히 가까웠다. 두 사람의 연대 관계는 많은 사우디인이 카슈끄지를 투르키의 반영구적 공작원이라고 추측할 만큼 매우 깊었다. 그러나 사실 그는 대부분 작가의 입장이었으며, 생각과 말의 힘과 무슬림세계에서 지성인으로서 쌓은 명성을 즐겼다.

그런 역할 속에서 카슈끄지는 가끔은 왕궁과 입장을 달리하고 민감한 주제에 대해 선을 넘는 경우가 있었다. 그는 사우디아라비아의 왕정 체제를 놀라게 했던 아랍의 봄 저항운동 시절, 중동에서의 통치에 관한 여러 지역회의에 참석하여 알 사우드 왕가에서 적대시하는 사람들과 공공연히 대화를 나누었다. 무슬림형제단과 연계되어 있던 이집트 대통령 무르시가 사우디아라비아의 지원으로 축출된 뒤, 카슈끄지는 이스탄불에서 열린 회의에서 튀르키예의 정치가 야신 악타이Yashin Aktay를 만났다. 살만 알-오우다의 친한 친구이며 당시 감옥 속에 갇혀 있는 오우다의 책이 튀르키예에서 출판될 수 있도록 도와준 악타이는 또한 튀르키예 대통령 에르도안의 고문이기도 했다. 아랍의 봄 기간 중 압둘라 국왕은 에르도안이 위험할 만큼 무슬림형제단에 동조적이라고 생각했다. 회의에서 악타이와 카슈끄지는 더욱 민주화된 중동을 위해 각자 가지고 있는 희망에 대해 논의했다. 동시에 카슈끄지는 알 사우드 왕가가 사우디아라비아는 물론 전 지역에 걸쳐 중요한 역할을 지속적으로 해나가야 한다고 역설했다. 그는 보다 민주적인 미래를 원한 것이지 알 사우드 통치의 종식을 요구한 것은 아니었다.

모하메드는 그 미묘한 차이를 인정하지 않았다. 그의 견해는 이진법이 었다. 카슈끄지는 친구가 아니면 적이었다.

튀르키예는 이러한 사우디식 새로운 접근방법에 대해 면밀히 주목해왔 다. 아랍의 봄 시절 왕국과의 관계가 악화된 이후 튀르키예의 지도자들은 압둘라 국왕이 사망하고 살만이 등극하면 새로운 시작을 알리는 소식이 날아올 것으로 낙관하고 있었다. 에르도안은 양국관계의 새로운 시작을 제안했고 살만은 수락했다.

그러나 모하메드가 이를 가로막고 있는 것처럼 보였다. 모하메드가 카 타르 보이콧을 하기 전에 튀르키예와 사전협의도 없이 밀어붙이는 바람 에 튀르키예로서는 이에 합류하든지 아니면 사우디아라비아의 적으로 간 주되든지 둘 중 하나를 선택해야 하는 입장이 되었다.

카타르는 튀르키예의 동맹국이었다. 튀르키예로서는 사우디아라비아 가 요구한다고 해서 순순히 그 관계를 버릴 수는 없었다. 또 그와 동시에 튀르키예 지도부는 사우디아라비아에 반하는 입장을 취하는 것도 원치 않았다고 악타이는 말했다.

그래서 튀르키예 정부는 모하메드에게 왕국과 카타르 사이에 해결책을 중재하고 싶다고 말했다. 사우디 측에서 튀르키예 측에 놀라운 답을 보 내왔다. 악타이의 말에 의하면, "만약 귀국이 카타르와 함께 있다면 귀국 은 카타르와 함께 있는 겁니다. 만약 귀국이 중재하기를 원한다면, 그 역 시 귀국은 카타르와 함께 있는 겁니다"라는 답이었다고 한다. 에르도안이 2017년 7월 리야드로 가서 모하메드를 만났는데, 튀르키예는 카타르를 포기해야 한다는 것과 별로 다를 바 없는 요구만 한 번 더 받고 돌아왔다.

카슈끄지의 불행은 모하메드와 그의 부하 사우드 알-카흐타니가 이에 대해 똑같은 접근방법을 가지고 있었다는 점이다. 카슈끄지에게는 충성스러운 비판자가 되는 길이란 없었다. 그에게는 오직 두 가지의 선택, 즉 진심을 다해 모하메드를 지지하느냐 아니면 적이 되느냐의 선택만 있었다. 카흐타니는 이 저널리스트에게 집착했다.

우선 카흐타니는 카슈끄지에게 외국 기자들과 함께 글을 쓰거나 회합하지 말고, 국내에서도 글을 쓰지 말라고 말함으로써 그를 무력화시키려고 노력했다. 다음으로는 카슈끄지를 왕궁의 미디어조직을 보강하는 새로운 도구로 전환시켜 보려고 했다. 카슈끄지가 150만 명의 트위터 팔로워와 외국의 기자, 외교관, 기업가 등 수많은 접촉자를 가지고 있으므로, 왕궁의 트위터부대와 정부의 핵심대변인들을 보강하는 중요한 도구가 될 수 있을 것 같았다.

모하메드와 카흐타니는 트위터상의 정서를 심각하게 우려하고 있었다. 그것은 사우디 국민들이 새 왕세자에 대해서 어떤 느낌을 가지고 있는지를 가늠하는 유일한 방법이었다. 따라서 카흐타니는 본인의 '파리떼' 군단과 대부분 사람이 아니라 봇으로 구성되어 있는 충성스러운 트위터 회원들을 지속적으로 동원하여, 긍정적 뉴스는 증폭시키고 비판자들에게는 대규모 공격을 가했다. 어느 시점부터 그는 해시태그를 이용한 블랙리스트를 쓰기 시작했는데, 사우디인들에게 카타르에 동조하는 자국인들을 알려달라는 취지였다. 그는 "여러분은 제가 아무런 지침 없이 결정을 내린다고 생각하십니까?"라고 트위터에 올렸다. "저는 일개 직원으로서 저의 주인이신 국왕님과 신앙이 깊으신 왕세자님의 명령을 충실하게 실행하는 자입니다." 이보다는 덜 공개적이었지만, 카흐타니는 왕궁 단지 안에 있는 본인의 사무실로 비판자들을 불러다가 감옥에 가기 싫으면 트위터에서 더 적극적인 지지활동을 하라고 협박했다.

그러나 이 정도로 침묵할 자말 카슈끄지가 아니었다. 강제성이 필요했다. 2016년 11월 카흐타니는 카슈끄지에게 전화를 걸어, 워싱턴 D.C.에서 있었던 공개적인 행사에서 트럼프 대통령과 미국-사우디 관계에 대해 비판적 언급을 했으므로 트위터나 다른 매체에 글을 쓰는 것이 금지되었다고 알려주었다. 트럼프가 지역의 화해를 가져올 수 있겠느냐는 질문에 카슈끄지는 그것은 "희망사항"일 뿐이라고 답했다. 이 말이 사람들에게 큰 주목을 받진 않았지만 사우디아라비아 정부는 그것을 부인하는 성명을 발표했다. 외무부는 국영뉴스통신사를 통해 "자말 카슈끄지는 사우디아라비아 정부를 대표하지 않으며 그 안에서 어떤 직위나 직책도 가지고 있지 않다"라고 발표했다. 국왕의 칙령이나 심지어 정부의 공식적인 조치는 없었지만 카슈끄지는 왕국에서 일이 어떤 방식으로 진행되는지 잘 알고 있었다. 그 명령을 완전히 무시하는 것은 카흐타니 윗선의 누군가를 화나게 하는 위험을 무릅쓰는 것이었다.

그 이후 카슈끄지의 모든 상황이 급격히 내리막길로 들어섰다. 『알-하야트Al-Hayat』 신문은 그의 칼럼을 취소했다. 회의에 참석하려고 비행기에서 내린 그에게 UAE 이민국은 입국을 허용하지 않았다. 글을 쓸 기회가 없어진 그는 심지어 보이콧 초기에 카타르 문제의 중재자 역할을 자청하기도 했다. 모하메드 빈 살만은 이렇게 답했다. **절대 안 돼.**

그러나 조금 시간이 지난 뒤 카흐타니는 카슈끄지가 지닌 반쯤 독립적인 발표자로서의 지위를 이용해서 미국의 영향력 있는 사람들을 흔든다면 모하메드 빈 살만을 진정한 개혁가로 보이게 하는 데 유용할 것이라고 느꼈다. 2017년 초 카흐타니는 카슈끄지에게 경고와 함께 용서를 베풀면서 여행과 자유로운 글쓰기를 허용했다. 카흐타니는 본인이 카슈끄지에게 교훈을 주었다고 믿었다.

처음에 카슈끄지는 이전보다 신중하게 행동했다. 그해 3월 러시아에서 열린 회의에서 그는 중동의 민주주의에 대해 발표하면서 걸프지역 왕국들에 대해서는 언급하지 않았다. 그는 돌아와서 매우 조심스럽게 균형을 취하면서 선을 넘지 않았고, 혹시 선을 넘게 되더라도 심하게 넘지는 않았다.

시간이 지나면서 그의 평론내용은 다시 위험지대로 들어갔다. 모하메드 빈 살만의 개혁 접근법이 그를 화나게 한 것이 이유였다. 모하메드는 매사를 칙령으로 하려는 것처럼 보였고 자신과 다른 견해를 발표한 사람을 투옥시키려고 할 때만 그 사람의 견해에 주목하는 것 같았다.

모하메드는 나라를 관광객들에게 개방하고, 부패를 척결하려고 노력하고 있었지만, 그 방식에 대해 의문을 제기한 사람들은 끌려가서 다시는 정부를 비판하지 않겠다는 서약서에 서명하라는 명령을 받았다. 사우디인들에게 주는 핵심 교훈은 '당신들은 모하메드 빈 살만이 결정해준 범위 안에서만 자유롭다'는 것이었다. 겉보기에는 사우디아라비아가 개혁되고 있는 것처럼 보였으나 그 기저에 도사리고 있는 문제는 (국민에게는 통치체제에 대한 발언권이 없고, 그들의 자유는 오직 단 한 사람의 변덕에 맡겨져 있다는 것은) 심각했다.

역설적이게도 모하메드는 가장 가까운 참모들에게 프로젝트나 아이디어에 관해서는 잔인할 정도로 정직한 의견을 말하라고 부추겼다. 왕자는 설사 자신의 견해에 정면으로 배치되는 것이라도, 참모들이 나라를 위해서 어리석은 길이라고 생각하여 반대의 목소리를 높이면 과할 정도로 칭찬했다. 어느 날 저녁 정부 공무원들의 수당 액수에 관해 한 장관과 열띤 토론을 하게 되었다. 모하메드는 비전2030 계획이 아직 사람들이 돈을 많이 벌 수 있는 단계에 도달하지 않았으므로 예산에 확대 반영해야 한다고 생각했다. 반면 장관은 예산을 그런 식으로 사용하는 것은 재정적으로 경솔한 짓이라고 생각했다. 마지막에는 장관이 지쳐서 모하메드에게 그가 왕세자이니 결정도 마음대로 하라고 말했다.

"내가 만약 그 결정을 밀어붙이기 위해 내 권한을 사용하려 했다면, 당신을 설득하려고 목까지 쉬어가면서 세 시간을 쓰지 않았을 겁니다"라고 모하메드가 말했다. 그 문제를 위원회 표결에 부쳤을 때 전문가들이 반대표를 던지는 바람에 예산은 증액되지 못했다.

하지만 그런 토론은 오로지 비밀회의에서만 가능했다. 공개적인 회의에서 반대하는 것은 선을 넘는 일이었다. 특히 핵심적 개혁계획에 대해서는 더욱 그랬다.

투옥된 경제학자 에삼 알-자밀은 아람코 IPO 계획에 대한 의구심을 트위터에 올렸다가 걸려들었다. 그는 IPO에서 모하메드가 예측한 2조 달러 이상의 시장가치를 실현하는 유일한 방법은 아람코의 석유매장량을 매각에 포함시키는 것이라고 말했다. 그리고 매장량은 사우디 국민들의 것이므로 매각 여부에 대해서는 국민들에게 발언권이 있다고 말했다.

감옥에는 자밀 외에도 모하메드의 계획을 비판하거나 의문을 제기한 10명 이상의 인물들이 있었다. 이들 중에는 카타르 보이콧을 비판한 시인이 한 명 있었고, 오우다를 포함하여 서너 명의 성직자가 있었다. 정부는 그들에게 사우디아라비아의 기반을 무너뜨리기 위해 외국 세력과 공모했다는 혐의를 두었다.

카슈끄지가 거침없이 말했다. "황당한 일입니다"라고 그는 『뉴욕타임스』에 말했다. "그들을 체포할 필요는 전혀 없었습니다. 그들은 정치조직의 구성원이 아니고 다만 상이한 관점을 대변했을 뿐입니다"라고 그는 주장했다.

공개적으로 계속되고 있는 카슈끄지의 건방진 행보 때문에 난처해진 카흐타니는 전 세계를 돌아다니며 정부를 쓰레기로 만들고 있는 그에 대해 정말 피곤함을 느꼈다. 카흐타니는 카슈끄지가 평론가로서 아무런 활동을 못하게 만드는 계획을 즉시 가동했다. 그에게 여행 특권을 박탈하고 공개적 소통, 저술, 회의 참가 등의 행위를 금지했다. 카슈끄지는 아랍세계의 민주주의에 관한 연설은커녕 제다 시내를 산책하는 것만도 다행인 상황이 되었다.

하지만 정부에 있는 카슈끄지의 친구가 이 계획에 대해 알려주었다. 평생을 언론인과 대중연설가로 살아온 카슈끄지로서는 무명의 개인으로 살아간다는 것은 상상하기조차 어려운 일이었다. 그는 여행금지령을 적시에 피해서 트렁크 두 개에 짐을 싸들고 아직 본인의 아파트가 있는 워싱턴 D.C.로 향했다. 카흐타니는 화가 치밀어 올랐고 당황스러웠다.

승산은 희박했지만 카슈끄지는 여전히 준공무원 신분으로 조국을 위해서 일할 희망을 버리지 않았다. 아와드 알-아와드Awwad al-Awwad 문화정보부 장관의 보좌관에게 보낸 편지에서 카슈끄지는 "이 모든 것에도 불구하고, 저는 독립적인 작가이며 연구자로서 조국에 봉사할 의지가 있습니다"라고 말했다.

그는 서구의 싱크탱크와 연계하여 사우디에 대한 악성 기사에 대응하는 데 도움을 줄 새로운 싱크탱크를 (사우디리서치센터Saudi Research Center 또는 사우디위원회Saudi Council) 미국에 설립하자는 제안서를 첨부했다.

카슈끄지는 레닌을 인용했고 라이프 바다위Raif Badawi 사건의 핵심을 기술했다. 바다위는 '프리 사우디 리버럴즈Free Saudi Liberals'라는 웹사이트를 운영한 젊은 사우디인 작가인데 배교 혐의로 장기 투옥, 공개 태형을 당하고도 범죄 혐의를 전혀 시인하지 않았다.

그는 제안서에 바다위 사건은 "왕국으로 하여금 엄청난 비용을 치르게 했지만, 조기에 방지할 수 있는 사건"이었다고 자신의 의견을 썼다. 또한 싱크탱크 내부에 특별감시팀을 두어 뉴스를 상시 모니터링함으로써 "그러한 이야기들을 확인하여 부처에 알려주면 초기 대응이 가능하다"라고 썼다.

싱크탱크를 설치하는 데에는 100만에서 200만 달러가 소요될 것이라고 하면서 그는 문화정보부가 자신을 컨설턴트로 채용해달라고 제안했다.

이러한 노력도 사우디아라비아의 의사결정권자들의 판단을 누그러뜨리지는 못한 것으로 보인다. 카슈끄지가 미국으로 이주할 무렵 모하메드는 보좌관에게 "총알"을 쏠 수도 있다고 말한 것으로 『뉴욕타임스』가 후일 미국의 정보 소식통을 인용하여 보도했다. 『뉴욕타임스』의 보도에 의하면, 그 방탕한 신하를 어떻게 다룰 것인지 논의하면서 모하메드는 카흐타니에게 "반쪽짜리 대책은 싫다"라고 말한 것으로 알려졌다.

그리고 그것은 아직 카슈끄지가 국제적으로 최악의 모욕을 당하기 전이었다. 모하메드가 폭력을 암시한 직후 카슈끄지는 『워싱턴포스트』에 정기 칼럼을 쓰기 시작했다. 첫 번째 칼럼의 제목은 "사우디아라비아가 언제나 이렇게 폭압적이었던 것은 아니다. 이제는 더 이상 견딜 수가 없다"였다.

"나는 내 집, 내 가족, 내 직장을 버렸고, 그리고 내 목소리를 높이고 있다. 이렇게 하지 않는다면 그것은 감옥에서 고통 받고 있는 사람들에 대한 배신이 될 것이다. 수많은 사람들이 할 수 없을 때 나는 말할 수 있다. 나는 사우디아라비아가 언제나 지금 같지는 않았다는 사실을 여러분들이 알아주기 바란다. 우리 사우디인들에게는 이보다 더 나은 삶을 살 자격이 있다"라고 그는 칼럼 끝에 썼다.

모하메드는 카흐타니에게 카슈끄지를 사우디아라비아로 다시 데려오되 만약 실패한다면 "그를 사우디아라비아 밖으로 유인하여 조치를 취하라"라고 말한 것으로 후일 『월스트리트저널』이 CIA 평가보고서를 인용하여 보도했다.

왕궁의 밀사들이 카슈끄지에게 끊임없이 전화하고 비판의 수위를 낮추라고 하면서 화해를 제안했다. 그러나 그는 이에 저항하면서 2017년 10월 폭발력이 잠재되어 있는 결정을 했다. 9·11 공격과 관련하여 미국인 피해 가족들이 왕국에 제기한 소송의 조사관에게 말을 하기 시작한 것이다.

그런 소송은 왕가로서는 다가올 수년 동안 골칫거리가 될 것이었다. 종전의 미국법으로는 외국 정부를 미국 법원에 제소하는 것이 어렵게 되어 있었다. 하지만 2016년 9·11 공격에 관해 미국인이 사우디아라비아를 제소하는 것을 쉽게 하는 법안에 오바마 대통령이 거부권을 행사하자 하원이 그 거부권 행사를 무효화시켰다.

사우디 측에서는 이에 대한 입법을 저지하기 위한 로비에 몇 년 동안 수백만 달러를 썼다. 모하메드는 심지어 유능한 장관 몇 명을 워싱턴에 보내 하원을 단념시키는 노력을 돕게 했다. 법안이 통과되면서 왕국은 막대한 재정적 타격을 입을 수 있는 소송에 직면했고, 사우디 고위인사들과 테러와 관련 있는 인물들의 관계에 대한 정보가 유출되어 곤란한 상황에 처할 수도 있었다. 또한 잠재적 책임 때문에 아람코는 모하메드가 원하는 대로 뉴욕증권거래소에 주식을 상장할 수 없었고, 이는 국가의 캐시카우를 고갈시켜 개혁 의제를 뒤집을 수 있는 대규모 소송의 위험도 감수해야 했다.

1년이 채 지나지 않아, 테러 피해자의 변호사를 위해 일하던 전직 FBI 요원 캐서린 헌트Catherine Hunt는 『워싱턴포스트』에 기고한 카슈끄지의 첫 번째 칼럼을 보게 되었다. 그녀와 함께 일하던 변호사들은 여러 가지 이유로 자말에게 관심을 갖게 되었다. 그는 알 사우드 왕가와 9·11 테러의 주범 오사마 빈 라덴을 모두 아는 사람으로서, 서구인이 접근할 수 있는 극소수의 인물 중 한 명이었다. 언론인으로서 카슈끄지는, 빈 라덴이 1980년대 공산주의에 대항하여 지하드 전사들을 이끌고 있을 때 아프가니스탄에서, 그리고 1995년 수단에서 빈 라덴을 만난 적이 있었다. 그는 또한 테러 발생 직후 워싱턴 주재 사우디대사관에서 근무했으므로 왕국의 대응과정에 대해서도 잘 알고 있었다. 게다가 그는 공격이 일어나기 전까지 정보국장으로 있었던 투르키 빈 파이살과 가까웠던 사이이기도 했다.

이에 못지않게 중요한 것은 카슈끄지가 복잡한 왕족들과 정부의 관계에 대한 길라잡이가 될 수 있다는 것이었다. 그는 모든 왕자가 각각 어떤 사람이고 누구와 결혼했는지 훤히 알고 있었으며, 그중 누가 과격분자들을 후원했는지 집어낼 수 있었다. 그가 알고 있는 것은 단순히 기자로서 살아오는 동안에 얻은 것뿐만이 아니라 알 사우드 가문, 빈 라덴 가문과의 몇 세대에 걸친 인연에서 얻은 것들이었다.

카슈끄지의 할아버지는 왕국을 창건한 이븐 사우드의 주치의였고, 오사마 빈 라덴의 아버지 역시 이븐 사우드와 가까웠는데, 이븐 사우드는 현대적 왕국을 건설하는 수십억 달러의 공사를 빈 라덴의 아버지에게 맡김으로써 그가 건설재벌(사우디빈라덴그룹)로 자리매김하게 했다. 헌트는 카슈끄지가 그들의 복잡한 관계를 풀어내는 데 도움이 될 것이고, 국왕이나 정부와 연결되어 있는 인물들이 9·11 테러에 어떤 역할을 했는지 알아내는 데 도움이 될 것으로 기대했다.

귀를 솔깃하게 하는 정황정보도 있었다. 비록 CIA, FBI, 9·11위원회에서는 사우디아라비아 정부나 고위관리들이 공격을 지원한 증거는 없다고 발표했지만, 하위관리들이 지원했을 가능성은 여전히 남아 있었고, 캘리포니아에 근거를 둔 공격자들이 사우디 정부 직원들과 서로 교류했다는 증거가 있었다.

또한 살만 국왕 및 그의 가문과 가까운 사람들로 이어지는 매력 있는 단서들도 있었다. 살만은 리야드 주지사로 있었던 시절 자선기금을 모집하여 보수주의 이슬람학교들과 아프가니스탄 등 과격분자 양성소가 된 지역에서 싸우는 투사들을 지원했었다.

더 단도직입적으로 말하자면, 9·11 테러집단 중 두 명이 플로리다의 어떤 집을 방문했는데 그 집의 사우디인 주인은 공격 직전에 죽은 살만 국왕의 장남 파흐드의 재산관리인이었다. 살만 국왕과 가까운 소식통들에 의하면 국왕은 자선자금이 과격분자들과 연결되어 있다는 사실을 모르고 있었다고 한다.

카슈끄지에게 음성메시지를 남겨둔 지 몇 주 만에 카슈끄지가 전화를 걸어와서 만나자고 했을 때 헌트는 깜짝 놀랐다. 헌트는 며칠 뒤 플로리다에서 워싱턴 D.C.로 날아갔다.

자말은 조사관이 무슨 말을 할지 궁금해 하는 것 같았고, 처음에는 본인의 집에서 만나자고 했다가 헌트에게 고급 쇼핑몰 타이슨스 코너 갤러리아Tysons Corner Galleria에 있는 제과점 폴Paul에서 만나자고 했다. 그날 이른 아침 헌트는 호텔 방에서 흥분한 카슈끄지의 전화를 받았다. 앞서 대화할 때의 그는 침착하고 자신감이 있었는데 이번에는 초조해 하면서 지체 없이 만나자고 했다.

헌트가 만났을 때 그는 우아하고 예의를 갖추었지만 분명히 당황하고 있는 모습이었다. 그는 손을 떨면서 아침에 사우디아라비아 정부가 본인의 성인이 된 아들 살라Salah를 출국금지시켰다는 사실을 알게 되었다고 말했다. 카슈끄지는 그것이 모욕적이고 불공정한 처사라며 그의 아들은 은행에서 일하고 있고 아버지의 일과는 전혀 상관이 없다고 말했다. 그리고 그 젊은이가 이제 두바이에 있는 두 아이를 만날 수 없게 되었다고 했다.

간략히 말하면 카슈끄지는 본인이 "충성스러운 반대자"라고 부르는 존재가 되었다는 이유로 응징을 받는 데 대해서 절망감을 느끼고 있었다. 그는 모하메드가 추진하는 개혁안들에 대해 왕국 밖으로 이슬람 보수주의를 전파하는 성직자들의 권력을 축소하는 것을 포함하여 많은 개혁안을 지지해왔다고 말했다. "그들이 나에게 이렇게 한다는 것을, 그들이 내 아들에게 이렇게 한다는 것을 믿을 수 없습니다"라고 그는 말했다.

헌트는 카슈끄지를 향해 속도를 높였다. 그녀는 그에게 그 미팅이 "서곡", 즉 그가 9·11 희생자들을 적극적으로 도와줄 의사가 있는지 보여주는 첫 번째 연결고리라고 말했다. 카슈끄지는 "나는 나의 정부가 그 공격에 책임이 있다고는 믿지 않습니다"라고 그녀에게 말했다. 그리고 놀랍게도 그녀에게 "나의 조국에 과격주의를 용인하고 지원까지 한 책임이 있나요?"라고 묻고 또 스스로 답했다. "그렇습니다. 그런 책임이 있습니다. 그들은 그 책임을 져야만 합니다." 카슈끄지는 본인은 기꺼이 도울 것이고 자신의 관점도 추가하고 싶다고 말했다. 그는 변호사들이 본인에게 일자리를 제공하는 것인지 묻고 그 역시 자립해야 할 필요가 있다고 말했다. 둘은 사우디아라비아 정부의 시선이 덜 미지는 뉴욕에서 이야기를 더 진전시키기로 합의했다.

2017년 10월 26일 늦은 시간, 카슈끄지는 뜻밖에도 모하메드의 동생 칼리드의 전화를 받았다. 그는 사태를 봉합하려고 열심히 노력하는 듯했다. 전화를 받고 카슈끄지는 불안해졌다. 왕궁에서 자신이 헌트를 만난 사실을 알고 있단 말인가? 그렇다면 반역죄로 간주되어 사형에 처해질 수도 있었다.

2017년 후반, 카슈끄지의 『워싱턴포스트』 칼럼은 영어와 아랍어로 게재되었는데 이를 읽은 카흐타니의 골수분자들도 움직이기 시작했다. 트위터 파리떼 군단은 카슈끄지를 욕설로 죽이기라도 하려는 듯 입에 담지 못할 욕설을 트위터에 퍼부었다. "너는 부패한 반역자이고 도망자다"라고 누군가 썼다.

칼럼들이 분노를 자아내게 한 면도 있지만, 카흐타니와 그의 부하들은 갈수록 점점 더 카슈끄지가 모국에 대한 반역적인 공격에 골몰하고 있다는 강박에 사로잡혔다. 캐나다의 반체제 인사 오마르 압둘아지즈의 트위터 계정에 이미 침투했던 카흐타니 팀은 스파이웨어를 통해 그의 휴대폰에도 침투하여 압둘아지즈와 카슈끄지가 전 세계의 반체제 인사들을 규합하기 위해 협력하고 있다는 사실을 알아냈다. 카슈끄지는 그들을 통합하고 그들의 비판의 날을 날카롭게 벼렸다. 그는 압둘아지즈와 사우드 알-카흐타니의 친MBS 트위터 군단과 싸우기 위해 소셜미디어를 활용하는 계획을 논의하기도 했다. 카슈끄지는 엄청난 팔로워를 가진 소셜미디어의 강자였다. 카흐타니의 파리떼와 달리 카슈끄지는 신뢰를 받고 있었다.

그럼에도 불구하고 카흐타니는 카슈끄지와 접촉을 계속하면서 본인이 파리떼와는 상관이 없는 척했다. 전화를 할 때 카흐타니는 카슈끄지를 "아부 살라Abu Salah"라고 불렀다. 이것은 "살라의 아버지"라는 뜻으로, 다른 아랍인을 부르는 매우 친근한 방법인데, 아들 살라가 아직 사우디아라비아에 억류되어 왕궁의 손아귀에 놓여 있다는 것을 교묘하게 상기시키는 방법이기도 했다. 카흐타니는 카슈끄지가 쓴 글의 일부를 칭찬하면서 그를 사우디아라비아의 자산이라고 표현하기도 했다. "돌아오세요"라고 카흐타니는 말했다. "우리는 당신의 도움이 필요합니다." 카슈끄지는 그 말을 곧이곧대로 믿을 만큼 어리석지 않았다.

사라진 왕자들의 이야기를 들은 친구들은 그를 걱정했다. 그러나 카슈끄지는 사우디아라비아의 새 통치자들이 폭력을 사용하진 않을 것이라고 생각했다. 알 사우드 왕가는 잠재적 적들에게 총을 쏘는 대신 돈을 주거나 귀국하도록 유혹하는 경향이 있었다. 과거 파흐드 국왕의 난봉꾼으로 유명한 아들 압둘아지즈처럼 문제가 있는 인물들에게도 이 같은 방식을 취하는 것처럼 보였다.

한때 막강한 권력을 누렸던 압둘아지즈는 (수년 전 술탄 빈 투르키 2세 왕자의 첫 번째 납치사건에 개입되었던) 육체적으로 그리고 도덕적으로 황폐해졌다. 그는 전 세계를 여성들을 데리고 최고의 호텔에서 머무르며 돌아다니다가 그 정도로 찌려고 해도 찔 수 없을 만큼 체중이 늘었다. 2012년 그의 일행 중 한 사람이 맨해튼의 플라자호텔에서 한 여성을 강간한 혐의로 소추되었다. 2016년 『뉴욕포스트』가 뉴욕의 한 클럽 앞에 있는 압둘아지즈의 사진을 게재했는데, 샌들을 신고 배기 바지와 가죽 재킷을 입고, 음료수를 빨대로 먹는 모습이었다. "이 게으름뱅이는 당신을 살 수 있습니다"라는 제목이 인터넷에 올라왔다. 또 다른 제목은 좀 더 왕국을 손가락질하며 비꼬는 의미의 "샤디 아라비아"였다.

2017년 모하메드는 그 역시 가두었다. "갇혀 있는 것이 그를 위해 좋아"라고 모하메드는 친구에게 말했다. 압둘아지즈가 이미 죽은 지 몇 달 뒤에 모하메드는 친구들을 시켜서 인터넷에 날씬하고 깔끔한 모습으로 어린 아이들과 함께 노는 그의 사진을 올리도록 했다고 사우디인들과 외국인들은 추측했다.

카슈끄지는 그들이 적들을 감옥에 가두는 것을 보았고, 왕국으로 자신을 데리고 가려고 보내오는 자가용비행기에 올라탈 정도로 어리석지 않았다. 그러나 걸프지역 밖에서는 여행을 하거나 공개적인 장소에 나타나더라도 충분히 안전하다고 느꼈다.

그것이 비극적인 오산이었음이 곧 드러나게 될 것이었다.

---

1 Shoddy Arabia, '조잡한 아라비아'라는 뜻으로 '사우디' 발음과 비슷한 'Shoddy'를 써서 비꼰 것이다.

13장

사막의 다보스

결과적으로 컨퍼런스는 국내외에서 성공적으로 평가되었다. 일주일 내내 헤드라인을 장식했고 세계 최고의 유명 금융가들과 나란히 앉은 모하메드의 사진이 세계 각국의 텔레비전과 신문 1면을 예외 없이 장식함으로써 그를 전 세계적인 거물로 부각시키기에 부족함이 없었다. 사우디아라비아 내에서는 그가 미래의 국왕이 되기에 충분한 자격이 있다는 것을 입증했다. 그러나 그 화려함의 이면에 엄청난 파동의 조짐이 나타나기 시작한 것을 날카로운 안목을 가진 사람들은 보았다.

"여러분, 이것이 소피아Sophia입니다."

앤드루 로스 소르킨Andrew Ross Sorkin이 압둘아지즈컨벤션센터에 모인 청중을 향해 선언했다. 이『뉴욕타임스』칼럼니스트는 회색 정장에 적갈색 타이를 맨 차림으로 무대 위에 앉아 있었다. 그의 오른쪽 강단에는 여성의 얼굴과 내부에 복잡하게 얽힌 전기 배선이 들여다보이는 투명한 두개골을 가진 180센티미터 높이의 오토마톤[1]이 서 있었다.

"당신은 오늘 행복해 보이네요." 소르킨이 로봇에게 말했다.

"똑똑한 데다가 돈도 많고 강한 권력을 가진 분들에 둘러싸여 있을 땐 언제나 행복해요." 로봇이 대답했다.

이 안드로이드[2]는 어쩌면 모하메드를 대신해서 말했는지 모른다. 거기에는 그의 초대를 받고 소위 '미래투자계획Future Investment Initiative' 컨퍼런스에 참석하기 위해 온 언론인, 로봇, 수백 명의 유력한 은행가, 기업인, 정치가 등이 자리하고 있었다. 이것은 유력한 정치가들과 은행가들에게 새로운 사우디아라비아를 공개적으로 보여주기 위해 기획된 행사였다.

---

1 automaton, 미리 작성된 프로그램, 신호, 자극 따위에 대하여 자동적으로 인간 등의 생명체의 행동과 유사하게 반응하도록 설계한 기계.
2 android, 인간의 모습을 한 로봇.

더 개방적인 왕국과 덜 공격적인 사우디 이슬람을 약속함으로써 모하메드는 모든 주요 인사들의 지지를 받은 것처럼 보였다. 심지어 회의적이었던 『뉴욕타임스』까지도 이 컨퍼런스를 후원했다. 『뉴욕타임스』의 유명 금융 기자 소르킨은 소프트뱅크의 마사요시 손을 인터뷰하려고 리야드에 왔던 것인데 결국 손과 다른 사람들의 무대 인터뷰 진행까지 맡게 되었다. 그는 인터뷰 대상 목록에 있던 '소피아'가 로봇이라는 사실을 컨퍼런스의 의제를 본 친구가 지적할 때까지 몰랐다. 소르킨이 웃음을 머금고 소피아를 인터뷰하는 동안 사우디 국부펀드 책임자 야시르 알-루마이얀은 들뜬 표정으로 그 모습을 아이폰에 담기 바빴다.

이윽고 소르킨이 발표할 것이 있다고 말한 뒤, 사우디아라비아가 로봇에게 시민권을 부여함으로써 역사의 한 페이지를 썼다고 선언했다. 그것은 이주 노동자들이 그 땅에서 낳은 수백만 명의 아이들에게도 시민권을 주지 않는 나라가 벌이는 선전행위로는 어딘지 모르게 어울리지 않는 것 같았다. 그러나 그렇다고 언론의 긍정적인 평가를 훼손할 정도는 아니었다. 무대에 서기 직전에 로봇의 시민권 취득을 알게 된 소르킨은 그 자신도 놀란 것처럼 보였다.

모하메드 빈 살만의 경제개혁으로 왕국 내외의 수많은 사람들이 매우 부유해질 것이라는 느낌이 있었으므로 아무도 그것을 저해하려 하지 않았다. 리츠칼튼호텔의 로비와 통로에서는 사우디 정부관리들을 만나고 싶다는 요청이 쇄도했다. 한 관리는 마치 학교에서 제일 인기 있는 아이가 된 기분이라고 친구에게 몰래 말할 정도였다. 세계 최대의 자금운용사 중 하나인 블랙스톤의 스티븐 슈워츠먼도 마사요시 손, 토니 블레어, 우버의 CEO 트래비스 칼라닉, 할리우드의 킹메이커 아리 에마누엘 등과 함께 그 자리에 있었다. 외국 매체들은 그 행사를 '사막의 다보스'라고 명명했는데 이 이름은 2000년대 초 요르단에서 열렸던 세계경제포럼에서도 사용된 별명이다.

일급 CEO, 은행가, 컨설턴트, 정치적 인물 등 이들 모두가 수수료 또는 투자를 받으려고 아우성을 치며 루마이얀과 모하메드를 만나려고 줄을 섰다. 이것은 글로벌 금융의 중심지에서 열리는 갈라 이벤트 외에는 좀처럼 볼 수 없는 장면이었다. 루마이얀은 어느 날 저녁 전문가들을 집으로 초대하여 최고급 뷔페를 대접했는데 블레어와 마사요시 손 등이 참석하여 여기저기 서성거리며 왕국의 급격한 발전에 대해 이야기를 나눴다.

재계, 금융계, 정계의 유명인사들이 리츠칼튼호텔 로비에 있는 성난 종마 동상 아래에 서 있었다. 미국 재무장관 스티브 므누신, 사모펀드의 거물이자 트럼프의 가까운 협력자 톰 버락도 여기저기 서성거리고 있었다. 블랙록의 CEO 래리 핑크와 버진그룹Virgin Group의 창업자 리처드 브랜슨³도 그랬다.『월스트리트저널』,『파이낸셜타임스』,「블룸버그뉴스」의 기자들도 그들의 대화에 끼어들거나 아니면 최소한 엿듣기라도 하려고 애를 썼다.

젊은 사우디인 경영대학원 졸업생들이 로비 가장자리에 모여 서 있었다. 오랫동안 그들은 금융이나 산업계에 그럴싸한 일자리를 얻으려면 왕국 밖으로 나가야 한다고 생각했다. 이제 그들은 고향에서 세계적으로 가장 중요한 기업인들에게 자기소개를 하고 있었다.

이에 못지않게 젊은이들을 놀라게 한 것은 완벽한 화장에 아바야⁴를 두르고 호텔 여기저기를 자신만만하게 돌아다니는 누군지 모를 금발의 여인이었다. 그녀는 자신이 카를라 디벨로Carla DiBello이며, 미국 TV 리얼리티 쇼의 프로듀서이고 킴 카다시안의 친구("가장 친한 친구"라고 했다)라고 말했다. 그러나 나중에 카다시안의 대리인은 그녀와 카다시안이 이야기를

---

3 Sir Richard Branson. 1970년 버진레코드사 설립을 시작으로 항공사, 철도회사, 우주여행사 등 버진그룹 내 400여 개 회사를 거느리고 있는 영국의 억만장자.
4 abaya. 이슬람 국가 여성들이 입는 전통 복식의 하나로 얼굴과 손발을 제외한 전신을 가리는 검은 망토 모양의 의상.

나눈 건 몇 년 전이라고 말했다. 사우디 청년 한 명이 아이폰으로 그녀의 인스타그램을 검색하여 비키니를 입고 해변에서 포즈를 취한 사진과 몸에 딱 달라붙는 운동복을 입고 몸을 푸는 사진을 찾아냈다. 그는 "이것 좀 봐!"하며 친구들에게 탄성을 질렀다.

메인 행사는 왕궁 경내에 있는 압둘아지즈컨벤션센터에서 열렸지만 바로 옆 리츠칼튼호텔에서도 보다 작은 그룹들이 모여 오찬을 했다. 경호원들이 거울이 달린 막대기로 모든 차량의 아래쪽에 폭발물이 있는지 검사하느라고 차량들은 거의 정지 상태였다.

현장에 있었던 수백 명의 기자들 덕분에 회의 의제가 마지막 순간에 변경되었다는 소문이 시간 단위로 확산되었다. 첫째 날 오후에 드디어 모하메드 빈 살만이 보란 듯이 들어오자 사람들이 그를 중심으로 소용돌이치듯 모여들었다.

미국 경제방송 「CNBC」가 모하메드와 두바이 에미르 모하메드 빈 라시드 알 막툼Mohammed bin Rashid Al Maktoum이 전면 중앙에 나란히 앉아 있는 모습을 생중계했다. 그곳은 몇 달 전 도널드 트럼프가 연설했던 바로 그 홀이었다. 한 무리의 사진기자들이 플래시를 터뜨릴 때 거대한 스크린 위에는 조직위원회가 선정한 '변화의 맥박'이라는 슬로건이 떠 있었다. 모하메드는 의심의 여지가 없는 최강의 사업가였다.

다음으로, 그때까지 비밀에 부쳐졌던 네옴이 비디오로 발표되었다. 아주 세련된 영국 악센트의 남성 목소리가 "우리의 야망은"이라고 하면서 시작했다. "이것은 3대륙이 세계적 운송, 무역 그리고 통신의 중심에서 만나는 26,000제곱킬로미터가 넘는 땅에서 시작합니다. 여기서 우리는 전 세계 최고의 야심적인 프로젝트이고 미래의 목적지이며 비전을 현실로 만드는 네옴의 탄생을 바라보고 있습니다."

「폭스비즈니스」의 앵커 마리아 바티로모Maria Bartiromo가 하늘거리는 긴

흰색 재킷을 입고 사회자로 나섰다. "우리는 여기 사우디아라비아가 성장을 모색하는 가운데 이곳에서 혁명이 일어나고 있는 것을 목격하고 있습니다." 그녀가 모하메드 빈 살만과 함께 블랙스톤의 슈워츠먼, 마사요시 손, 보스턴다이내믹스[5]의 마크 레이버트Marc Raiburt, 새로 취임한 네옴 프로젝트의 수장 클라우스 클라인펠트Klaus Kleinfeld 등을 무대 위로 초대했다.

"여러분께서 허락해주신다면, 여기에 제가 진심으로 존경하는 많은 사우디 관중분들이 계시니 아랍어로 말하겠습니다." 모하메드는 이렇게 말한 뒤, 네옴이 가져올 "거의 상상 속에서나 가능할 만한" 기회들을 설명하며 눈을 살짝 가늘게 뜨고, 혜택을 하나씩 말할 때마다 손바닥 위를 손가락으로 토닥거렸다.

논의는 축제 같은 분위기 속에서 기업인들이 왕자의 비전과 네옴의 장점을 칭송하는 가운데 진행되었다. 바티로모는 왕자에게 여성의 운전 허용과 외국인 투자 허용을 포함한 변화를 왜 지금 추구하는지 물었다.

모하메드는 그날 중 가장 카리스마 넘치는 공개연설을 통해, 1979년 종교적 극단주의가 발생하기 이전의 상태로 나라를 되돌려 놓겠다는 열정적인 공약을 내걸었다. 1979년은 메카의 대모스크 테러가 발생했고, 알사우드 왕가가 보수주의 종단을 달래기 위해 엔터테인먼트와 여성인권을 제한하기로 결정한 해였다. 또한 대 아야톨라 루홀라 호메이니[6]가 이란의 세속적인 샤[7]를 타도함으로써 통치자가 강력한 종교지도자로부터 너무 멀어지면 어떤 사태가 벌어질 수 있는지 사우디아라비아에 보여준 해이기도 했다.

---

5 Boston Dynamics, 1991년 MIT에서 분사한 로봇·인공지능 기업. 2020년 현대자동차그룹이 인수했다.
6 Grand Ayatollah Ruhollah Khomeini, 이란의 종교가이자 정치가. 1979년 이란혁명의 최고지도자.
7 Shah, 이란 국왕의 존칭.

"1979년은 사우디아라비아와 걸프지역 전체에 걸쳐 어떤 자각의 계기가 되었습니다. 오늘 우리는 그것을 촉발한 여러 가지 원인들에 대해서는 다루지 않으려고 합니다"라고 모하메드는 말했다. "우리는 그전까지는 이렇지 않았습니다. 이제 우리는 과거의 우리 모습으로 돌아가려 합니다. 세계를 향해, 모든 종교, 모든 전통, 모든 민족을 향해 가슴이 열려 있는 온건한 이슬람의 모습으로 말입니다." 이것은 현대 사우디아라비아의 지도자가 성직자들로부터 사회적 통제권을 박탈하겠다는 것을 공개적으로 약속하는 최초의 선언이었다.

"70%의 사우디 국민들은 30세 미만입니다. 솔직히 말하면 우리는 우리 인생의 30년을 그 어떤 극단주의와 씨름하면서 낭비하지는 않을 것입니다. 우리는 그것을 오늘 즉각 파괴하고자 합니다"라고 모하메드는 말했다.

전 세계 언론이 헤드라인을 쏟아냈고 연설을 듣기 위해 거기에 모인 사우디인들은 열광적인 박수로 호응했다. 청중의 대다수는 모하메드의 비전2030 계획에 담겨 있는 야심과 범위에 깊은 감동을 받았다. 외국 투자가들이 그 확신을 돈으로 뒷받침해줄 것인지가 문제였다. 사우디아라비아가 오일달러 중독으로부터 벗어나는 데 필요한 만큼의 돈을 대려고 하는 외국 투자가는 거의 없었다. 참석자들은 회의 기간 내내 인공지능과 대체에너지에 대한 이야기를 들으며 보냈지만, 그들이 거기에 간 것은 실제로는 사우디아라비아 국부펀드로부터 돈을 빼내기 위해서였다.

사우디 관리들은 막후에서 사투를 벌이고 있었다. 그 모든 흥분과 떠들썩함에도 불구하고 행사를 준비하는 단계에서부터 경제적 전선에 문제의 조짐들이 있었다. 사우디아라비아는 공개적으로 시인하지 않았지만 아람코 IPO 계획은 지지부진이었다. 모하메드 빈 살만이 첫 번째로 선정한 뉴욕증권거래소가 문제였다. 1년 전에 비준된 새로운 법률에 의해 9·11 희

빈 살만의 두 얼굴

생자들이 소송을 제기할 수 있도록 허용되었기 때문이었다. 자말 카슈끄지가 돕기로 한 그 소송이었다.

왕궁 고문들은, 그 법률에 의하면 원고들이 아람코가 미국 증권시장에 상장되는 경우 미국 법원에 상장주식의 일부를 지급하라는 판결을 요청할 가능성이 있다는 점을 우려했다. 모하메드의 보좌관들은 좀 더 개괄적인 면에서, 미국 내에서 자주 일어나는 주주집단소송을 투자자들이 부실경영, 불충분한 정보 공개, 기타 부적절성 등을 이유로 제기해서 회사로부터 돈을 받아내려고 하는 것을 우려했다. 아람코는 탄탄하지 않은 회계로 인해 손쉬운 목표가 될 수 있었다.

트럼프, 재러드 쿠슈너 및 기타 백악관 관리들이 확신을 심어주려고 노력했지만, 화이트앤드케이스 로펌의 변호사들과 기타 보좌관들은 거의 모든 문제에 관해 몹시 양극화되어 있는 미국 정부에 비추어 볼 때 미국의 증권시장에 상장하는 것은 극히 위험하다고 경고했다.

IPO에 대해 처음부터 회의적이었던 에너지부 장관 칼리드 알-팔리 역시 아람코 상장계획을 전복시키려고 해왔다는 의혹을 받고 있었다. 그의 참모들은 모하메드가 제시한 2조 달러에 훨씬 못 미치는 가치평가액을 제시하면서, 왕자에게 계속 진행하는 것은 어리석은 짓이라고 설득하기 위해 온갖 문제점을 들고 나왔다. 상장계획은 모하메드와 칼리드, 나아가서 두 사람의 보좌관들과 참모들 사이의 전투가 되었다. 은행가들이 회의를 하려고 리야드까지 먼 길을 날아와서는 장관이나 왕궁보좌관이 출장을 떠났다는 이야기를 들을 수밖에 없는 상황이 벌어지곤 했다. 그러나 그들은 이런 일을 감내할 수밖에 없었다. 사우디아라비아가 이제는 국내 상장만 고려하고 있다는 언론 보도가 나왔음에도 불구하고 그들은 여전히 큰돈을 벌 기회가 있다고 믿었다.

네옴도 혼란스럽기는 마찬가지였다. 컨설턴트들은 모하메드와 그의 참모들의 아이디어를 현실적인 정책으로 만들어내느라고 수천 시간을 보냈다. 하지만 네옴의 실제 건축물은 수천 명의 남아시아 출신 건설노동자들이 밤낮없이 일하며 지은 궁전뿐이었다. 초기 건설업자들이 공사를 진행하는 데 어려움을 겪자 정부는 사우디빈라덴그룹을 참여시켜 일을 마무리하도록 했다. 메카 크레인 사고의 책임을 물어 이 회사를 동결시킨 뒤 2년이 지났을 때였다. 궁전은 살만 국왕의 탕헤르 별장을 모델로 했다.

심지어 네옴을 발표하면서 사우디아라비아는 이 프로젝트를 진행할 때 파트너로 생각해야 할 이집트와 요르단의 검토를 거치지 않았다. 두 나라의 정부는 모하메드가 세계 지도자들 앞에서 이 계획을 공개할 때 속으로는 화가 났지만 당시 아무런 성명을 내지 않기로 결정했다.

장기적인 파트너로서 사우디아라비아에 깊은 관심을 갖고 있다고 공언한 미래투자계획 컨퍼런스의 참석자들은 사우디적 가치에 대해 때때로 충격적인 무지를 드러냈다. 마사요시 손이 "사우디아라비아에는 위대한 메카가 있습니다. 우리는 두 개의 메카를 더 창조할 것입니다"라고 선언했다. 이 대목에서 모하메드가 개입하지 않을 수 없었다. "여러분, 이분의 말씀을 오해하지 마십시오. 메카가 사람들에게 매력적인 중심지로서의 본보기가 되었기 때문에 새로운 매력적인 중심지를 만들겠다는 말씀을 하신 겁니다"라고 그는 부연했다. 이슬람에서 메카는 이 세상에 존재하는 유일무이한 가장 성스러운 도시이다. 그것을 복제할 수 있는 관광거점으로 보는 관념 자체가 심각하게 모욕적인 것으로, 이슬람 강경파들이 왕자가 추진하는 개혁을 무너뜨리기 위해 동원할 수 있는 진술이 될 수도 있었다.

거창한 발표와는 별도로 모하메드는 서구의 VIP들과 비밀회의를 가졌다. 거들먹거리는 뉴욕의 은행가들이 겨우 몇 분간 왕자를 면담하기 위해 몇 시간 동안 줄서서 기다렸다. 미팅에 참석했던 한 사람의 말에 의하면,

회의장 안으로 들어가면 그들은 거들먹거리는 태도를 바로 지우고 모하메드를 "왕세자 전하"라고 부르면서 경의를 표했고 이마에 땀방울이 맺힌 채 왕국을 위한 그의 비전을 칭송했다.

할리우드 최강의 에이전트라고 하기에는 이견이 있을 수 있지만, 탤런트 기획사 윌리엄 모리스William Morris Agency와 스포츠이벤트회사 IMG가 합병한 인데버의 CEO 아리 에마누엘은 땀을 흘린 것 같지는 않았다. 그는 1년 이상 사우디아라비아 돈을 받아보려고 노력해 왔는데, 유력한 왕자들에게 무릎을 꿇지는 않겠다는 것을 보여주기 위한 특유의 유머 감각을 갖추고 있었다. 그는 어느 날 어쩌면 사우디아라비아 최고의 부자 왕족으로 모든 미국인이 "왕자 전하"라고 칭하는 알왈리드 빈 탈랄에게 "저에 대해서 알고 계셔야 할 것이 있는데요, 저는 인간말짜입니다"라고 말한 적이 있었다.

에마누엘은 이전에 PIF와 인데버에 대한 4억 달러 규모의 투자 협상을 시작했다. 에마누엘은 사우디 측과 자기 회사의 딜이 거의 마무리 단계에 있는 것으로 이해했다. 그러나 사우디아라비아와 로스앤젤레스에서 가졌던 후속 미팅에서 PIF의 루마이얀은 애매한 입장을 취했다. 에마누엘은 좌절감을 느꼈다. 왕자가 사우디아라비아에 영화산업을 창출하고 스포츠와 텔레비전의 미래에 투자하는 고상한 목표를 논하는 반면, 루마이얀은 그런 야심적인 비전에 별로 관심이 없는 것 같았다. 그는 주로 인데버의 연간 예상 수입 같은 부분을 물었다. 어느 날 미팅이 끝난 뒤 에마누엘은 "도대체 이 사람들이 할 마음이 있긴 한 건가? 엔터테인먼트사업에 대해 전혀 아는 게 없어!"라고 부하에게 말했다.

그다음에 루마이얀은 놀라운 요청을 했다. 투자 조건으로 우버에서 그랬듯이 인데버의 이사회에 한자리를 내놓으라는 것이었다. 에마누엘은 이를 거부하면서 자문위원회를 만들어 그가 참여하는 방안을 제시했다. 루마이얀이 "검토해보고 회답하겠습니다"라고 하자, 에마뉘엘은 모하메드와 얼굴을 직접 맞대고 의논해야 딜을 종결지을 수 있겠다는 결론을 내렸다.

사막의 다보스 컨퍼런스가 근처 회의실에서 진행되는 동안 그는 모하메드와의 비밀회의에서 그렇게 할 계획이었다. 리츠칼튼호텔의 우드 패널로 꾸며놓은 한 응접실로 안내된 에마뉘엘은 회색 천을 대고 팔걸이는 금박을 칠한 의자에 초조하게 앉아서 왕자를 만나려고 기다리는 다른 사람과 사소한 대화를 주고받고 있었다. 이 사람은 은발의 귀족적인 프랑스 여성으로 국제통화기금(IMF)의 총재인 크리스틴 라가르드였다.

차례가 되어 에마뉘엘이 샹들리에가 달린 방으로 들어가자 모하메드가 두건은 쓰지 않은 토브 차림으로 앉아 있었다. 에마뉘엘은 왕자 맞은편 의자에 앉아 딜의 조건 개요를 설명했다. 사우디아라비아가 4억 달러를 투자하고 인데버의 지분 일부를 소유하되 이사회에는 참여시키지 않겠다고 그는 말했다. "오케이"라고 모하메드가 말하면서 딜을 종결하기 위해 루마이얀을 불러들여야 할지 물었다. "아닙니다. 괜찮습니다"라고 에마뉘엘이 답했다. 그는 아랫사람에게 신경 쓰고 싶지 않았다. 그리고 그 에이전트는 왕자의 면전에서 감히 누구도 하지 않았던 행동을 했다. 그는 그대로 일어나서 방을 나왔다. 미팅은 7분 만에 끝났고 에마뉘엘은 4억 달러의 투자 약속을 받았다.

미래투자계획은 이론적으로는 사우디아라비아에 외국인들의 투자를 유치하는 것이었으나 뉴스는 온통 사우디아라비아의 해외투자 증가에 관한 것이었다. 루마이얀은 국부펀드가 2030년까지 총 2조 달러의 투자를 목표로 하고 있으며 대부분이 해외에 투자될 것이라고 말했다. 리처드 브랜슨은 우주탐사기업 버진갤럭틱Virgin Galactic의 모회사에 10억 달러 투자 약속을 받아냈다. 블랙스톤은 이미 200억 달러 규모의 투자펀드 조성을 약속받았고, 비전펀드는 사우디아라비아로부터 400억 달러를 투자받아 이미 출범했다. 비전펀드의 책임자 라지브 미스라는 마사요시 손의 거대한 스위트룸에서 회의를 하고 전자담배를 연거푸 피워대며 리츠칼튼호텔 여기저기를 으스대며 돌아다녔다.

일부 해외투자자들이 왕국에 돈을 투자하겠다고 서약했지만 왕국은 주로 왕세자의 환심을 사려는 국가 또는 기업과 제휴했다. 러시아 국영펀드는 네옴에 투자하겠다는 의사를 밝혔고, 소프트뱅크는 세계 최대의 태양광에너지 프로젝트를 건설하고 사우디전력회사Saudi Electric Corporation의 지분을 매입하기로 합의했다.

결과적으로 컨퍼런스는 국내외에서 성공적으로 평가되었다. 일주일 내내 헤드라인을 장식했고 세계 최고의 유명 금융가들과 나란히 앉은 모하메드의 사진이 세계 각국의 텔레비전과 신문 1면을 예외 없이 장식함으로써 그를 전 세계적인 거물로 부각시키기에 부족함이 없었다. 사우디아라비아 내에서는 그가 미래의 국왕이 되기에 충분한 자격이 있다는 것을 입증했다. 그러나 그 화려함의 이면에 엄청난 파동의 조짐이 나타나기 시작한 것을 날카로운 안목을 가진 사람들은 보았다.

컨퍼런스가 시작되었을 당시 아델 파케이[8]는 사우디아라비아에서 비왕족 출신으로는 가장 강력한 인물이었다고 할 수 있다. 모하메드는 경제기획부 장관인 그에게 비전2030의 가장 핵심적인 업무를 맡겼다. 수많은 컨설턴트를 고용하고 관리하여 왕자의 아이디어들이 실행되도록 하는 것이 파케이의 임무였다. 컨퍼런스 기간 중 가장 큰 행사 때 파케이의 명판은

---

8 2017년 11월 리츠칼튼호텔 숙청 때 체포되어 지금까지 석방 여부는 미확인 상태이다.

맨 앞줄에 놓였다.

　그러나 그의 측근들은 무언가 잘못되고 있음을 느꼈다. 컨퍼런스 전날 저녁 가족모임 때 그는 불안해했고 한순간 눈물을 글썽이는 모습을 보였다. 그는 젊은 친척의 생일을 맞아 약간 감정적인 상태가 되어서 그렇다고 말했다. 친구들과 가족들은 돌이켜 보면 그때 이미 그 컨퍼런스가 자신이 공식석상에 나타나는 마지막이라는 것을 그가 알고 있었던 것이 아닐까 생각했다.

빈 살만의 두 얼굴

14장

셰이크다운[1]

구금에 관한 기사들을 보면서, 사막의 다보스에 참석해 모하메드가 변덕스러운 왕국을 현대적인 국가와 비슷한 상태로 변환시킬 것이라는 믿음을 갖고 며칠 전 왕국을 떠나온 미국과 유럽의 금융·정치계 지도자들은 큰 충격을 받았다. 재생에너지, 기술 투자, 여성의 자유에 대한 발표를 들은 뒤 많은 서구인이 서구의 정부처럼 작동하는 사우디아라비아 정부를 기대했다. 이제 그들은 다른 왕자들을 열 밖으로 밀어내고 반대자들을 침묵시킴으로써 모하메드가 왕국을 더욱 전제화하고 있다는 것을 깨닫게 되었다.

---

1 Sheikhdown, '셰이크(sheikh)'는 아랍에서 왕자, 족장, 촌장, 가장, 지도자 등 사회적 거물을 지칭하는 말이고, 영어로 'shakedown'은 '철저한 수색이나 강탈'을 뜻한다. '셰이크다운'은 언론이 shake 대신 sheikh를 써서 만든 조어로 '왕족이나 거물들에 대한 철저한 수색 및 강탈'이라는 뜻을 표현한 말이다.

2017년 11월 4일

투르키 빈 압둘라는 새벽에 보안요원들이 그의 궁전에 도착했을 때 자고 있었다. 그는 국왕이 알 사우드 왕가의 핵심인물들이 전원 참석하는 중요한 회의에 그의 참석을 요청했다는 말을 전달받았다. "바로 가셔야 합니다." 왕궁 소속의 보안장교가 전임 국왕의 아들에게 말했다.

나라 안팎에서 똑같은 일이 똑같은 순서에 따라 진행되고 있었다. 자동차 호송행렬이 슈퍼 리치들을 가두는 새로운 감옥으로 선정된 리츠칼튼 호텔을 향하고 있을 때, 자가용비행기 터미널은 폐쇄되었고, 은행에는 고위 왕족들을 포함하여 380명 이상의 인사들에 대해 진행 중인 거래를 모두 동결하라는 지시가 내려졌다.

2017년 가을의 그 작전은 모하메드 빈 살만이 지금까지 지휘했던 어떤 것보다도 잘 연출된 것이었다. 심지어 6개월 전 도널드 트럼프와의 정상회담 때보다도 더 정교하고 빈틈없는 작전이었다. 모하메드의 팀이, 비밀이 누설되지 않고, 구금대상자들의 강력한 우군이 끼어들 틈도 주지 않고 작전을 완수했다는 사실만으로도 왕궁 소속 부하들이나 신뢰하는 소수의 정예집단이 얼마나 제대로 훈련되었는지를 입증했다. 이 임무는 엄청난 금전적 이득을 취할 수 있는 기회였다. 구금대상자에게 귀띔을 해주고 자유와 부를 보존할 수 있게 해준다면 후한 보상을 받아낼 수 있을 터였다.

그렇지만 작전은 한 치의 오차도 없이 전개되었다.

모하메드는 후일 『워싱턴포스트』의 데이비드 이그네이셔스에게 부패를 암으로, 그 작전을 암을 치유하는 강한 치료법으로 설명했다. "몸 전체에 암이, 부패라는 암이 퍼져 있는 겁니다. 화학요법을, 충격적인 화학요법을 쓸 수밖에 없습니다. 그렇게 하지 않으면 암으로 몸이 망가지게 됩니다." 『워싱턴포스트』에 칼럼을 쓰고 있던 자말 카슈끄지는 이것을 1934년 아돌프 히틀러가 700명 이상을 잔인하게 숙청하여 권력을 집중했던 "암살자의 밤 Night of the Long Knives"에 빗대었다.

리츠칼튼호텔에 갇힌 사람들은 모두 부패 혐의를 받고 있었다. 그러나 더 심한 이유로 감금당한 사람들도 많았다. 사망한 압둘라 국왕의 일곱 번째 아들 투르키의 예를 살펴보자. 그는 2013년부터 2015년 리야드 부지사·지사로 있으면서 장기간 지연되고 예산을 초과했던 리야드지하철 공사에 핵심적 역할을 했다. 모하메드 빈 살만과 조사관들은 투르키가 철로부설공사비를 과다 책정하고 엄청난 리베이트를 받았다는 혐의를 두었다. 그러나 그가 리츠칼튼에 감금되어 특히 험한 취급을 받았던 가장 큰 이유는, 살만이 즉위하기 훨씬 전부터 시작되었던 살만 국왕과 아들 모하메드를 몰아내려는 시도에 중요한 역할을 했기 때문이다. 투르키는 범죄를 공개적으로 시인하거나 공개적으로 고발되지는 않았다.

국외자들의 눈에 투르키는 충분히 왕세자처럼 보였다. 그는 알 사우드 왕가의 고위층으로 아버지와의 관계를 잘 활용하여 정부의 요직을 차지하고 엄청난 부를 쌓았다. 그는 언젠가 국왕이 되겠다는 생각으로 사전 정비작업을 해왔다. 자신의 형제, 자매들에게 대놓고 그런 말을 하고 다녔다. 압둘라 일족의 여러 사람과 저녁을 먹는 자리에서 투르키는 자신이 어떻게 국왕이 될 수 있는지 그리고 살만이 왜 국왕이 되어서는 안 되는지에 대해 이야기했다. 그들은 압둘라가 밀어내려고 했던 성직자들과 밀접한 연대를 가지고 있는 살만을, 종교적 근본주의자이고 친척들의 범죄를 감시하려는 강박에 사로잡혀 있으며, 본인이 싫어하는 방식으로 행동하는 사람들에 대한 복수에 집착하는 사람으로 보았다. 그러나 모하메드는 투르키를 알 사우드 왕가가 지니고 있는 뿌리 깊은 문제의 화신으로 보았다. MBS는 투르키가 외국 기업들에게 리베이트를 요구했고, 1MDB 스캔들 등 수상한 해외거래에 개입한 것으로 믿었다. 투르키는 모든 혐의를 부인했지만, 모하메드는 해외에서 돈벌이를 하기 위해 뻔뻔한 음모를 저지르는 왕자들에 대해서는 인내심이 없었다.

모하메드는 또한 이븐 사우드의 모든 아들, 손자, 증손자 등이 그런 식으로 행동할 권리가 있다고 생각하는 데 대해 극도의 혐오감을 가지고 있었다. 국왕과 그 아들들은 당연히 자신들에게 국부를 마음대로 주무를 권리가 있다고 생각하기 때문에 요트나 대저택을 얼마든지 살 수 있다고 생각한다고 모하메드는 역설했다. 그는 왕족의 숫자가 크게 불어날수록 왕족들은 눈에 띄지 않는 삶을 살아야 하는데, 부가티 같은 차를 타고 돌아다니면서 중요한 인물 행세를 하면 안 된다고 생각했다. 세대가 거듭되면서 왕자들의 숫자가 기하급수적으로 늘어나므로 머지않아 왕국에는 그들을 감당할 여력이 없어지게 되어 있었다. 그것은 투르키의 아버지 압둘라 국왕이 왕가에 대한 수당을 삭감하면서 내세웠던 생각이었는데 모하메드는 그것을 제도화시켰다. 그는 압둘라의 정신적인 계승자는 압둘라의 아들들이 아니라 바로 자신이고, 그 늙은 국왕이 죽을 때까지 보지 못한 개혁을 공격적으로 실현할 배짱이 자신에게는 있다고 느꼈다. 모하메드는 "나는 파괴적인 압둘라 국왕이야"라고 친구들에게 말했다.

투르키는 해외에 친한 사람들이 많았고, 살만 국왕 즉위 후 2년 동안 모하메드를 무력화시키기 위해 꾸준히 암약해왔다. 그러나 그는 후일 결정적인 오산을 했다는 것을 깨닫게 되었다. 그는 동생 미테브가 국가방위부 장관이고 모하메드 빈 나예프가 내무부 장관인 한 모하메드 빈 살만이 자신의 계획을 알아내는 데 한계가 있을 것이라고 생각했다. 모하메드는 정보수집 능력이 제한적인 국방부만 관장하고 있었기 때문이다. 투르키는 모하메드에게는 무슨 일이 벌어지고 있는지 알아낼 수 있는 첩자나 기술이 없다고 생각했다. 또한 모하메드의 결의와 그 지지자들의 거리낌 없는 무력 사용 의지를 과소평가했다. 투르키로서는 권력과 돈이 걸린 문제였다. 모하메드는 개혁을 추구하다가 집안이 망하는 한이 있어도 나라를 살리는 유일한 방법은 개혁밖에 없다고 믿었다.

투르키는 교신할 때 왓츠앱 같은 암호화된 앱에 의존하는 간단한 예방조치조차 취하지 않았다. 그는 개방된 전화선으로 계획을 의논하고 모하메드에 대한 불만을 터뜨렸다. 처음부터 모하메드가 권력을 확대하고 전국적인 통신망에 대해 감청하고 있다는 사실을 인식하지 못했다.

모하메드는 자신이 알고 있다는 것을 2년 넘게 노출하지 않았다. 그는 투르키나 미테브를 공개석상에서 만날 때마다 습관적으로 화해를 제안하는 것 같은 모습을 보였다. 살만이 리야드 주지사를 투르키에서 다른 사촌으로 교체하고 그의 모든 관직을 박탈했을 때에도, 투르키는 모하메드가 경제개혁과 홍보에 몰두하느라고 자신에 대해서 잊고 있다고 생각했다. 한 장례식에서 모하메드는 투르키 옆에 서서 긴장이 해소된 것을 공개적으로 보여주기라도 하는 것처럼 웃음을 짓고 있었다.

사실 모하메드는 투르키의 행동을 한순간도 잊은 적이 없었다. 참모들은 투르키에 대해 모든 기록을 수집하고 있었고, 리츠체포사건을 수행한 요원들의 표적 목록에 그를 최우선 체포대상자 그룹으로 올려놓았다. 실행팀의 일부는 사우드 알-카흐타니의 연구 및 미디어업무센터 내에 노출되지 않도록 위치시켜 놓았다.

리츠칼튼의 통로에 자신의 최고 참모인 퇴역장군 알리 알-카흐타니와

(사우드 알-카흐타니와는 직접적인 인척관계가 없는) 함께 잡혀 오자 투르키는 처음에는 화를 냈다. 그는 "내 아버지가 국왕이셨다. 이 빌어먹을 놈들아!"라고 조사관들에게 소리를 질렀고 한 조사관을 때리기도 했다.

조사관들에게 물리적으로 제압당한 뒤 시시각각 끌려 들어오는 사람들을 보면서 투르키는 비로소 자신이 곤경에 처해 있다는 사실을 받아들이기 시작했다. 투르키와 알리는 이 역쿠데타의 조짐을 완전히 놓쳤던 것이다.

불과 46세의 나이에 투르키는 한때 왕위를 놓고 다투던 경쟁자에서 사라진 인물로 전락했다. 퇴역장군 알리는 리츠칼튼 초기에 고문을 받고 사망했다는 주장이 제기되었고, 투르키는 형편없는 감옥으로 이송되어 살인자들, 마약밀매업자들과 함께 갇혔다가 다시 가장 가까운 가족 이외에는 아무도 접근할 수 없는 암흑의 수용소로 옮겨져 짧은 기간이지만 그 안에 구금되어 있었다.

그의 구금에 대한 뉴스는 별로 많지 않았고 미국인이나 영국인들에게 대체로 알려진 것이 없었다. 전설적인 팝가수 셰어가 트위터에 "내 아들의 좋은 친구 투르키 빈 압둘라 왕자"가 걱정된다는 글을 올리면서, 그 젊은 왕자는 다정한 마음을 가졌고 "아무것도 차지하려는 욕심이 없다"라고 썼다. 이로써 투르키가 그녀의 아들 엘리야와 친한 친구라는 것이 알려졌다.

며칠 뒤 왓츠앱에 세상을 놀라게 하는 사진 한 장이 실려 들불처럼 퍼져나갔다. 16명의 왕자가 서구식 캐주얼 차림으로 남프랑스의 요트 갑판 위에서 찍은 사진이었다. 사진 속에서 모하메드가 뒷줄 오른쪽 끝에 서서 일행 중 젊은 위치라는 것을 분명히 보여주고 있고, 알왈리드 빈 탈랄, 압둘아지즈 빈 파흐드, 투르키 빈 압둘라는 웃고 있었다. 사진은 투르키가 임대한 요트에 모하메드가 초대를 받아 손위 부자 사촌들과 점심을 먹으러 갔을 때 찍은 것이었다. 이제 그들 다수가 리츠칼튼에 억류되어 있었다. 놀라운 역전이었다.

투르키의 형제들인 미테브, 미샬, 파이살 등도 뻔뻔하게 돈을 받은 혐의로 구금되었다. 자식들이 부패에 빠질까 봐 수년 동안 자식들의 재산을 제한한 뒤 압둘라는 2010년 개인재단을 설립하고 전 세계 무슬림의 삶을 개선하기 위해 개발원조 및 지원금 형태로 많은 돈을 쓰도록 했다. 압둘라가 사망하면서 재단통제권은 자식들에게 넘어갔다. 일부 자식들은 재단에서 기금을 빼내어 본인들이 쓰려고 했다. 그들 중 아무도 범죄를 시인하거나 범죄 혐의로 공개적으로 고발되지 않았다.

미테브는 한발 더 나아가서 본인이 관장하던 국가방위부 소유의 수십억 달러에 달하는 토지를 재단에 이전시킴으로써 국가재산을 가문의 사적 조직으로 빼돌린 혐의를 받고 있었다. 그것은 모하메드 빈 살만이 압둘라의 자식들을 부패 혐의로 추궁할 수 있는 완벽한 구실이 되었다. 미테브는 토지를 정부에 환수시키고 공직에서 조용히 사퇴하기로 하고 모하메드와 문제를 가장 일찍 해결한 축에 끼었다. 그는 "내 돈을 가져가고 나를 내버려두게"라고 모하메드에게 말했다.

리츠칼튼에 구금되었던 많은 사람에게 그렇게 함으로써 모멸감을 느끼게 했듯이, 미테브에게도 풀려난 뒤 언제든 모하메드가 그를 좌지우지할 수 있다는 점을 상기하라는 취지로 모하메드와 활짝 웃으며 사진을 찍게 했다.

아무에게도 면책은 없었다. 압둘라의 딸들 가운데 알 사우드 가문의 사기 행각에 작은 역할이라도 했던 일부는 구금되지는 않았지만 아버지에게 물려받은 전 재산을 몰수당했다. 압둘라 국왕의 왕궁실장 칼리드 알-투와이즈리는 압둘라의 의전장 모하메드 알-토바이시와 마찬가지로 구금되었다.

토바이시는 레바논 총리와의 관계를 통해 상상을 초월할 정도로 부자가 되었다. 투와이즈리와 달리 그는 살만이 왕위에 오르고 나서도 몇 달 뒤에 한 카메라 기자를 손찌검하기 전까지는 직책을 유지했다. 이 일이 벌어진 후 살만은 그를 즉시 해고했다.

미테브 빈 압둘라

그러나 완패당한 다른 적들의 친척들에게도 같은 일이 반복될 수 있다는 본보기로, 모하메드는 샌드허스트 출신인 토바이시의 아들 라칸을 자신의 의선장으로 임명했다. 아버지를 리츠칼튼으로 데려온 것도 바로 이들 라칸이었다. 나이 많은 토바이시는 풀려났을 때 1억 달러가 넘는 목장, 종마사육장, 말들, 옥내외의 강당들, 현금 수백만 달러를 모두 빼앗겼다. 목장은 나중에 리조트가 되었다.

모하메드는 내무부 장관과 국가방위부 장관을 새로 임명했다. 두 사람은 모두 30대로 왕자의 어렸을 적 친구였다. 이것은 왕자의 권력통합이 완성되었다는 또 하나의 징표였다. 125,000명의 병력을 거느린 새 국가방위부 장관 압둘라 빈 반다르는 모하메드의 사촌으로, 그가 가장 신뢰하는 친구 중 한 명이었다. 그는 모하메드가 떠오르는 과정에 항상 옆에 있었고 살만국왕청년센터King Salman Youth Center에 근무할 때 모하메드에 대해 뻔뻔할 정도의 칭송을 종종 늘어놓기도 했는데, 살만이 즉위한 뒤 메카의 부지사가 되었다.

과거에는 한 명의 왕자가 왕국의 내무부, 국방부, 국가방위부, 이 세 개의 무력조직 중 하나 이상을 관장한 적이 없었다. 그러나 이제는 모하메드가 이 모든 조직을 관장하게 되었다. 그는 책임자로서 억만장자든 사촌이든 가리지 않고 자신에게 대항하려는 잠재적인 도전자나 반대 세력을 모두 제거했다.

이러한 조치들은 살만 국왕에게 강요된 것이 아니었다. 가문의 집행자로서 그는 수년 동안 왕자들에 대한 파일을 쌓아왔다. 압둘라 또한 집중단속을 염두에 두고 부패 관련 자료들을 쌓아놓았었다. 하지만 압둘라는 지나친 분열을 초래할까 염려되어 그것을 실행하지 못했다. 그러한 파일들과 모하메드 빈 살만의 팀이 은행으로부터 받고 조사를 통해 수집한 정보들이 전반적인 작전의 기초가 되었다. 구금된 자들은 심야 조사에 불려와서 애매한 혐의가 아니라 본인들의 금융자산과 활동에 대한 깨알같이 상세한 내용을 직면해야 했다.

서구의 관찰자들은 이 체포를 권력을 장악하기 위해 법치를 남용한 것으로 보았지만, 국내에서는 많은 사람이 그러한 움직임에 환호했다. 수십 년간 사우디 국민들은 고귀한 왕자들과 연줄 좋은 사업가들이 제멋대로 행동하는 것을 감내해 왔다. 그들은 따내면 안 될 계약을 따냈다. 그들은 맡을 권리가 없는 프로젝트들을 맡았다. 수많은 사우디인들이 생활비를 버느라고 사투를 벌이는 동안 그들은 수십억 달러를 벌었다. 이제 그들이 그들에게 합당한 크기로 깎여 내려가는 것을 목격하면서 5%의 상류층을 제외한 모든 국민이 전율과도 같은 기쁨을 느끼고 있었다.

오가는 메시지는 극도로 통제되었다. 체포는 부패 조사를 위한 '최고위원회'를 창설하는 칙령과 함께 이루어졌는데 숙청작업에 대한 표면적인 법적 근거를 확보하기 위해서였다. 위원회는 "자산의 압수와 여행 금지를 포함하여 위원회가 적절하다고 보는 모든 예방적 조치를 취할 권한"을 가졌다. 살만 국왕은 성명서를 발표하여 "위법하게 돈을 모으기 위해 공익보다 사익을 우선해온 나약한 영혼들"이 저지른 착취행위를 혹독하게 비판했다. 모하메드 빈 살만은 그 캠페인을 짧은 비디오로 설명했다. "나는 부패와 관련이 있는 자는 단 한 명도 빠뜨리지 않을 것이며, 그가 왕자이든 장관이든 그 무엇이든 상관하지 않을 것이라는 점을 여러분에게 약속합니다." 사우디아라비아 최고의 종교기구인 고위학자평의회Council of Senior Scholars는 체포를 지지하면서, 이슬람 율법은 "우리에게 부패와 싸울 것을 명하고 있으며, 그것은 국익을 위해서 필요한 것이다"라고 선언했다.

모하메드는 한 미국인 지인에게 간단하게 설명했다. 리츠칼튼에 있는 사람들의 다수는 수년간 법을 위반해왔는데, 낡은 법은 그러한 부패를 허용했다. 이제는 법이 바뀌었다. 그리고 그 법은 지금부터 적용되는 것이 아니라 소급해서 적용되는 것이라고 했다.

비판적인 성향의 사람들조차 그것을 청소작업으로 받아들이는 것으로 보였다. "그것은 매우 선택적이다. 바로 지금도 그의 주변에서 부패가 일어나고 있다"라고 자말 카슈끄지는 체포 초기에 말했다. "왕가는 과거에 서로 파트너 관계였다. 너도 훔치고 나도 훔치고, 너도 한쪽 나도 한쪽 먹는다는 식의 관계였다. 이제 그에게는 최종적인 권력이 있다. 그것은 게임 체인저[2]이다." 그러나 알리 알-카흐타니의 죽음에 대한 이야기가 흘러나오면서 카슈끄지는 마음이 바뀌었다. 그는 사태가 가라앉을 때까지 해외에 머무르고 있는 것을 다행이라 생각했다.

구금에 관한 기사들을 보면서, 사막의 다보스에 참석해 모하메드가 변덕스러운 왕국을 현대적인 국가와 비슷한 상태로 변환시킬 것이라는 믿음을 갖고 며칠 전 왕국을 떠나온 미국과 유럽의 금융·정치계 지도자들은 큰 충격을 받았다. 재생에너지, 기술 투자, 여성의 자유에 대한 발표를

---

2 game changer. 결과나 흐름의 판도를 뒤바꿔 놓을 만큼 중요한 역할을 한 사건.

들은 뒤 많은 서구인이 서구의 정부처럼 작동하는 사우디아라비아 정부를 기대했다. 이제 그들은 다른 왕자들을 열 밖으로 밀어내고 반대자들을 침묵시킴으로써 모하메드가 왕국을 더욱 전제화하고 있다는 것을 깨닫게 되었다. 제이미 디먼, 스티븐 슈워츠먼, 마이클 블룸버그 등 비즈니스 지도자들은 사태를 파악해 보려는 희망을 가지고 사우디아라비아 쪽 지인들에게 전화를 했다. 모하메드가 컨퍼런스가 끝나자마자 그렇게 빨리 작전을 개시했다는 것이 더욱 혼란스러웠다. 그들은 그가 집중단속을 통해 핵심 청년층에 직접 말하려고 한 것인지 의아해하면서, 고의적으로 그렇게 한 것인지 궁금해 했다. 무소불위의 권력을 가진 왕자의 또 다른 변덕 때문이었다면 훨씬 더 나쁜 일이었다.

리츠칼튼에서 벌어지는 광경은 초현실적이었다. 궁전 같은 로비에서 왕궁 측 사람들이 줄지어 늘어선 사우디아라비아 최고의 유명인사들에게 식사를 나눠주었다. 이들은 일률적으로 지급된 토브를 입고 다음에 무슨 일이 닥칠지 불안해하고 있었다. 의료서비스와 이발 등의 편의도 제공되었고 대다수의 피구금자는 며칠에 한 번씩 집에 전화도 할 수 있었다. 그러나 그들은 전화를 할 때에도 마음 놓고 말하기가 겁났다.

처음 며칠이 지나자 피구금자들이 하나둘씩 풀려나기 시작했는데, 일부는 금전적 합의를 했고 일부는 무고한 것으로 판정되었다. 첫 번째로 풀려나온 사람들 중 재정부 장관이었던 이브라힘 알-아사프가 있었다. 그는 압둘라 치하에서 일어난 불법행위에 대한 증인으로 체포되었다. 본인은 왕궁의 지시에 따라 재무부에서 관리들 주머니로 들어간 수표에 서명한 것뿐이라고 설명하면서 모하메드의 부하들이 알고 싶어 하는 정보는 무엇이든지 다 알려주겠다고 제안했다. 그는 후일 외무부 장관이 됨으로써 리츠칼튼에 구금되어 있었던 것이 반드시 경력에 오점으로 남는 것은 아니라는 점을 증명했다. 하지만 세부내용이 중요했다. 그는 장기간에 걸쳐 행해진 개인적 부패 혐의를 쓴 것이 아니었다.

유력한 왕자들이나 억만장자들 이외에 리츠칼튼에는 등산 컨설턴트였던 하니 코자처럼 상대적으로 평범한 죄수들도 있었다. 한동안은 모든 별이 그를 중심으로 정렬된 것처럼 보였다. 하니 코자는 프록터앤드갬블P&G, Procter and Gamble에서 마케팅 업무를 10년 이상 한 뒤 내국인 전문가에 대한 수요가 있을 것으로 생각하고 리야드에서 본인의 컨설팅회사를 설립했다. 그는 사우디 경제계에서 유명인사가 되어보려고 킬리만자로산 등반 경험을 중심으로 자서전도 쓰고 텔레비전과 비즈니스 컨퍼런스 등 공개석상에 자신을 노출시켰다. 그러나 맥킨지나 BCG처럼 대형 외국 기업들이 따내는 계약을 본인은 따낼 수 없다는 것을 깨달았다. 사우디 기업들은 사우디인 컨설턴트를 원했지만 그들로부터 신뢰를 받기에는 아직 실적이 부족했다.

모하메드의 비전2030이 역학관계를 변화시켰다. 워낙 방대한 프로젝트였기 때문에 파워포인트를 쓸 수 있는 업체라면 다 필요한 상황이었다. 게다가 MBS는 모든 부처에 외국업체보다는 사우디업체에 핵심 일거리를 주기 위해 진정으로 노력하라고 강조했다.

갑자기 하니의 회사 엘릭서컨설팅Elixir Consulting에도 여기저기서 주문이 쏟아졌다. 과거에 하니와 다른 프로젝트를 같이하면서 알게 된 사이인데다 친척이기까지 한 막강한 경제기획부 장관 아델 파케이가 하니에게 정책 및 계획을 실행하는 방안의 수립 등 주요 프로젝트를 맡기기 시작했다. 맥킨지가 정부로부터 더 따내려고 중점을 두는 전형적인 일거리였다.

사우디인 컨설턴트에 대한 수요가 증가할 수밖에 없고, 파케이와 연줄을 만드는 것이 앞으로 수년간 수익성 있는 프로젝트를 받는 데 관건이라고 생각한 맥킨지는 결국 엘릭서의 전 지분을 1억 달러에 인수했다. 전직 샴푸 마케터인 하니는 이제 세계 최고의 경영컨설팅기업 맥킨지의 파트너가 되었다.

맥킨지는 인수를 통해 비전2030이 최초로 작성된 이후 오랫동안 사우디아라비아로부터 수백만 달러를 벌어들일 수 있을 것으로 기대했다. 엘릭서는 비전계획에 담겨 있는 아이디어들의 실행방안 개발을 전담하고, 아울러 모하메드 빈 살만이 좋아하는 KPI에 집중하도록 할 계획이었다.

정부 관련 모든 프로젝트를 위해 맥킨지 본사에서 사우디아라비아에 들락거리는 젊은 미국인 직원들은 엘릭서를 인수하는 데 대해 회의적이었다. 그들은 거의 아이비리그 출신의 최우수 학생들로서 실력만으로 최고의 명문기업에 근무하게 되었다고 생각해왔다. 이제 그들은 사우디대학을 나오고 왕국 외부에 대해 전혀 경험이 없는 동료들과 협업을 해야만 하는 처지에 놓이게 되었다.

게다가 제일 먼저 고려해야 할 문화적 우선사항들이 복잡하게 얽혀 있었다. 엘릭서는 맥킨지를 더욱 사우디화해서 정부에 대한 교섭력을 보강하려고 했다. 그러나 엘릭서의 젊은 사우디 직원들은 대체로 본인들의 습관을 보다 더 서구화하기를 원했다. 정부 장관이 사무실에 들른다는 연락이 오면, 관리자들은 젊은 사우디인 직원들에게 정장과 타이를 벗고 토브와 케피예[3]로 갈아입으라고 아우성을 쳤다.

맥킨지는 조만간 더 큰 문제가 있다는 것을 알게 되었다. 하니의 가장 든든한 연줄이었던 파케이 경제기획부 장관이 뜻밖에 모하메드의 집중단속 대상으로 판명되었기 때문이다.

---

3 keffiyeh, 아랍 남자들이 머리에 쓰는 사각형 천.

살만 국왕이 즉위한 후 2년 동안 파케이는 왕국에서 가장 영향력 있는 관료 중 한 사람이었다. 그는 2005년 압둘라 국왕이 고향 제다의 시장으로 임명하기 전까지 몇 년 동안은 식품재벌 사볼라그룹[4]의 CEO로 있었다. 즉위 초, 개혁 성향의 압둘라 국왕이 오래된 항구도시를 대대적으로 변화시키기 위해 파케이를 시장에 임명했던 것이다. 그는 수십억 달러가 투입되는 현대화 계획을 수행하다가 노동부 장관에 임명되어 더욱 많은 사우디인을 노동 인구로 바꾸는 데 진력했다. 짧은 기간이었지만 보건부 장관도 역임했다.

모하메드가 2015년 초 사우디의 경제기획을 관장하게 되면서, 민간부문의 경험 그리고 사우디인들을 자국 경제에 투입시키는 노력을 했던 경력과 수십억 달러 규모의 프로젝트를 관리할 수 있는 능력을 두루 갖춘 파케이야말로 바로 그가 원하는 유형의 관료였다. 왕자는 파케이를 신설된 경제기획부 장관이라는 막강한 자리에 임명했다. 경제기획부는 신속하고 과감한 경제변혁을 기획하고 실행하는 핵심적 역할을 해야 하는 부처였다.

새로운 직책을 맡음으로써 파케이는 수십억 달러의 예산과 수많은 컨설턴트를 관장하게 되었다. 그는 또한 모하메드의 측근이 되었다. 살만의 즉위 초에는 심지어 사우드 알-카흐타니조차 왕자를 만나려면 파케이를 통해야만 했을 정도였다.

파케이와 기타 장관들은 전임자들과는 다른 지시를 받았다. 사우디아라비아는 끝이 보이지 않을 정도로 긴 의사결정 절차로 유명했다. 모하메드는 더 이상 그런 절차가 없게 하라고 지시했다. 그는 장관들의 업무 범위를 줄여줌으로써 최우선 정책에 집중할 수 있도록 했고, 왕자의 지시사항

---

4 Savola Group. 1979년 제다에 설립된 사우디아라비아 최대의 식품제조 및 판매기업.

을 얼마나 빠르고 효과적으로 실행하느냐를 기준으로 평가하겠다고 말했다. 성공하면 엄청난 보상을 줄 것이고, 실패하면 해고될 것이라고 했다.

당시 한 파티에서 스포츠청General Sports Authority 청장으로 임명된 투르키 알 셰이크는 국부펀드 책임자 야시르 알 루마이얀과 팔짱을 낀 채 친구들에게 "우리는 언제 해고될지 몰라"라고 말했다. 신임 장관들이 사리사욕을 채우려다 적발되는 경우에는 훨씬 더 가혹한 처분이 내려졌다.

파케이는 그런 운명에 처하지 않을 사람처럼 보였다. 그는 국부펀드 이사회 이사로 지명되었고 비전2030에 기여했다. 서구의 외교관들, 컨설턴트들, 기업가들에게 왕자가 추구하는 변혁에 필수적인 인물이라는 인상을 심어주었다. 파케이가 리츠칼튼에 체포되어 있다는 소식이 흘러나왔을 때 이들 모두가 충격을 받았다. 왕궁에서는 그가 여전히 갇혀 있는데도 불구하고 무엇 때문에 구금했는지 말하지 않았다.

하니는 인지도가 낮은 사람이었지만 맥킨지는 크게 우려했다. 회사의 지도부는 회사가 어떤 책임을 지게 될 것인지 확신이 없었다. 하니가 체포되었다고 말하는 사람들도 그 이유는 말하지 못했다. 그가 고발되었는지조차 분명하지 않았다. 맥킨지로서는 두 개의 가능성이 있었는데 어느 쪽도 좋지 않았다. 부패에 빠진 컨설팅기업을 인수한 것이 아니라면 파트너 한 사람이 부당하게 체포된 상황이었다. 맥킨지의 지도부는 무슨 일이 벌어지고 있는지 알 수가 없었다. 그들은 하니의 은행 계좌가 동결되었다는 말을 듣고 그에 대한 지급을 중지하고 그를 해고했다. 맥킨지는 거의 1년이 지나서 하니가 결국 풀려났을 때, 그에 대한 모든 지급 의무를 이행했다고 말하고 있다. 하니는 전자발찌를 차고 돌아와 여행이 극도로 제한된 상태에서 그림 그리기를 취미로 시작했다.

체포가 일어난 지 6일 뒤『월스트리트저널』은 맥킨지가 에너지부 장관 칼리드 알-팔리의 두 자식과 재정부 장관의 아들 한 명을 포함하여 사우디 고위관료들의 인척들을 고용했다는 내용의 기사를 게재했다. 이로써 맥킨지의 중대한 고객인 왕국과의 관계가 사실상 서먹서먹해진 것이 아니냐는 의문이 제기되었다. 회사는 모든 직원을 오직 자격만 보고 채용했다고 주장했다.

그 후 며칠에 걸쳐 구금된 사람들의 명단이 유출되면서 충격을 안겼다. 왕자들, 장관들 이외에 사우디아라비아의 일부 유명한 기업인들도 감금되었다. 2017년 맨해튼 최고의 주거용 타워에 있는 펜트하우스를 8,800만 달러에 구입한 파와즈 알-호카이르라는 부동산개발업자와 전 세계에 광산과 정유공장을 소유하고 있는 에티오피아 태생의 사우디인 억만장자 모하메드 알 아무디도 그중에 있었다. 수년간 사우디아라비아 석유장관을 지낸 알리 알-나이미는 부패 혐의로 기소된 그의 아들 리미와 함께 체포되었다. 그는 자신의 아들이 감옥에 간힌 후 고문을 당했다고 주장했다. 이들은 모두 합의를 거쳐 석방되었지만 부정행위를 했다는 혐의를 공개적으로 시인하지는 않았다.

빈 라덴 가문의 다섯 명도 리츠칼튼 집중단속 기간 내내 감옥에 수감되었다. 메카의 크레인 참사가 벌어진 지 2년이 지났지만 사우디빈라덴그룹은 모하메드와 그의 아버지에 의해 정부 공사로부터 차단된 뒤 여전히 꼼짝달싹 못하는 상태였다. 이 가문에 대한 집중단속은 유별났다. 정부는 회사는 물론 리야드와 제다에 있는 오래되고 수수한 별장을 포함하여 빈 라덴 일가가 국내에 소유하고 있던 모든 자산을 압수했다.

바크르 빈 라덴이 끌려와서 첫 조사를 받을 때 그는 15센티미터 높이의 서류뭉치를 보고 충격을 받았다. 그것은 서둘러서 한 작업이 아니었다. 거기에는 수년간의 재무기록, 자산목록, 최근 축출된 왕세자 모하메드 빈 나예프를 포함한 왕자들에게 공짜로 해준 공사에 대한 혐의 내역 등이 포함되어 있었다. 일가가 회사의 일부를 정부에 정식으로 헌납하는 협상이 진행되면서, 조사관들은 형제 중 한 명으로 하버드 법학박사인 압둘라를 구금하여 거래가 신속하게 진행되도록 했다. 결국 정부가 빈라덴그룹의 지분 36%를 차지하는 것으로 결론이 났다. 바크르를 제외한 나머지 형제들 전원이 석방되었고 자산도 일부 반환되었다.

또 한 명의 저명한 구금 인사인 나세르 알 타이야르는 여행사를 수십억 달러짜리 상장회사로 키운 사람이었다. 그는 정부의 고문이었고 『포브스 중동Forbes Middle East』의 발행인이었다. 알 타이야르는 사우디아라비아에서 크게 성공한 인물로 알려졌다. 자신의 이름을 붙인 회사는 2012년 사우디증권거래소에 상장할 때 10억 달러의 가치로 평가되었다.

그러나 리츠칼튼에 구금되어 있는 다른 사람들과 마찬가지로 알 타이야르가 재산을 모은 것은 대체로 사우디아라비아 국내에서는 통상적인 것이었지만 국외에서라면 부패로 받아들여질 관행을 통해서였다. 석유가 발견된 이후 수십 년간 왕자들, 부동산개발업자들 그리고 다른 사업가들은 석유가 왕국에 가져온 거대한 부의 일부를 자신들 쪽으로 가져올 수 있는 남다른 방법을 모색했다.

알 타이야르는 감옥에 갇혔을 때 분노했다. 수십 년 동안 그는 사업을 같은 방식으로 운영해왔고 아무도 그에 대해 문제를 제기하지 않았다. 최근 들어서 매출의 많은 부분이 장학금을 받고 해외로 유학을 가는 수만 명의 학생들을 운송하고 살 곳을 마련해주는 서비스를 사우디 정부에 제공하는 딜에서 발생하고 있었다. 그것은 사우디 정부에 과다 청구를 할 수 있는 엄청난 기회였지만 아무도 신경을 쓰지 않는 것처럼 보였다.

구조는 간단했다. 알 타이야르가 사우디 정부와 맺은 계약에는 회사가 학생에게 사준 티켓대금을 교육부가 상환하되 일반적으로 티켓대금의 15%를 수수료로 추가 지급하는 것으로 되어 있었다. 그것은 의미 있는 그

빈 살만의 두 얼굴

러나 과도하지 않은 이익을 회사에 보장해주려는 의도였다.

그런 의도에도 불구하고 알 타이야르는 학생들에게 가장 싼 티켓을 사주고 정부에는 가장 비싼 티켓 비용을 청구함으로써 다른 경쟁자들을 훨씬 뛰어넘는 마진을 남겼다. 예를 들어 리야드에서 보스턴을 여행하는 학생에게 할인가격으로 산 이코노미석 왕복 티켓을 주고, 정부에는 일등석 티켓 가격에 수수료를 더한 금액을 청구하는 방식이었다. 그런 구조 덕분에 회사의 수익성이 크게 높아짐으로써 알 타이야르가 회사의 주가를 끌어올리는 데 큰 도움이 되었다. 이런 상황이 몇 년간 지속되었지만 교육부 관리들은 모르고 있었거나 또는 외면했던 것이다. 정부의 돈을 과다하게 빼먹지 않는 사람은 하나도 없다고 알 타이야르가 리츠칼튼호텔에서 한 친구에게 조용히 말했다. 그는 나중에 합의를 하고 석방되었지만 부정행위를 공개적으로 시인하지 않았다.

에티오피아 태생의 사업가 아무디를 체포한 것은 훨씬 더 놀라웠다. 그는 건설업 덕분에 엄청난 부자가 되었고, 세계에서 경제가 가장 급성장하고 있는 에티오피아의 농업 및 다른 산업에 대한 역할로 인해 국제적인 지명도가 높았다. 그는 오랫동안 압둘라 국왕의 총애를 받았고 지도자인 왕족들과 친분을 쌓는 특유의 방법이 있었으므로 건드릴 수 없는 사람처럼 보였다.

2010년 그는 압둘라 국왕에게 사우디아라비아 역사상 최초의 국산 자동차를 선보일 것이라고 공언했다. 국왕에게 자동차의 초기 모형을 보여주기 위해 만났을 때 그는 반드시 국내에 제조산업을 일으키겠다는 약속을 했다. 아무디가 토요타의 FJ 크루저를 닮은 소형 SUV를 보여주었을 때 리무진만 타고 다니는 압둘라로서는 어떤 점이 좋은 것인지 알 수가 없었고 젊은 참석자들은 킬킬거리고 웃기만 했다. 프로젝트는 결국 실현되지 못했다.

아무디는 1년 이상 구금되어 있다가 거액을 헌납하겠다는 비밀합의를 하고 풀려났지만 부정행위를 공개적으로 시인하지 않았다. 그는 본인에 관해 이야기하기를 거부했다.

구금된 사람들 중 대다수 서구인에게 가장 잘 알려진 인물은 알왈리드 빈 탈랄이었다. 살만 국왕의 반대파였던 형의 아들로서 그는 해외의 세련되고 부유한 유력인사들과 오랫동안 교분을 맺어왔고, 공개적으로 모하메드를 지지해왔지만, 그러한 교분과 자기 홍보에 대한 집착은 모하메드가 스스로 왕국의 공식적 얼굴이 되려고 노력하던 시기에는 오히려 부담이 되었다.

그러나 알왈리드가 리츠칼튼에 끌려온 이유는 그보다 훨씬 더 사소한 문제 때문이었다. 그는 수년간 압둘라 국왕을 포함하여 왕가 사람들로부터 돈을 받아왔는데 받은 돈을 어떻게 했는지 분명하지 않았다. 알왈리드는 국왕의 계좌를 대신 관리했고 다른 사람들로부터는 돈을 차용했다. 모하메드의 부하들은 알왈리드가 나랏돈을 착복했다는 혐의를 두고 있었다. 모하메드는 그를 리츠칼튼에 데려다 놓고 석방되려면 수십억 달러를 헌납하라고 요구하면서 그를 더욱 압박하기 위해 동생 칼리드까지 체포했다. 칼리드는 리츠칼튼이 아니라 상대적으로 덜 유명한 사람들이 구금되어 있는 알-하이르 감옥으로 보내졌다.

석방되고 나서 떨어진 위상 때문에 공황상태에 빠진 알왈리드는 「블룸버그뉴스」에 자신은 실제로 부정을 저지른 사람들과 함께 부당하게 엮였을 뿐이라고 강변했다. 며칠 전 『월스트리트저널』이 보도한 대로 60억 달러를 지불했느냐는 질문을 받고, 그것은 "나와 사우디아라비아 정부가 서로 이해하는 가운데 맺은 비밀합의입니다"라는 말만 계속해서 반복했다. 그는 「블룸버그뉴스」에 다음과 같이 말했다.

빈 살만의 두 얼굴

쉽지 않은 일이었다고 고백할 수밖에 없습니다. 의지에 반해서 억류된다는 것은 쉬운 일이 아니었습니다. 그러나 떠날 때 나는 아주 특이한 감정을 느꼈습니다. 회사의 모든 고위임원들과 가장 가까운 친구들이 모인 자리에서 나는 그들에게 "맹세컨대 나는 평온과 더할 나위 없는 위안을 얻었고 그 어떤 원한이나 반감도 전혀 느끼지 않습니다"라고 말했습니다.

과연 24시간도 지나지 않아 우리는 다시 왕세자 및 그의 참모들과 교신하게 되었습니다. 그것은 정말 특이한 상황이었습니다.

15장

납치된 총리

사드는 밤새 기다렸다. 그는 다음 날 오전 8시에 모하메드를 만나러 오라는 전화를 받았다. 늘 받았던 호송을 받지 못한 상태로 사드는 왕자를 만나러 급히 달려갔다. 그를 기다리고 있는 것은 모하메드가 아니라 모하메드의 집행관들이었다. 그들은 사드를 구금했다. 사드는 그 이후 벌어진 일에 대해서는 거의 아무에게도 말하지 않았다. 그는 한 서구인 친지에게 "소름 끼치는 상황이었습니다. 정말 충격적이었고 육체적으로나 정신적으로나 지울 수 없는 상처를 받았습니다"라고 말하면서 그 이상의 상세한 이야기는 하지 않으려고 했다.

2017년 11월 9일

  그것은 아마도 서구에서 모하메드를 사우디아라비아의 국가수반으로 대우하고 있다는 가장 의미 깊은 징표였을 것이다. 2017년 11월 9일, 국제사회의 비즈니스지도자들과 정치지도자들이 오랫동안 접촉해온 사우디 측의 수많은 인사들이 최고급 호텔에 감금된 이유를 알아보려고 애를 쓰고 있는 와중에, 프랑스 대통령 에마뉘엘 마크롱이 왕세자를 만나기 위해 리야드로 긴급히 날아왔다.

  마크롱은 새로이 건설된 루브르박물관 분소의 개관식에 참석하기 위해 아부다비에 다녀오는 길이었다. 그는 리야드공항의 터미널에 앉아서 서서히 다가오는 재앙을 진정시켜보겠다는 희망을 가지고 모하메드를 기다리고 있었다. 리츠칼튼에서 있었던 부패에 대한 집중단속을 둘러싼 혼란은, 사우디 관리들이 레바논 총리인 사드 하리리를 구금하고 총리직에서 사퇴하게 함으로써, 사우디 국내의 숙청 문제에서 곧바로 지역 내의 정치적 위기로 전환되었다. 사드 본인은 이러한 주장에 대해서 공개적인 언급을 전혀 하지 않았다. 서구세계의 많은 사람이 그날 소탕된 왕자들과 사업가들의 소식을 듣고 얼어붙어 있는 동안, 하리리는 모하메드의 부하들에게 질책을 당했고, 주장에 의하면 구타를 당했고, 사퇴를 강요받았다.

  그것은 왕자가 지금까지 보여준 것 중 가장 대담한 외교정책상의 행보로서, 매우 취약한 평화 상태를 유지하고 있는 레바논 정부를 이끌어온 민선 총리 사드에 대한 쿠데타였다. 이제 모하메드는 새로운 불안을 유발하고 있으며 그것도 매우 공개적으로 하고 있었다.

사드는 레바논 최대의 수니파 정당 '미래운동Future Movement'의 당수로서, 이란의 지원을 받는 시아파 정당 헤즈볼라 및 기독교 정파와 함께 세 정파가 불안한 균형을 유지하고 있는 레바논 정부의 총리였다.

예전 프랑스의 식민지였던 레바논은 프랑스와 여전히 긴밀한 유대를 유지하고 있었다. 취임한 지 6개월밖에 안 되었지만 세계무대에서 프랑스의 역할이 중요하다고 생각하는 마크롱은 사드를 복귀시켜야 한다는 책임감을 느끼고 있었다. 그러기 위해서 그는 지금까지 외국의 지도자 누구도 하지 않았던 일을 해야만 한다고 인식했다. 그는 모하메드를 전략적으로 압도해야만 했다.

모든 상황은, 마크롱이 방문하기 며칠 전인 2017년 11월 4일, 사드가 초췌한 모습으로 텔레비전에 나와 전격적인 연설을 하면서 그 모습을 드러냈다. 추상화 같은 푸른색 배경 앞에 앉아서 그는 부자연스럽고 머뭇거리는 모습으로 테이블 위에 놓인 종이에 쓰인 원고를 읽어나갔다. 하리리는 레바논에서 이란의 영향력을 억제하지 못했기 때문에 국민을 위해서 사임한다고 말했다. 또 이란을 겨냥하며, "아랍국가들이 다시 일어나 당신들이 뻗친 그 사악한 손을 반드시 잘라내고 말 것이다"라고 선언했다.

그것은 하리리 자신의 말처럼 들리지 않았다. 특히 그가 지금까지 전쟁보다는 이란이 지원하는 헤즈볼라와 공동으로 정부를 운영하려고 노력해왔다는 것을 볼 때 더욱 그랬다. 이틀 전 그는 이란 정부의 관리와 긍정적인 회담을 했었다. 사임하는 이 순간에 사드가 이란을 비판하는 것은 마치 떠나가는 길 위에서 싸움을 걸고 있는 형국이었다.

상황은 잠재적 폭발성을 품고 있었다. 레바논은 내전 상태의 시리아와 국경을 맞대고 있는데, 국내에는 수백만 명의 시리아 피난민이 지저분한 수용소에 있는 데다가, 오래전 고향에서 쫓겨난 팔레스타인 난민들의 난민촌도 여러 개 있었다. 그즈음 헤즈볼라는 남부 레바논의 보루에서 이스라엘에 대한 전쟁의 방아쇠를 당겼다. 만약 하리리 정부가 무너진다면 폭력이 어느 방향에서 분출될지 모르는 상황이었다.

당시 세계의 지도자들과 언론인들은 하리리의 사임을 하나의 정치적 위기로 보고 논의하였다. 학자들과 싱크탱크의 전문가들은 모하메드 빈 살만이 대 이란 대리전의 일환으로 레바논에 불안을 조성하는 것이라고 평가했다. 그는 예멘에서 이란이 지원하는 반군을 파괴하기 위해서 폭격을 한 것과 마찬가지로 레바논에서도 헤즈볼라에 대응하기 위해서 힘을 행사하고 있었다. 하리리 사건에는 모하메드의 개인적 측면이 훨씬 더 많았다. 그것은 정치적 쟁점일 뿐만 아니라 동시에 가족 간의 분쟁이기도 했다. 모하메드가 부상하는 과정에서 있었던 다른 문제들과 마찬가지로, 그것은 전임 국왕 압둘라, 그의 자식들, 그의 신하들 그리고 그들을 둘러싸고 있는 수십억 달러의 돈에 초점이 맞춰져 있었다.

모하메드가 레바논의 지도자를 납치한 이유를 이해하기 위해서는 50년 전인 1964년으로 돌아가야 한다. 그때 당시 젊은 회계사였던 라피크 하리리는 국내에서는 가족을 먹여 살릴 만큼 돈을 벌기가 어렵다고 판단했다. 그래서 그는 쏟아져 들어오는 오일달러로 도로, 병원, 호텔 등을 건설하는 자금이 넘쳐나고 온갖 종류의 회사들이 우후죽순 생겨나고 있는 사우디아라비아로 이주했다.

1960년대의 사우디아라비아는 엄청난 석유와 오일달러를 보유하고 있었지만 땅 위에는 그것을 보여줄 만한 것이 별로 없었다. 왕국의 인구는 런던보다 적었다. 왕가에서는 왕국의 오일수입을 전국에 걸친 인프라를 건설하는 데 쓰려는 의도를 가지고 있었지만 국내에는 대형 건설 공사를 수행할 수 있는 기업이 거의 없었다. 또한 그러한 기업들을 운영할 수 있는 인재를 배출할 만한 대학교도 거의 없었다.

레바논 같은 인근 국가들은 정반대의 문제를 안고 있었다. 레바논에는 교육을 제대로 받은 자칭 전문가들이 넘쳐났다. 식민지시대 이래 이어진 프랑스와의 연대나 미국과의 오랜 관계 덕분에 많은 전문가가 외국 기업들과 일하는 데 필요한 언어능력을 가지고 있었다. 하지만 경제 성장이 더뎠기 때문에 대학을 졸업한 인재들이 일을 통해 성공할 수 있는 기회가 많지 않았다.

그래서 사드의 아버지 라피크처럼 젊은 전문직 종사자들은 가족의 생계를 지탱하기 위해 급성장하고 있는 왕국으로 옮겨왔다. 그렇다고 해서 그들이 항상 돈을 쉽게 벌 수 있었던 것은 아니다. 오히려 그들은 사우디아라비아의 현금 흐름이 국제 석유 가격에 따라 극적인 등락을 반복한다는 것을 알게 되었다. 석유 가격이 급등하면 수많은 건설 프로젝트가 쏟아졌고, 급락하면 왕국은 지급 불능 상태에 놓였다. 기업들은 벼락경기와 불경기를 오락가락했고, 건설회사에서 일하던 라피크 역시 이런 순환구조의 영향 아래 놓여 있었다.

결국 그는 회사를 나와서 자신의 회사를 창업했다. 석유 가격의 등락에 따라 흥망을 반복하다가 그는 당시의 국왕 칼리드를 위해 공사를 하던 큰 회사로부터 하청 공사를 맡게 되었다. 하리리는 문제에 빠져 있던 프로젝트를 왕국 밖에서 대안을 찾아와 살려냈다. 그는 공사를 완수할 수 있는 능력을 지닌 이탈리아 회사를 끌어들였다. 이 성공 덕분에 그는 1970년대 말, 칼리드 국왕이 메카 동쪽 산악지대에 있는 휴양지 타이프Ta'if에 갑작스럽게 통지하여 지으라고 명령한 호텔 공사를 수주하게 되었다.

왕궁 공사를 수행하면서 라피크는 확실한 사업방식으로 부를 축적할 수 있는 방법을 알게 되었다. 대다수의 고객과 달리 알 사우드 왕가는 예산에 별로 구애를 받지 않았다. 그들에게는 돈이 넘쳐났다. 그들은 다만 공사를 빨리 (때로는 비현실적으로 빨리) 그리고 제대로 완성해주기만 바랐다. 라피크가 그 요청을 만족시키는 한 국왕에게 비용은 문제가 되지 않았다. 그래서 라피크는 프랑스 건설회사 오거Oger를 리조트 건설 공사에 끌어들였다. 공사는 정해진 일자에, 국왕이 만족할 만한 수준으로 완공되었다. 공사비가 1억 달러를 초과했지만 문제가 되지 않았다. 하리리의 전기 작가 안네스 바우만Hannes Baumann이 언급한 것과 같이, 라피크는 그 호텔을 그의 트레이드마크가 될 사업 스타일로 완성했다. 그것은 바로 '최단 납기, 비용 불문'이었다.

국왕은 하리리에게 왕실 공사와 사우디아라비아 시민권을 주었다. 그것은 대단한 은혜였다. 사우디법에서 외국인이 소유하는 회사는 사우디아라비아에서 공사를 할 때 반드시 사우디인 파트너와 함께 일해야 한다고 규정하고 있었다. 이 규정으로 인해 왕자들이나 연줄 좋은 사우디인들이 사우디아라비아의 인프라를 구축하는 데 외국 회사들을 끌어들이고 오로지 그들로부터 현금을 받아낼 목적으로 내국회사를 설립하여 파트너 관계를 맺는 그 유명한 부패구조가 만들어지고 있었다. 사우디인이 소유하는 회사들이 왕국 성장의 일부라도 함께 누리게 하려는 의도는 결국 뇌물을 조장하는 시스템으로 변질되고 말았다.

사우디 여권이 주어졌으므로 라피크는 이제 더 이상 그런 시스템에 얽매이지 않게 되었다. 그는 자신의 회사를 자신의 이름으로 직접 소유할 수 있었으므로 현지 파트너에게 돈을 주지 않고 자신이 원하는 대로 경영할 수 있었다. 하리리는 타이프 호텔 공사에 끌어들였던 프랑스 회사 오거를 인수하여 '사우디오거'로 개명하고 왕국에서 가장 중요한 기업 중 하나로 발전시켰다. 사우디오거는 왕국 안에서 수만 명의 근로자를 고용하고, 왕가 사람들을 위하여 국내외에서 궁전을, 때로는 환심을 사기 위해 공짜로 건설해 주었다.

라피크는 사우디아라비아에서 사업을 키우는 데 개인적 관계가 얼마나 중요한지 잘 이해했다. 그의 회사는 더도 덜도 아닌 바로 국왕과의 관계만큼만 성장할 수 있었다. 궁극적으로는 사우디아라비아 국왕과 좋은 관계를 유지한 것이 고국 레바논에서의 경제적, 정치적 권력으로 치환되었다.

칼리드 국왕이 노쇠해지면서 라피크는 강력한 파흐드 왕세제와의 관계를 굳건히 했다. 왕세제는 국가의 큰 계획들에 대해서 점점 더 무거운 책임을 지게 되었다. 사우디아라비아에서 왕가의 주시를 받는 것은 즐거움 이상이었다. 그것은 사업가로서 오래 살아남는 필수조건이었다.

덕분에 사업은 점점 더 커졌다. 사우디오거가 왕궁부 또는 왕궁부 청사와 기타 정부 청사 등을 건설하면서 라피크에게는 개인적 또는 정치적 이익을 위해 쓸 수 있는 재력이 생겼다. 또 수백만 달러를 레바논의 정치단체나 자선단체에 기부하면서 기업가로서 그리고 인도주의자로서 자신의 모습을 부각시켰다.

처음부터 하리리 가문은 구분 없이 다양한 일들을 벌였다. 사우디아라비아에서 번 돈을 레바논의 자선단체에 기부하고, 베이루트에서 정치적 입지를 구축하는 자금으로 쓰는 등 여러 가지가 서로 맞물려 돌아가며 얽혀 있었다. 라피크는 파흐드 국왕이 수천 명의 레바논 학생들에게 대학 장학금을 기부할 때 자신의 돈을 거기에 보태서 함께 기부했다. 그 덕분에 자신이 레바논 국민에게 실질적 혜택을 가져다줄 수 있는 중요한 사람이라는 평판을 탄탄하게 구축할 수 있었다.

그렇게 함으로써 라피크 자신이 정치적으로 쓸모 있는 사람이라는 인상을 파흐드 국왕에게도 보여줄 수 있었다. 시리아와 이스라엘 사이에 샌드위치가 된 상태로 수많은 팔레스타인들이 살고 있는 레바논은, 늘 자칫

하면 불안정한 상황이 발생하거나 나아가 전쟁이 자주 벌어지는 현장이었다. 그런 곳에 자기 덕에 돈을 버는 정치인이 있다는 것은 국왕으로서도 매우 요긴했다.

라피크는 이스라엘, 팔레스타인, 시리아 및 레바논의 여러 정파가 개입되어 있는 지역의 분쟁을 해결하는 과정에서 일종의 사우디아라비아의 밀사 같은 존재가 되었다. 1983년 제네바에서 시리아와 평화협상을 할 때 하리리가 본인은 파흐드 국왕을 대변하고 있다고 선언했을 정도로 그와 사우디아라비아의 관계는 밀접했다. 알 사우드 왕가와 마찬가지로 하리리는 수니파 무슬림이었다. 그러나 그는 시아파 무슬림, 기독교 및 레바논의 기타 종교 집단으로부터 충분한 지지를 받아내어 불가능해 보이는 동맹을 이끌어낼 수 있었다.

1989년, 15년에 걸친 내전 끝에 라피크는 몇 년 전 자신도 건설에 참여했던 사우디의 휴양지 타이프에서 열린 회담에서 휴전 중재안이 합의되도록 조력했다. 휴전협상이 타결되고 레바논 내전이 종식됨에 따라, 라피크의 오랜 은인이었던 사우디아라비아는 지역 안정화에 대한 공로를 인정받을 수 있게 되었다. 사우디아라비아의 자금은 레바논 정치 및 라피크 가문의 부와 뗄 수 없는 관계가 되었다. 그로부터 3년 뒤, 레바논 내전 후 치러진 첫 선거에서 라피크는 총리로 선출되었다. 이후 그가 국제 자금을 끌어들여 베이루트를 정비하고 재건하는 프로젝트를 수행하는 과정에서 그의 정치적 목표와 사업적 목표는 더욱 긴밀하게 결합되었다. 라피크는 새로 개발된 지역을 소유한 회사의 지분을 보유하고 있었으며 사우디오거를 통해 건설 대금을 지급받기도 했다.

알 사우드 왕가와의 관계를 더욱 강화하고, 차기에 왕국 지도부가 변경되더라도 회사가 그 영향을 받지 않도록 확실하게 해두기 위해서 라피크는 왕가의 다른 계열과도 관계를 구축했다. 파흐드 국왕이 병들어 쇠약해지고 상대적으로 엄격한 압둘라 왕세제가 더 큰 권력을 얻게 되면서 이 문제는 더욱 중요해졌다.

압둘라는 라피크에게는 어려움이 될 수도 있었다. 그는 파흐드 국왕과 어머니가 달랐다. 수다이리 7형제로 불리는 압둘라의 친형제 중에는 술탄, 살만, 나예프 등 강력한 왕자들이 있었다. 압둘라는 파흐드의 자식들을 포함하여 많은 왕족의 사치스러운 생활방식에 눈살을 찌푸렸고, 궁전에 앉아 있기보다는 사막의 텐트에서 하는 캠핑을 즐겼다. 만약 그가 사우디오거가 전임자들에게 지어준 종류의 호화로운 저택을 좋아하지 않는다면 (또는 만약 회사가 사우디아라비아의 현대화에 중요한 역할을 했다고 믿어주지 않는다면) 압둘라에게 권력이 집중되는 것은 라피크와 자신의 재정적, 정치적 야망에 문제가 될 수 있었다.

그래서 라피크는 압둘라와 관계를 구축하는 데 공을 들였다. 압둘라가 레바논에 국빈 방문을 계획하고 있다는 소식을 듣자마자, 라피크는 압둘라의 의전장 모하메드 알-토바이시를 접촉했다. 그는 토바이시에게 압둘라가 방문 중 자신의 집에서 머무르게 해달라고 요청했다. 만약 의전장이 이를 성사시켜 준다면 크게 보답하겠다고 라피크는 약속했다.

토바이시는 이를 해냈다. 압둘라는 베이루트에 있는 라피크의 저택에 머물렀다. 라피크는 레바논 기업가로서 곧 왕위에 오를 압둘라와 개인적 친분을 쌓을 기회와, 자신이 레바논 쪽에서 압둘라의 중요한 정치적 동맹이 되겠다고 설득할 기회를 갖게 되었다.

호의를 항상 넉넉하게 보답하는 라피크는 토바이시에게 리야드 교외에 목장을 지어주고 사우디오거 직원들까지 파견해주었다. 그는 또 60마리의 종마가 있는 종마사육장과 말들이 뛰노는 모습을 감상할 수 있는 스타디움도 지어주었다. 이 모든 것들은 후일 리츠칼튼 집중단속의 후속조치로 모하메드 빈 살만에게 다른 자산 및 돈과 함께 모두 몰수되었다.

라피크는 또한 압둘라의 왕궁실장 칼리드 알-투와이즈리의 환심을 사둠으로써 원할 때면 언제나 압둘라를 만날 수 있었다. 제프리 펠트먼이 주레바논 미국대사로 부임하기 위해 베이루트에 도착하던 2004년쯤에 압둘라와 라피크는 개인적으로나 정치적으로나 밀접한 관계가 되어 있었다.

라피크 하리리의 정치적 운명은 기복이 심했다. 그는 총리직을 잃었다가 되찾은 뒤 2004년에 물러났다. 이듬해 압둘라가 즉위하기 직전에 그는 지축을 흔드는 폭탄테러로 목숨을 잃었다. 국내외적으로 충격적인 사건이었다. 하리리는 지역에 상대적인 평화를 가져올 수 있는 유일한 인물처럼 보였다. 누가 그의 죽음을 원했는지 금방 밝혀지지 않았다. 자신들의 소행이라고 나서는 그룹도 없었다. 폭탄의 정교함, 900킬로그램 이상의 다이너마이트와 원격기폭장치가 있었던 것으로 미루어 볼 때 상당한 자원을 가진 조직의 소행이 분명했다. (일부에서는 헤즈볼라를 지목했지만, 헤즈볼라는 이스라엘을 지목했다. 후일 UN 조사단은 시리아 정부가 범인인 것 같다고 말했다.) 폭발로 인해 21명이 죽었고 베이루트 해변 근처에 4.5미터 깊이의 웅덩이가 생겼으며 엄청난 정치적 공백 상태를 유발했다. 그의 아들 사드는 이 사건으로 인해 레바논 국민들이 전례 없이 결속하는 것을 보았다. "그의 아버지는 피로써 국민을 단결시켰다. '레바논은 하나다'라는 관념이 생겼다"라고 베이루트 국회의원 폴라 야쿠비안은 말한다.

애도 기간이 끝나고 사드는 가문의 사업과 하리리의 정치조직을 이어받았다. "사우디 측에서는 사드를 강력히 지원했고, 그가 언제 어디서 정치를 시작하기로 결정하든 그들의 전폭적인 지지가 있었다"라고 전임 미국대사 펠트먼은 말했다. 펠트먼은 2009년 레바논을 떠나 워싱턴으로 가서 국무부 중동 담당 차관보에 취임했고, 이 해에 사드는 처음으로 레바논 총리가 되었다. 사드는 토바이시 및 투와이즈리와의 관계를 지속적으로 유지했다. 토바이시의 참모들은 후일 친구들에게 사드 하리리가 자신의 비행기로 투와이즈리의 돈을 왕국 밖으로 날라주었다고 말했다.

사드는 아버지의 뒤를 따라 권좌에 올랐지만, 국내외에서 사업적, 정치적 협상을 할 때 라피크가 지녔던 것과 같은 진지함이 없었다. 올백 머리에 난봉꾼 같은 까칠한 수염을 기르고 사치스러운 취향을 지닌 사드는 아버지에 비해서 나약하고 정치적으로도 그만큼 용의주도하지 못했다. 야쿠비안은 그를 "자신이 레바논의 지도자라고 생각하는 이 돈 많고 젊은 녀석"이라고 불렀다. 그의 개인적인 방종도 도움이 되지 않았다. 남아프리카공화국 법원의 기록을 보면, 사드는 2013년과 2014년에 정부로 두었던 비키니 모델에게 1,600만 달러를 건네주었다고 한다.

사드는 가족들과도 갈등을 겪었다. 본인이 사드보다 지도자로서 더 자격이 있다고 믿었던 그의 형 바하아Bahaa는 미국 싱크탱크에 거액을 후원했고 미국 관리들에게 하리리 가문에서 레바논 지도자로 가장 적합한 사람은 본인이라고 은밀히 말하곤 했다. (동생과의 불화에 대한 친구와의 논쟁에서 그는 "그냥 그런 척하는 거야, 이 바보야"라고 말했다. 레바논 유권자들이 사드에게 등을 돌린다면 본인을 대안으로 여길 것이고 레바논을 계속 하리리 가문이 장악할 수 있도록 해줄 것이라고 설명했다.)

사드는 압둘라의 치세 기간 내내 사우디아라비아와 관계를 계속 유지했고, 사우디오거는 나중에 리츠칼튼호텔이 되는 궁전을 포함하여 왕궁이 정부 소유의 토지에 건설하는 거대한 프로젝트들을 수행했다. 총리로서의 첫 번째 임기가 끝난 2011년 이후에도, 사드는 여전히 레바논의 중요한 정치세력가로서 수십 년에 걸친 사우디아라비아와의 동맹관계를 유지하면서 사우디 왕가로부터 발생하는 수입을 바탕으로 개인적 부와 레바논에 대한 정치적 세력을 보전했다.

왕국의 경제는, 개인적인 인맥의 네트워크 속에서 사우디아라비아의 오일달러가 외국인 사업가들에게 지급되고 그 돈의 일부가 다시 왕궁 주변의 사우디인 관리들에게 흘러들어가는 순환구조로 운영되었다. 이 구조는 많은 경우 순조롭게 흘러갔다. 하리리 가문과 각양각색의 왕궁 관리들은 부자가 되었다.

사우디오거는 비록 대다수의 육체노동자와 관리자들이 외국인이었지만 사우디아라비아 국내에 일자리를 창출했고 국왕이 원하는 공사들도 제때 완공했다. 게다가 사우디로서는, 레바논에서 각축하고 있는 이스라엘, 팔레스타인, 시리아 그리고 가장 중요하게는 사우디의 숙적 이란으로부터 가해지는 여러 세력 간 균형을 맞추는 데 있어서, 사우디의 이익을 대변하는 강력한 동맹을 하나 얻은 것이다.

하지만 모하메드는 그들의 이런 관계에 대해서 매우 분노하고 있었다. 압둘라의 왕궁에서 일하면서 그는 컨설턴트들이 논의하는 성과지표에 집착하게 되었다. 사우디아라비아가 재정 투자를 하면 그 투자에 대한 수익을 볼 수 있어야 합리적이라고 그는 생각했다. 왕국은 하리리 가문에 엄청난 액수의 돈을 투자했는데 도대체 그 투자에 대해 어떤 결과를 거두었는가? 그들의 'KPI'는 무엇이었는가? 모하메드는 사드의 성과가 왕국이 지불한 금액에 부합하지 않는다는 결론을 내렸다. 수십 년 동안 사우디아라비아의 후원을 받았다면, 하리리 가문은 이란과 이란이 지원하는 레바논 무장세력 헤즈볼라에 대항하는 데 있어서 사우디아라비아와 함께 더욱 단호한 입장을 취해야 하는 것이 아닌가?

다음으로 재정적인 측면도 있었다. 살만이 즉위했을 때 왕국은 거의 경제 위기에 처해 있었다. 석유 가격 하락으로 정부의 수입은 격감했는데 지출은 여전히 많았다. 모하메드는 자신이 경제개혁 책임을 맡은 뒤부터,

왕국에 오일달러가 들어오자마자 써버리는 시절은 끝났다고 선언했다. 대신, 사우디아라비아는 오일달러를 더 효율적으로 투자하는 방법을 찾고 국민들이 석유 외의 다른 산업에서 돈을 벌 수 있는 다각화된 경제를 구축할 것이라고 말했다.

살만이 즉위하면서 정부 직원들에게 총 250억 달러가 넘는 보너스를 지급하라는 지시를 내린 것이 문제였다. 그것은 왕국의 적자 재정을 더욱 심화시키는 조치였다.

모하메드는 휘발윳값을 올리고 대규모 정부 프로젝트들을 축소하는 등 공격적인 조치로써 대응했다. 그는 사우디오거가 수행할 예정인 프로젝트의 일부를 취소하고 그 회사가 이미 해놓은 공사에 대한 대금을 지불하지 않기로 결정했다. 그는 이 회사가 수년 동안 정부 돈으로 배를 불려왔다고 생각했다. 이제 어려운 시기가 닥쳤으니 이 회사도 고통을 분담해야 한다는 논리였다.

사우디오거는 이에 대응하여 수만 명을 해고하면서 정부의 지불 거절 때문이라고 공개적으로 비난했다. 재정이 회복될 때까지 오랫동안 그럭저럭 버틸 수 있는 사우디빈라덴과 달리, 사우디오거는 그 충격을 견딜 수 있는 여력이 거의 없었다.

사드는 지불 문제에 대해 침묵을 지킬 수도 있었다. 그러나 그는 오히려 문제를 크게 키움으로써 사우디아라비아 정부를 난처한 상황으로 밀어 넣었다. 유럽, 인디아, 필리핀 등지에서 온 사우디오거의 노동자들은 수입도 없고 떠날 돈도 없어 사우디에서 오도 가도 못하는 상황에 놓였다. 노동자들은 비좁은 노동자 숙소에서 먹을 것도 없고 돈도 없이 (사우디오거가 그들이 왕국에 도착하는 순간 압수했기 때문에 여권도 없이) 꼼짝 못하고 갇혀 있는 신세가 되었다. 나아가서 사우디아라비아의 노동법 때문에 그들은 진퇴양난의 처지에 놓였다. 직장이 없으면 불법체류가 되고, 고용주가 없으면 출국 비자를 신청할 수 없었다.

이 상황이 몇 달 동안 지속되었다. 사우디오거가 주방시설을 닫고 음식물 공급을 끊었다. 돈을 벌어서 가족들에게 보내려고 몇 년 동안 집을 떠나와 있던 노동자들은 굶고 있었다. 주사우디아라비아 인디아대사는 이 상황을 "인도주의의 위기"라고 불렀고 인디아 정부는 먹을 것과 기타 구호품을 곤경에 빠져 있는 노동자들에게 보내왔다. 그것은 치욕적이었다. 세계 최고의 부국이 현금 관리를 잘못하는 바람에 인디아가 그 나라에 있는 자국민에게 구호품을 보내는 상황이었다. 결국 사우디 정부가 상황을 타개하려고 개입했다.

아시아인 동료들보다 일반적으로 훨씬 더 급여도 많이 받고 대우도 더잘 받아온 프랑스인 직원들 역시 수백만 달러의 임금이 체불되어 있는 상태에 대해서 공개적으로 불만을 제기했다. 프랑스대사는 사드에게 프랑스 출신 직원들의 체불 급여에 대한 질의서를 보냈다. 프랑스 출신 직원들 일부는 소송을 제기했다. 『월스트리트저널』및 기타 국제 언론들이 사건의 전말을 보도하면서, 모하메드가 경제에 대한 예지력을 과시하는 데 진력하고 있는 시점에 사우디아라비아가 겪고 있는 극심한 경제난을 강조했다.

왕자는 이것을 배신행위로 보았다. 수십 년 동안 왕가는 하리리 가문을 지원해왔다. 그런데 지금 사우디 정부가 많은 어려움을 겪고 있는 이 시기에, 사드는 세계무대에서 알 사우드 가문에게 망신을 주고 있었다.

이 드라마가 계속되던 2016년 말, 사드는 두 번째로 레바논 총리가 되었다. 모하메드는 정부의 지도자로서는 물론 사업가로서의 그에 대해서도 엄청난 불만을 느꼈다.

사드는 레바논이 매우 민감한 시점에 있을 때 다시 지도자가 되었다.

정부는 2년 동안 의회가 의결정족수 3분의 2를 채우지 못해 대통령을 선출하지 못하고 있었다. 사드의 총리 복귀에 동의한 덕분으로 노련한 기독교 정치인이자 헤즈볼라의 동맹인 미셸 아운Michel Aoun이 대통령으로 선출되었다.

총리직에 취임하고 나서 사드는 헤즈볼라에 대해 모하메드가 기대하는 강경노선을 취하지 않았다. 그로서는 그렇게 할 수가 없었다. 그는 헤즈볼라와 협력하며 정부를 운영하고 있었고 레바논에서 민주주의는 그 지도자들과 함께 일해야 한다는 것을 의미했다.

모하메드는 민주주의 통치를 하기 위해 그래야만 한다는 것에 대해 공감하지 못했다. 이란이 헤즈볼라를 통해서 레바논에 영향력을 행사하도록 하기 위해 사우디아라비아가 수십 년간 수십억 달러의 돈을 하리리 가문에 지원한 것이 아니었다.

왕자는 또한 사드가 모하메드의 국내 경쟁자들, 즉 압둘라의 아들들 및 가신들과 재정적, 개인적 유대를 유지하는 것을 싫어했다. 모하메드는 이미 그들이 자신의 왕위계승권을 약화시키려고 획책하고 있다고 의심했으며, 그들의 협력자들에 대해서도 그런 의심을 하고 있었다. 또 부패에 관련된 문제도 있었다. 왕궁 안에서는 압둘라의 왕궁실장 칼리드 알-투와이즈리가 돈을 왕국 밖으로 빼돌리는 데 사드가 조력했다는 소문이 나돌고 있었다. 현금이 가득한 트렁크 더미가 리야드에서 베이루트로 가는 사드의 비행기에 실린 것을 보았다는 하리리의 친구의 주장을 왕궁에 근무하는 직원들은 모두 알고 있었다. 그리고 모하메드의 직원들 일부는 그 돈의 상당 부분이 투와이즈리의 것이라고 의심했다. 모하메드는 비밀리에 사드를 조사대상 사업가 명단에 추가했다.

그는 또한 정부에 사우디오거를 조사하라고 지시했다. 2016년 사우디 재무부는 국제회계법인 프라이스워터하우스쿠퍼스PricewaterhouseCoopers를 고용해 사우디오거의 회계장부를 조사해달라고 의뢰했다. 모하메드는 이 회사를 어떻게 할 것인지 결정하기 위해 특별위원회를 열었는데, 위원회는 그 회사에 심각한 문제가 있으며 구제하기 위해서는 수십억 달러가 필요하다는 결론을 내렸다.

조사 결과를 본 모하메드는 더욱 냉담해졌다. 수년 동안 사드의 아버지 라피크가 압둘라 국왕을 찾아와 자금 부족을 호소하면 국왕은 10억 달러 규모의 융자를 해주었고 종종 그 융자금을 탕감해주었다. 그런 것은 사우디아라비아에서 법적으로 또는 정치적으로 뚜렷한 문제가 되지 않았다. 국왕의 말은 곧 법이었고, 국왕이 융자를 해주고 국왕이 탕감해주면 그만이었다. 하리리가 모은 돈의 일부는 고위 알 사우드 왕족의 궁전을 지어주는 데 들어갔다. 사드는 왕가와의 관계 때문에 본인이 법적 위험에 빠질 수 있다고는 상상도 하지 못했다.

그러나 모하메드는 본인 이전의 왕족들과는 다른 관점에서 보았다. 그는 정부로부터 정당한 몫 이상을 받은 자들은 모두 부패를 저지른 자로 간주했다. 심지어 국왕의 승인을 받았더라도 마찬가지였다. 그는 나랏돈으로 사업가와 관리를 부자로 만들어준 낡은 구조를 타파하겠다고 단호하게 결심했다. 사우디오거는 손쉬운 목표물이었다.

모하메드는 가문 사이의 오랜 협력관계를 존중하는 아랍의 전통도 그다지 중요하게 생각하지 않았다. 사우디아라비아는 현금이 부족했고, 사우디오거는 왕국의 지불 불이행에 대해 공개적으로 불만을 제기했고, 하리리 가문은 수십 년간 사우디아라비아가 지원했음에도 불구하고 헤즈볼라에 대한 영향력을 잃고 있었다. 따라서 모하메드는 하리리-알 사우드 동맹을 더 이상 유지할 가치가 없는 관습이라고 결정했다. 심지어 사우디아라비아가 다른 건설업자들에 대한 대금 지불을 재개한 뒤에도, 모하메드는 사우디오거에 대해서는 지불을 보류함으로써 한때의 거대 기업이 시들어 없어지도록 방치했다. 사드는 여전히 레바논 총리직을 유지하고 있었다. 그러나 그 직책에 있는 한 사드는 매일 헤즈볼라와 타협할 수밖에 없었고, 모하메드가 그것을 주시하고 있었으므로 사드의 정치적 위상 또한 불안해졌다.

헤즈볼라는 레바논의 일부 지역을 통제했고 2006년 이스라엘과 전쟁을 시작했으며 지역 안에서 이란의 영향력을 지속적으로 행사하고 있었다. 그들의 군사적, 정치적 파워는 이스라엘과 요르단을 끊임없이 불안하게 하는 위협이었다. 모하메드는 이 점에 대해 넌더리를 냈다. 그는 사드가 헤즈볼라와 공동으로 통치하기보다는 그들에 대해 대결적 태세를 취해주기를 원했다. 모하메드의 걸프 문제 담당 장관으로서 이란에 대해 공격적인 매파였던 타머 알-사브한Thamer al-Sabhan은 2017년 가을 사드를 만나서 사우디아라비아의 불만을 분명하게 표현했다.

다음으로 2017년 11월 3일, 사드는 고위관리 알리 아크바르 벨라야티 Ali Akbar Velayati가 이끄는 이란대표단을 접견했다. 미팅이 끝나고 레바논의 관영통신사가 하리리와 이란대표단이 정중하게 대화하는 사진과 함께 벨라야티의 말을 실었다. "우리는 하리리 총리와 타당하고 긍정적이고 건설적이고 실질적인 회담을 했으며, 이란-레바논은 항상 건설적인 관계를 유지해왔습니다." 모하메드로서는 인내심의 한계를 넘는 일이었다. 그날 저녁 그는 사드를 소환했다.

처음부터 총리가 위협을 느낄 이유는 없었다. 그저 연기가 피어오르는 모닥불을 앞에 두고 사막의 텐트 속에 앉아 젊은 왕자가 헤즈볼라와 이란에 대해 분통을 터뜨리는 이야기를 들어주어야만 할 것이라고 생각했다. 몇 달 전에도 모하메드와 사브한에게서 비슷한 불평을 들었던 터였다. 그러나 모하메드는 이미 사우디오거의 숨통을 끊어놓기 직전이었다. 하리리 가문에 그 이상 더 어떤 피해를 줄 수 있을까? 사드는 한 외국인 친구에게 모하메드가 심지어 레바논에 대한 재정지원을 늘려줄 수도 있다는 낙관적인 전망을 이야기할 정도였다.

사태가 이상하게 돌아간 것은 사드가 어두컴컴한 시간에 리야드에 도착한 뒤부터였다. 그가 공항에 착륙하자 왕궁관리들이 시내에 있는 그의 집으로 가지 못하게 했다. 대신에 그들은 사드에게 모하메드를 만나러 가야 한다고 말했다. 그러나 미팅 장소로 가는 도중에 그들은 진로를 변경했다. 왕자가 만날 준비가 될 때까지 사드는 집에 가서 대기하라는 이야기였다.

사드는 밤새 기다렸다. 그는 다음 날 오전 8시에 모하메드를 만나러 오라는 전화를 받았다. 늘 받았던 호송을 받지 못한 상태로 시드는 왕자를 만나러 급히 달려갔다. 그를 기다리고 있는 것은 모하메드가 아니라 모하메드의 집행관들이었다.

그들은 사드를 구금했다. 사드는 그 이후 벌어진 일에 대해서는 거의 아무에게도 말하지 않았다. 그는 한 서구인 친지에게 "소름 끼치는 상황이었습니다. 정말 충격적이었고 육체적으로나 정신적으로나 지울 수 없는 상처를 받았습니다"라고 말하면서 그 이상의 상세한 이야기는 하지 않으려고 했다.

모하메드 부하들의 손끝에서 육체적, 재정적 피해를 당하고 난 뒤, 사드는 총리직을 사임하기로 합의했다.

그날 오후 사드의 집에서 사우디 관리들은 그가 TV에 나가서 읽을 연설의 대본을 넘겨주었다. 그것은 기이한 연설이었다. 레바논 국기 옆의 책상에 사드가 앉아 있고 그 앞에 마이크와 노트북이 놓여 있는 장면을 카메라가 비추고 있었다. 사드는 서류다발을 읽어나가면서 가끔 두 눈을 크게 뜨고 카메라를 바라보았다. 사드는 아버지의 암살에 대해 언급하고 레바논이 지금 비슷한 상황에 처해 있다고 하면서 "저는 저의 목숨을 노리는 어떤 음모가 진행되고 있는지 알고 있습니다"라고 말했다. 그러면서 더 이상의 구체적인 내용은 덧붙이지 않았다. 이어서 사드는 레바논 국민들의 기대를 저버리지 않기 위해서 사임하려 한다고 말했다. 그런 다음 그는 이란이 "어디를 가든 파괴와 황폐와 무질서"를 가져다준다고 맹공격을 퍼부었고, 헤즈볼라는 예멘과 시리아의 아랍동맹들을 향해 무력을 사용하고 있다고 주장했다.

사드를 잘 아는 레바논과 외국의 관리들은 그 연설이 그의 정치적 노선과 다르다는 것을 알아챘다. 불과 몇 달 전 그는 미국의 정치 전문 일간지 『폴리티코Politico』의 수장 글래서와의 인터뷰에서, 이스라엘과 미국에 대한 헤즈볼라의 적대적 입장에도 불구하고 자신은 그들과 함께 나라를 다스릴 수밖에 없다고 말했다. "국가를 위하여, 경제를 위하여, 150만 명에 달하는 난민들을 위하여, 안정을 위하여, 우리나라를 다스리기 위하여 우리는 서로 이해해야만 한다."

또 하나의 세부사항이 중동전문가들을 놀라게 했다. 사드는 헤즈볼라가 예멘에 개입하고 있다고 불만을 토로했는데, 실제로 헤즈볼라는 예멘에 어떠한 영향력도 행사하지 않았다. 더군다나 레바논 내부의 문제로 제 코가 석 자인 사드에게 예멘은 심각한 관심사가 아니었다. 오히려 예멘을 우려하고 있는 사람은 모하메드였다. 그는 사우디아라비아가 승리할 가능성도 별로 없는 잔인한 지구전이 되어가는 예멘전쟁의 수렁에 빠져 있었다.

사드의 연설로 레바논과 해외의 정치인들은 공황상태가 되었다. 베이루트의 관리들은 유럽과 미국에서 진상을 파악하기 위해 쏟아지듯 걸려오는 전화를 받아내기에 바빴다. 그들은 아는 사람이 아무도 없다고 응답했다. 레바논 대통령은 사드를 직접 만나기 전에는 사임을 수락하지 않겠다고 거부했다. 지지부진하는 상태가 3일 동안 이어졌다. 사드의 상태는 불분명했고 모하메드는 공개적으로 언급하지 않았다. 대신 그는 중동정책을 논의하기 위해 팔레스타인자치기구Palestine Authority의 대통령 마흐무드 압바스를 초치했다. 왕자는 분명 지역에 대해 통제권을 행사하려고 노력하고 있었고 압바스는 이를 걱정하며 회의장을 떠났다. 모하메드는 트럼프 대통령의 사위이자 보좌관인 재러드 쿠쉬너가 제시한 아이디어에 따라 사우디아라비아가 이스라엘과의 평화협상에서 팔레스타인의 요구를 양보할 의향이 있음을 내비쳤다. 70년 동안 아랍에서 가장 성스러운 대의 중 하나였던 것이, 모하메드의 비전2030 계획에 가치를 제공하지 못한다는 이유로 아무렇지도 않게 쓰레기통에 버려질 예정이었다.

모하메드는 사드가 잠시 리야드를 떠나 UAE를 방문하는 것을 허용했다. 그곳에서 그는 왕자의 가까운 동맹인 모하메드 빈 자예드를 만났다. 그러나 사드가 베이루트가 아닌 리야드로 돌아왔을 때, 그가 본인의 의지에 반해서 억류되어 있다는 것을 많은 사람이 분명한 사실로 받아들였다. 프랑스의 마크롱 대통령이 리야드로 갈 결심을 한 것은 바로 그때였다. 리츠사태가 벌어질 즈음 새로이 건설된 루브르박물관 분소의 개소식에 참석하기 위해 아부다비에 가 있었던 마크롱은 아랫사람을 시켜 모하메드의 참모에게 메시지를 보냈다. 프랑스 대통령이 왕자를 만나기 위해 리야드를 방문하려고 하는데 공항에서 만나 하리리의 문제만 논의하고 싶다는 전갈이었다. 도착하기 전에 마크롱과 참모들은 거의 모든 외국 지도자가 통상적으로 사우디 국왕에게 표하는 경의와 예절을 생략하기로 결정했다. 대통령은 왕자에게 직설적으로 이야기할 생각이었다. 회담 전 마크롱은 레바논의 지도자들에게 자유로운 여행이 허용되어야 한다고 공개적으로 선언함으로써 모하메드와의 대결 구도를 형성했다.

왕자는 그 회담을 대중들에게 멋진 볼거리로 만들 작정을 했다. 그는 금박 테를 두른 비시트를 걸치고 나타나 악수를 하면서 마크롱을 바라보며 만면에 웃음을 띠었다.

비밀회담에서 마크롱은 모하메드에게 외국 원수를 구금한 데 대해서 경악했다고 말했다. 레바논은 오랫동안 전쟁 또는 준전쟁 상태에 있었고, 내국인과 외국인 무장그룹에 의해 포위되기도 했었고, 몇 년 동안 시리아에 의해 점령되기도 했었다. 이제 평화가 찾아왔다. 왜 모하메드는 그 나라를 불안정하게 만들려 하는가? 마크롱은 모하메드에게 하리리를 풀어 달라고 요청했다.

그러나 모하메드는 "그는 여기에 있기를 원합니다. 그는 여기를 떠났을 때 본인의 안전을 두려워하고 있습니다"라고 답했다. 마크롱은 계속 압박을 가했다. "귀하는 난처함을 자초하고 있습니다." 하리리가 자유의지로 사우디아라비아에 머무르고 있다고 생각하는 사람은 아무도 없었다. 마크롱은 사드와 교신할 수는 있었지만 사우디 관리들이 도청하고 있었다. 비밀리에 대화할 수도 없었고 사드의 석방을 보장할 수도 없었기 때문에 마크롱은 새로운 계획이 필요하다고 생각하면서 리야드를 떠났다.

마크롱과 마찬가지로 레바논 국회의원 폴라 야쿠비안도 아부다비 루브르박물관 개소식에 참석했다. 당시에 그녀는 하리리 소유 방송국의 TV 기자였는데, 리야드에서 벌어지는 극적인 상황을 보고 충격을 받았다. 비행기가 베이루트에 도착한 뒤 그녀는 본인의 사주인 사드가 그사이에 전화를 몇 번 했었다는 것을 알게 되었다. 그녀는 바로 전화를 걸었다.

"리야드로 와서 내일 나를 인터뷰하시오"라고 그가 말했다.

야쿠비안은 혼란스러웠다. 그녀는 사드가 자기 의사에 반해서 억류되어 있다는 것을 잘 알고 있었다. 언론플레이를 하려는 것인가? 구조하러 오라는 이야기인가? 국가 안팎의 이목을 끌기 위해 사우디아라비아가 연

358   빈 살만의 두 얼굴

출하는 홍보작전인가? 그녀는 사드의 베이루트 집으로 차를 몰았다. 그곳에 사드의 참모 한 명이 기다리고 있었다.

"어쩌면 내가 가지 않는 게 더 나을 것 같습니다"라고 그녀가 말했다. "제정신입니까?"라고 참모가 응수했다. 사우디 측에서 분명히 사드의 인터뷰를 바라고 있는데 만약 사드의 직원이며 오랜 친구인 야쿠비안이 거절한다면 사태를 훨씬 더 악화시킬 것이 분명했다. "당신이 가야만 그가 더 안전해집니다"라고 참모가 말했다.

방송국에서 사우디 정부의 협조를 주선했다. 사우디 정부에서는 인터뷰를 생방송으로 내보낼 것이고 사우디 측 관리들이 그녀의 질문을 제한하지 않겠다고 약속했다. 자정이 지나서 야쿠비안은 비자를 발급받았다. 그녀는 잠도 제대로 못 자고 몇 시간 뒤에 리야드행 오전 비행기를 탔다. 필리핀인 운전수가 그녀를 태우고 사드의 집으로 곧장 갔다. 야쿠비안이 몇 년 동안 알고 지낸 두 명의 참모가 기다리고 있었다. 그들은 의례적인 인사만 몇 마디 나눴을 뿐 솔직한 이야기는 하지 못했다. 사드가 정장 차림으로 들어와 10분 정도 이야기를 나누고 인터뷰를 하기 위해 앉았다.

초현실적인 상황이었다. 야쿠비안은 그것을 기자로서 정면으로 부딪히기로 했다. 그녀는 레바논 국민이 알고 싶어 하는 질문을 하겠다고 마음먹었다.

"당신은 여기에 구금되어 있는 겁니까?"라고 그녀가 물었다. 사드가 부인하자 그녀는 불신감을 드러냈다. 한순간 그는 울음을 터뜨릴 것 같은 표정을 지으며 야쿠비안에게 "당신은 나를 무척 피곤하게 만들고 있습니다"라고 말했다. 그 인터뷰는 국제 시청자들에게 사드가 사우디아라비아에 머무르는 것과 총리직을 포기한 것이 본인 스스로의 결정이라는 점을 재확인시켜줄 의도로 사우디 측에서 기획한 것이었지만 역효과를 냈다. 그가 겁먹은 사람처럼 보였기 때문이다.

인터뷰가 끝나자 사드는 청바지에 티셔츠와 가죽 재킷으로 갈아입었다. 그들은 그릴에 구운 고기, 후무스, 닭고기로 이루어진 전형적인 레바논식 저녁을 먹고 중정에 있는 풀숲 주변을 걸었다. 그런 다음 앉아서 시가릴로를 피우고 몇 시간이 넘도록 조용히 대화했다.

그날 밤 야쿠비안이 호텔로 돌아갔을 때, 그녀는 여전히 무슨 일이 벌어지고 있는지 분명하게 이해할 수 없었다. 돌이켜 보면 그때 사드는 마크롱에게 모하메드를 계속 압박해달라는 메시지를 보내려고 애쓰고 있던 것으로 지금 그녀는 믿고 있다. 그 인터뷰는 레바논 내외의 지도자들에게 경종을 울렸다. 레바논 대통령 미셸 아운은 사우디아라비아가 사드를 인질로 잡고 있다고 말했다. 그 말이 마크롱에게 길을 열어주었고, 다음 날 그는 사드를 공개적으로 파리로 초청하겠다고 결심했다. 사드에게는 본인이 원하는 대로 오고 갈 자유가 있다고 주장함으로써 모하메드는 스스로를 궁지에 몰아넣었다. 만약 사드가 파리로 가는 길을 모하메드가 막아선다면 그것은 자신의 약속을 깨는 것이고 사드가 죄수라는 것을 입증하는 것이 될 터였다.

그러나 사드의 협력자들은 하리리 가족들이 리야드에 남아 있는 것이 문제라고 마크롱에게 말했다. 설사 사드가 파리로 떠나더라도 그의 가족들이 리야드에 남아 있다면 모하메드는 여전히 최종 지렛대를 가지게 될 것이었다. 11월 15일, 마크롱은 사드가 갑자기 사임한 지 거의 2주가 흐른 뒤에 공개적인 행동을 취했다.

독일 본에서 열린 기후 회의에 참석한 마크롱은 기자들에게 자신이 하리리의 가족 전체를 파리로 초대했다고 밝혔다. 이것은 사드에게 정치적 망명의 기회를 주려는 의도가 아니라 단순한 초청이라고 말했다.

모하메드는 궁지에 몰렸다. 그는 이를 막을 수 없었다. 그리하여 사드와 그의 아내, 자식들 전원이 파리로 여행을 갔다가 베이루트로 돌아갔다. 사드는 총리 사임을 백지화했다. 왕자로서는 난처한 상황이었다. 심지어 사드의 가족회사를 파괴하고 그를 경제적으로 망가뜨리면서 그로 하여금 국제사회의 면전에서 사임까지 하도록 만들었지만, 결국 모하메드는 그를 권좌에서 끌어내리는 데 실패했다. 왕자는 약해 보이고 헤즈볼라는 강해 보였다. 지역에서 벌어진 대리전쟁에서 이란이 승리했다.

"MBS의 경솔한 행동으로 인해 걸프국가들 및 지역 전반에 걸쳐 긴장이 심화되었고 안보가 흔들렸다"라고 자말 카슈끄지는 말했다. 모하메드와 그의 부하들은 그를 점점 더 위험한 반대자로 보았다. 서구에서도 비판자들이 급격히 늘어났고 사드가 의기양양하게 레바논으로 돌아가자 정부 내의 친헤즈볼라파가 그 어느 때보다도 더 강력해졌다. 이러한 추세는 계속되었다. 2019년 말, 부패에 대한 시위로 사드가 총리직에서 쫓겨남으로써 사우디아라비아의 마지막 주요 동맹이 사라졌고 헤즈볼라의 입시는 더욱 강화되었다.

야쿠비안은 더 부드러운 무언가도 사라졌다고 말한다. 왕국 초기에 레바논은 사우디 왕족들이 사막을 벗어나 해외의 범세계주의적인 세상을 맛보기 위해서 찾아가는 곳이었다. 사우디아라비아가 베이루트 재건을 도와주었지만, 알 사우드 왕가를 섬처럼 고립된 왕국 밖으로 나올 수 있게 도와준 것은 레바논이었다. 이제 그런 측면을 기억하는 사람은 아무도 없는 것 같다. "사우디아라비아의 새로운 세대는 구세대와는 다르다. 그들에게는 레바논에 대한 노스탤지어가 없다"라고 야쿠비안은 말한다. "그곳은 그들에게 자유의 오아시스였다."

16장

레오나르도 다 빈치

이윽고 로터는 경매 개시 후 19분 만에 조용히 마지막 응찰 가격인 4억 달러를 전달했다. 깜짝 놀란 청중은 룸이 떠나갈 듯 소리를 질렀다. 부자들과 아름다운 미녀들이 룸 가득 빽빽이 들어앉아 미술품 경매의 한 역사가 펼쳐지고 있는 뉴욕 최고의 쇼를 지켜보고 있었다. 크리스티에 지불하는 수수료를 포함한 총 구매 가격은 4억5천만 달러로 2012년 버락 오바마가 대통령 선거캠페인에 썼던 총예산을 넘는 금액이었다. 3주 동안 구매자의 신원은 미술계에 미스터리로 남아 있었다.

뉴욕 크리스티 경매팀에서는 〈살바토르 문디〉가 고가에 판매될 것이라는 확신이 전혀 없었다. 그림은 아마 진품일 것이다. 달리 표현하면 적어도 많은 전문가가 진품이라는 데 동의했다. 이 그림은 경이로울 만큼 아름다운 작품으로, 예수 그리스도가 오른손으로 십자가 사인을 하고 있고 왼손에는 투명한 구체를 들고 있는 모습을 그렸다. 이는 천국을 손아귀에 쥐고 있는 '구세주'로서의 그의 역할을 상징한다.

수집가가 개인적으로 소장하기보다는 대중이 보고 즐기게 하는 것이 더 적절할 것 같은 작품이었다. 레오나르도 다 빈치의 새 작품이 새로 개관되는 미술관에 전시되면 그것을 보기 위해 수많은 사람들이 몰려옴으로써 관광수입을 증대시키고 그 도시를 문화지도에 올려놓을 수 있다. 크리스티 직원들은 중동지역 사람이 그 작품을 구매하리라고는 전혀 예상하지 못했다. 그림에 뚜렷하게 표현되어 있는 기독교적 주제 때문에 특히 더 그랬다.

경매 예정일인 11월 15일이 다가오자 크리스티 팀은 세계적으로 유명한 초일류 재벌들과 중국, 러시아의 신흥부자들을 포함해서 잠재적 구매자를 대략 7명 정도로 걸러냈다. '바드르 빈 파르한 알 사우드'라는 알려지지는 않았지만 눈에 띄게 적극적인 후보가 한 명 나타났다. 구글에서 급히 검색을 해봤지만 이 젊은 사우디인에 대한 자료는 나오지 않았다. 여러 해 동안 중동에 대해 경험이 있었던 크리스티의 임원도 들어본 적이 없는 이름이었다. 그는 매우 의욕적이었고 '돈'과 동의어가 된 '알 사우드'라는 성을 지니고 있었다. 크리스티의 금융팀은 고객이 최고구매가로 예상하는 가격의 10%만 불입하면 마음대로 응찰할 수 있다고 말했다.

다음 날 아침 상세한 내용에 접근할 수 있는 허가를 지닌 소수의 크리스티 직원들이 흥분해서 이야기를 나누기 시작했다. 밤새 1억 달러가 입금되었던 것이다. 바드르 왕자가 그림값으로 10억 달러까지는 낼 의향이 있다는 신호를 보내고 있는 것인데, 그런 금액은 〈살바토르 문디〉예상 가격에 대해 아무리 정신 나간 상태에서 평가를 하더라도 있을 수 없는 천문학적인 숫자였다. 그 금액은 단순히 그림 한 장이 아니라 미술관을 통째로 살 수 있을 만큼 거액이었다.

바드르 빈 파르한이 모하메드 빈 살만의 먼 사촌이며 어렸을 적부터 시간을 같이 보낸 정말 가까운 친구라는 사실을 크리스티 측은 모르고 있었다. 둘은 2주 차이로 태어나서 함께 자랐고 20대 시절 각자 창업도 하면서 새로운 사우디아라비아를 머릿속으로 그리며 지냈다. 사우디아라비아의 회사 등록 기록을 보면, 두 사람은 플라스틱업체, 부동산개발업체, 10년 전 버라이즌 커뮤니케이션스와의 합작회사를 포함하여 여러 회사를 동업한 것으로 나온다. 모하메드 빈 살만은 유명인사였지만 그의 친구나 지인 관계에 대해서 아는 사람들은 없었다. 그의 재산을 파악하거나 취향을 확인해 본 사람도 없었다.

경매는 크리스티의 전후 현대미술 전문가 로익 구저Loïc Gouzer 공동의장이 지휘했다. 검고 짧은 머리에 이틀쯤 깎지 않은 듯한 수염을 기른 소년 같은 미남인 그는 예상치 못한, 때로는 불경스러운 경매 큐레이션으로 크리스티의 고위직에 오른 인물이다. 2015년 '과거를 전망하며Looking

Forward to the Past'라는 경매에서 모네와 리처드 프린스의 작품들을 출품하기도 했다. 또 파블로 피카소의 1955년작 〈알제의 여인들〉(버전 'O')가 179,365,000달러에 낙찰되어 당시 경매사상 최고가 기록을 세운 바 있다. 구매자는 전직 카타르 총리 셰이크 하마드 빈 자심Sheikh Hamad bin Jassim으로, 모하메드 빈 살만의 주요 경쟁자인 현재 카타르의 젊은 에미르 타밈 빈 하마드의 6촌이었다. 구저는 또한 셀럽, 운동선수, 초특급 재벌 등과 완벽한 인맥을 가지고 있었다. 그는 레오나르도 디카프리오와 사진도 함께 찍을 정도로 친한 친구였다.

구저는 동료들에게 〈살바토르 문디〉 경매에 최대 구매자인 정부 고객들을 참여시키는 데 초점을 맞추겠다고 말했다. 이 그림은 누군가의 거실에 걸어두기에는 그 자체로 너무 큰 이벤트이다. 다 빈치의 그림은 지구상에 오직 15점 정도만 알려져 있다. 이 그림에는 훌륭한 설화가 전해지고 있다. 원래는 영국의 찰스 1세에게 팔린 것으로 추정되며 이후 두 명의 영국 왕이 소장했다가 한 세기 이상 그 행방이 묘연했다. 그러다 이 그림이 다시 세상으로 나왔고, 대중은 재발견된 걸작을 사랑했다. 구저는 "에펠탑은 살 수 없지만 그보다 훨씬 적은 비용으로 사람들을 더 많이 끌어들일 수 있는 그림은 살 수 있다"라고 판매 계획을 작성하면서 친구에게 말했다.

구저는 미술계의 재정적 측면도 잘 알고 있었다. 판매자가 실수로 또는 판매 시점을 잘못 택해서 그림을 싼값에 팔아버리게 되는 위험을 최소화하기 위해, 경매회사들은 금융보증을 제공함으로써 투자은행 같은 역할을 하기 시작했다. 구저는 자신의 인맥을 활용하여 대만의 투자자 겸 아트컬렉터 피에르 첸을 찾아냈고, 첸은 이 그림에 대해 1억 달러를 보증하기로 했다. 이는 판매자인 러시아 재계의 거물 드미트리 리볼로프레프가 경매에서 어떤 상황이 발생하더라도 결국 첸이 그 가격에 구매할 것이기 때문에 수수료를 뺀 금액을 받을 수 있다는 것을 의미했다. 만약 더 높은 가격에 팔리면 판매자는 그 차익을 보증인과 나누게 된다.

고가의 그림에는 고액의 마케팅 예산이 뒤따르기 마련이다. 판매되는 작품에 대한 이야기를 멀리 그리고 넓게 전파하여 가급적 많은 응찰자를 끌어들이기 위해서, 모든 호화스러운 고급 잡지나 경제신문의 지면에 광고를 게재하고 심지어 대도시의 주요 지역에 옥외광고물까지 설치하기도 한다. 그러나 구저는 이 모든 것 대신 대중을 타깃으로 하는 영상을 제작하기 위해 '드로가5Droga5'라는 당대 가장 힙한 광고대행사를 고용했다. 그 결과, 카메라가 그림 자체의 시선에서 바라보는 매혹적인 단편 광고 '최후의 다 빈치The Last Da Vinci'가 탄생했다. 검은 바다 속에서 보일 듯 말 듯한 관객들이 눈물을 글썽이며 경외의 시선으로 바라보는 모습을 그림 스스로가 바라보는 가운데 감동적인 현악사중주의 선율이 배경에 깔리는

뉴욕 크리스티 경매에서 레오나르도 다 빈치의 〈살바토르 문디〉에 응찰 중인 모습

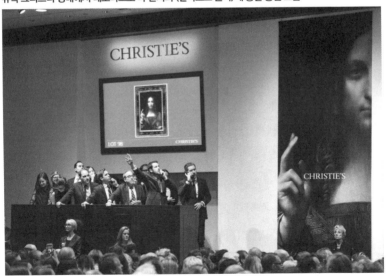

빈 살만의 두 얼굴

영상이었다. 기가 막힌 걸작이었다.

당시 크리스티 팀에서는 거의 인식하지 못했겠지만, 이 전략은 멀리 사우디아라비아에 있는, 거창한 아이디어와 자산에 집착하는 모하메드 빈 살만에게 큰 반향을 일으켰다. 총리나 세계적 거물들과 같은 리그에 속하고 싶어 하는 사우디의 젊은 왕자를 최상급 수식어들이 끌어당겼다. 그가 그 그림을 구매하려는 의도는 분명하지 않았지만 왕국에 전시하겠다는 생각은 확고했다.

경매 당일 바드르는 구저와 함께 전후 현대미술 담당 공동의장을 맡은 알렉산더 로터Alexander Rotter에게 전화를 걸었다. 로터는 경매장 내 전화대에 서 있었고 그 옆에는 다른 잠재고객들과 연결되어 있는 직원들이 서 있었다.

경매가 1억 달러에서 개시된 지 몇 분 만에 응찰가는 1억5천만 달러로 뛰었고, 1천만 달러, 500만 달러 단위로 상승하여 2억6천5백만 달러까지 올라갔다. 청중들은 웅성거리기 시작했고 산발적으로 박수를 터뜨렸다. 그림에 대한 최고가 판매기록은 이미 깨진 뒤였다.

그때쯤에는 로터의 고객과 중국인 억만장자 리우 이첸Liu Yiqian 두 사람 사이의 경쟁이 되어 있었다. 리우는 로터 옆의 전화대에 있는 크리스티의 고미술감정팀장 프랑수아 드 푸르테Francois De Poortere와 연결되어 있었다. 크리스티의 규칙에 따라 경쟁자 두 사람은 상대방이 누군지 모르는 상태였다. 응찰이 계속되는 가운데 크리스티의 임원 두 사람이 자신의 고객과 각각 전화로 의논하는 모습이 보이면서 긴장은 고조되었다. 구저의 고객은 일찌감치 포기했지만 그는 숫자가 점점 올라가면서 경매사를 응시하고 있었다. 2억4천5백만 달러, 2억8천6백만 달러, 2억9천만 달러, 3억1천8백만 달러, 3억2천8백만 달러, 그리고 3억3천만 달러가 되었다. 드 푸르테가 경매사에게 3억5천만 달러의 신호를 보냈다.

이윽고 로터는 경매 개시 후 19분 만에 조용히 마지막 응찰 가격인 4억 달러를 전달했다. 깜짝 놀란 청중은 룸이 떠나갈 듯 소리를 질렀다. 부자들과 아름다운 미녀들이 룸 가득 빽빽이 들어앉아 미술품 경매의 한 역사가 펼쳐지고 있는 뉴욕 최고의 쇼를 지켜보고 있었다. 크리스티에 지불하는 수수료를 포함한 총 구매 가격은 4억5천만 달러로 2012년 버락 오바마가 대통령 선거캠페인에 썼던 총예산을 넘는 금액이었다. 3주 동안 구매자의 신원은 미술계에 미스터리로 남아 있었다. 구매자가 누구인지에 대해 온갖 풍문이 난무했다. 12월 6일이 되어서야 미국의 정보소식통들이 머지않아 사우디아라비아의 국왕이 될 인물의 어리석음을 강조하기 위해 구매자의 정보를 『월스트리트저널』과 『뉴욕타임스』에 유출했다. 소식통들은 그가 낭비벽이 있을 뿐 아니라 보수적인 이슬람사회를 적대시하는 것 외에는 아무런 목적도 없이 점수로 인정되지 않는 잽만 먹이고 있다고 비꼬았다.

실제 입찰자가 서로를 증오하는 모하메드 빈 살만과 카타르의 에미르 타밈 빈 하마드였다는 이야기를 포함하여 경매에 관한 다른 소문도 돌았다. 그것은 사실이 아니었지만 모하메드의 충동적이고 쉽게 화를 내는 이미지가 점점 커지고 있다는 점을 분명히 보여주었다.

모하메드 빈 살만은 부패를 집중단속하고 값비싼 전쟁을 치르며 민감한 시기를 보내고 있었는데, 자신이 그림을 비밀리에 구매한 소식이 그렇게 빨리 유출된 것에 대해 분노를 느꼈다. 그는 네옴 같은 대형 프로젝트들에 대해 1년 동안 비밀을 유지해왔다. 하지만 요트 서린호와 프랑스의 샤토를 샀을 때도 그랬지만 이 그림의 구매 소식은 빠르게 누출되었다. 그는 여기에 카타르가 개입되어 있다고 의심했다. 그래서 UAE에 있는 친구들과 함께 다음과 같은 위장 스토리를 지어냈다. 그 그림은 사우디아라비아가 몇 주 전 수도 아부다비에 루브르박물관 분소를 개관한 모하메드 빈 자예드에게 선물로 주기 위해 구매한 것인데, 희귀한 다 빈치의 그림이 그것을 직접 보려는 군중을 신설 박물관으로 끌어들이는 데 엄청난 효과가 있을 것이라는 이야기였다.

모하메드 빈 살만만 애가 타는 상황이 되었다. 사우디아라비아를 문화대국으로 만들어 보려는 입장에서 과연 그가 세계 최고가의 그림을 아부다비에 넘겨줄 리가 있겠는가? 이 그림은 유럽의 비밀 보관소로 보내졌다. 바드르나 모하메드는 억만장자나 미술 컨설턴트가 방문하여 사적인 대화를 나누는 순간에 아무리 그 그림에 대해 물어도 한마디도 언급하지 않았다.

아부다비가 루브르와의 관계를 통해 예술을 UAE에 도입하는 접근법을 택한 반면, 사우디의 컨설턴트들은 규모, 다양성, 역사성 등을 강조하는 전략을 제안했다. 사우디아라비아는 스타 건축가에게 의뢰하여 거대하고 인상적인 박물관을 설계하기보다는 여러 개의 작은 박물관들과 고고학적 복원에 중점을 두려고 했다. 예를 들면 향료박물관을 세워서 향수에 대한 사랑과 왕국을 관통하는 전설적인 향료 무역로를 기념하는 것과 같은 단일 품목 전용 박물관을 짓는다는 전략이었다. 와하브주의를 신봉하는 종교지도자들이 박물관에 전시되는 고고학적 유물들을 우상숭배를 조장하는 것으로 보는 관점을 가지고 있는 나라에서, 그런 식으로 사람들을 끄는 명소를 만든다는 것은 굉장한 변화로 받아들여질 수 있는 일이었다. 2000년대 초기 10년 동안 사우디아라비아에서 발굴된 고고학적 발굴품들은, 리야드의 궁전 내 비밀 박물관에 보관되어 성직자들은 알 사우드 왕가가 역사적 유물들을 보존하고 있다는 사실을 알지 못했다.

2020년이 되면서 모하메드와 바드르는 리야드에 계획하고 있는 일련의 신설 박물관들 중 하나에 〈살바토르 문디〉를 공개하는 계획을 세웠다. 이것은 다루기 까다로운 문제였다. 불평하기 좋아하는 와하브주의 성직자들은 예수의 사진을 우상숭배로 간주한다. '예수'를 아랍어로 부르는 말인 '이사''는 코란에서도 모하메드 이전의 중요한 예언자 중 하나로 등장하기 때문에 그 자체로는 문제가 되지 않는다. 하지만 이 그림의 의미는 영적 우월주의에 관한 것이기 때문에 사우디아라비아에서는 받아들여지기가 쉽지 않았다. 예전 사우디아라비아에서는 인물이 그려진 그림을 공개적으로 전시하는 것조차 허용되지 않았었다.

바드르와 팀원들은 이 그림을 전용 박물관에 전시하지 않고, 리야드에 새 서양미술관을 지어서, 마치 '저쪽에서 온 이 흥미로운 작품을 보시오' 라고 하는 것처럼 전시하는 계획을 고안해냈다. 이곳은 눈길을 사로잡는 명소가 될 것이지만 유일한 명소는 아닐 것이다.

구저의 생각대로 이 그림은 관광산업을 활성화하려는 국가의 큰 자산이 될 수 있었다. 에펠탑을 살 수는 없지만, 르네상스 시대의 그림을 5억 달러에 사들여 에펠탑만큼 사람들을 끌어들일 수 있을 것이었다.

이 전략은 모하메드가 사우디아라비아에서 오랫동안 방치되어 왔던 도시 알-울라에서 시작한 문화 활성화 계획의 연장선상에 있었다. 이 도시는 강력한 와하브주의자들에게 불편함을 느끼게 한다는 이유로 수십 년 동안 숨겨놓은 의붓자식처럼 외면 받고 있었다. 왕국 북서쪽에 위치한 이 도시는 이른바 향의 길²을 따라 중동이나 아시아의 먼 곳으로부터 아라비아반도를 오가는 캐러밴들의 눈에는 하나의 장관이었다. 북쪽에서 도착한 이들은 협곡에서 쉬어가며, 2천 년 전 나바테아인들이 거대한 사암 절

---

1 Isa. 코란에는 예수에 관해 '메시아, 동정녀에게 태어남, 기적을 행함, 제자들을 거느림, 유대교 기성종단에서 퇴출됨' 등의 기록이 있다. 십자가형을 당했거나 십자가에서 죽었다는 것은 부인하고 신에 의해 산 채로 구원되어 천국으로 올라갔으며 예수는 야흐야, 즉 세례 요한을 계승했고 모하메드가 예수를 계승했다고 기술되어 있다. 예수의 신격 자체는 부인한다.

2 Incense Road. 일반적으로 레반트라고 불리는 시리아, 요르단, 레바논 등의 동부 지중해 연안지방과 인디아, 아라비아, 북동아프리카, 이집트를 이어주는 기원전 3세기-서기 2세기 동안의 교역로. 아라비아의 유향과 몰약, 인디아의 향신료, 보석, 직물, 실크 등이 활발하게 유통되었다.

벽에 정교하게 조각한 파사드를 바라보곤 했다. 이 파사드는 원래 유네스코세계문화유산으로 지정된 마다인 살레 공동묘지의 무덤 입구였다. 알-울라 시내 작은 바위산 사이에 자리 잡고 있는 수백 채의 집과 상점들은 캐러밴들에게 충분한 양의 물과 잠자리와 필수품 등을 제공했다.

사우디 정부는 오랫동안 이 고대 유적들에 대한 언론의 관심을 회피했고, 이슬람 이전 시대의 역사를 인정하기 싫어하는 강경분자들을 혹시라도 자극할까 두려워 그곳에 많은 사람이 드나들지 못하도록 제한했다. 아프가니스탄의 외진 구석에 있는 절벽 표면에 새겨진 고대 불상에 격분한 탈레반은 20년 전 그것들을 폭파하기도 했다.[3] 그것들은 '우상'이므로 금지되어 마땅했다. 마찬가지로 아라비아반도에 존재했던 나바테아 및 기타 고대문명의 유적 및 유품들을 불같은 성직자들이 우상으로 보고 파괴해야 한다고 할 가능성이 있었다. 대부분의 와하브주의자가 이념적으로는 탈레반과 별로 다르지 않았다.

그러나 모하메드는 그런 짓을 우스꽝스럽다고 생각했고, 그중 가장 엄격한 자들을 구금하거나 해고하는 데에서 오는 부작용을 두려워하지 않았다. 그래서 그는 바드르 빈 파르한에게 알-울라를 기막히게 아름다운 풍경과 상대적으로 선선한 날씨와 (겨울에는 눈도 오는) 많은 건축물과 박물관 그리고 예술과 스포츠가 있는 문화의 오아시스로 탈바꿈시키는 노력을 집중적으로 기울이라고 지시했다. 모든 것을 왕궁의 알-울라사업단이 관장토록 하고 바드르에게 단장을 맡겼다. 〈살바토르 문디〉 외에도 바드르는 여러 미술작품들을 눈에 띄지 않게 꾸준히 사들였다. 날씬한 정장 차림으로 크게 웃는 그의 모습이 어쩌다 런던이나 뉴욕에서 보일 때마다 세계 최고의 아트컨설턴트들이 조언과 서비스를 주지 못해 안달을 했다.

---

3 2001년 3월 탈레반은 우상숭배를 금지한다는 명분으로 아프가니스탄 중부 바미안 주에 있는 6세기 간다라 미술을 대표하는 고대 석굴 사원과 55미터 높이의 바미안 석불을 폭파했다.

그는 프랑스의 복원전문회사들을 고용하여 거대한 복원프로젝트를 시작하고 작은 부티크 호텔들을 맛보기로 건설하는 계약을 맺었다.

몇 년 안에 알-울라는 흥미로운 관광지가 되었다. 1,000년 전의 고대 유적과, 엄청나게 큰 거울로 뒤덮여 마치 사막협곡 속의 신기루 같은 느낌을 주는 직사각형의 공연센터 마라야콘서트홀Maraya Concert Hall을 포함하여 현대적인 예술 설치물들이 공존하는 곳으로 재탄생했다. 2018년에는 4개월간 지속되는 연례 문화축제가 '탄토라⁴의 겨울Winter at Tantora'이라는 명칭으로 출범했다. 첫 번째 축제에는 성악가 안드레아 보첼리와 소프트록의 상징 야니가 공연했다. 왕궁사업단은 이후 런던 셀럽들이 이용하는 프라이빗 클럽 애너벨즈Annabel's를 포함한 몇몇 고급 장소를 이곳에 들여와 팝업 레스토랑도 열었다. PIF는 유럽, 북미, 아시아 전역에서 트렌디한 아티스트 공간, 레스토랑, 침실을 갖춘 프라이빗 멤버십 클럽을 운영하는 소호하우스앤드컴퍼니Soho House & Company의 지분 10%를 매입하는 협상을 시작했다. 사우디아라비아에 그런 클럽을 개설하는 동시에 사우디의 인지도를 높이기 위해 소호하우스의 영향력 있는 고객들을 활용하기 위한 아이디어였다.

탑 아티스트, 공연자, 고위 인사들이 리츠칼튼사태나 피투성이 예멘전쟁에도 불구하고, 모두 사우디아라비아의 르네상스에 참여하는 데 짜릿한 흥분을 느끼고 있었다. 젊은 왕세자에게는 오류가 있을 수 없을 것처럼 보였고 프랑스, 영국, 미국 등 가는 곳마다 그는 화제의 중심이 되었다.

---

4 Tantora. 알-울라의 구시가에 있는 해시계의 이름.

17장

그해의 인물

이것은 모하메드가 정신없이 보낸 2018년의 한 측면으로서, 그는 그해에 사회경제적 개혁을 현기증 나는 속도로 공공연하게 밀어붙였다. 그는 몇 달 동안 일론 머스크와 빌 게이츠를 포함하여 CEO들, 기술기업 억만장자들과 만나, 사우디아라비아의 개방적이고 혁신적인 미래를 공언했다. 그는 가상현실과 태양열발전과 최첨단 도시계획 등 거대한 공약들을 발표했다.

"가장 영향력 있는 아랍의 지도자, 32세에 세계를 바꾸다"라는 문구로 표지가 요란하게 장식된 『더뉴킹덤』이라는 낯선 제목의 잡지가 왕자가 방문하기 직전 미국 전역의 신문가판대에 진열되었다.

2018년 4월

2018년 봄, 왕세자로서의 책무와 제약을 모두 벗어던지고 청바지와 와이셔츠 차림으로 베벌리힐스의 고급 쇼핑가 로데오 드라이브를 어슬렁거리면서 모하메드 빈 살만은 20대 시절 파리와 스페인 마르베야를 휘젓고 다니던 때의 전율을 추억했다.

리야드의 끊임없는 업무, 가족모임, 심야 정부회의, 시도 때도 없이 왓츠앱을 통해 전문가들이 미친 듯이 보내오는 긴급 메시지 등을 훌훌 털어버리고, 모하메드는 국내에서는 좀처럼 느낄 수 없는 자유로움을 만끽하고 있었다. 리야드에서는 통치의 책임에 가차가 없고, 요트 서린호에 타고 홍해 위에 있을 때나 주말에 알-울라에 가 있을 때조차 처리해야 할 업무는 끊임없이 밀려들었다. 모하메드는 매일 밤낮을 가리지 않고 열심히 일했다. 왕국의 수도에는 여유롭게 산책할 곳이 없었다. 뜨거운 열기와 모래먼지, 높은 빌딩들 사이를 가르는 큰 도로, 연결되지 않은 보도 때문에 리야드에서는 느긋한 산책의 즐거움이 허용되지 않는다. 왕세자이기에 대중의 시선과 경호 문제로 거리에 나갈 엄두를 내지도 못한다.

하지만 베벌리힐스에는 몇 블록마다 서 있는 옥외광고판에서 아래를 내려다보고 있는 자신의 얼굴도 없고 자신을 알아보는 사람들도 없으니 모하메드는 내키는 대로 걸어 다닐 수 있었다. 카페와 부티크를 기웃거리는 그 역시 그저 세계인의 삶을 즐기는 또 한 명의 부자에 불과했다. 그때와 다른 점이 있다면 지금은 모하메드가 자신의 부에 걸맞은 권력을 쥐고 있다는 것이다. 미국인들, 특히 중요한 미국인들은 그 점을 이해하기 시작했다.

이곳에 오기 전 일정에 따라 뉴욕에 갔을 때, 모하메드는 아버지와 함께 당시 왕세자였던 큰아버지 술탄 빈 압둘아지즈의 암 치료를 위해 그곳에 몇 달 머무르는 동안 특히 좋아했던 고급 일식 레스토랑이 갑자기 생각났다. "바 마사Bar Masa로 갑시다"라고 그가 수행팀에게 말했다. 그것은 간단한 일이 아니었다. 사우디 측에서는 플라자호텔의 대부분을 임대했고, 모하메드가 정부 요인이므로 사우디와 미국 측의 많은 경호원이 수행하고 있었다. 참모들은 미리 전화하여 레스토랑을 비워놓도록 준비하고 적절한 경호 차량 행렬을 붙여야 한다고 간청하다시피 했다. 그러나 모하메드가 단칼에 거절하고 그대로 엘리베이터를 타고 내려가 밖으로 나가는 바람에 센트럴파크 남쪽부터 콜럼버스 서클까지 15분 거리를 걸어가는 동안 경호원들이 미리 뛰어가서 경호 공간을 확보하느라 진땀을 뺐다.

미국에 오기 전 모하메드는 성대한 영국 방문을 했는데, 사우드 알-카흐타니는 수백만 달러를 들여 옥외광고판을 임대하여 거기에 모하메드의 사진을 싣고 그 옆에 "환영합니다, 왕세자님", "그가 사우디아라비아를 변화시키고 있다"라는 슬로건을 선명하게 새겨 넣었다. 반대시위나 위협을 우려한 경호팀에서는, 영국인 경호원 수십 명을 고용하고 추가로 그들이 잘 아는 유능한 밀착경호원들을 고용했다. 이들에게는 반대시위자들을 막고 사우디 관리들의 경호 임무를 맡겼다. 왕세자는 여왕을 만났는데, 런던의 햄프턴코트 궁에서 베풀어진 만찬에 『디인디펜던트』와 『이브닝스탠더드』의 사주인 에브게니 레베데프'의 유력한 친지들과 함께 참석하였다. 이 비밀모임으로 인해, 사우디인 사업가가 그해 및 그 전해에 알려지지 않은 이유로 영국 신문들을 사들인 일, 그리고 살만 가문의 출판사업체인 사우디리서치앤드마케팅이 『디인디펜던트』와 협력하여 아랍어, 우루드어, 튀르키예어, 이란어 판의 『디인디펜던트』 온라인 신문을 새롭게 시작하기로 한 딜이 영국 언론계에 의문을 불러일으켰다.

로데오 드라이브에서 몇 블록 떨어진 곳에 사우디아라비아를 영화산업에 끌어들이는 프로젝트를 위해 모하메드와 5억 달러의 투자 협상을 종결지으려고 노력 중인 할리우드의 초일급 에이전트 아리 에마누엘의 회사가 있었다. 모하메드와 일행의 숙소로 285개의 객실 전체를 임대한 포시즌스호텔 근처에는 「폭스뉴스」의 사주 루퍼트 머독의 저택이 있었다. 머독은 왕자를 만찬에 초대하고 모건 프리먼, 마이클 더글러스, 드웨인 존슨 등도 초대했다.

이들을 만났을 때 모하메드는 매력 있고 유머 감각도 뛰어났다. 소규모 미팅에서 그는 미국 드라마 「워킹 데드」를 아주 좋아한다고 하면서, 거기에 나오는 좀비들을 보면 이슬람 극단주의자들이 생각난다는 말도 했다. 그리고 「왕좌의 게임」에 대해서는 왕족들이 너무 많이 살해되는 것만 빼면 정말 잘 만든 드라마라고 극찬하면서 크게 웃었다.

그달 말쯤 사우디아라비아에서는 수십 년 만에 최초로 영화 「블랙 팬서」가 옛날 스타일의 팝콘 판매대가 있는 강당에서 상영되었다. 그것은 앞으로 생겨날 수백 개의 영화관 중 하나로, 왕국에 새로운 엔터테인먼트의 시대를 여는 것이었다. 많은 평론가가 현재의 사우디아라비아를 그 영화의 스토리에 결부시킨 글을 즐겨 썼다. 주인공이 자신의 정글왕국을 외부세계와 차단하여 은둔 속에 가둘 것인지 아니면 외부세계와 관계를 맺을 것인지 결정해야 하는 상황에 처한 젊은 왕이기 때문이다.

---

1 Evgeny Lebedev, 1980년 모스크바 태생. 러시아의 유명 동물생태학자 블라디미르 소콜로프의 손자이자 KGB 출신 올리가르크 알렉산더 레베데프의 아들이다.

이것은 모하메드가 정신없이 보낸 2018년의 한 측면으로서, 그는 그해에 사회경제적 개혁을 현기증 나는 속도로 공공연하게 밀어붙였다. 그는 몇 달 동안 일론 머스크와 빌 게이츠를 포함하여 CEO들, 기술기업 억만장자들과 만나, 사우디아라비아의 개방적이고 혁신적인 미래를 공언했다. 그는 가상현실과 태양열발전과 최첨단 도시계획 등 거대한 공약들을 발표했다.

"가장 영향력 있는 아랍의 지도자, 32세에 세계를 바꾸다"라는 문구로 표지가 요란하게 장식된 『더뉴킹덤The New Kingdom』이라는 낯선 제목의 잡지가 왕자가 방문하기 직전 미국 전역의 신문가판대에 진열되었다.

그해 모하메드의 또 다른 측면은, 국내외의 알려진 적들에 대한 감시 강화, 체포, 납치, 폭력 등 음지 속에서 진행되었다.

이 두 측면은, 새해 벽두에 모하메드가 소비세를 부과하는 대담한 조치를 취하면서 모습을 드러냈다. 대다수의 국가에서는 그것은 매우 지난한 정책수립의 문제였겠지만, 왕국에서는 세계은행 같은 기관의 전문가들이 권장하는 유형의 주요 개혁안이었다. 국민들의 반응에 대한 왕실의 우려 때문에 사우디아라비아에서는 수십 년간 정부예산을 세금이 아니라 석유 수입으로 충당해왔다. 이제 모하메드는 국민들에게 정부의 서비스에 대해 비용을 지불하라고 했던 것이다. 반발이 너무 거세지자 살만 국왕은 5일 뒤 시민들에게 일회성 지원금을 지급하도록 조치했다. 바로 그 주에 모하메드는 훨씬 더 비밀스러운 조치를 취했다.

살만 빈 압둘아지즈는 처음에는 전화벨이 울리게 놓아두었다. 한밤중이었으므로 살만 내외는 자정 전에 이미 일찍 (알 사우드 가문의 관습에 따라) 각자의 방에 들어가 잠자리에 든 뒤였다.

살만은 모하메드의 부왕과 같은 이름을 쓰고 있었다. 그러나 그는 모하메드보다 몇 살 위의 대수롭지 않은 가계의 왕자로 종종 골칫거리가 되곤 했다. 이 둘이 젊은 시절 프랑스에서 함께 휴가를 보낼 때, 그는 모하메드가 사우디아라비아 국내에서만 교육을 받은 데 대해 조롱한 적이 있었고, 2016년 미국 대통령 선거 때 모하메드는 공화당의 승리를 원했는데, 살만은 민주당 하원의원으로 대선에 나섰던 아담 쉬프를 만남으로써 모하메드를 격분하게 한 바 있다.

살만에게는 왕위계승권이 없었다. 그는 알 사우드의 이름과 정부에서 왕족에게 지급하는 급여에 대한 상속권이 있을 뿐 권력이 주어지지 않아 정치적으로 보잘것없는 수천 명의 왕자 중 한 명이었다. 사우디아라비아의 상속구조로 인해 그는 부유하지만 존재가 없는 한 개인으로 살아갈 운명이었다.

그러나 살만에게는 가문의 신분을 뛰어넘는 야망이 있었다. 그는 파리의 소르본대학을 나왔고, 본인이 설립한 '선지자클럽'이라는 자선단체를 홍보하는 연설에서 세계평화를 부르짖으며 온 유럽을 잘난 체하며 돌아다녔다. 실상 살만의 자선이라는 것은 리야드 교외에 있는 본인의 별장 근처에 사는 가난한 베두인족들에게 선물을 넉넉하게 베푸는 사우디인 특유의 관습을 행하는 수준이었다.

2017년 살만은 여섯 명의 남자들을 선발하여 (왕국 밖으로 나가본 적이 없고, 청바지를 입고 외출하는 여성들도 본 적이 없는) 파리로 데리고 갔다. 그들에게 문화와 교양 있는 삶을 맛보여 주겠다는 취지였다. 그는 그들에게 아파트를 임대해주고 몇 달간 그 속에서 포르노영상을 보면서 창녀들과 잠을 자게 한 뒤 사우디아라비아로 다시 데리고 왔다. 정말 우스꽝스러운 짓이었다.

모하메드는 살만처럼 평생 휴가를 즐기는 식으로 살면서 사우디아라비아를 위해 아무것도 하지 않는 왕자라는 인간들을 견디기 힘들었다. 그들은 유럽과 미국 등지를 흥청망청 돌아다니면서 사우디인들을 우습게 만들고 있었다. 살만 왕자에 대해 가장 짜증나는 것은 그의 아내가 압둘라 국왕의 딸 아리브Areeb였다는 점이다. 그녀는 아버지가 사망하면서 10억 달러 이상의 유산을 받았는데 모하메드는 그 재산을 정부의 소유로 생각했다.

2018년 초가 되면서 모하메드는 이런 짜증나게 하는 친척들을 더 이상 참지 않아도 될 만큼 강력한 권력을 장악했다. 살만의 전화가 그날 새벽 2시에 울린 이유였다.

드디어 전화벨 소리에 잠자고 있던 누군가 일어나서 왕자, 그의 아내, 직원을 깨웠다. 전화 속의 목소리는 "왕궁부로 바로 오시오. 모하메드가 당신을 만나겠다고 합니다"라고 말했다. 살만은 사우디인이 아닌 수행원과 함께 SUV를 타고 당황스럽고 불안한 기분으로 왕궁부로 갔다.

도착할 때는 아직도 칠흑같이 어두웠다. 살만은 수행원을 밖에서 기다리게 하고 혼자 들어갔다. 경호요원들이 둘러싸더니 다짜고짜 살만의 뺨을 여러 차례 올려붙이고 감옥으로 끌고 갔다. 살만의 수행원은 아침나절 내내 기다리다가 왕자가 못 나오는 것으로 알고 그 자리를 떠났다.

다음 날 아침 왕궁에서는 모하메드가 왕족에게 전기를 공짜로 주지 않겠다는 결정을 내림에 따라 전기료를 내야 하는 데 불만을 품고 관공서를 찾아가 소동을 벌인 죄로 살만을 포함하여 한 그룹의 왕자들을 체포했고 발표했다. 살만의 가족과 직원들은 무슨 잘못을 저질렀다는 것인지 이해할 수 없었다. 그들은 전기료를 내는 데 전혀 문제가 없었다. 살만은 본인이 뭘 해야 할지 모를 정도로 돈이 많았다. 그는 돈을 어디에 쓸지 몰라서 사설 동물원을 건설하는 중이었다.

살만의 아버지 압둘아지즈는 공황상태에 빠졌다. 그는 모하메드가 리츠칼튼 구금자들과 모하메드 빈 나예프를 어떻게 다루었는지 알고 있었기 때문에, 아들이 현재 사우디아라비아의 사실상 통치자를 화나게 하는 어떤 일을 저질렀는지 걱정하고 있었다. 그는 위험한 결정을 했다. 압둘 아지즈는 도움을 받기 위해 파리에 근거를 둔 변호사 엘리 하템을 만났다. 그는 모하메드와 살만 두 사람을 소년 시절부터 아는 사이였다. 살만의 아버지는 이 변호사가 최근 모하메드의 또 다른 골칫거리인 누나 하사 Hassa와 관련된 곤란한 문제에 대해 모하메드를 돕고 있으니 자신을 도와줄 수 있을 거라고 생각했다.

하사는 항상 제멋대로 행동하는 경향이 있었다. 그녀는 가문의 외동딸로 몇 년 동안 모하메드와는 냉랭한 관계에 있었다. 파리에서 그녀의 행태는 (밤늦게 클럽에 드나들고, 캐비어 레스토랑에서 종업원에게 접시를 집어 던지며 공개된 장소에서 분노발작을 일으키는 등) 늘 골칫덩어리였다. 2017년 어느 날 그녀가 공황에 빠진 것 같은 상태에서 하템에게 전화를 했다. 그 전해에 한 작업자가 그녀의 명령을 받은 경호원에게 구타를 당했다며 고발했는데, 경찰들이 집에 와서 자신을 체포하겠다고 위협하고 있다는 내용이었다.

하템은 급히 애비뉴 포슈Avenue Foch에 있는 하사의 집으로 달려갔다. 공주는 울면서 떨고 있었다. 그녀는 그 작업자가 화장실에서 나오는 자신의 모습을 휴대폰으로 촬영했기 때문에 경호원이 그의 휴대폰을 부숴버린 것이라고 했다. 모하메드는 피해를 최소화해보려는 노력을 시작했다. 하사는 하템을 대리인으로 선임했고, 하템은 모하메드에게 자주 전화해 상황을 알려주었다. 그는 하사가 버릇 나쁜 공주의 전형 같은 행태로 가문을 망신시키는 것을 원치 않았다.

하지만 모하메드는 서구의 법적 시스템이 어떻게 작동하는지 잘 이해하지 못하고 있었다. 2017년 어느 날 통화에서 모하메드가 "아버지께서 대통령에게 이야기해두었으니 다 잘될 겁니다"라고 말했다고 하템이 조수에게 말했다. 모하메드는 국왕이 당시 프랑스 대통령이었던 프랑수아 올랑드에게 그 문제를 부탁했으니 대통령이 사건을 기각시킬 것으로 기대하고 있더라고 했다.

"아닙니다, 아니에요. 그렇게 되는 것이 아닙니다"라고 하템이 모하메드에게 아랍어로 말했다. "대통령은 이 사건에 개입할 수 없습니다." 그곳은 모든 검사가 국왕에게 보고하는 사우디아라비아가 아니었다. 독립된 법원과 자유언론이 있는 민주주의의 나라 프랑스였다. 대통령이라고 해서 어떤 형사사건을 그냥 기각하라고 명령할 수는 없었다. 만약 그렇게 한다면 스캔들로 비화될 것이었다.

하사는 사우디아라비아로 돌아왔지만 사건은 그녀가 없는 상태로 오랫동안 질질 끌다가 2018년 프랑스 판사가 체포영장을 발부했다. 사건이 진행되는 와중에 하템이 사이프러스에 갔다가 파리공항에 도착해보니 오랜 친구 압둘아지즈로부터 즉시 전화해달라는 메시지가 와 있었다.

하템은 바로 공항에서 그에게 전화했다. "도와주시오"라고 압둘아지즈는 말했다. 아들 살만이 그 전날 모하메드를 만나러 갔다가 왕궁에서 어떤 싸움이 벌어진 뒤에 체포되었다고 했다. 압둘아지즈에게는 온갖 풍문이 들려왔는데 미국인 경호요원들이 개입되어 있다는 소문도 있었다. 그는 아들의 행방을 모른다고 하면서 하템에게 찾도록 도와달라고 했다.

살만이 체포되고 이틀 뒤 하템은 모하메드에게 전화를 했다. "내 누이 문제로 전화하신 겁니까?"라고 왕자가 물었다. "왕세자님의 사촌 때문에 전화했습니다. 살만이 지금 어떤 상황에 있는지 알려주십시오"라고 하템이 답했다. 모하메드는 놀랐다. 가문의 문제가 해외까지 알려지리라고는 예상하지 못했던 것이다. 자신과 사촌 사이의 문제와 관련해서 도대체 왜 레바논 출신 프랑스인 변호사가 전화를 하는 것인가?

모하메드는 하템의 질문에 일절 대답하지 않았다. 오히려 경호요원을 시켜 살만의 아버지 압둘아지즈를 체포하여 감옥에 넣었다. 하템은 하사의 사건에서 해임되었고 더 이상 왕실의 일을 못하게 되었다. 몇 달 동안 살만이나 그의 아버지를 본 사람은 없었다. 다만 알-하이르 감옥에 수감되어 있었던 죄수 한 명이 친구에게 2018년에 왕자를 그곳에서 보았다고 말했다. "그는 구타당했다"라고 그 죄수는 주장했다.

이로부터 머지않아 살만의 아내가 아버지 압둘라 국왕에게 상속받은 수백만 달러의 돈이 그녀의 계좌에서 사라졌고, 압둘라의 다른 자식들의 상속재산도 마찬가지였다. 아버지가 사망하기 전 압둘라 일족이 가졌던 두려움은 현실이 되었다. 아들 투르키는 감옥에 있었고 나머지 자식들은 재산의 대부분을 잃었다.

모하메드와 보좌관들은 걷잡을 수 없을 정도로 예민해져 있었다. 이제 그의 권력에 대해 비판하는 사람은 누구든 사우디아라비아의 개혁을 부인하는 자였다. 모하메드와 부하들의 입장에서는 이러한 개혁들이 단순히 삶을 좀 더 좋게 만드는 점진적 변화가 아니라 알 사우드의 생존을 위한 필수조건이었다. 개혁을 하지 않으면 가문은 장악력을 잃게 되고 국가는 위험에 빠질 것이었다. 확고한 사명감에 비판을 용납하지 않는 자기확신이 결합됨으로써 비극적이고 가혹한 탄압이 초래되었다.

여성의 인권을 위해 적극적으로 노력했던 젊고 명민한 사우디 여성 루자인 알-하스룰[2]이 불량한 알-카에다 테러분자처럼 취급당했던 사건보다 더 깊게 국제적으로 사람들의 가슴을 울린 사건은 없었을 것이다. 제다에서 태어난 알-하스룰은 어린 시절 프랑스에서 5년, 캐나다의 브리티시컬럼비아대학에서 수학한 4년을 제외하면 삶의 대부분을 사우디아라비아에서 살았다. 바로 대학 시절 그곳에서 그녀는 정치적으로 눈을 떴다. 어쩌다 집에 다니러 오면 그녀는 어린 형제자매들에게 사우디아라비아

---

2 1989년 제다 태생의 사우디 여성인권운동가·정치범. 2019년 『타임』 선정 '세계 100대 유력인물'에 들었으며 2019년과 2020년 노벨평화상 후보였다.

의 여성인권이 얼마나 끔찍한 상태에 있는지 강의하듯 이야기해주었다. 애들은 너무 오랫동안 외국에 나가 있어서 그럴 거라고 했지만, 그녀는 외국인의 관점에 영향을 받아서 그런 것이 아니라, 인권이란 보편적인 것인데 국민의 절반이 그것을 인정받지 못하고 있다고 말했다. 대학을 졸업하고 그녀는 걸프지역에 이끌려서, 여성들이 더욱 자유롭고 일자리도 많은 UAE로 갔다.

그러나 그녀의 정치적 견해는 여전히 고동치고 있어서 여성 운전 금지에 저항하는 비폭력시위에 참가했다. 2014년 어느 날 그녀는 정당하게 발급된 두바이 운전면허를 가지고 자신의 차로 사우디아라비아 국경에 갔다. 그곳 경찰이 어쩔 줄 모르다가 화를 내면서 그녀를 체포하여 미성년자와 가정폭력 피해여성들을 가두는 감옥에 73일 동안 구금했다. 그곳에서의 생활은 그다지 거칠지 않았지만 새롭게 눈을 뜨는 경험이었다고 그녀는 친구들과 가족들에게 말했다. 사우디법에 의하면 아내가 남편으로부터 도망을 가려고 하는 경우 (심지어 가정폭력 때문일지라도) 남편은 경찰에 고발하여 남편에 대한 불경죄로 아내를 체포할 수 있다. 이것은 20세기 초 미국에서 처우에 불만을 품은 아내를 남편이 정신병원에 넣을 수 있었던 관행과 여러 측면에서 비슷하다.

사우디아라비아 역시 그때는 보다 온건했다. 아내가 한계선을 넘어가더라도 아무도 그녀를 거칠게 대하지 않았다. 아내의 아버지가 다시는 그런 일이 없도록 하겠다는 내용의 보증서를 써서 제출하면 그녀는 풀려났다. 아내가 집에 돌아오면 그들은 10년 뒤에는 그 일을 웃으며 되돌아보는 날이 올 거라고 하면서 사건을 웃어넘겼다.

머지않아 그녀는 '중동의 제리 사인펠드Jerry Seinfeld'라고 알려진 스탠드업 코미디언 파하드 알부타이리Fahad Albutairi를 만나서 결혼하게 되었다. 두 사람은 전형적인 사우디 스타일로 처음에는 트위터라는 가상공간에서

빈 살만의 두 얼굴

만나 결국에는 남녀교제가 더 자유로운 UAE에서 실제로 만났다. 알-하스룰은 여성인권에 대한 열정을 여전히 잃지 않았고 더욱 단호해졌다. 그녀는 제네바에서 열린 한 여성컨퍼런스에 개인 자격으로 참석해서 공식 대표단의 부정직함을 공개적으로 비판했다. 그녀는 사우디아라비아 대표단의 발표 내용을 조목조목 비판하는 글을 트위터에 올렸는데 그것이 자신도 모르는 사이에 바이러스처럼 퍼져나가 사우드 알-카흐타니의 레이더에 걸리게 되었다.

2018년 3월, 그녀는 UAE의 국가안보 관리들에게 난데없이 체포된 후 사우디아라비아로 압송되어 매우 가혹한 환경 속에 구금되었다. 그녀는 감옥에서 며칠을 지낸 뒤 석방되어 가족의 품으로 돌아갔지만 여행이 금지되었다.

그러다가 5월에 관리들이 와서 그녀를 다시 체포했다. 이번에 그들은 외국의 적, 즉 카타르와 음모를 꾸미고 외국 정부에 국가 정보를 제공했다는 혐의를 그녀에게 씌웠다. 그녀가 비밀을 가지고 있을 리 없었지만, 다른 사람들에게 조국을 비판하는 행위 자체가 반역행위이며 "국가안보에 대한 위협"으로 보기에 충분하다는 것이었다. 그녀는 다른 여권운동가들과 함께 체포되었고 남편 알부타이리는 요르단에서 체포되었다.

몇 주 후 그녀는 부모에게 전화를 걸어 아무 일도 없는 척하면서 "호텔"에 머무르고 있다고 말했다. 그러나 그들은 무언가 잘못되어 가고 있다는 것을 알았다. 딸의 말투는 공허했고 긴장되어 있었다. 드디어 그들이 딸을 만나게 되었을 때 그녀는 관리들이 지켜보는 가운데 괜찮은 척 연기를 했다. 그러나 물 잔을 들고 마시려고 안간힘을 쓰는 딸을 보고 어머니는 깜짝 놀라 말문이 막혔다. 그녀의 온몸이 붉은 자국투성이였다. 같은 기간에 알부타이리는 그녀와 더 이상 함께 살 수 없다고 결심하고 이혼을 요구했다. (당국이 이혼을 강요했다는 이야기도 있었다.) 단지 세계적으로 폭넓게 옹호되고 있는 여성인권을 요구했다는 이유만으로 한 여성이 겪기에는 너무나 잔인한 결과였다.

가족들이 세 번째 면회를 갔을 때 그녀는 고문당한 사실을 시인했다. 조사관들은 물리적 힘을 가하여 그녀가 여성인권운동을 포기하도록 설득할 수 있고 구금 상태에서 겪은 부정적 기억들을 지워버릴 수 있다고 생각했던 것 같다. 고문에는 사우드 알-카흐타니 본인도 가담했다는 주장이 제기되었다. 비록 정부에서는 언제나 폭력 사용에 대해 대체적으로 부인해왔지만, 그가 그녀에게 강간해서 죽인 다음 시체를 하수구에 버려서 흔적도 발견할 수 없도록 하겠다는 협박을 했다는 주장도 있었다.

그녀가 요구했던 것이 바로 지금의 모하메드 빈 살만이 밀고 나가는 개혁이었다는 점은 통렬한 아이러니가 아닐 수 없다. 인권활동가들을 마즐리스에 참석시켜 자신도 그렇게 믿는다고 한마디만 말해주면 해결될 문제를 두고 그들에 대해 집중탄압을 하는 이유는 무엇일까? 그 답은 충격적이다. 모하메드의 왕국에서 개혁은 오직 위로부터 내려와야만 했다. 시민들이 항의집회나 왕가에 대한 공개적 비판을 통해 권리를 쟁취할 수 있다고 믿게 되는 일은 없어야 하기 때문이다. 자신이 가진 모든 자유주의적 견해에도 불구하고, 모하메드는 숙부들, 숙모들, 형제들, 사촌들과 한가지에 대해서는 전적으로 동의하고 있었다. 그것은 알 사우드가 모든 것을 좌지우지하는 것이 최선이라는 것이었다.

그 잔인한 전술은 역풍을 맞았다. 알-하스룰 사건은 후일 모하메드 빈 살만 체제에 세계적인 비판의 목소리가 집중되는 빌미가 되었다.

지난 3월 알-하스룰이 처음 체포되었을 때 모하메드는 주의를 밖으로 돌렸다. 그는 이집트로 떠났다. 그는 즉시 강력한 대외정책을 더욱 단호하게 밀어붙였다. 어느 신문과의 인터뷰에서 튀르키예를 이란, 이슬람 과격

단체들과 함께 "악의 삼각형"의 한 점이라고 했다. 튀르키예의 에르도안 대통령은 사우디아라비아와의 관계를 개선하기 위해 노력해왔는데 모하메드는 그런 기대를 내동댕이쳤다.

외국 여행이 미국으로 이어지면서 금융계에는 왕자와 국부펀드가 엄청난 금액의 투자를 쏟아 부을 준비가 끝났다는 소문이 돌았다. 이는 4억 달러를 매직 리프Magic Leap에 투자하면서 시작되었다. 이 회사는 '증강현실' 헤드셋을 개발하고 있는데 아직은 제품을 시판하지는 못하고 있었다. 전직 씨티그룹 출신으로 알왈리드 빈 탈랄과 한때 가까웠던 마이클 클라인이 이번 딜의 협상에 나섰다.

모하메드에게 2018년의 미국 방문 주목적은 수십억 달러의 사우디아라비아 돈을 쓰는 데 있지 않았다. 이제 모하메드는 왕세자로서 정치 및 경제지도자들을 만나 그들이 급격히 변화하고 있는 사우디아라비아에 돈을 투자하도록 설득할 수 있기를 기대했다. 자신이 통치하는 사우디아라비아는 더 이상 미국의 기업가들이 자본을 구하기 위해 찾아오는 곳이 되어서는 안 되었다. 모하메드는 현대화된 경제, 젊은 인구, 혁신적인 지도력을 통해 사우디아라비아를 미국 투자자들이 수십억 달러를 투자하는 대상국으로 반드시 만들어놓고 말겠다는 결의를 다지고 있었다.

3월 20일의 백악관 회담은 순조롭게 시작되었다. 자신이 지난번에 오찬을 한 지 꼭 1년이 되는 시점이었다. 모하메드는 주빈으로서 검은 비시트를 걸친 사우디대표단을 대동하고 대통령 집무실인 오벌 오피스로 들어갔다. 하지만 집무실에 들어간 순간 모하메드의 비전에는 균열이 생겼다. 조지 워싱턴의 초상화 아래에 자리를 잡고 앉자 트럼프는 모하메드에게 사우디아라비아와의 관계에 대해 자신이 얼마나 열정적인지 말했다. "귀하는 이제 왕세자 이상입니다. 짧은 기간이었지만 우리는 정말 좋은 친구가 되었습니다." 그러나 대통령 옆에 있는 포스터를 보고 모하메드는 민망해질 수밖에 없었다.

그것은 마치 중학교 과학전시회에서 가져온 것처럼 보였다. 거기에는 노란 바탕 위에 검은 글씨로 "KSAKingdom of Saudi Arabia 판매 미결"이라고 쓰여 있었다. 그 아래에는 트럼프가 말하는 125억 달러의 무기 판매로 수혜를 보게 되는 지역을 강조해 표시한 미국 지도가 있었다. "귀하에게는 푼돈이겠지요"라고 트럼프는 왕세자에게 말했다.

모하메드는 꼿꼿하게 앉아서 웃고 있었지만 속으로는 열불이 났다. 대통령은 왕자를 자신의 정치에 도움이 되는 지출이나 하는 단순한 돈줄로 취급하며 사우디아라비아에 대한 투자 분위기를 고조시키려는 왕자의 모든 노력에 찬물을 끼얹고 있었다. "사우디아라비아는 매우 부유한 나라로서 그 부의 일부를 미국에 할애할 것입니다"라고 트럼프는 백악관이 배포한 공개논평에서 선언했다.

왕자와 미국 측 상대방이 추구하는 서로 다른 목표는 방문 기간 내내 충돌을 빚었다. 모하메드의 관점에서는 신속한 현대화, 산업화 기반 조성, 기술적응력이 높은 젊은 인구, 서구 엔터테인먼트에 대한 개방 등을 공약함으로써, 사우디아라비아는 미국 기업들이 수십억 달러를 투자하기에 매력 있는 지역이 될 것으로 예상했었다. 모하메드가 만나는 미국인들의 관점에서는 계산이 훨씬 더 간단했다. 그는 1조 달러의 자금 여력과 "줄잡아 캘리포니아의 3분의 2에 해당하는 인구"를 가진 국가의 통치자였다. 엔터테인먼트산업을 육성하기 위해 왕국이 고용한 할리우드의 한 협상가는, 이 지역에는 불투명한 법원과 여성에 대한 제한적인 법률, 그리고 언제든지 홍보가 대실패로 끝날 수 있다는 위협이 존재하므로 대다수의 기업이 수십억 달러를 투자하는 것을 정당화하기는 어려울 것이라고 말했다.

모하메드가 미국에서 만난 사람들은 모두 사우디의 막대한 투자를 어

오벌오피스에서 회담 중인 트럼프와 빈 살만

떻게 활용할 수 있을지에 대한 비전을 가지고 있었지만, 그들의 돈을 왕국에 투자하는 것에 대해서는 할 말이 별로 없는 듯했다. 스튜디오 책임자들은 모하메드가 새로운 영화 프로젝트를 지원해주기를 바랐다. 실리콘 밸리에서는 사무 공간 공유기업인 위워크WeWork나 강아지 산책용 앱인 웨그 랩스Wag Labs 같은 버블기업을 더 키울 수 있는 자본을 원했다. 심지어 미국 전 지역에 진열되어 왕자의 미국 방문을 축하하는 잡지조차도 투자 유치를 위한 술수처럼 보였다.

이 잡지는 다이애나 왕세자비 시대 이후로 미국 신문가판대에서 볼 수 없었던 저속한 왕족 숭배의 전통을 따르고 있었다. "새로운 왕국"이라는 제목 아래 모하메드는 빨강 체크무늬의 슈막을 쓰고 흰 토브를 입고 뽐내듯 웃고 있지만 어딘지 모르게 진지한 표정으로 밖을 응시하는 사진이 실려 있었다. 이 사진 옆에는 "테러를 섬멸하는 우리의 가장 가까운 동맹", "무려 4조 달러의 비즈니스제국을 통치", "6,400억 달러를 들여 미래의 공상과학 도시를 건설" 등 어디서 주워들은 숫자와 문구가 쓰여 있었다. 13.99달러짜리 잡지가 몇 부나 팔렸는지, 아니면 이 잡지를 저널리즘으로 받아들인 사람이 있기는 했는지는 알 수 없다. 그러나 그런 건 전혀 중요하지 않았다. 이 잡지는 단 한 명의 독자, 즉 왕세자만을 위해 사우디아라비아의 현금 뭉치를 노리는 자들이 발행한 것으로 보였다.

출판업자 데이비드 펙커는 『내셔널인콰이어러』[3]의 모회사 『아메리칸미디어그룹』의 CEO였다. 그는 처음부터 트럼프를 지지했는데, 대통령과 정사를 가졌다고 주장하는 스트리퍼로부터 혐의를 입증할 만한 자료를 사들이고 출판은 하지 않았다는 "캐치 앤드 킬"[4] 스캔들의 중심인물이었다. 펙커의 회사는 미스터올림피아대회[5]를 중동지역으로 확대하는 데 필요한 투자를 구하고 있었다. 그는 2017년 모하메드를 만난 뒤 2018년에는 협상을 끝내기를 원했다. 이 시점은 모하메드의 비전을 "마법의 왕국"이라고 부르며 홍보하는 아부성 잡지가 출간된 시점과 기간이 겹친다.

이 모든 것의 중심에는 젊은 프랑스 은행인 케이시 그라인이 기명으로 쓴 사우디아라비아의 새로운 경제에 대한 기사가 있었다. 기사와 함께 트럼프 옆에 뻣뻣이 서서 찍은 그의 사진도 실려 있었다. 그는 왕자의 궤도 안에 들어온 또 한 명의 예상 밖의 인물로서, 사우디의 돈의 세계에서 왕자와 단 한 번 악수를 나눔으로써 무명의 존재에서 세간의 이목을 끄는 사업가로 변신한 유형의 인간이었다.

그라인은 30세였지만 나이보다 어려 보였다. 주름살이 없는 얼굴이라 턱수염을 기르지 못했고, 짙은 밤색 머리카락이 위로 옆으로 빽빽하게 삐

---

3 National Enquirer, 미국의 가십 전문 주간지.

4 catch and kill, 언론 매체가 기삿거리를 독점 구입하고는 보도하지 않음으로써 기사와 관련된 사람의 명예가 실추되는 것을 막는 행위.

5 Mr. Olympia, 국제보디빌딩피트니스연맹(IFBB)이 매년 개최하는 국제 보디빌딩 대회로, 전 세계에서 열리는 보디빌딩 대회 중 가장 권위 있고 규모가 큰 대회로 여겨지고 있다.

져나온 헤어스타일을 하고 있었다.

그라인은 사우디의 금융업계에 알왈리드 빈 탈랄을 통해서 들어왔다. 그들은 몇 년 전 그라인이 아직 하급은행원이었던 시절에 만났는데, 그라인은 알왈리드가 세네갈 대통령과 협상하던 딜에 모종의 역할을 했다. 나이 든 왕자는 이 예리하고 젊은 프랑스인 은행원을 좋아하게 되었다. 이 젊은이는 본인이 말을 하기보다는 남의 말을 더 듣는 편이었고, 꼭 해야 할 때는 아주 조용하고 세련되게 말을 했다.

이후 이어진 딜에서도 알왈리드는 협상을 맡은 파트너들에게 그라인을 고문으로 채용하라고 제안했다. 덕분에 일거리도 꾸준히 들어왔고, 알왈리드의 돈을 원하는 사람들은 그라인이 왕자에게로 통하는 파이프가 될 수 있다고 생각하게 되었다. 그라인은 1년에 서너 번씩 리야드의 알왈리드 저택을 방문하면서 관계를 유지했고, 왕자가 비즈니스 미팅을 할 때 동석하기도 하고, 베두인들에게 현금을 나눠주러 사막에 갈 때 동행하기도 했다.

모하메드가 부상하던 초기에 그라인은 자리를 잘 잡고 있는 것처럼 보였다. 모하메드에게 사우디아라비아의 오일달러를 해외의 거액투자에 사용하는 전략을 처음 제안한 것은 알왈리드였다. 알왈리드는 모하메드의 야심 찬 경제계획들을 공개적으로 지지했다. 그라인은 미국계 영국인 거물 사업가 렌 블라바트닉Sir Len Blavatnik과 할리우드의 에이전트 아리 에마누엘 같은 사람들과 관계를 맺었다.

그라인은 에마누엘을 통해서 펙커를 알게 되었고, 펙커는 2017년에 그라인을 백악관으로 데려가서 트럼프를 만나게 해주었다. 트럼프와 할리우드 그리고 가장 주목받는 사우디아라비아의 왕자와 연결이 되어 있는 그라인이야말로 잡지의 중심에 완벽하게 어울리는 인물로 보였다.

하지만 잡지가 출간될 때쯤에는 일이 좀 꼬였다. 리츠칼튼호텔에 구금되었던 알왈리드는 그때까지 가택연금 상태에 있었다. 모하메드는 그를 가두고, 부패 혐의를 씌우고, 재정적으로 무력화시켰다. 그리고 초췌한 모습으로 알왈리드를 대중 앞에 세워 아무 일도 없었다는 치욕스러운 연설을 하게 했다. 이 모든 일을 겪고 나서도 알왈리드는 여전히 여행을 금지당하고 있었다.

알왈리드와 비즈니스를 같이하면서 우정을 나눠온 지난 몇 년의 세월에도 불구하고, 지금 그라인은 알왈리드를 가둔 모하메드를 홍보하는 잡지에 나타났다. 사우디인 관찰자들로서는 혼란스러운 상황이었다. 그라인은 지인들에게 자신은 여전히 알왈리드에 대해 의리를 지킬 것이라고 말했다.

잡지는 모두에게 부메랑이 되어 돌아왔다. 사우디 관리들은 미국 기자들에게 사우디 정부는 잡지사에 어떤 금전도 지급한 사실이 없다고 부인해야만 했다. 미국의 평론가들은 왕자의 장대한 계획보다는 펙커와 트럼프의 관계에 더 초점을 맞추었다. 항상 뒷전에서 일하는 것을 선호하는 그라인은 이제 난처한 소동의 중심에 서게 되어 매스컴으로부터 엄청난 관심을 받았지만 돈은 벌지 못했다.

모하메드는 마크 저커버그, 빌 게이츠, 애플의 팀 쿡 등 기업인들을 만나며 방문 일정을 이어갔다. 그는 제프 베조스와 만찬을 함께하고 구글의 창업자 세르게이 브린과 사진을 찍기도 했다. 그는 실리콘 밸리 스타일의 패션인 블레이저, 버튼다운 셔츠, 짙은 색 청바지를 입고 정장 구두를 신었으며 넉넉한 배에 벨트를 두른 차림이었다. 그는 오프라 윈프리, 벤처투자가 피터 틸, 디즈니, 우버, 록히드의 CEO와 만났다.

몇 년 전 버락 오바마와 인터뷰를 한 『디애틀랜틱The Atlantic』의 편집인 제프리 골드버그의 기사를 보고, 모하메드는 오바마가 사우디아라비아보다 이란을 더 지지한다고 믿게 되었다. 왕자는 골드버그에게 놀라운 공언을 했다. 이스라엘에게도 존속할 권리가 있다고 단언했던 것이다. 2012년까지만 해도 유태인을 원숭이라고 부르는 내용의 중학교 교과서를 출판했던 사우디아라비아의 고위 왕자로서는 최초의 언급이었고 왕국의 엄청난 입장 변화였다.

모하메드가 사회적으로 진보적인 할리우드와 실리콘 밸리를 받아들이고, 사우디아라비아의 이슬람을 "온건화"하겠다는 공약에 더해서 이러한 발언을 한 것은 일부 미국인들에게 그릇된 인상을 주었다. 머독의 저택에서 베풀어진 만찬에 참석했던 배우 드웨인 존슨은 왕자를 만나서 즐거웠다는 말과 함께 페이스북에 이런 글을 올렸다. "머지않아 방문할 사우디아라비아가 기대된다. 최고의 테킬라를 한 병 가지고 가서 왕세자 전하 및 그의 가족들과 나눠마셔야겠다." 이 인물처럼 다른 미국인들도 모하메드가 중요한 문제에 관해서는 전통주의자라는 사실을 이해하지 못하고 있었던 것이다. 그가 술을 마시는지 모르지만, 설령 마신다 해도 남들이 없는 데에서만 마실 것이다. 그리고 그의 개혁은 (서구를 받아들이고, 종교적 기득권층과 결별하고, 여성 운전 금지를 푸는 등) 다루기 힘든 청년 인구를 만족시키는 데 맞춰진 것이었다. 이 모든 것은 알 사우드 가문의 가장 오랜 목표, 즉 왕국에 대한 권력 유지라는 목표를 염두에 두고 진행되고 있었다.

면밀한 관찰자들이라면 왕국과 그 주변국들에 대한 통제력 행사와 관련하여 이런 측면을 볼 수 있었다. 모하메드는 진보적이지 않았다. 『디애틀랜틱』과의 인터뷰에서 모하메드는 골드버그에게 이란의 최고지도자는 히틀러만도 못하다고 말했다. 리야드에서는 모하메드가 생모까지 연금했다는 소문이 나돌았는데, 그 이유는 어머니가 자신이 내리는 통치 차원의 결정 일부에 대해서 국왕에게 문제를 제기했기 때문이라고 했다.

미국인들이 사우디아라비아의 여성들에게 주어진 새로운 자유를 찬양하는 동안에도, 모하메드의 부하들은 새로운 개혁을 요구했던 바로 그 여성들을 검거하고 있었다. 설사 여성운동가들과 왕자가 여성들의 운전을 허용하기로 합의했을지라도 정부를 공개적으로 반대한 사람들, 특히 해외에서 불만을 털어놓은 사람들은 구금되었다.

4월 초, 휴스턴을 끝으로 미국 방문 일정이 마무리될 때까지만 해도 모하메드는 미국 기업들의 사우디아라비아 투자 유치라는 목표에 거의 진전을 이루지 못했다. 그러나 그는 아리 에마누엘의 인데버에 4억 달러, 그리고 테슬라에 약 20억 달러를 투자하는 등 무기, 석유화학 프로젝트, 기술 및 엔터테인먼트 기업에 대한 투자에 사우디 현금 200억 달러 이상을 투입하며 투자자로서 큰 성과를 거두었다.

그는 의기양양하게 왕국으로 돌아와 더욱더 야심 찬 국내 개혁을 추진해 나갔다. 그리고 서구의 혁신적이고 큰 기업들이 사우디아라비아에 투자할 것처럼 보이게 하는 작업을 더욱 강하게 밀어붙였다. 그는 제프 베조스를 목표로 삼았다. 왕자와 아마존의 창업자는 LA에서 만찬을 가진 뒤 서로 전화번호를 교환했고, 이후 아마존이 20억 달러를 사우디아라비아에 투자하여 중동지역 고객들을 위한 데이터센터를 건립하는 프로젝트에 관해 왓츠앱을 통해 교신하기 시작했다.

베조스로서는 그 딜이 경쟁적인 중동시장에 진입하는 중요한 계기가 될 수 있었다. 모하메드로서는 상대적으로 경제적 성패를 좌우할 정도의 이해관계가 달린 것은 아니었다. 소위 데이터센터라는 것은 많은 일자리를 창출하지는 않기 때문이다. 그러나 세계 최고의 유력기업 하나를 사우디에 들어오게 한다면 모하메드의 이미지를 크게 끌어올릴 수 있을 것이었다.

그 후 몇 달 동안 그는 왓츠앱을 통해 베조스에게 자신이 그 딜에 대해 매우 흥분하고 있다고 말하면서, 동시에 아마존의 프로젝트 추진 속도가 너무 느린 데 대해 실망감도 표시했다. 그는 아마존이 사우디아라비아보다 인근의 바레인에 먼저 시설을 건설한 데 대해 "매우 실망했다"라고 베조스에게 말했다. 그는 또한 아마존이 왕국에 더 일찍 오지 않은 것은 결과적으로 사우디아라비아로 하여금 다른 전자상거래 경쟁사에게 투자하도록 "밀어붙인" 것과 다름없다고 말했다. 이제 아마존과 사우디아라비아가 새롭게 생산적인 파트너 관계를 맺을 수 있는 기회가 왔다. 왕자와 이 억만장자가 그해 말 사막의 다보스, 즉 리야드에서 열린 투자 컨퍼런스 무대 위에 나란히 서서 그것을 발표할 수 있는 기회였다. "친구여, 귀하가 미래투자계획 컨퍼런스 기간 중 사우디아라비아에 와서 우리가 함께 이 28억 달러의 공동 프로젝트를 발표하는 것은 나로서는 매우 중요한 일입니다"라고 모하메드는 베조스에게 왓츠앱으로 메시지를 보냈다.

사실 모하메드의 궁극적 목표는 베조스를 무대 위에 세워서 결정적 홍보성과를 거두려는 것이었다. 왕자와 베조스가 만찬을 함께한 직후, 2017년 트럼프의 사우디아라비아 순방 때 실무를 맡았던 보안책임자 무사드 알-아이반은, 아마존이 사우디아라비아의 정보기관과 사법당국이 시설 내 컴퓨터 데이터에 접근하는 것을 허용하지 않을 것이라는 이유로, 이미 아마존 프로젝트를 진행하지 않겠다고 작정했다. 그러나 왕궁팀은 이런 내용이 절대로 아마존에 알려지지 않도록 하라는 지시를 받았다. "절대 공개적으로 거절하면 안 된다. 우리는 그저 계속 시간을 끌면서 관료주의적 지연 때문이라는 구실을 댈 것이다"라는 지시였다고 이 프로젝트에 참여했던 한 정부 고문이 『월스트리트저널』에 말했다.

모하메드의 사회적 개혁과 전제적 경향은 국내에서 지속되었다. 6월에 여성 운전 금지는 공식적으로 철폐되었다. 리야드의 쇼핑몰 등 시내를 돌아다니며 아바야를 제대로 하지 않은 여성들을 단속하던 턱수염을 기른 종교경찰 하야ha'ya는, 2016년 모하메드가 그들을 사무실 밖으로 나오지 못하게 함으로써 거리에서 사라지기 시작했다. 오랫동안 금지되었던 콘서트 관람이나 영화관 출입도 허용되었고 새로운 다양한 엔터테인먼트가 사우디아라비아에 넘쳐났다. 모하메드는 캐나다의 '태양의 서커스' 공연팀이 왕국에 오는 계획을 자랑스러워했다.

그러던 어느 날 밤 10시, 캐나다 정부관리는 사우디의 엔터테인먼트 담당 장관 아흐메드 알-카티브Ahmed al-Khatib로부터 뜻밖의 전화를 받았다. 장관은 무기 구매 관련 업무를 맡고 있었고 캐나다 회사들은 왕국에 무기를 팔려고 했기 때문에 캐나다에 인맥이 있었다. 그러나 그는 무기가 아니라, 태양의 서커스가 방금 일정 문제로 왕국 공연을 취소했기 때문에 전화를 한 것이었다. 카티브는 그 관리에게 말했다. "MBS가 화가 났습니다. 왕자는 태양의 서커스를 좋아합니다. 취소는 받아들일 수 없습니다. 그들이 오도록 해주셔야겠습니다."

관리는 태양의 서커스가 리야드에 가기를 원하지 않는다면 어쩔 수 없는 것이라며, 자기 같은 직책에 있는 사람은 서커스단의 공연에 대한 권한이 없다고 점잖게 설명했다.

좌절한 카티브는 전화를 끊고 대안을 찾아냈다. 하지만 그가 고용한 러시아 서커스단에 속아 넘어갈 사람은 아무도 없었다. 오히려 레오타드[6]를 입은 여성 곡예사로 인해 "발가벗은" 러시아 여성에 대한 글이 트위터에 쏟아져서 반발만 불러일으켰고 MBS는 카티브를 장관직에서 해임했다.

머지않아 사우디-캐나다 관계는 더 악화되었다. 그해 여름 모하메드는 사회정책 및 외교정책 계획을 전속력으로 밀고 나갔다. 계획에 방해가 되는 것은 사람이든 나라든 용납하지 않았다. 그때가 바로 한 참모가 수로를 만들어서 카타르를 아라비아반도에서 분리하여 섬으로 만드는 계획을

---

6 leotard, 무용수나 체조선수가 입는 몸에 딱 붙는 타이츠.

빈 살만의 두 얼굴

제안했을 때였다. 그런데 8월 3일 캐나다 정부가 사우디아라비아의 반체제 인사들에 대한 처우를 비난하는 글을 트위터에 올리면서 "사우디 당국은 구금 중인 시민사회운동가 및 여성운동가들을 즉각 석방"하라고 요구했다.

모하메드의 부하들이 즉시 대응했다. 그들은 토론토에서 휴가를 보내고 있는 주사우디아라비아 캐나다대사 데니스 호락Dennis Horak에게 리야드로 귀임해도 환영받지 못할 것이라고 말했다. 다음으로 그들은 캐나다와의 무역 거래를 취소하고, 그곳에 유학 중인 사우디인 학생들을 귀국시키고, 캐나다가 국내 문제에 개입하고 있다고 공개적으로 비난했다.

2018년 여름 내내 모하메드가 밀고 나가는 계획을 둘러싸고 쟁점이 끊이지 않았다. 8월에 테슬라의 CEO 일론 머스크가 트위터에 자신이 회사의 상장 폐지를 고려하고 있으며 사우디의 PIF와 그에 대한 딜을 논의하고 있다고 밝혔다. 미국의 연방관리들은 머스크가 회사 주가를 조작하려는 것이 아닌지 의심했고, 미국 법무부에서는 PIF 책임자 야시르 알-루마이얀에게 대면조사를 받으러 오라고 통보했다. 처음에 사우디아라비아 정부는 루마이얀이 검찰을 만나지 못하게 하기 위해서 외교적 면책특권을 주장했다. 한 사우디 관리는 당시 검찰총장 제프 세션스Jeff Sessions에게 루마이얀이 국가 기밀을 가지고 있을지 모르기 때문에 법무부의 대면조사에 응할 수 없다는 점을 설득하려고 애썼다. 그러나 검찰에서 루마이얀은 외교관이 아니라고 지적하자 그는 조사에 응하기로 합의했다. 그의 미국인 변호사가 검찰에게 그를 "각하"로 불러달라고 요청했지만 거절당했다. 루마이얀은 자신은 머스크에게 비상장회사로 전환하는 딜에 대해 동의해준 적이 없다고 말했다. 머스크는 테슬라의 주가를 띄우려는 의도가 없었다고 부인했지만 이후 정부와 증권거래위원회 관련 문제를 해결했다.

9월에 살만 국왕의 친동생 아흐메드가 돌연 대중 앞에 나타났다. 아흐메드 왕자는 모하메드에게는 잠재적인 문제인물이었다. 사우디아라비아의 새로운 방향에 대해 회의적인 왕족들이 그를 중심으로 모여들고 있었다. 살만이 즉위한 뒤 얼마 동안 정부는 아흐메드의 여행을 제한했다. 결국 그는 런던으로 갔는데, 왕국의 예멘 폭격에 반대하는 시위대가 그의 집 주위로 모여들었다.

아흐메드가 시위자들과 언쟁을 하는 모습이 비디오에 찍혔다. 그는 그들에게 알 사우드 가문 사람 전체를 비난해서는 안 된다고 항변했다. 가문에서는 그 전쟁이 즉시 끝나기를 원했다. 폭격에 책임이 있는 사람은 살만 국왕과 그의 아들 모하메드뿐이었다. 그것은 권력을 정당하게 주장할 수 있는 극소수의 왕족들 가운데 한 사람에게서는 들어보기 힘든 반대의 목소리였다. 아흐메드는 관례에 따라 왕위계승서열을 결정하는 충성평의회 의장을 맡게 되어 있었다.

이와 동시에 사우디의 정보원들이 캐나다에서 하고 있는 감시작업에서 몹시 치명적인 결과가 포착되었다. 왕궁 소속 스파이들은 반대파인 오마르 압둘아지즈에 대해서 트위터 계정을 해킹할 때와는 다른 방식으로 공격했다. 모하메드의 부하들이 그의 전화를 해킹해 반대파 언론인 자말 카슈끄지와 나눈 메시지를 읽어냈던 것이다. 그들 두 사람은 모하메드에 대한 비판자들을 규합하여 왕국이 이전에 경험해본 적이 없는 조직화된 반대운동에 나서려고 하고 있었다.

이즈음 모하메드는 방문객들의 눈에 좀 이상하게 보였다. 그는 사람들을 (그들 중 일부는 리츠칼튼호텔에 끌려갔던 사람들이었다) 미래에 네옴이 들어설 지역 근처 바다 위의 요트 서린호로 불러 모았다. 그는 로봇 공룡들이 뛰어놀게 될 티란 섬Tiran Island에 대해 흥분된 어조로 설명했다. 1년 전 이집트 대통령 압델 파타 엘-시시는 티란과 또 하나의 섬 사나피르Sanafir를 사우디아라비아에 넘겨주었다. 그는 이 전략적으로 중요한 섬들을 모하메드에게 환심을 사기 위해 넘겨준 것이었다. 그는 이 섬들이 원래 사우디아라비아의 영토로 여겨져 왔다고 주장했지만 이집트 법원의 판결은 그와 달랐다.

목이 트인 셔츠를 입고, 모하메드는 네옴 주민들이 의학의 진보에 따라 역사상 그 누구보다도 훨씬 더 오래 살게 될 것이라고 말했다. 그는 이미 수명 연장 연구에 투자를 시작했다고 설명하면서 자신도 수백 년을 살게 될지 모르겠다고 말했다. 한 참석자는 불안에 빠졌다. 그가 300세가 될 때까지 이 나라를 통치할 생각을 하고 있는 것일까? 그가 중동에서 가장 강력한 인물이란 말인가?

18장

냉혈한

영사관 직원들은 카슈끄지가 이혼증명서를 받으러 오기로 예정된 날 출근하지 말라는 지시를 받았고, 근처에 있는 총영사의 관저에서 일하는 사람들도 공사를 해야 하니 관저에 오지 말고 집에 있으라는 지시를 받았다. 카슈끄지가 도착하기 몇 분 전 무트레브는 "제물로 바칠 동물이 도착했나?"라고 물었다.

자말 카슈끄지가 새벽 4시 직전 이스탄불공항에 내리기 전에 15명의 암살팀은 이미 자리를 잡아가고 있었다.

세관검사대를 빠르게 통과한 카슈끄지는 유럽 쪽¹에 있는 제이틴부르누Zeytinburnu에 새로 마련한 아파트로 갔다. 약혼녀 하티스 쳉기즈Hatice Cengiz와 같이 살게 될 신혼집에서 낮잠을 자고 난 뒤 근처에서 간단한 식사를 할 계획이었다. 그날은 신혼부부에게는 아주 중요한 날이었다. 두 사람은 몇 달 전 한 컨퍼런스에서 처음 만났고, 만나자마자 서로 호감을 느꼈다.

모하메드 빈 살만에 반대하는 목소리를 높이면서 힘든 2년의 세월을 보냈고, 최근 이혼까지 한 처지라 카슈끄지는 매우 외로웠고 사우디아라비아에 있는 자식들은 까마득히 멀게만 느껴졌다. 모하메드에 대해 엄격하고 예리한 비평으로 이름을 떨쳤던 워싱턴 D.C.에서 몇 달 동안 자기성찰의 시간을 보낸 뒤였으니, 이제부터는 행복하고 충만한 삶을 살아야 했다.

그는 언제나 좀 독특한 편이긴 했지만 이번에는 이전과 전혀 다른 국면이 전개되었다. 몇 년 전까지는 생각조차 해본 적이 없었는데, 그는 이제

---

1 이스탄불은 보스포루스해협을 끼고 서쪽의 유럽과 동쪽의 아시아로 나뉘어 있다.

적극적인 반대자로서의 삶을 살아가고 있었다. 옛 친구들은 자신과 연락하는 것조차 두려워했고 하물며 만나는 것은 더욱더 그랬다. 카슈끄지는 그런 상황이 슬펐고, 자신을 위로하고 짐을 나눠 질 수 있는 반려를 찾고 있었다. 59세의 그는 지금까지 적어도 세 번의 결혼을 했었지만 (사우디의 전통에 따라 한 번 결혼에 두 명 이상의 부인을 둔 적도 있었다) 이제 새로운 인생의 장을 막 펼치려 하고 있었다. 하티스는 36세였고 박사학위 공부 중인 책을 좋아하는 여성이었다. 그녀는 안경 낀 테디베어를 닮았고 걸걸한 목소리에 약간 낭만적인 성향의 카슈끄지를 깊이 사랑하고 있었다.

아침식사 후 카슈끄지는 사우디아라비아 영사관에 가서 이혼증명서와 왕국에 다른 아내가 없다는 증명서를 받을 예정이었다. 이 증명서는 하티스의 아버지에게 보여줘야 하는 것은 물론 튀르키예에서 혼인신고를 하는 데 반드시 필요한 서류였다. 그는 몇 주 전 두려운 마음으로 영사관을 방문했었는데, 몇 분 동안 농담을 주고받은 뒤부터 그곳 관리들이 매우 우호적이고 협조적이라는 것을 느꼈다. 관리들은 서류를 준비하고 리야드의 관계 당국과 연락을 하려면 며칠은 걸릴 것이라고 말했다. 그가 모르는 사이에 그의 방문 소식이 리야드의 정보관리들에게 전화로 전달됨에 따라, 그들은 가장 유명한 비판자를 침묵시키는 치명적인 계획을 가동시켰다.

인적이 드문 영사관 경내를 걸어 올라가면서도 그는 조심스러웠다. 워싱턴 D.C.에 있을 때, 그는 대사관을 몇 번 방문했는데 갈 때마다 좋은 대우를 받았다. 모하메드의 친동생이자 대사였던 칼리드 빈 살만은 한번 만나서 이야기를 나누자고 매우 정중한 요청도 했다. 그러나 그는 컴퓨터 보안이 문제라는 것을 알고 있었다. 그의 친구들은 이미 평범한 링크 형태로 전송된 악성소프트웨어에 의해 해킹을 당했다. 그가 사용하는 전화기 두 대에는 세계 각지의 언론인들, 고국에서 불꽃을 더 크게 피워 올릴 동료 반대자들이나 친구들과의 교신내용이 담겨 있었다. 그는 하티스에게 전화기 두 개를 재빨리 넘겨주면서 30분쯤 뒤에 돌아오겠다고 말했다. 만약 자신이 밖으로 나오지 않으면 친구 야신에게 전화를 하라고 미리 말해두었다. 친구 야신 악타이는 튀르키예 대통령 에르도안의 측근 정치인이며 아랍의 봄 저항운동 이래 카슈끄지의 친구였다.

보안카메라에 찍힌 영상을 보면 짙은 색 블레이저와 회색 바지 차림의 카슈끄지가 건물 안으로 조용히 들어가는 모습이 보인다. 바로 그 순간 악타이는 본인의 사무실에서 그날 밤까지 보내야 할 신문칼럼을 열심히 쓰고 있었다.

오후 1시 15분에 도착하여 몇 분 만에 카슈끄지는 무언가 잘못되어도 대단히 잘못되었다는 것을 깨달았다. 그는 몇 년 전 런던 영사관 시절부터 알았던 음침한 표정의 정보요원 마헤르 압둘아지즈 무트레브Maher Abdulaziz Mutreb를 틀림없이 알아봤을 것이다.

3년의 시간이 흐르면서, 왕궁의 관점에서 볼 때 카슈끄지는 왕가에 대해 가끔 비판적이긴 했지만 영향력 있는 지지자였는데 이제는 국가안보에 중대한 위협으로 변해 있었다. 카슈끄지는 『워싱턴포스트』의 오피니언 섹션에 비판적 칼럼을 쓰는 한편, 모하메드 빈 살만의 안보 보좌관들이 보기에 MBS의 개혁과 통치방식을 반대하는 사우디인들의 구심점이 되어가고 있었다. 카슈끄지가 에르도안의 측근인 튀르키예 정치인들과 지니고 있는 연대를, 친모하메드 인사들은, 그가 사우디아라비아의 기반을 약화시키기 위해 외세와 협력하고 있는 증거로 보았다. 카타르국제재단Qatar Foundation International의 상임이사로 있으면서 카슈끄지가 칼럼을 쓰고 편집하는 데 도움을 준 매기 미첼 살렘Maggie Mitchell Salem과 각별한 우정을 나누고 있는 것도 조국과 공존할 수 없는 숙적을 위해 일하기로 마음을 바꿨다는 직접적인 증거였다.

한때 조국에 대한 온건한 비판자였던 그는 경제 실적 부진이든 과도한 구매에 대한 소문이든 참모를 향해 거칠게 화를 낸 것이든 가리지 않고, 모하메드가 행사하는 권력의 부정적 측면에 대한 정보처리센터가 되어 있었다. 그는 현대아랍민주주의[2]라는 매우 도발적인 새로운 운동단체를 공동설립하고 있었다. 이름부터 아랍의 봄을 연상시키는 단체였다. 어쩌면 알 사우드 왕가에게 있어서 왕국의 민주화를 요구하는 영향력 있는 사우디인보다 더 큰 문제는 없었을 것이다.

카슈끄지는 또한 모하메드를 선지자로 부각시키려는 시도를 밑바닥부터 흔들어 놓는 소소한 도발까지 하고 나섰다. 그는 2017년 11월 워싱턴에서 카타르와 관련된 한 싱크탱크의 연설에서 이렇게 말했다. "한 언론인으로, 한 편집자로 살아오면서, 나는 현재 모하메드 빈 살만이 하고 있는 모든 일을 촉구해왔다. 그는 우리가 요구한 일을 하고 있다. 그렇다면 나는 왜 여전히 비판적인가? 이유는 간단하다. 그가 옳은 일을 그릇된, 매우 그릇된 방식으로 하고 있기 때문이다."

튀르키예로 돌아오기 며칠 전 카슈끄지는 「BBC」 방송에 출연했다. 인터뷰가 공식적으로 시작되기 전, 그는 워싱턴 D.C. 등지에서 왕세자에 관해 솔직한 견해를 밝혔는데, 여기에는 그가 그동안 해왔던 말들이 담겨 있었다. 「BBC」는 나중에 이 녹취록을 공개했다. "왕자는 우리에게 2주일 아니면 두 달에 한 번꼴로 의회나 신문에서 논의되지 않은 수십억 달러짜리 프로젝트를 제공한다. 그러면 사람들은 박수를 치며 말한다. '대단해요! 그런 걸 더 하면 좋겠네요!' 그러나 일은 그런 식으로 이루어지는 것이 아니다"라고 카슈끄지는 말했다. "나는 내가 고향에 다시 돌아갈 수 있

---

2 Democracy for the Arab World Now(DAWN), 2020년 9월 워싱턴 D.C.에서 설립된 비영리 단체로 중동과 북아프리카지역의 민주주의, 법치주의, 인권 신장을 위해 노력하고 있다.

으리라고 생각하지 않는다. 체포될 만한 일을 하지 않은 친구가 체포되었다는 소식을 들을 때마다 나는 돌아가서는 안 되겠다는 생각을 하게 된다."

몇 년 동안 카슈끄지의 뒤를 바짝 따라다닌 모하메드의 참모 사우드 알-카흐타니는, 돌아오면 다시 동지로 받아들이겠다고 하면서, 이 비판자에게 사우디아라비아로 돌아올 것을 계속해서 종용했다. 그러나 카슈끄지는 그것을 함정이라고 생각했다. 카흐타니는 기회가 있었는데도 불구하고 카슈끄지를 체포하지 않은 것이 자신이었기 때문에, 카슈끄지가 자신을 개인적으로 "배반"했다고 생각했다.

3년 넘게 카흐타니는 트위터 군단을 동원하거나 전화를 해킹하거나 납치해서 사우디아라비아로 데려오는 식으로 비판자들을 무력화시키려고 노력해왔다. 트위터상에서 카흐타니는 모하메드에 대한 충성심을 자주 공표하면서 자신이 왕자와 친밀한 관계에 있다는 것을 공개적으로 분명하게 드러내기 위해 애썼다. 그렇게 함으로써 모하메드가 바라는 것들을 반드시 실행하는 책임을 카흐타니 자신이 지고 있다는 인상을 심어주었다.

2018년 4월 카흐타니는 「알아라비야」 방송국 홈페이지의 기명 논평 페이지에 모하메드와 자신의 관계에 대해 다음과 같이 썼다. "그는 저에게 다른 사람에게 조사를 맡기지 말고 제가 직접 조사를 수행하기를 바란다고 매우 정중하게 말했습니다. 그 조사는 전략기획에 관한 것이었습니다. 더 중요한 다른 일 때문에 바쁘다는 말을 하려는 바로 그 순간에 그가 '이 일에 전념해주기 바랍니다'라고 말했습니다. 그는 이 일이 엄청난 기밀 업무라는 것을 느끼게 해주었습니다."

카흐타니는 카슈끄지가 맨 처음 이스탄불의 영사관에 오기 전부터 몇 주 동안 그를 추적하고 있었으며, 영사관 관리들은 그가 다시 올 것이라는 보고를 해왔다. 그 반대자를 낚아챌 수 있는 기회가 왔다고 생각하고 카흐타니는 휘하의 어둠의 기술팀을 작전에 투입했다. 기술자 그룹이 이스탄불로 날아가서 영사관 내부에 혹시 튀르키예 정부가 설치했을지 모르는 도청 및 녹화장치가 있는지 샅샅이 뒤졌다. 그들은 하나도 발견하지 못했다. 아니면 오히려 모두 놓쳤는지 모른다.

카흐타니의 연구 및 미디어 업무센터는 용의자 비밀송환에 대한 중앙 지휘소였다. 임무를 수행하는 비밀요원들은 '사우디신속개입단Saudi Rapid Intervention Group'이라고 불렀다. 이곳의 지휘관은 카슈끄지가 런던에서 근무할 때 알고 지냈던 보안책임자이자 전직 정보 관리인 마헤르 무트레브였다. 그는 불과 몇 달 전 모하메드가 미국을 몇 주 동안 방문했을 때 함께 사진에 찍히기도 한 인물이었다.

무트레브는 내무부 소속 의사이자 리야드의 법의학과학위원회Scientific Council of Forensic Medicine 의장인 살라 무하마드 알-투바이기Salah Muhammad al-Tubaigy 중령과 다양한 보안 인력들을 데리고 이스탄불로 갔다. 투바이기의 역할로 미루어 볼 때 처음부터 살인이 계획되어 있었다는 사실을 알 수 있다. 영사관 근처에서 행해진 튀르키예 측의 도청 자료에 따르면, 투바이기는 카슈끄지를 기다리던 도중 팀원들에게 본인은 사체를 절단할 때면 음악을 듣고 커피를 마신다는 이야기를 했다고 한다.

영사관 직원들은 카슈끄지가 이혼증명서를 받으러 오기로 예정된 날 출근하지 말라는 지시를 받았고, 근처에 있는 총영사의 관저에서 일하는 사람들도 공사를 해야 하니 관저에 오지 말고 집에 있으라는 지시를 받았다. 카슈끄지가 도착하기 몇 분 전 무트레브는 "제물로 바칠 동물이 도착했나?"라고 물었다.

영사관 안에서 사건이 벌어지기까지는 오래 걸리지 않았다. 접수팀 요원들이 카슈끄지를 위층에 있는 총영사 방으로 데리고 올라갔다. 영사관에 도착한 지 몇 분 만에 총영사 방으로 끌려들어가는 카슈끄지에게 "우리는 당신을 데리고 귀국해야만 합니다"라고 무트레브가 말했다. "인터폴에서 명령이 도착했습니다. 인터폴에서 당신을 귀국시키라고 요청했습니다. 우리는 당신을 잡으러 왔습니다. 왜 귀국하지 않습니까?"

"내가 왜 내 조국으로 돌아가지 않느냐고 물었습니까? 알라의 뜻이라면 나는 결국 돌아갈 겁니다." 카슈끄지가 대답했다.

"인터폴이 올 때까지 당신을 붙들고 있어야만 합니다." 무트레브가 말했다.

"이건 모든 법률에 위반되는 겁니다. 이건 납치입니다!" 카슈끄지가 말했다.

"우리는 당신을 사우디아라비아로 데려갈 겁니다. 협조하지 않으면 결국 어떤 일이 벌어지게 될지 잘 알고 있을 겁니다." 그들 중 한 명이 말했다. 카슈끄지는 반발했다. 또 다른 한 명이 말했다. "짧게 끝냅시다." 그들은 주사기를 꺼냈다.

"나에게 약물주사를 놓으려는 겁니까?" 오후 1시 33분, 카슈끄지가 물었다. 그리고 그것으로 끝이었다. 그 후 5분 동안 카슈끄지는 진정제를 맞고 질식해서 죽었다. 오후 1시 39분, 그 사체절단 전문가가 기자의 몸을 조각내는 톱질 소리가 들렸다.

임무는 끝나지 않았다. 카슈끄지와 비슷한 체구의 한 건장한 정보요원이 카슈끄지의 옷을 입고 안경을 쓰고 가짜 턱수염을 붙인 모습으로 영사관의 뒷문을 통해 걸어 나갔다. 그의 임무는 모든 조사관에게 엉터리 단서를 주어서 사우디아라비아를 조사 대상에서 제외시키는 것이었다. 그는 또 한 명의 요원과 함께 택시를 타고 블루 모스크[3]로 가서 몇 시간 동

---

3 Blue Mosque, 14대 술탄인 아흐메드 1세가 지은 튀르키예에서 가장 아름다운 모스크 중 하나다. 최대 10,000명까지 수용 가능한 곳으로 내부가 손으로 칠한 청색 타일로 장식되어 있기 때

안 주변을 배회하며 차를 마신 뒤 옷을 벗어서 버렸다. 그들은 공항으로 가서 모하메드 빈 살만이 최근에 힘을 몰아준 국부펀드 PIF 소유의 자가용비행기 두 대에 각각 나누어 타고 귀국했다.

암살자들이 계산에 넣지 못한 것은 밖에서 하티스가 기다리고 있었다는 사실과 영사관 내부의 도청장치를 제대로 제거하지 못한 자신들의 무능력함이었다. 튀르키예의 정보기관은 살인 과정에서 들려오는 소름 끼치는 소리가 모두 또렷하게 녹음된 자료를 확보했다.

세 시간 넘게 밖에서 기다리다가 하티스는 카슈끄지의 비상연락처인 야신 악타이에게 오후 4시 41분에 전화를 걸었다. 그는 처음에는 단순한 안부 전화로 생각하고 전화를 받지 않았다. 그러나 카슈끄지의 번호가 다시 뜨자 전화를 받았다. 하티스였다. 카슈끄지가 나오지 않았다고 그녀가 튀르키예 정치인에게 말했다. "그를 도와주실 수 있나요?"

악타이는 염려가 되었다. 그는 카슈끄지가 처해 있는 위험을 알아차렸고 국가 정보기관과 연락해 보겠다고 하티스에게 말했다. 그는 제일 먼저 튀르키예 정보국장 하칸 피단Hakan Fidan에게 전화를 했다. 피단이 즉시 전화를 받지 않자 악타이는 그의 보좌관 한 명에게 전화를 했다.

"심각한 문제가 생겼습니다"라고 악타이가 보좌관에게 말했다. 악타이가 카슈끄지가 일상적인 일로 영사관에 들어갔다가 나오지 않았다고 말하자 "그는 아주 위험한 상황입니다. 도대체 왜 들어갔답니까?"라고 보좌관이 말했다. 그는 상황을 파악하는 대로 악타이에게 연락하겠다고 약속했다.

그다음으로 악타이는 에르도안의 비서실에 전화를 하고 비서에게 경위를 알려주었다. 에르도안의 참모가 보안기관 및 정보기관에 경계 태세를

문에 블루 모스크로 통칭한다.

빈 살만의 두 얼굴

지시했다. 악타이가 하티스에게 전화를 해서 기다려 볼 수밖에 없다고 말해주었다. 튀르키예 측에서는 카슈끄지가 죽었다는 사실을 아직 모르는 상태였다.

카슈끄지 살해사건은 모하메드나 에르도안 모두 원치 않았던 방식으로 튀르키예와 사우디아라비아를 서로 공개적으로 적대할 수밖에 없는 상황 속으로 몰아넣었다. 그들에게는 공통적인 이해관계가 있었으므로 (시리아에서 IS 테러분자들을 섬멸시키는 것이 무엇보다도 중요했다) 전면적인 적대관계에 들어가서 얻을 것은 거의 없었다.

그러나 양국 관계는 최근 수년간 마찰이 빚어짐으로써 곤란을 겪어왔고 튀르키예와 걸프국가들 사이의 오랜 역사가 짓누르고 있었다. 오늘날 사우디아라비아의 대부분은 오스만제국의 영토였다. 튀르키예인들은 식민 권력으로서 피지배민족인 아랍인들을 지배했었다. 모하메드의 할아버지 이븐 사우드는 사우디왕국 창건을 위해 오스만제국과 싸워 이겼다.

불과 한 세기 뒤에 사우디아라비아는 아라비아반도의 거의 전 지역을 지배하게 되었고 석유 덕분에 튀르키예보다 훨씬 더 많은 부를 갖게 되었다. 중요한 것은 사우디아라비아가 메카와 메디나의 두 성스러운 도시까지 통제하고 있다는 사실이었다. 순례자로서 메카를 방문해야만 하는 종교적 의무를 다하기 위해서, 튀르키예의 무슬림들은 과거의 피지배민족으로부터 허가를 받아야 했다. 모하메드는 여전히 튀르키예인들을 아랍인들을 업신여기고 오만했던 옛날의 식민국 주민으로 보고 있었다.

튀르키예는 사우디아라비아의 지출 여력과 경쟁할 수 없었다. 그러나 튀르키예에는 다른 이점이 있었다. 이 나라에는 정치지도부의 교체와 상관없이 오랫동안 확립되어 온 정부 기관들이 있었다. 좋든 나쁘든 최근의 역사를 보면 권력은 그 기관들과 이를 운영하는 수많은 관료들에 의해 유지되어 왔다. 그 결과, 정부 산하의 군과 정보기관들은 우선순위, 구조, 문화의 측면에서 연속성을 가지고 있으며, 최상위직에서 최하위직에 이르기까지 고도로 훈련된 관리들로 구성되어 있었다.

두 나라의 서로 대조적인 정치 구조는 튀르키예의 지도자들로 하여금 무슬림형제단 또는 더 강력한 수준의 아랍의 봄 같은 움직임을 무시하지 못하게 하는 또 다른 결과를 가져온다. 튀르키예는 민주주의 체제이므로 에르도안 같은 대통령은 재선되기 위해서 대중의 여론에 민감하다. 중동지역 전체에 걸쳐 국내외로부터 민주화운동에 대해 엄청난 지원이 있었다. 따라서 2010년 초 에르도안은 무슬림형제단과 연계하여 이슬람주의 정치인들을 선출하려고 했던 일부의 민주화운동을 지원했는데, 압둘라 국왕은 그를 결코 용서하지 않았다. 압둘라의 입장에서는 에르도안이 민주화운동을 지원함으로써 알 사우드 왕가의 기반을 약화시켰으므로 튀르키예 대통령은 왕국의 적이었다. 이 냉랭한 관계는 늙은 국왕이 사망할 때까지 계속되었다.

비록 에르도안이 아랍의 봄 기간에 걸프지역 왕국들의 편을 들어주지는 않았지만, 그는 상호 적대관계를 원하지는 않았다. 압둘라가 사망했을 때 에르도안은 긴장 완화의 기회를 보았다. 그와 모하메드는 과거에 교신을 하던 사이였고 서로 존경하는 것처럼 보였다. 살만이 왕위에 오른 뒤 1년 동안 에르도안은 국왕을 서너 번 만났는데, 그는 살만 국왕이 튀르키예를 압둘라만큼 회의적으로 보지는 않는다고 느꼈다. 에르도안과 그의 보좌관들은 왕국과 새로운 협력의 시대에 접어들고 있는 것으로 확신했다. 2017년 사우디아라비아는 에르도안을 암살하려고 했다는 혐의를 쓰고 있는 튀르키예의 성직자 페툴라 귈렌Fethullah Gülen과 공동전선을 편 혐의가 있는 16명을 튀르키예로 추방했다.

그러나 이후 몇 달 동안 튀르키예 측은 예상치 못한 문제가 있다는 것

빈 살만의 두 얼굴

을 알아챘다. 바로 왕세자였다. 모하메드에게는 튀르키예인들이 그의 아버지에게 기대했던, 다른 견해에 대한 포용력이 없는 것 같았다. 카타르에 대한 보이콧 문제가 발생했을 때 긴장은 최고조에 달했다. 카타르와 튀르키예는 오랜 동맹국이었으므로 에르도안은 사우디가 주도하는 보이콧을 지지하기 위해 동맹을 포기할 수는 없었다.

보이콧이 개시된 뒤에 "카타르를 이렇게 고립시키는 것은 문제의 해결에 전혀 도움이 되지 않는다"라고 에르도안은 공개적으로 말했다. "나의 견해로는 카타르를 테러용의자로 표현하는 것은 도가 넘는 주장이다. 나는 그들을 15년 동안 알아왔다." 그는 그러한 조치의 이면에 있는 동기에 대해 의문을 제기했다. "전혀 다른 종류의 게임이 벌어지고 있다"라고 그는 말했다. "우리는 아직까지 이 게임 뒤에 누가 있는지 확인하지 못했다." 에르도안은 자신이 살만 국왕과 이야기를 나누었고 "이 문제들에 대해 가슴을 털어놓고 대화하면서 공유했다"라고 말했다.

에르도안은 여전히 사우디 측과 어떤 합의에 도달하기를 희망했지만, 튀르키예 관리들이 사우디 관리들과 대화했을 때, 그들은 사우디의 입장을 지지하지 않으면 적으로 간주하겠다고 말했다. 에르도안은 튀르키예-사우디 관계를 개선하는 데 최대의 장애물은 모하메드라고 확신하게 되었다.

19장

미스터 골절기

왕세자와 기타 사우디 정부관리들이 언급한 내용을 보고 나서, 에르도안은 암살팀 요원 한 명이 PIF 소유의 자가용비행기로 골절기를 반입했다는 놀라운 폭로를 포함하여 자세한 사건 경위를 언론에 흘리라는 지시를 내렸다. 이때부터 모하메드 빈 살만은 '미스터 골절기'라는 또 하나의 이름을 갖게 되었다. 어떤 정부가 어떤 반대자를 살해한다는 것은 언제나 충격적인 일이지만, 카슈끄지 살해사건을 전 세계가 집중적으로 성토하고 나서게 된 것은, 카슈끄지의 시체를 마치 도살업자처럼 토막 내는 살인자들의 잔인함이 자세하게 알려졌기 때문이다. 사우디 측이 도저히 받아들일 수 없는 부인을 함으로써 사람들은 더욱더 분노했다.

2018년 10월

앙카라의 대통령궁 안에서 에르도안 대통령은 튀르키예 국가정보국의 브리핑을 들으며 분노하고 있었다. 10월의 그날, 자말 카슈끄지가 이혼증명서를 받으러 나타나기 전에 영사관에 몰래 설치해둔 장치에 녹음된 내용은 얼핏 들어도 사전에 계획된 그 처참한 현장이 뚜렷하게 드러났다.

암살이 자행되기 한 시간 전 그 사체절단 전문가는 카슈끄지의 사체를 조각조각 절단하는 것이 얼마나 어려운지 냉혹하리만치 객관적으로 묘사하고 있었다. 그리고 "제물로 바칠 동물"이라는 언급이 나온 뒤 카슈끄지가 살해된 직후 인간이 인간의 시체를 절단하는 속이 뒤틀리게 하는 소리가 이어졌다.

"하람!" 에르도안이 소리를 질렀다. 이는 신을 모독하는 극악무도한 일이었다. 카슈끄지는 단순히 튀르키예에서 살해된 어떤 외국인 기자가 아니었다. 에르도안은 그를 직접 만난 적이 있고 그의 보좌관들도 사우디아라비아와 아랍세계에서 전반적으로 전개되고 있는 상황에 대해 그를 만나 의견을 구하기도 했다.

에르도안의 좌절감을 더욱 가중시킨 것은 사우디아라비아가 보인 반응

---

1 Haram, 아랍어로 종교적·도덕적·윤리적 금기사항을 의미한다.

이었다. 왕궁에서는 전혀 아는 바가 없다는 식의 부인으로 일관했다. 그들은 튀르키예를 바보로 알고 있나?

에르도안과 그의 보좌팀은 살해사건의 전말을 조금씩 공개하는 계획을 가동시키고, 사우디아라비아 정부의 죄를 묻고, 살만 국왕이 특사를 파견하여 향후의 조치에 대해 논의해야 한다는 점을 분명히 했다. 에르도안은 모하메드와 그가 지닌 튀르키예에 대한 적대적 자세에 대항하는 유리한 입지를 확보하고, 살만이 아들의 외교정책 권한 일부를 박탈하도록 설득하는 기회로 이번 사건을 활용하고자 했다.

처음 사우디 측은 이 미끼를 물지 않았고, 에르도안이 얼마나 많은 정보를 확보하고 있는지조차 인식하지 못했다. 모하메드 빈 살만의 팀은 튀르키예로 달려가기는커녕 살해사건에 대해 전혀 아는 바가 없다고 부인하면서, 튀르키예 당국이 살인에 대한 확실한 증거를 갖고 있지 않을 경우에만 말이 되는 각본을 고수했다.

살해사건이 벌어진 날 밤, 모하메드는 「블룸버그뉴스」와 오래전에 계획된 인터뷰를 가졌는데 주로 경제계획에 대해서 이야기했다. 기자들은 카슈끄지 문제에 대해서도 질문했다. "우리는 벌어진 일에 대한 소문을 듣고 있습니다"라고 모하메드는 스트레스가 전혀 없는 표정으로 그들에게 말했다. "그가 사우디 시민이기 때문에 그에게 어떤 일이 벌어졌는지 알게 되기를 우리도 간절히 바라고 있습니다. 나는 그가 영사관에 들어갔다가 몇 분 또는 한 시간 뒤에 나간 것으로 이해하고 있습니다. 나는 확실히 알고 있지 못합니다. 우리는 당시 어떤 일이 벌어졌는지 정확하게 파악하기 위해서 외무부를 통해 조사를 진행하고 있습니다."

모하메드의 동생이자 주미 사우디아라비아대사인 칼리드는 트위터에 "자말 카슈끄지가 이스탄불 영사관에서 실종되었다는, 또는 왕국의 당국자들이 그를 구금했거나 살해했다고 하는 기사는 완전한 허위보도라는 사실을 확실하게 밝힌다"라는 글을 올렸다.

왕세자와 기타 사우디 정부관리들이 언급한 내용을 보고 나서, 에르도안은 암살팀 요원 한 명이 PIF 소유의 자가용비행기로 골절기를 반입했다는 놀라운 폭로를 포함하여 자세한 사건 경위를 언론에 흘리라는 지시를 내렸다. 이때부터 모하메드 빈 살만은 '미스터 골절기'라는 또 하나의 이름을 갖게 되었다.[2] 어떤 정부가 어떤 반대자를 살해한다는 것은 언제나 충격적인 일이지만, 카슈끄지 살해사건을 전 세계가 집중적으로 성토하고 나서게 된 것은, 카슈끄지의 시체를 마치 도살업자처럼 토막 내는 살인자들의 잔인함이 자세하게 알려졌기 때문이다. 사우디 측이 도저히 받아들일 수 없는 부인을 함으로써 사람들은 더욱더 분노했다.

후일 모하메드가 한 방문자에게 했던 이야기에 따르면, 중국이나 기타 국가에서 자행되는 더욱 체계적이고 더욱 큰 규모의 박해는 기꺼이 용납하면서, 무도한 살해요원들이 한 사람을 죽인 사건을 놓고 전 세계가 그토록 미친 듯이 분노하는 데 대해서 그가 화를 냈다고 한다. 비밀스러운 자리에서 사우디인들은 미국이 수십 년 동안 중동 전역에서 민간인들을 폭격한 데 대해 여러 가지 주장을 하곤 했다. 왜 그들에게는 이렇게 가혹한 비판이 쏟아지지 않는가?

사우디아라비아의 지도부는 단 한 명의 죽음에 대해서 이토록 엄청난 대중의 비난을 받는 것이 불공평하다고 생각했다. 카슈끄지와 카타르의 관계에 대한 세부사항이 몇 달에 걸쳐 조금씩 드러나면서 일부 사우디 지도자들은 자신들이 정당하다고 느꼈다. 그들은 카슈끄지를 배신자, 파괴공작원으로 매도했지만 그 항변 속에는 여전히 약간의 불확실한 점이 남아 있었다. 그 세부사항은 인간이라면 그 누구도 용납하기 어려운 것들이

---

2 모하메드 빈 살만을 흔히 이니셜만 따서 'MBS'라고 부르는데, 카슈끄지 살해사건을 계기로 MBS에 '미스터 골절기(Mister Bone Saw)'라는 또 다른 의미가 추가되었다.

었다.

열기가 고조되고 녹음파일에 담긴 새로운 폭로가 나오면서 사우디아라비아는 위기 모드로 접어들었다. 살만 국왕은 에르도안과의 중재를 위해 78세의 메카 지사 칼리드 빈 파이살을 파견했다. 메카의 감독관이며 수십년의 외교 경력이 있는 왕자는 이슬람세계에서 특별한 위상을 지니고 있어 튀르키예와 비밀협약을 끌어내기 위한 최선의 선택으로 보였다. 또한 빈 파이살 왕자는 카슈끄지 가문과 특별한 관계를 맺고 있기도 했다. 게다가 투르키 빈 파이살은 런던과 워싱턴 D.C. 시절 카슈끄지의 상관이었다.

칼리드가 도착했을 때, 그는 에르도안의 단호함에 놀랐다. 왕국의 어떤 재정적 약속도 모하메드를 왕위계승서열 밖으로 밀어내기 위해 자신에게 주어진 카드를 쓰고 말겠다는 에르도안의 뜻을 바꿀 수는 없었다. 『뉴욕타임스』는 나중에 그가 친척들에게 "정말 벗어나기 어려운 문제야"라고 말했다고 보도했다. 이 신문은 『워싱턴포스트』 및 다른 신문들과 함께 연일 카슈끄지 사건에 대한 보도를 이어가면서 사건에 대한 언론캠페인을 전개하고 있었다. 시각적 조사기술을 활용하여 암살팀 요원들의 신원을 법의학적으로 밝혀내기도 했다.

이 문제가 비등점에 도달했음에도 불구하고, 모하메드의 실각이 임박했다고 믿었던 에르도안과 전 세계의 칼럼니스트들은 젊은 왕세자가 얼마나 깊이 권력을 장악하고 있는지 파악하지 못했다. 예전 사우디아라비아에서는 왕족이나 궁중 인사가 한 번의 실수나 경솔한 행동으로 인해 알사우드 가문의 내부 권력 구조로부터 즉시 버림받거나 심지어 왕국으로 추방당할 수도 있었다. 그러나 이 새로운 사우디아라비아의 국왕이나 왕세자에게 응축되어 있는 궁정 권력 아래에서는 훨씬 더 가혹한 결과를 초래했다. 국왕의 궁정을 누가 주재하고 있는가? 바로 모하메드 빈 살만이다.

그는 또 한 명의 강력하고 성미 급한 지지자 도널드 트럼프와의 관계에 희망을 걸고 있었다. 모하메드는 재러드 쿠쉬너와의 대화, 트럼프가 미국이 혜택을 누릴 것이라고 광고한 수천억 달러의 딜과 계약, 트럼프 순방 때 백호의 모피를 안에 댄 가운을 선물한 일과 같은 감사의 표시를 통해 대통령 일가와 매우 깊은 연대를 다져 놓았다. 이러한 모든 정황으로 볼 때 모하메드를 늑대들에게 던져주는 것은 트럼프 자신에게 정치적인 손해가 될 것이었다. 트럼프가 이 사태에 대해 최소한의 언급을 하기까지는 며칠이 흘렀다.

트럼프는 「폭스뉴스」 기자에게 카슈끄지가 영사관에서 살해되었는지에 대한 질문을 받고 이렇게 말했다. "지금까지는 그렇게 보이는 것 같은데, 당분간 좀 두고 봅시다." 그는 같은 날 다른 기자들에게도 "어쩌면 우리에게 뜻밖의 즐거운 소식이 들려올지도 모릅니다. 잘은 모르겠지만, 나는 그런 일이 있었다는 데 대해 의문을 가지고 있습니다"라고 말했다. 그로부터 며칠 뒤에는, 만약 사우디아라비아 정부가 살해사건의 배후로 판명된다면 "엄중한 처벌"을 고려할 것이라고 말했다.

10월 14일, 사우디아라비아는 대결을 촉발할 것이 확실해 보이는 도발적인 대응을 했다. "왕국은 경제 제재를 가하겠다고 위협하거나, 정치적 압력을 행사하거나, 거짓 혐의를 반복해서 주장하는 등 사우디를 훼손하려는 그 어떤 위협이나 시도에 대해 완전히 거부할 것임을 확언한다"라고 사우디 국영통신사는 익명의 정부관리의 말을 인용한 성명을 발표했다. "또한 왕국이 어떤 조치를 받는 경우에는 그보다 더 큰 조치로 대응할 것이며, 왕국의 경제는 세계 경제에 영향을 주는 필수적인 역할을 하고 있다는 것을 천명한다."

국무부 장관 마이크 폼페이오가 날아가서 모하메드 빈 살만을 만나고 돌아올 때쯤에는 반대담론의 징후가 나타나기 시작했고, 드디어 트럼프는 모하메드를 지원하는 태도를 취했다. 그는 10월 15일 "나는 방금 사우디아라비아 국왕과 통화했는데, 국왕은 사우디아라비아 시민과 관련해서 어떤 일이 벌어졌는지에 대해 전혀 아는 바가 없다고 부인하고 있다"라고 말했다. "나는 그의 심중에 들어가볼 생각은 없지만, 그의 말을 듣고서 어쩌면 그 흉악한 살인자들이 제멋대로 저지른 사건일지 모른다는 생각이 들었다. 누가 알겠는가? 그리고 국왕이나 왕세자는 알고 있는 바가 없는 것처럼 들렸다."

그로부터 며칠 뒤 『워싱턴포스트』는 "자말 카슈끄지: 아랍세계에 가장 필요한 것은 언론의 자유다"라는 제목의 카슈끄지의 마지막 칼럼을 실었다. 칼럼은 아랍세계에서 "국가가 주도하는 이야기가 대중의 정신을 어떻게 지배하는지"에 대해 맹비난하면서, 동시에 카타르의 국제 언론 기사에 대한 지원방식을 높이 평가했다. 카슈끄지의 살해에 격분하고 있는 서구의 독자들은 이 칼럼을 언론의 영웅이 쓴 완벽한 기사로 받아들였다. 그러나 많은 사우디인 독자들은 그것을 카슈끄지가 나라의 숙적들을 위해 일했던 증거로 받아들였다. 사우디아라비아 외무부 장관 아델 알-주베이르는 TV 인터뷰에서 수년 전 미국이 이라크의 아부 그라이브Abu Ghraib 감옥에서 죄수들을 고문했던 사건을 꺼냈다.

10월 20일 토요일이 되면서, 그 반대담론이 (왕세자의 모든 책임을 벗겨 주는) 출현했다. 사우디인 요원들이 카슈끄지를 사우디아라비아로 데려오기 위해 튀르키예로 갔는데, 논의하는 과정에서 "싸움이 일어났고 드디어 요원들과 그 시민 사이에 언쟁이 일어났다"는 설명이었다. "맹렬한 싸움이 더욱 치열해진 나머지 그의 죽음으로 이어졌고, 요원들은 사건을 은폐하고 인멸하기에 이르렀다.", "왕국은 최근 일어난 고통스러운 사건에 대해 깊은 유감을 표시하며, 관계당국은 사실을 공개할 것을 약속한다"라고 외

빈 살만의 두 얼굴

교부는 말했다.

트럼프는 그 성명을 "좋은 첫걸음"이라고 했다. 살만 국왕과 모하메드는 리야드에 있는 카슈끄지의 아들 살라 카슈끄지를 만나러 갔다. 그는 창백하고 긴장된 표정으로 왕세자와 악수를 했다. 살만 국왕은 모든 작전이 인권 조약과 국제법을 준수하도록 보장하기 위한 정보기관의 개혁과 변화를 명령했다. 모하메드가 이 작업을 주관하게 되었고, 미국 회사 다인코프DynCorp는 사우디아라비아의 정보 역량 향상을 돕기 위해 컨설팅팀을 파견했지만 이후 미 국무부는 다인코프 계약에 필요한 승인을 거부했다.

한편 살라 카슈끄지를 방문하던 바로 그날, 두 번째 미래투자계획 컨퍼런스(사막의 다보스)의 조직자들은 리야드의 리츠칼튼호텔에서 장례식 같은 분위기를 걷어내느라고 사투를 벌였다. 데이비드 페트리어스와 은행계 거물 등 한때 왕세자의 팬이었던 유명인사들 상당수가 참석을 취소했다. 지난해에 컨퍼런스를 후원했던 『뉴욕타임스』도 철수했다.

사우디인 여성 사업가 루브나 올라얀Lubna Olayan은 대다수의 침울한 표정의 사우디인들과 소수의 외국인 하급임원들로 구성된 청중을 향해 이렇게 말했다. "저는 오늘 아침 이 자리에 참석해주신 모든 외국인 청중들에게 진심으로 감사를 전하며, 최근 몇 주 전 기사화되었던 끔찍한 행위는 우리의 문화와 DNA 속에는 없는 매우 생소한 것이라는 말씀을 드립니다."

모하메드 본인도 나타나서 그 "극악무도한 범죄는 정당화될 수 없으며" 그것은 "모든 사우디인들에게 매우 고통스러운 것이며 이 세상 모든 인류에게도 고통스러운 것이라고 나는 생각합니다"라고 말했다. 마치 자신에 대한 모든 기사가 크게 잘못된 것이라고 말하려는 듯, 1년 전 강제로 구금했던 레바논 총리 사드 하리리에게 손짓을 했다. 하리리는 박수를 치고 있었다. "하리리 총리께서는 이틀 동안 더 리야드에 계실 겁니다"라고 모하메드가 웃음을 지으며 말했다. "그러니까 아무도 이분이 납치되었었다고 말씀하시면 안 됩니다."

여전히 카슈끄지사건 관련 뉴스가 판을 치고 있는 가운데, 이스라엘 태생의 종파를 초월한 기독교인 활동가 조엘 로젠버그Joel Rosenberg는 자신이 기획한 큰 행사를 계속 진행할 수 있는 것인지 확신이 서지 않았다. 그는 칼리드 빈 살만으로부터 복음주의 기독교인 대표단과 함께 사우디아라비아를 방문해달라는 요청을 받았다. 이것은 모하메드 빈 살만이 미국의 핵심계층에게 직접 이야기하는 기회를 갖는 것은 물론, 이전의 어느 국왕이나 관리들도 공개적으로 해 본 적이 없는 일이지만, 이스라엘 태생의 사람들과 공개적으로 직접 만남으로써 자신의 개방성을 공개적으로 과시하려는 노력의 일환이었다. 로젠버그가 상황을 확인해보기 위해 접촉한 대사관 쪽의 지인들은 행사가 계획대로 진행될 것이라고 말했다. 그들은 11월 1일에 모하메드 빈 살만을 만나기 위해 비행기를 타고 예정된 시간에 도착했다. 처음부터 카슈끄지사건을 거론할 수밖에 없을 것 같다는 생각에서, 로젠버그는 그 사건에 대한 모하메드 빈 살만의 입장이 무엇인지 물었다.

"그것은 끔찍한 실수였습니다"라고 모하메드는 동생 칼리드, 외무부 장관 아델 알-주베이르, 수석 이슬람보좌관 등이 보고 있는 자리에서 말했다. "우리는 책임 있는 자들이 책임을 지도록 할 것입니다. 우리는 튀르키예로부터 모든 정보가 오기를 기다리고 있습니다. 나는 책임 있는 자들에게 반드시 책임을 물을 것이고, 시스템에 존재하는 모든 문제점을 개선할 것을 약속합니다."

대화 끝부분에 모하메드는 "나에게도 어쩌면 일말의 책임이 있을지 모릅니다. 내가 그들에게 그러한 극악무도한 행위를 할 수 있는 권한을 주었기 때문에 그렇다는 것이 아니라, 내가 일부 부하들로 하여금 왕국을 너무나 사랑하게 만들고, 그들이 자기들 마음대로 일을 처리하더라도 우리가 좋아할 것이라고 생각하기 쉬운 방식으로 권한을 위임하였기 때문에 그렇다는 겁니다." 그는 적들이 그 참극을 자신들의 이익을 위해 악용하고 있다고 하면서 "내가 만약 그들의 입장이라면, 아마 나 역시 그렇게 했을지도 모릅니다"라고 말했다.

암살사건이 벌어진 뒤 모하메드는 한 사우디인 지인과의 대화에서 자신은 그런 지시를 하지 않았다고 부인하면서, 그 사건으로 인해 서구 지도자들의 자신에 대한 평판에 끼칠 악영향에 대해 탄식을 했다. 모하메드는 "이제 그들은 나를 기자를 암살한 자라고 할 것 아닌가!"라며 좌절감에 빠져 식식거렸다.

알 사우드 가문 전체가 모하메드를 중심으로 결집하는 것처럼 보였다. 한 달 전 예멘 폭격에 대해 모하메드와 살만을 비난했던 숙부 아흐메드는 영국 정부가 안전을 보장함에 따라 사우디아라비아로 돌아오기로 합의했다.

새로운 유형의 사우디 지도자로서 자신의 이미지를 각인시킬 대상이었던 외국 정치인들, 기업가들, 은행인들은 몇 주째 모하메드를 멀리하고 있었다. 2차 사막의 다보스에 참석하기로 했던 베조스는 계획을 보류했다. 기업 임원들과 정치지도자들은 반대의견을 표현한 기자를 살해한 혐의를 받고 있는 인물과 협력하는 모습을 보이고 싶어 하지 않았다.

할리우드 에이전트 아리 에마누엘은 그동안 그토록 열심히 노력했던 4억 달러에 달하는 왕국의 투자를 취소하면서, 투자금을 반환하고 모하메드와의 거래를 중단하겠다고 선언했다. "그 인간은 짐승이야"라고 에마누엘은 한 친구에게 말했다. 한때 왕자에게 매료되었던 이 에이전트는 이제 그를 "지킬과 하이드"라고 불렀다. 10월 12일 리처드 브랜슨은 우주여행사에 대한 사우디아라비아의 10억 달러 투자계획에서 철수했다. 만약 사우디 측 관리들이 카슈끄지 암살에 개입되어 있다면 "그것은 사우디아라비아 정부와 사업을 같이하려는 모든 서구 기업인들의 역량에 명백한 영향을 주게 될 것이다"라고 당시 회사가 발표한 성명서에서 말했다. 브랜슨은 또한 자신이 맡고 있는 두 개의 사우디 관광프로젝트의 이사직 수행을 "유예"하겠다고 했다.

브랜슨은 모하메드와 비밀교신은 계속했다. 사우디아라비아는 여전히 큰 사업 기회였으므로 그는 왕자에게 서구의 눈에 비친 손상된 이미지를 역전시키는 방법으로, 감옥에 갇혀 있는 여성운동가들을 석방하는 것부터 시작하라는 등의 자문을 해주었다. 그는 왕세자에게 보낸 메시지에서 "만약 당신이 이 여성들과 함께 몇 명의 남성들까지 사면해 준다면, 정부가 진정 21세기로 진입하고 있다는 사실을 전 세계에 보여주게 될 것입니다"라고 말했는데, 『월스트리트저널』이 이를 기사화했다. "그렇게 하더라도 튀르키예에서 발생된 사건이 변하지는 않겠지만, 사람들의 관점을 변화시키는 출발점으로서는 유용할 것입니다."

다른 기업가들도 마찬가지로 양면적인 입장을 취했다. 사우디아라비아의 투자 자금 450억 달러를 운용하고 있는 소프트뱅크의 마사요시 손은 컨퍼런스에서는 철수했지만 어쨌든 사우디아라비아로 갔다. 왕세자와의 공개적인 제휴는 피하되 사우디아라비아와의 금융 관계는 유지하려는 기업 임원들은 야시르 알-루마이얀의 저택의 보랏빛 조명이 비치는 야자수 아래에 모여서 구운 양고기로 호화로운 만찬을 즐겼다. 만찬에 참석한 손님들 중에는 은행인 켄 모엘리스, 공화당 하원의원 겸 금융인 에릭 캔터, 우버 창업자 트래비스 칼라닉, 벤처투자가 짐 브레이어, 피터 틸의 회사의 간부 한 명 등 일단의 실리콘 밸리 거물들이 있었다.

일부 인사들에게 있어서 사우디와의 관계는 한 건의 살인사건 때문에 폐기하기에는 너무나 소중했다. 블룸버그L.P.는 살만 가문의 미디어회사와 합작회사를 진전시켜 나갔다. 『롤링스톤』 매거진의 소유주 제이 펜스케Jay Penske는 PIF로부터의 2억 달러 투자 프로젝트를 밀고 나갔다. 루마이얀 만찬에 참석했던 존 버뱅크John Burbank는 한 미국 헤지펀드[3]의 간부였는데, 『월스트리트저널』과의 인터뷰에서 "이 카슈끄지사건은 전반적으로 아무런 의미가 없는 것이다"라고 노골적으로 표현했다. "왕국에서 벌어지고 있는 전면적인 자유화의 큰 물결과 비교할 수 없는 아주 작은 의미밖에 없다." 사우디아라비아에 대한 투자의 관점에서 보면 "MBS의 목숨만 아니라면 한 개인의 목숨은 그리 중요하지 않다. 카슈끄지는 문제가 되지 않는다"라고 덧붙였다. 금융계에서 사건에 대한 우려가 잦아들고 있는 데 반해서, 정부에 의한 비사법적 살인을 조사하고 있는 정보기관과 유엔의 관리들은 모두 이스탄불사건의 진상을 밝혀내기 위해 전력을 기울이고 있었다. 몇 주 안에 CIA는 모하메드가 암살이 벌어지던 시점에 사우드 알-카흐타니에게 적어도 11개의 메시지를 보냈다는 결론을 내렸다. 그리고 CIA는 사건이 발생하기 2개월 전 모하메드가 측근들에게 만약 카슈끄지가 자발적으로 사우디아라비아에 돌아오도록 설득되지 않는다면 "우리는 그를 사우디아라비아 밖으로 유인하여 조치를 취할 수 있을 것이다"라고 말한 사실을 알아냈다. 정보국은 모하메드가 "그를 죽이라고 명령했을 가능성이 있다"라는 결론을 내렸다.

사우디 정부는 11명을 살인혐의로 소추했다고 공표했지만 카흐타니는 그 속에 포함되지 않았다. 그는 계속해서 왕궁 주변에 남아 있었다. 그러나 그는 미국 재무부로부터 처벌을 받았다. 재무부는 카흐타니를 포함한 다른 16명에 대해서 미국 금융기관과의 거래를 중지하는 제재를 내렸다.

---

3 Hedge Fund. 국제 증권 및 외환 시장에 투자해 단기 이익을 올리는 민간 투자 자금.

그동안 튀르키예에서는 녹음파일을 활용하여 왕국에 압력을 가하면서, 살만 국왕이 모하메드로부터 권력의 일부를 빼앗아 외교정책에 대한 책임을 다른 사람에게 맡기기를 희망했다.

튀르키예 지도자들은 유엔의 비사법적 살인에 관한 특별조사위원으로 활동 중인 컬럼비아대학교 소속 프랑스 인권조사관 아녜스 칼라마르Agnès Callamard의 조사에 협조했다. 카슈끄지 살해사건이 일어난 지 몇 달 뒤, 그녀는 조사팀과 함께 튀르키예로 날아갔다. 튀르키예의 수도 앙카라 근처를 여행할 때 그녀와 팀원들은 자신들을 미행하고 있는 정보요원들을 쉽게 알아챌 수 있었다. 심지어 카페에서 "대화를 하려고 할 때면 언제나 수상한 사람이 옆자리에 앉아 있었다"라고 그녀는 회상한다.

튀르키예 정보국장 하칸 피단은 칼라마르와 팀원들을 요새화된 정보국 사무실에서 처음 만나 인사를 나누었다. 메릴랜드대학 출신의 기민한 전직 군 장교로 에르도안이 "나의 비밀관리인"이라고 불렀던 피단은 정보기관을 활용하여 상관의 정치적 목표가 진전되도록 보좌하는 전문가였다. 그는 이스라엘 요원들에 대한 정보를 이란에 제공하면서 동시에 미국 정보당국의 소중한 접점 역할을 하고 있었다. 그는 2013년 에르도안이 버락 오바마 대통령과 백악관에서 찍은 사진에도 함께 있다.

피단은 칼라마르를 정보국 본부 1층 회의실에서 만났다. 잠깐 대화를 나눈 다음 그는 부하를 시켜서 칼라마르에게 카슈끄지 살해 당시의 녹음파일을 들려주게 했다. 그녀와 팀원들은 듣기는 하되 받아쓰지는 말아 달라는 요청을 받았다. 피단 본인은 녹음 내용을 그 자리에서 함께 듣지는 않겠다고 말했다. "내 영혼이 상처받을 것 같습니다"라고 그는 말했다.

피단이 자리를 뜨자 그의 부하가 칼라마르와 팀원들에게 녹음을 틀어주었다. 팀에는 통역자가 포함되어 있었다. 칼라마르의 팀원들은 동료들이 몰래 기록할 수 있도록 하기 위해, 그 자리에 참석 중인 정보관리들의 주의를 분산시켰다. 녹음 내용을 들은 다음 특수작전 전문가들과 상담을 하고 나서, 그녀는 사우디 측의 원래 계획이 카슈끄지를 납치하는 것이었다는 가설을 세우고, 사우디팀은 카슈끄지가 영사관에 오기 이틀 전쯤, 납치하기가 너무나 어렵다는 것을 깨닫고 살해한 것으로 가설의 결론을 맺었다.

녹음 내용은 충격적이었다. 살해가 가까워질수록 점증하는 공포가 실려 있는 카슈끄지의 목소리가 조사팀의 귀에 들려왔다. 튀르키예 측은 일곱 시간 분량의 녹음파일을 가지고 있었지만 45분 정도의 분량만 틀어주었다. 녹취록은 없었다. 녹음파일은 여전히 비밀에 부쳐진 상태다. "테이프를 공개하지 않는 한 끊임없이 의문이 제기될 것이다"라고 칼라마르는 말하고 있다. 불투명한 사우디아라비아의 법적 절차, 살인자들에 초점을 맞춘 (살인자들에게 권한을 주었던 자들에게는 초점을 두지 않은) 사우디의 조사, 그리고 미국의 정보문서 비공개 등으로 인해 사건의 전체적인 실상이 여전히 가려져 있다고 그녀는 말한다.

20장

멈출 수 없다

이제 모하메드는 무소불위의 존재가 되었다. 카슈끄지 살해사건 이후에도 그가 권력을 유지할 수 있었던 것은 리츠칼튼사태와 권력의 집중 때문만은 아니었다. 그는 세계 역사상 가장 강력한 시장경제 속에 얽혀 있었다. 그와 트럼프의 관계는 거래라는 측면에서도 좋았지만 더 중요한 것은 사우디아라비아의 자금이 블랙스톤을 통해 미국의 인프라에, 소프트뱅크의 비전펀드를 통해 기술기업들에 묶여 있었다는 점이다. 모하메드는 몇 년 전까지만 해도 한 명의 존재감 없는 왕자에 불과했다. 그러나 이제 그는 외부 세계가 주목하는 '유일한' 왕자였다. 그는 한 손으로 유가를 통제하고, 다른 손으로는 주요 기업들에게 수십억 달러를 지원하여 경쟁자를 물리치는 등 세계 경제의 필수 존재가 되었다.

2018년 12월

대부분의 번영한 대도시들이라면 포뮬러 E[1] 레이스가 최고의 이벤트는 아닐 것이다. 그러나 리야드의 경우 거의 모든 대중적 엔터테인먼트가 40여 년간 금지되어 왔으므로, 사우디아라비아 최초로 벌어지는 전기차 레이스는 처음 경험하는 최대의 국제스포츠 이벤트였다.

모하메드는 자말 카슈끄지가 살해된 날로부터 불과 2개월 남짓 지난 시점에 벌어지는 그 이벤트로 세계가 사우디아라비아에게 등을 돌리지 않았다는 것을 증명하고 싶었다. 국제스포츠는 사우디아라비아의 사회와 경제를 재창조하는 계획의 한 기둥이었고, 전기자동차는 그 계획에서 큰 역할을 맡고 있었다. 그래서 모하메드는 레이스를 이용하여 멋진 장면을 만들어내려고 했다. 그는 엔터테인먼트와 비즈니스 세계의 셀럽 수십 명을 초대하여 그들의 참석을 대대적으로 홍보하는 철저한 계획을 세우도록 지시했다. 엔리케 이글레시아스의 콘서트가 축제의 한 부분을 담당하고, 영국의 축구 스타 웨인 루니도 참석할 예정이었다.

비전2030 배너로 장식된 레이스 트랙은 디리야[2]를 거쳐 가도록 되어

---

1 Formula E, 국제자동차연맹(FIA)이 주관하는 전기차 레이스로 2014년 9월 베이징에서 첫 번째 대회가 열렸다.
2 Diriyah, 리야드 북서쪽 교외의 옛 디리야 토후국의 수도로 1727-1818년 제1 사우디 왕국이 있었던 곳이며 현재 알 사우드 왕가의 본거지이다. 유적 전체가 진흙벽돌로 건조되어 있고 2010

있었는데, 이곳은 알 사우드의 권력이 처음 자리 잡았던, 진흙으로 벽을 쌓은 궁전이 남아 있는 역사적인 마을이다. 트랙 위에 설치된 VIP 관람대에는 사우디아라비아 최고의 유력인사들이 무리 지어 앉았다. 외무부 장관 아델 알-주베이르도 있었고, 오래전 증권감독관으로서 모하메드의 주가 조작 혐의를 조사했던 국무부 장관 모하메드 알 셰이크도 그 자리에 있었다. 에너지부 장관 겸 아람코 회장 칼리드 알-팔리와, 머지않아 최초의 여성 주미대사로 가게 될 파이살 국왕의 손녀 리마 빈트 반다르Reema bint Bandar 두 사람이 배터리 엔진이라 소리도 없이 쏜살같이 질주하는 경주차를 바라보며 소소한 대화를 나누고 있었다. 그리고 모하메드가 토브와 빨간색과 흰색 체크무늬 슈막 차림으로 정장을 입은 경호원들과 함께 전임 주미대사이자 동생인 칼리드 빈 살만과 함께 있었다. 아부다비의 실질적인 통치자 모하메드 빈 자예드도 참석했다.

카슈끄지 살해사건의 여파로 숫자는 줄었지만 여전히 모하메드와의 관계를 공개적으로 과시하고 싶어 하는 서구인들도 자리를 함께했다. 다우 케미컬Dow Chemical의 전임 CEO 앤드루 리버리스, 전직 CIA 관리 노먼 룰Norman Roule, 미국인 억만장자이며 천연자원 투자자 톰 캐플런Tom Kaplan 등이었다. 카다시안 리얼리티 쇼 프로듀서였던 카를라 디벨로가 이벤트 현장 여기저기를 어슬렁거리고 있었다. PBS[3]의 다큐멘터리 「프론트라인 Frontline」의 용감한 특파원 마틴 스미스는 경호원들을 피해 모임을 녹화하고 케이터링 업체에서 나와 음식 서비스를 하는 직원들 틈에 섞여 위층 VIP 박스로 올라가 모하메드 왕자에게 카메라맨이 들어올 수 있게 해달라고 부탁했다.

참석자들은 이 긴장된 시기에도 제각기 사우디아라비아와의 관계를 유

년 유네스코세계문화유산으로 지정되었다.

3 Public Broadcasting Service, 미국의 비영리 공영 텔레비전 방송.

빈 살만의 두 얼굴

지해야 할 나름의 이유를 가지고 있었다. 리버리스는 전 세계에 수백억 달러를 투자하는 PIF의 자문역으로 있었다. 외국 기업들에게 왕국에서 일하는 방법을 컨설팅해주고 있는 노먼 룰은 지역에서 일어나는 일을 놓치지 않기 위해서 이런 모임에 늘 참석해왔다. 그러나 룰과 캐플런이 이 레이스를 참관한 데에는, 멸종 위기에 처한 아라비아 표범을 보존하기 위해 전쟁으로 파괴되고 있는 예멘의 동물원에서 표범들을 공수하는 비현실적인 계획에 UAE나 사우디 당국이 도움을 줄 수 있을지 타진해 보려는 목적이 있었다. 디벨로는 사우디아라비아의 지원을 받아 레이스에 대한 다큐멘터리를 제작하면서, 사우디아라비아의 투자를 받으려는 기업들에게 연줄을 대주는 회사를 창업하기 위해 왕국 내부에서 관계를 (PIF와의 관계를 포함하여) 다져나가고 있었다.

이 기업인들은 카슈끄지 살해사건으로 모하메드에게 지워지지 않는 오점이 남을 것으로는 보지 않았다. 오히려 이들은 모하메드와 똑같은 입장을 공유하고 있었다. 그의 권력은 가문으로부터 나온 것이지 선거를 통해서 나오거나 외국 지도자들의 지지에 의존하는 것이 아니었다. 게다가 그는 앞으로 50년, 어쩌면 그 이상 사우디아라비아를 통치할 수 있을 만큼 젊었다. 그들은 카슈끄지 살해사건은 발을 헛디딘 것에 불과하므로 곧 잦아들 것이고, 통치 초기에 발생한 이런 일시적인 사건은 앞으로 터져 나올 더 큰 뉴스에 씻겨나가고 말 것으로 보았다.

약 10일 전 부에노스아이레스에서 열린 G-20 정상회의 때 모하메드가 느꼈던 분위기는 이와 전혀 달랐다. 그곳에서는 2017년 레바논 총리 구금사태 이후 모하메드와 언쟁을 벌였던 마크롱 대통령이 카슈끄지 살해사건을 거론하며 왕자와 맞서는 긴장된 순간이 카메라에 포착되었다. 커다란 회의장 구석에, 마크롱과 그보다 훨씬 키가 큰 모하메드가 비시트와 빨강 체크무늬 슈막 차림으로 서서 약간 수세에 몰린 것처럼 보였다. "걱정하지 마십시오"라고 그가 마크롱에게 말했다. "걱정이 됩니다. 나는 걱정하고 있습니다"라고 마이크를 통해 녹음이 되고 있다는 것을 의식하지 못한 채 마크롱이 말했다. 서로 주고받는 가운데 마크롱이 모하메드에게 자기의 충고를 따르지 않았다고 힐난했다. "귀하는 내 말에 귀를 기울이지 않습니다."

서구의 지도자들이나 인권운동가들은 카슈끄지 살해사건에 대한 사우디 정부의 대응을 전적으로 부적절하다고 보았다. 사우디아라비아는 살해사건에 가담한 피의자들에 대한 소송을 대중에게 공개하지 않았기 때문에 검찰이 어떤 증거를 제시했는지 거의 알려진 것이 없었다. 사우드 알-카흐타니가 모하메드의 최측근들과 만나는 모습이 종종 눈에 띄었다. 한때 그의 무고함을 찬양하는 노래가 투르키 알 셰이크에 의해 유포되어 사우디 지도부가 카흐타니의 이미지를 최소한 국내에서는 회복시키려 한다는 것을 암시했다.

살만 국왕은 모하메드의 더욱 공격적인 외교정책 성향을 억제하는 어떠한 조치도 취하지 않았다. 70대의 전직 재정부 장관으로 잠시 리츠칼튼에 구금되었던 이브라힘 알-아사프가 외교부 장관에 임명되었지만 중요한 문제에 대해 모하메드를 좌우할 수 있는 입장이 아니었다.

6월에 유엔조사관 아네스 칼라마르는 카슈끄지 살해사건에 대한 보고서를 공개했다. 통렬한 보고서였다. 그녀는 사건을 모하메드가 지시했거나 아니면 그의 묵인하에 "정교하게 사전계획된 처형"이었다고 하면서, 많은 다양한 사실 중에서 특히, 살해팀이 튀르키예 영사관에서 카슈끄지를 "제물로 바칠 동물"이라고 언급하고, 그가 영사관에 들어오기 13분 전에 시체를 절단내는 데 대해 의논하는 소리가 녹음된 파일을 인용했다.

그럼에도 불구하고 모하메드는 가장 중요한 계획들을 지속적으로 밀고

빈 살만의 두 얼굴

나갔다. 군은 예멘 폭격을 계속하고 있었고, 국영석유회사 아람코의 IPO
도 계획대로 진행되고 있었다. 모하메드는 왕국에서 가장 경험이 풍부하
고 지혜로운 목소리를 꾸준히 내온 아람코 회장 겸 에너지부 장관 칼리드
알 팔리를 해임했다. 그가 IPO를 반대했기 때문이었다. 이제 그는 들판으로
쫓겨났다. 모하메드는 에너지부 장관을 아버지의 첫째 부인에게서 태어난 이
복형 압둘아지즈 빈 살만으로 교체했다. 아람코의 새 회장으로는 모하메드
에게 긴밀하게 동조하는 PIF 책임자 야시르 알-루마이얀을 앉혔다.

카슈끄지 살해사건으로 평판이 상처를 입은 데다, 해외 주식시장에 상
장했을 때 발생할 수 있는 법률적 리스크에 대한 보좌관들의 경고를 받아
들여, 모하메드는 사우디 주식시장에 IPO를 진행하라고 지시했다. 드디
어 2019년 12월 11일, 아람코 주식이 타다울에서 거래되기 시작했다. 청
약자들은 거의 모두 지역과 국내의 투자자들이었지만 (그들 중 일부는 왕궁
의 압력으로 주식을 매입했다) 정부는 1조7천억 달러의 가치평가를 기준으로
256억 달러의 자금 조달에 성공했다. 모하메드 빈 살만은 뉴욕주식거래소
에서 벨을 울리지는 못했지만 역사상 최대의 IPO를 해냈다. 모하메드는
여기서 단념하지 않고 IPO팀에게 1년 뒤에 국제시장에 상장시킬 준비를
하라고 지시했다.

소프트뱅크가 운용하는 450억 달러의 펀드로 위워크나 강아지 산책용
앱 웨그 랩스, 건설회사 카테라Katerra 등 혁신을 표방한 버블기업들에 수
십억 달러를 투자해 형편없는 결과를 가져왔음에도 불구하고, PIF의 루마
이얀은 소프트뱅크가 추진하는 2차 펀드에 돈을 더 투입하는 문제를 논
의하고 있었다. 그는 또한 왕국에는 별로 알려지지 않았던 전직 텔레비전
쇼 프로듀서 디벨로와도 함께 작업하고 있었다. 이 여성은 난데없이 사우
디아라비아에 나타나서 모하메드나 기타 고위 지도층 인사들 주변에서
벌어지는 주요 행사에 모습을 드러냈다. 그녀의 부상은, 모하메드가 기관

들을 개혁하려고 무진 애를 쓰고 있음에도 불구하고, 사우디아라비아에서 벌어지고 있는 이상한 사업관행과 뿌리를 알 수 없는 인물들에 의해 사업방식이 좌지우지되고 있는 현실을 완벽하게 보여주었다. 여전히 중요한 것은 인맥이었다.

완벽하게 염색된 금발에 잡티 하나 없는 피부, 흠잡을 데 없이 균형 잡힌 몸매와 세련된 옷차림의 카를라 디벨로는, 어디에서도 찾아볼 수 없는 산만하지만 재치 있는 사업 수완을 가졌다. 대학교육도 받지 않았고 아무런 재무적 전문성도 없이, 그녀가 플로리다에서부터 사우디 지도부의 중심까지 진입했다는 것은 믿기 어려운 사실이었다.

디벨로는 10대 시절이었던 1990년대에 연줄 좋은 사우디인들과 처음 알게 되었다. 그때 그녀는 미국 플로리다 주의 도시 새러소타Sarasota에서 아누드 가자위Anoud Ghazzawi라는 이름의 이웃과 사귀게 되었다. 아누드는 남편과 쌍둥이를 데리고 아버지 에삼Esam 가자위 소유의 집에 살고 있었다. 에삼은 모하메드의 제일 큰 이복형을 포함하여 살만 국왕의 가문사람들의 돈을 관리해주는 사람이었다.

아누드와 남편은 2001년 갑자기 플로리다를 떠났는데, 그 지역 담당 FBI 요원의 조사보고서가 몇 년 뒤에 발견되어 『플로리다불독Florida Bulldog』에 실린 내용을 보면, 9·11 테러 공격대원 2명이 가자위의 집에서 머물렀다고 한다.

그 후 몇 년 뒤 아누드와 디벨로는 둘 다 두바이로 갔다. 아누드는 그곳에서 고객들의 주문을 받아서 아바야를 디자인하고 만들어주는 디자이너가 되었다. 디벨로는 서부로 가서 LA의 한 프로듀서와 라스베이거스의 카지노 거물 스티브 윈의 밑에서 일하다가 카다시안 쇼의 제작을 맡게 되었다. 얼마 후 그녀는 자신이 킴 카다시안의 절친한 친구라고 말하고 다니

빈 살만의 두 얼굴

기 시작했다. 2011년 디벨로는 코비 브라이언트와 불륜관계를 공개적으로 부인하며 할리우드에 완전히 안착했다.

2년 뒤 디벨로는 두바이로 가서 카다시안과의 연줄을 홍보하면서 미국 연예인들에게 걸프지역에서의 공연 기회를 연결해주는 사업을 시작했다. 그로부터 몇 년 뒤에 그녀는 사우디아라비아에서 열리는 1차 사막의 다보스 컨퍼런스를 비롯하여 여러 행사에 출연하기 시작했다.

PIF의 투자팀 직원들은 그녀가 2019년 초 미팅을 하기 위해 도착했을 때 깜짝 놀랐다. 그때까지만 해도 여성들을 사무실에서 만나기 어려웠다. (모하메드가 했던 큰 혁신 중 하나가 왕궁부에 여성화장실을 만든 것이었는데, 최근까지도 여성이 화장실을 써야 하는 경우 남자화장실 앞에서 보초가 서 있어야 했다.) 그리고 투자분석가들은 상관이 그녀를 만나보라고 한 이유를 분명히 알지 못했다.

결국 디벨로가 큰 딜을 가지고 온 것으로 드러났다. PIF가 잉글랜드 프리미어리그 소속 축구팀 뉴캐슬 유나이티드의 지분 다수를 인수하는 딜이었다. 엉뚱한 아이디어는 아니었다. UAE와 카타르는 이미 축구팀을 소유하고 있었고, PIF도 축구팀을 하나 사려고 생각하던 터였다. 하지만 그들이 디벨로에게 맡겨야 할 필요는 없었다. 사우디아라비아야말로 아마 축구팀에 대한 세계 최고의 잠재적 인수자였을 것이다. 어느 팀이든 사고 싶은 팀에 전화를 해서 중개자를 통하지 않고 직접 가격을 제시하면 그만이었다. 게다가 디벨로와 그녀의 파트너는 지분 일부에다가, 둘 다 축구팀을 운영해본 경험이 전혀 없는데도 불구하고, 관리비용을 지속적으로 지급하는 조건을 요구했다. 디벨로는 딜의 세부내용에 대해 기본적인 대답도 하지 못했다. 그러나 루마이얀은 어쨌든 그 딜을 계속 추진하는 것으로 결정했다.

디벨로는 PIF와 관련된 다른 일에도 관여했다. 그녀는 전자담배회사 주울 랩스Juul Labs의 하급임원에게 루마이얀과 직접 만나도록 주선해주었다. 또 다른 회사는 그녀로부터 루마이얀과 연결해주는 대가를 지불하라는 제안을 받고 깜짝 놀랐다. 미국법에 의하면 외국 정부의 관리를 만나는 대가를 지불하는 것은 뇌물로 간주될 수 있었다. 그 회사는 법률자문을 받은 뒤 그녀의 제안을 거부했다. 모하메드는 사우디아라비아의 '돈으로 해결하는' 낡은 방식을 없애려고 했지만, 디벨로 때문에 계속 등장인물만 바뀐 채 같은 게임을 반복하는 것으로 보였다. 이러한 유형의 사람들은 모하메드를 안심시켰다. 그들은 부유하고, 판단하려 하지 않으며, 모하메드가 그들의 국가, 지역, 그리고 그들의 은행 계좌에 가져다주는 기회에 감사했다.

이윽고 9월에 잠재해 있던 재앙이 발생했다. 예멘의 후티 반군이 조종한 것으로 추정되는 드론과 미사일이, 사우디아라비아의 원유 대부분을 선적 전에 처리하는 시설인 아브카이크[4]의 핵심장비를 폭파했던 것이다. 바로 알 사우드 왕가가 오랫동안 염려해왔던 사태였다.

"사우디아라비아의 오일시스템에서 가장 취약하고 가장 극적인 목표는 아브카이크 단지이다"라고 전직 CIA 관리 로버트 베어가 알 사우드의 권력 기반에 존재하는 위험요인에 대한 2003년의 『애틀랜틱』 기사에서 말했다.

2006년 영국의 학자 사이먼 헨더슨과 2019년 8월 국제전략연구소가 발표한 논문에도 같은 논점이 반복해서 언급되었다. 그리고 미국 정부도 수십 년간 사우디아라비아가 압둘라국왕경제도시나 모하메드의 네옴 같은 현란한 신규 프로젝트에 투입하는 돈의 일부를 오일인프라에 대한 기본적 안보 태세를 개선하는 데 투입해야 한다고 강조해왔다. 아브카이크

---

4 Abqaiq. 사우디아라비아 동부의 다흐란 남서부 70킬로미터 지점의 사막에 있는 아람코의 황화수소가스 분리시설. 세계 최대의 시설로 하루 700만 배럴을 처리한다.

와 기타 핵심시설들은 이란 미사일의 사정거리 안에 위치하고 있어서 단순히 사우디아라비아의 안정뿐만 아니라 세계석유시장에 대한 잠재적 위협이 되고 있었다. 유전 안보는 단순히 적합한 장비와 전문가를 확보하는 문제가 아니다. 알 사우드 왕가가 역사적으로 군사력을 분할하여 서로 다른 계파가 관장하는 식으로 세력 균형을 유지해온 방식 자체에 큰 문제가 내재되어 있었다. 내무부와 그 산하의 무력집단은 역사적으로 살만 국왕의 형제 나예프 왕자 그리고 후일 그의 아들 모하메드 빈 나예프가 관장하여 석유 시설을 보호하는 책임을 지고 있었다. 그러나 공중공격을 막는 데에는 국방부가 통제하는 미국제 패트리어트 미사일이 필요했다. 국방부는 역사적으로 살만의 또 다른 형제 술탄과 그의 일족이 통제하고 있었다. 유전에 대한 잠재적 위협에 관한 정보수집을 책임지는 정보국은 또 다른 지휘 체계하에 있다.

각기 다른 계파를 책임지는 왕자들은 서로 왕위를 다투고 있기 때문에 항상 서로 의심하고 정보를 공유하지 않았다. 모하메드는 그런 무력분할을 없애고 모하메드 빈 나예프를 내무부 장관직에서 해임하고 국방부는 직접 관장했다. 그러나 두 부처는 2019년 9월 중순 미사일과 드론이 아브카이크를 공격했을 때 실제로는 서로 격리되어 있었다.

충격적이었다. 사우디아라비아와 미국은 후티 반군이 단독으로는 그런 공격을 할 수 없다는 결론을 내렸다. 이란이 그 공격을 반드시 지휘했을 것이다. "누구였는지 모르겠지만 공격을 계획한 자는 반드시 석유 설비가 어떻게 운영되는지에 대해 세계적 수준의 지식을 가지고 있었다"라고 폭격이 발생한 지 며칠 뒤에 사우디아라비아의 요청으로 아브카이크를 방문한 공중공격 전문가가 말했다.

그것은 이상한 광경이었다. 아브카이크의 송유관, 타워, 원유에서 불순물을 분리해내는 핵심 인프라 등은 전혀 손상되지 않은 그대로였다. 찌부

러진 금속 돔처럼 생긴 '타원회전 모듈'이라고 불리는, 석유에서 가스를 분리하는 장치 몇 개만 심각하게 파손되어 있었다. 아람코와 정부의 관리들은 공격자들이 한 짓을 분명하게 보았다. 그들은 정확한 지점 파악과 정밀타격기술을 활용하여 신속하게 수리할 수 있는 부품들만 타격했다. 그 공격은 결정타가 아니라 이란이 무엇을 할 수 있는지 사우디 측에 알려주는 경고사격이었다고 정보관리들은 결론을 내렸다. 그리고 그 공격에는 "17분의 시간과 2백만 달러 이하의" 순항 미사일과 드론이 소요된 것으로 공중공격 전문가는 밝혔다.

정말 가공할 만한 일이었다. 이란은 사우디아라비아보다 무기에 사용할 자금이 훨씬 적었지만, 그 공격으로 볼 때 돈은 별로 중요한 문제가 아니었다. 사우디 측이 몇 주 안으로 석유 생산량을 원상회복할 수 있었던 것은 오로지 이란이 시설을 붕괴시키지는 않고 가벼운 상처만 내기로 결정한 덕분이었다.

공격으로 인해 사우디 측은 두 가지 큰 문제를 인식하게 되었다. 첫째는, 경쟁 계파로부터 모하메드가 권력을 강제로 빼앗았지만, 방위 체계는 여전히 긴밀하게 연결되지 않았다는 것이다. 사우디 측에는 드론을 공격할 수 있는 패트리어트 미사일이 있었지만, 국방부에 그것을 신속하게 전개하라고 요청할 수 있는 체계가 마련되어 있지 않았다. 그리고 책임을 지는 사람은 아무도 없었다. 절대왕정 밑에 도사리고 있는 관료체제에는 책임을 전가하고 결국 그 책임을 녹여 없애는 복잡한 시스템이 자리 잡고 있었다.

당시 국방부에 근무하던 한 사람은 그때 바로 그렇게 시스템이 작동되는 것을 보았다. 공격이 일어난 뒤 몇 시간 동안 국방부의 공식적 입장은 "이것은 국방부 문제가 아니다"였다. 왜냐하면 석유 안보는 내무부의 책임이었기 때문이다. 내무부 관리들은 그 입장을 예상하고, 아무런 정보가

빈 살만의 두 얼굴

주어지지 않았기 때문에 내무부에서는 아무것도 할 수 없었다고 발뺌을 했다. 그것은 대외정보 수집 책임을 지고 있는 총정보국General Intelligence Presidency이라는 어색한 명칭의 부서가 저지른 잘못이었다. 결국 결론은 "그것은 그 누구의 잘못도 아니었다"였다고 그 국방부 관리는 말했다.

둘째는, 사우디아라비아와 미국이 현재 유지하고 있는 동맹관계의 실상이었다. 수십 년간 미국인들은 왕국과 왕국의 석유산업을 세계 경제가 제대로 기능하도록 하는 데 필수적이라고 보았고, 미국의 외교, 국방, 정보관리들은 사우디 측 상대방들과 깊은 연대를 발전시켜왔으며, 미국은 1990년대 사담 후세인의 위협을 막아내 사우디아라비아를 방위한다는 약속을 증명했다.

사우디아라비아가 이처럼 서로 연결되지 않은 방위구조를 가지고도 견딜 수 있었던 이유는 사우디아라비아의 안보 유지에 대한 주도권을 미국이 가지고 있었기 때문이었다. 9·11 사태 이후에도 양국의 오래된 정부 관리들이 가지고 있는 개인적 유대관계 덕분에 동맹이 유지될 수 있었다. 압둘라 국왕은 2005년 부시 대통령의 텍사스 목장을 방문하기도 했다.

1990년대 초부터 2019년까지의 기간에 상황은 근본적으로 변했다. 2013년쯤 셰일가스 시추기술이 일반화되면서 미국은 세계 최대의 산유국으로 변했다. 미국 경제가 더 이상 사우디아라비아의 석유에 의존하지 않아도 되는 상황으로 바뀐 것이다. 이제 미국은 필요한 석유를 국내에서 스스로 뽑아낼 수 있게 되었다.

게다가 버락 오바마가 이란과 핵 협상을 맺음으로써 사우디 측 지도자들은 소외감을 느꼈다. 모하메드는 트럼프 대통령이 취임 초에 왕국을 방문하면서 대미관계를 전임 대통령들 시절보다 새롭게 개선할 수 있겠다는 희망을 품고 있었다. 그러나 모하메드가 백악관을 방문했을 때 트럼프가 사우디아라비아에 대한 무기 판매 관련 포스터를 들이미는 바람에, 새

백악관이 순전히 거래 관계에만 치중한다는 것을 깨닫고 매우 난감한 기분을 느꼈다. 수십 년에 걸친 미국-사우디아라비아 동맹관계를 트럼프 및 그의 보좌관들은 대수롭지 않게 생각했고, 모하메드 빈 나예프와 전임 CIA 국장 존 브레넌처럼 동맹관계를 서로 좋은 방향으로 노력했던 옛 관리들은 은퇴를 했거나 아니면 무력한 상황에 처해 있었다.

트럼프는 심지어 미국의 동맹국에 대해 지금 이란이 저지르고 있는 명시적인 침략행위가 안보 측면에서 어떤 의미를 지니고 있는지, 별로 심각하게 고민하지 않는 것 같았다. 공격 후 며칠 동안 미국 관리들은 무력대응을 준비했다. 수년간 미국의 안보기관은, 미국이 무력대응을 할 것을 알기 때문에 이란이 직접적인 적대 행위를 하지 못할 것으로 믿었다. 그들은 트럼프를 보고 깜짝 놀랐다. 공격 며칠 뒤에 트럼프는 대응을 "서두를 필요가 없다"라고 말했던 것이다. 그것은 오랫동안 미국 정보기관에 근무해온 한 관리가 양국 사이에 존재한다고 말하는 "근본적인 격차"를 노출시켰다. 사우디 측에서는 미국이 지역을 보호해준다는 과거의 질서를 원했는데, 지금의 백악관은 미국 무기의 배치에는 별로 관심이 없고, 오직 사우디아라비아와의 거래만 원했다. 미국은 왕국의 방어를 서두르지 않았다.

"그것은 사우디아라비아에 대한 공격이었다. 그것은 우리에 대한 공격이 아니었다." 트럼프는 이렇게 말했다. 그리고 만약 미국이 이란에 대한 조치를 취하기로 결정한다면, 사우디아라비아도 개입해야 한다고 그는 덧붙였다. "그에 따르는 비용은 지불되어야 한다." 트럼프는 결국 그 지역에 병력을 보냈고, 몇 달 뒤 공습을 통해 이란의 유력한 장군 카셈 솔레이마니를 살해했다.

2019년 10월 사우디아라비아 북서쪽 해안에 세계 최대의 요트를 포함하여 60척 이상의 요트가 억만장자 소유주들이 승선한 상태로 줄지어 서 있고, 모하메드 빈 살만의 11척 선단이 서서히 퍼레이드 대열을 정비하기 시작했다. 모하메드가 2015년 권력자로 부상한 지 얼마 되지 않아 구입한 선단의 스타, 초호화 요트 서린호의 뒤를 한 무리의 배들이 더 큰 배들을 보조하고 더 많은 손님들을 태울 여유 공간을 제공하기 위해 따르고 있었다. 서린호의 선장은 자신을 "코모도어"[5]로, 선단을 "나의 해군"으로 부르는 것을 좋아했다.

석유 시설이 공격당한 지 불과 며칠 뒤였고, 카슈끄지 살해사건이 불거져 전 세계가 분노한 지 불과 1년 남짓 지난 때였다. 모하메드는 그럼에도 불구하고 사우디아라비아가 세계에서 가장 부유하고 가장 강력한 인물들을 끌어 모을 수 있다는 것을 과시하고 싶었다. 그런 기준에서 볼 때, 거대한 네옴 프로젝트에 호텔과 인프라를 건설할 투자자를 유치하는 목적으로, 오직 초청받은 사람들만 참가하도록 계획한 이 '홍해 주간'은 엄청난 성공이었다. 서린호에서는 중국 공산당 지도층과 강력한 유대관계를 지닌 금융가 팡 펭글레이Fang Fenglei나 인디아의 최대기업을 가지고 있는 무케시 암바니 같은 VIP들을 위해 특별행사가 벌어졌다. 아부다비 국가안보 보좌관 타흐눈 빈 자예드는 자신의 요트를 타고 왔지만 서린호에서 모하메드와 함께 시간을 보내고 있었다.

루마이얀은 카를라 디벨로 및 그 파트너 등과 미팅을 하기 위해 호화 요트 엑스터시Ecstasea호를 임대했다. 그들은 손에 칵테일을 들고 탁구를 치고 있었다. 가수 존 레전드는 신달라 섬에서 콘서트를 했다. 이 섬은 모하메드가 2년 전 이집트에 재정지원을 해주는 조건으로 넘겨달라고 하기 전까지는 이집트의 영토였다. 럭셔리 매거진 『롭리포트Robb Report』가

---

5 Commodore, 해군준장이나 선장을 뜻한다.

행사를 위한 소규모의 특별 리조트를 건설했다. 미슐랭 스타를 받은 셰프 제이슨 애서튼이 사막지대에서 영감을 받아 준비한 7코스 메뉴를 제공하는 임시 레스토랑을 열었다. 유명한 스파, 투명한 카약, 해안을 따라 나 있는 사막도로 위에서 스포츠카를 달려 볼 수 있는 기회도 있었다. 겉보기에 홍해 주간은 칸 요트 축제[6]와 같은 종류의 새로운 연례행사가 될 것처럼 보였지만, 왕세자에게는 그보다 더 큰 목적이 있었다.

모하메드에게 있어서 서린호는 움직이는 영빈관 이상의 것이었다. 그것은 보조 선박들과 함께 잠재적 이슬람 테러분자들이나 쿠데타 음모자들로부터 안전한 상태에서 나라를 통치할 수 있는 무장한 수상 궁전이었다. 또한 모하메드가 본래의 자기 모습으로 돌아갈 수 있는 곳이기도 했다.

요트 전체에는 최고급 비디오 스크린과 음향기기가 설치되어 있어서, 순식간에 외교회담장에서 첨단 디스코장으로 전환될 수도 있었다. 승무원들조차 출입할 수 없는 방이 하나 있었는데, 헬리콥터 격납고를 댄서들을 위한 폴이 설치된 최첨단 나이트클럽으로 개조한 곳이었다.

수천 명의 사촌 왕자들과 성직자들의 불만을 극복하고 사우디아라비아를 21세기로 끌고 가려는 모하메드에게 있어서 그 요트는 하나의 안전 공간이었다. 그리고 전 세계가 그를 신진 독재자로 보더라도 적어도 그는 슈퍼 리치들의 지원을 받을 수 있었다.

연이은 회의에서 사우디아라비아에 대한 투자 기회에 대해 논의했다. 그러나 방문한 금융가들마다 사우디아라비아가 자신들의 새로운 펀드나 프로젝트에 투자할 의향이 있는지 묻지 않을 수 없었다. 중앙에 집중되어 왕세자가 통제하는 사우디아라비아의 자금은 전 세계 사업가들과 정치가들을 홀리는 사이렌[7]의 노랫소리였다. 이 세상에 수십억 달러를 그토록

---

6 Cannes Yachting Festival. 프랑스 칸에서 열리는 유럽 최대의 수상 보트 쇼.
7 siren. 바다에 살면서 아름다운 노랫소리로 선원들을 유혹하여 위험에 빠뜨렸다는 고대 그리스

빈 살만의 두 얼굴

쉽게 물 쓰듯 할 수 있는 사람은 거의 없었다. 몇십억 달러 혹은 몇백만 달러라도 잡을 수 있다면 그것은 너무나 달콤해서 거부할 수 없는 기회였다.

어느 날 오후 마사요시 손과 모하메드는 작은 배를 타고 훼손되지 않은 산호초에 가서 한 시간 넘게 스노클링을 했다. 의례적 인사는 차치하고 마사요시에게는 두 번째 목적이 있었다. 소프트뱅크는 1,000억 달러 규모의 2차 펀드를 조성하는 중이었고, 그는 우여곡절을 거치면서 모하메드에게 그동안 충성을 바쳤으니 이번에도 좋은 결과가 나오기를 기대했다. 모하메드가 한 번 더 주춧돌투자를 해줄 것인가? 거액을 투자한 것들이 실패하는 바람에 첫 번째 비전펀드가 휘청거리고 있었지만, 그는 투자를 더 하라고 요청하는 담대함을 가지고 있었다. 위워크에 대한 투자가 잘못된 것임을 알고도 소프트뱅크는 오히려 투자금을 두 배로 올렸는데, 그러지 않았다면 파산과 같은 심각한 문제가 발생했을지도 모를 만큼 성과는 좋지 않았다. 그 밖의 다른 투자들도 성과가 나쁘기는 마찬가지였다.

세상에 모하메드만큼 믿을 수 없을 정도로 엄청난 자금력과 순간적인 결단력을 갖춘 사업가는 많지 않았다. 마사요시는 그가 과거의 성과를 넘어 곧 다가올 미래 세계를 생각해주기를 바랐다. 그는 이번에도 완강하게 밀어붙일 것인가?

이제 모하메드는 무소불위의 존재가 되었다. 카슈끄지 살해사건 이후에도 그가 권력을 유지할 수 있었던 것은 리츠칼튼사태와 권력의 집중 때문만은 아니었다. 그는 세계 역사상 가장 강력한 시장경제 속에 얽혀 있었다. 그와 트럼프의 관계는 거래라는 측면에서도 좋았지만 더 중요한 것은 사우디아라비아의 자금이 블랙스톤을 통해 미국의 인프라에, 소프트뱅크의 비전펀드를 통해 기술기업들에 묶여 있었다는 점이다. 모하메드

신화 속 마녀.

는 몇 년 전까지만 해도 한 명의 존재감 없는 왕자에 불과했다. 그러나 이제 그는 외부 세계가 주목하는 '유일한' 왕자였다. 그는 한 손으로 유가를 통제하고, 다른 손으로는 주요 기업들에게 수십억 달러를 지원하여 경쟁자를 물리치는 등 세계 경제의 필수 존재가 되었다.

결과적으로 홍해 주간은 사우디아라비아의 개발보다는 모하메드의 자존심에 관한 것이었다. 모하메드가 국제관계에 대한 그의 관점을 다잡는 데는 별로 도움이 되지 않았다. 그는 의기양양하게 리야드로 돌아왔다.

사우디아라비아에 대한 외부의 정서가 변화하고 있다는 느낌, 자신과의 관계를 기꺼이 유지하고자 하는 트럼프 및 유력한 지도자들의 호의적인 반응에 힘입어 모하메드는 2020년을 자신이 복귀하는 해로 삼겠다는 계획을 가동했다. 2015년에는 권력의 정점으로 부상했고, 2016년에는 개혁의 비전을 펼쳤고, 2017년에는 변화를 시작하고 권력을 집중시켰고, 2018년에는 세계적 지원을 본격화했으나 카슈끄지사건으로 파국이 일어났고, 2019년은 마음을 가다듬고 몸을 낮춘 해였다.

모하메드가 과거를 털어버리고 새로운 출발을 시작하기 위해서는, 커다란 업적이나 또는 최소한 자신을 따라다니는 문제들을 해결할 필요가 있었다. 그는 참모들에게 카타르 보이콧을 종식하고, 예멘에 평화를 가져올 수 있는 계획을 즉시 마련하고, 아울러 2020년 10월의 G-20 정상회담을 사우디아라비아에 유치하여 잊을 수 없는 이벤트로 만들라고 지시했다. 모하메드는 네옴을 포함한 사우디아라비아의 '기가프로젝트'[8]를 총괄하는 장관 파하드 알-툰시Fahad al-Toonsi에게 이 프로젝트를 최우선적으로 추진하라고 했다.

---

8 gigaproject. 사우디 국부펀드의 핵심 전략으로, 공공-민간 파트너십을 촉진하며 투자 및 고용 기회를 증대함으로써 사우디 경제를 다각화하는 것을 목표로 하는 사업.

빈 살만의 두 얼굴

그러나 국제관계에 대한 그의 절제된 접근방식은 오래가지 않았다. 2019년 12월에 튀르키예, 카타르, 이란, 말레이시아, 파키스탄의 지도자들은 쿠알라룸푸르에서 이슬람정상회의를 갖기로 했다. 회의의 공식적인 목적은 전 세계 무슬림들에게 영향을 미치는 중요 현안들을 논의하기 위한 것이었지만, 근본적인 의제는 사우디아라비아, UAE, 이집트의 축에서 벗어나 무슬림세계의 리더십을 재조정하려는 것이었다. 모하메드의 새롭고 공격적인 왕국 통치방식이 본격화되자 상대적으로 약한 이 나라들은 사우디아라비아가 골칫거리가 되었다고 느끼게 되었다.

화가 난 모하메드는 파키스탄 총리 임란 칸[9]을 급히 리야드로 소환해 회담을 요청했다. 카슈끄지사태 이후 첫 대규모 해외순방 중 하나였던 2019년 2월에 파키스탄을 방문했을 때의 우호적인 분위기와는 매우 대조적이었다. 당시 칸은 레드 카펫을 깔아놓고, 모든 비행기의 이륙을 금지했으며 모하메드의 비행기가 파키스탄 영공에 진입한 시점부터 JF-17 썬더 전투기를 띄워서 그의 비행기를 호위하도록 했다. 모하메드는 시가행진을 하면서 환영을 받았고, 약 200억 달러 상당의 거래를 체결했다. 신문 편집인들은 정부로부터 모하메드 순방 기간 중 부정적 기사나 트위터 메시지를 단 한 줄도 게재하지 말라는 지시를 받았고, 대다수가 그 지시에 따랐다. 파키스탄은 돈이 필요했고, 사우디아라비아는 파키스탄이 같은 팀에 들어오기를 원했다.

이제 리야드의 모하메드는 쿠알라룸푸르정상회담을 용납할 수 없다고 생각하는 것이 분명했다. 칸이 회의 목적을 보다 외교적인 언어로 설명하느라 애썼지만, 모하메드는 칸에게 참석을 취소하라고 냉정하게 요구한

---

9 Imran Ahmed Khan Niazi, 1952년 태생. 1992년 파키스탄 최초로 크리켓 월드컵 챔피언이 되었고, 2002년 국회의원이 된 후 2018년 22대 파키스탄 총리가 되었으나, 반대파 탄압, 언론 탄압, 부패 만연 등의 문제로 2022년 파키스탄 최초로 국회의 탄핵을 받고 물러났다.

것으로 알려졌다. 보도에 의하면, 그는 만약 칸이 회의 참석을 취소하지 않는다면 사우디아라비아와 UAE는 모든 파키스탄인들에 대한 비자를 취소하겠다고 위협했다. 사우디아라비아에는 400만 명의 파키스탄인들이 일하고 있었고, 매달 고국의 가족들에게 돈을 보내고 있었다. 칸은 말레이시아 총리 마하티르 모하마드에게 전화를 걸어 회담 참석 취소를 통보하며 귀국길에 올랐다.

"그는 버릇없는 애송이야." 훗날 칸은 한 측근에게 이렇게 말했다. "하지만 우린 그를 감당할 수 없어."

에필로그

 전 세계 지도자들이 2020년에 신종 코로나바이러스가 가져올 엄청난 규모의 경제적 황폐화에 대해서 겨우 깨닫게 되었을 무렵, 모하메드 빈 살만은 가문의 사소한 문제로 정신이 산만해졌고 저유가로 인해 좌절하고 있었다. 자신이 구상하고 있는 장대한 경제적 꿈을 실현하기 위해서는 아람코의 IPO에서 생긴 256억 달러를 훨씬 뛰어넘는 수천억 달러가 더 필요했다.

 수수한 토브 차림으로 집무실에 선 채로 보좌관들 및 장관들과 이야기를 나누면서, 그는 비전2030 계획의 추진 속도에 실망감을 나타내고 있었다. 60달러대로 하락한 유가는, 예멘에서 끝없이 계속되고 있는 엄청난 전쟁 비용과, 여전히 지원금을 받아쓰는 데 익숙한 서민계층을 감당하고, 모든 메가 프로젝트를 한꺼번에 건설하는 데 필요한 가격 수준을 훨씬 밑돌고 있었다. 국제 유가는 살만이 즉위한 이래 지속적으로 왕국을 괴롭혀왔다. 미국의 셰일가스 추출법이 안정화되면서 봇물처럼 쏟아지는 오일이 세계 유가를 억누르고 있었다. 게다가 이 문제는 점점 더 악화되는 추세였다. 사우디아라비아는 산유량을 제한하여 유가가 바닥 수준으로 하락하는 사태를 막기 위해 러시아와 공조를 모색해왔지만, 협상은 지지부진했다.

 지난 5년간 왕국의 일상적인 통치자로서 모하메드가 내린 가장 중대한 결정의 배경이 바로 이것이다. 러시아와의 협상이 결렬되자 모하메드는 극단적인 해결책을 선택했다. 3월 초 어느 금요일 저녁, 그는 나이 많은 이복형이자 에너지부 장관인 압둘아지즈 빈 살만에게 석유 공급을 늘려서 시장에 쏟아 부으라고 지시했다. 안정적이고 공식적인 오일 협상의 세계에 폭탄을 투하한 것이었다.

다음 월요일 개장과 동시에 유가는 20% 이상 하락했고, 수십 년 만에 최저 수준까지 하락할 기세였다. 그 후 몇 주 동안 석유 저장 시설에 석유가 꼭대기까지 차는 바람에 일부 지역에서는 공급자들이 구매자들에게 돈까지 쥐어주며 원유에서 손을 뗐다. 모하메드는 유가 하락으로 인해 미국의 셰일 붐에 책임 있는 일부 기업들이 도산하고, 러시아의 푸틴 대통령이 감산 조치를 해야 할 재정적 압박을 받게 되기를 희망하고 있었다. 또한 트럼프 및 푸틴 등 다른 나라의 지도자들이 사우디아라비아가 유가에 휘둘리지 않는다는 점을 이해하기를 바랐다. 모하메드는 사우디아라비아의 이익에 부합되는 방향으로 석유 정책을 시행하겠다고 작정했다. 만약 다른 나라들이 유가 부양을 위해 사우디아라비아의 도움을 원한다면, 그 나라 지도자들이 동등한 자격으로 모하메드에게 와야 한다는 입장이었다.

문제는 사우디아라비아가 러시아보다 석유 매출 의존도가 훨씬 높다는 것이었다. 모하메드는 장기적인 유가 부양을 위해 일상적인 지출은 물론 사우디의 야심 찬 개혁 프로젝트에 충당할 자금원을 포기하고 있었다.

동시에 그는 왕좌로 가는 길을 매끄럽게 닦고 있었다. 모하메드가 오일 전쟁을 개시하기로 결정한 지 몇 시간 만에 검은 마스크를 쓴 사람들이 왕세자직에서 "사임한" 이후부터 사우디아라비아를 떠나지 못하게 된 모하메드 빈 나예프와, 모하메드의 숙부이자 이븐 사우드의 살아있는 아들 중 한 명으로 아직은 거동할 수 있고 들을 수 있는 아흐메드 빈 압둘아지즈의 저택을 급습했다. 두 사람 모두 위협적인 인물로 보이지 않았기 때문에 왕궁을 주시해온 관찰자들에게는 매우 기이한 사건이었다.

MBN은 좌절에 빠져 으르렁거리고 있었고, 무기력한 늙은 영감인 아흐메드는 왕가의 사람들이 그에게 꼿꼿하게 몸을 세우고 맞서주기를 바랄 때마다 꽁무니를 빼는 모습만 보여 왔다. 아흐메드는 리야드에서 벌어지는 가문의 드라마보다 런던의 한적한 저택을 더 선호하는 한 왕자에 불과했다. 그의 유일한 중요성은 살만 국왕의 친형제이고 이븐 사우드의 살아 있는 아들 중 최고령이므로 거의 형식에 불과한 충성평의회의 의장이 될 서열에 있었다는 점이다. 그러나 아흐메드는 그 직위에 취임조차 하지 못했다.

나중에는 그들의 참모와 관계자들까지 체포되었는데, 그 작전을 밀어붙인 이유를 보면 아연실색할 정도이다. MBN은 왕세자에서 물러난 직후 몇 달 동안 가택연금 상태에 있었을 때를 제외하고 2019년까지는 어느 정도 정상적인 삶을 살았다. 본인이 휴가를 즐겨 보내는 목장 등 사우디아라비아 안에 있는 여기저기의 집들을 돌아다니거나 가족모임에 참석하는 것이 허용되었다. 암 투병 중인 그의 아내는 그해 여름 딸 한 명을 데리고 미국에 가서 치료를 받도록 허용되었다. 그러나 MBN이 침울한 상태에서 늘어놓는 불평들이 모하메드의 귀에 들어오면서, 모하메드는 여기에 아흐메드까지 가세하면 문제가 될 수 있다는 결론을 내렸다.

가문의 정치에서 오랫동안 손을 뗐지만, 2018년 9월 런던의 본인 저택 앞에 모여 예멘 폭격에 항의하는 시위 군중들을 아흐메드가 만났을 때 모하메드와 살만 국왕은 깜짝 놀랐다. 아흐메드는 군중들에게 알 사우드 가문을 비난하지 말라, 폭격에 책임을 질 사람은 국왕과 왕세자 두 명뿐이다, 라고 말했다.

아흐메드는 만약 왕궁에서 본인의 의사에 반하는 조치를 취하는 경우, 미국과 영국의 관리들로부터 자신들이 개입하겠다는 확실한 약속을 받은 직후 사우디아라비아로 귀국했다. 일단 왕국에 돌아오자 아흐메드 역시 불만을 늘어놓기 시작했다. 그는 살만 국왕과 모하메드의 사진을 자신의 마즐리스 방에서 떼어냈다. (이 모욕적인 뉴스는 왕족들 사이에서 신속히 퍼져 나갔다.) 게다가 그의 거실은 불만스러운 왕족들이 불평을 쏟아놓는 단골 장소가 되었다.

2019년 말 MBN이 아흐메드에게 와서 왕궁이 자신의 은행 계좌에서 돈을 빼내고 지원금을 삭감한 데 대해 속이 뒤집혀 불평을 늘어놓았다. 그의 아내가 치료를 마치고 미국에서 돌아왔을 때, MBN은 자신이 훔친 것으로 모하메드가 의심하고 있는 수십억 달러를 정부에 반환할 때까지 아내가 다시 왕국 밖으로 나갈 수 없다는 통보를 받았다. 그것은 오래전에 제기된 혐의였는데, 2017년 모하메드는 MBN이 미국과 공동으로 추진하는 반테러 프로젝트에 배정된 사우디 정부 자금을 남용했다고 주장하며 비난했었다. MBN은 본인이 정부 자금을 정당하게 사용했으며 심지어 개인 자금까지 안보 목적을 위해 사용했다고 주장했다.

MBN은 챙겨둔 비밀자금이 없다고 말했고, 2019년 아흐메드를 방문했을 때 가족의 금융 거래가 차단되어 있어서 아내와 딸들이 "굶을" 지경이라고 말했다. 그것은 단순히 분통을 터뜨린 것에 불과했고 어느 정도 과장된 말이었을 테지만 어쨌든 이 대화를 모하메드의 부하들이 포착했다. 그달 말 MBN은 국가방위부 회의에 참석하라는 전화를 받았다. (왕세자의 죽마고우이자 가까운 협력자인 압둘라 빈 반다르가 국가방위부 장관이었다.) 만약 참석하지 않으면 어떤 결과에 직면하게 될지 모른다는 통보와 함께였다. 그는 고약한 기분을 느끼고 참석을 거부했다.

이것이 첫 번째 집중단속을 촉발했다. 며칠 뒤 왕궁 경호요원들이 MBN의 궁전에 나타나서 비서, IT 직원, 오래된 개인 경호원 등을 데려갔다. 그들은 헬리콥터 이착륙장 둘레에 담장까지 둘러쳤는데, 아마 탈출을 못하게 하려는 것이었겠지만 이미 몇 달 전부터 그곳은 주차공간으로 쓰이고 있는 상태였다. 요원들은 직원들에게 탈출이나 쿠데타 계획이 없는지 심문했다. 직원들은 풀려났지만 모하메드 빈 살만의 왕궁 소속 요원들이 MBN의 경호업무를 접수했다.

오일전쟁을 선포한 것과 거의 동시에 모하메드는 MBN과 아흐메드를 구금했다. 트럼프 대통령의 리야드 방문계획을 만들었던 보안책임자 무사드 알-아이반은 왕족들을 불러서 아흐메드와 MBN에게 반역 혐의가 있다고 말한 것으로 『월스트리트저널』이 보도했다.

뜨뜻미지근한 뒷이야기로 미루어 볼 때, 그 둘이 가까운 곳에 존재하는 위험요인이 아니었던 것은 분명하다. 다만, 엄청난 뉴스의 소용돌이와 경제적 드라마가 몰아치는 가운데, MBS가 왕좌로 가는 길에 있는 또 하나의 중대한 걸림돌을 제거하기에 적절한 시점이었을 뿐이다. 상대적으로 미약한 위협조차 치워버림으로써 모하메드는 앞으로 나아갈 방향을 명확하게 잡았다.

전임 국왕의 아들 파이살 빈 압둘라가 살만 국왕에게 아흐메드에 대한 처우에 대해 불평하는 글을 써서 보냈다. 그 역시 체포되었다.

오일전쟁을 선포하고 집중단속을 벌이기 몇 주 전부터, 모하메드가 프랑스의 샤토 또는 남아프리카에 소유하고 있는 동물보호구역에 가서 한 달 동안 휴가를 보낼 계획을 갖고 있었다는 사실을 보면, 집중단속이 단계적 계획에 따라 실행되지는 않은 것 같다. 몇 달 동안 매일 열여섯 시간씩 야수처럼 일해 온 다수의 고위 보좌관들도 일정 기간 휴가를 보낼 계획을 하고 있었다.

그 금요일 밤은, 엄청나고 위험한 결과를 정면으로 직시하면서, 성공을 바라는 마음으로 담대한 결정을 내리는 전형적인 모하메드의 순간이었다. 전 세계의 모든 오일기업이 그의 이름을 저주하고, 그의 조치로 인해 부도를 맞이하는 국가들이 속출할지 모르지만, 그것이 사우디아라비아에 더 좋은 딜이라면 할 만한 가치가 있는 것이었다. 그리고 왕가에 대한 집중단속은 꼭 필요한 것은 아니었지만 (숙부들과 사촌들을 쥐고 흔드는 독재적 통치자라는 이미지만 더욱 강화할 위험이 있었다) 불리한 점을 조금이라도 개선할 수 있다면 그것 또한 할 만한 가치는 있었다. 어떠한 비판도 관용하는 것으로 보이기보다는 불필요할 정도로 가혹한 것으로 보이는 쪽이 더 나았다.

모하메드는 예멘전쟁의 첫 번째 국면을 '결정적 폭풍(아랍어로 '아시파트 알-하즘Asifat al-Hazm)'이라고 명명했다. 이 명칭은 모하메드 자신을 정확히 표현했다. 그가 언제나 성급했던 것은 아니다. 그는 흔들림 없이 단호한 결정을 내렸다. 일단 어떤 결정을 내리면 그는 맹렬한 결의를 불태운다. 그리고 그가 내리는 개혁 조치들은 폭풍우가 몰아치는 것 같아서, 모든 조치가 동시에 시행되었을 때 전체적으로 어떤 결과가 나올지를 종합적으로 고려하지 않고 짧은 간격을 두고 무질서하게 내려진 결정처럼 느껴질 때가 자주 있었다. 먹구름이 걷히고 나면 사우디 시민들은 어지럼을 느꼈다. 그런 개혁이 지난 5년 동안 계속되었다.

모하메드는 2020년을 세계적 권력 구조 속에서 자신의 위상을 회복하는 해로 생각하기 시작했다. 예멘전쟁, 카슈끄지사태, 비판자 투옥에 대한 악성 기사 등을 뒤로하고, 그는 2020년 가을 G-20 정상회담을 리야드에서 열 계획을 하고 있었다. 그렇게 함으로써 사우디아라비아를, 다가오는 50년을 통치할 새로운 젊은 지도자가 이끄는, 영향력 있고 진취적인 세계적 강국의 하나로 확고하게 자리매김하게 만들 수 있을 것으로 기대했다. 그는 파하드 알-툰시에게 그해의 가장 중요한 과제로 이 행사를 맡겼다.

정상회담을 유치하는 것은 실적제가 아니었다. G-20 의장국은 순번제에 따르게 되어 있으므로 2020년은 사우디아라비아의 순서였다. 도널드 트럼프가 대통령에 취임한 후 첫 번째 해외순방을 사우디아라비아로 왔

빈 살만의 두 얼굴

을 때처럼 대대적으로 왕국을 보여줄 수 있는 절호의 기회였다. 왕국은 이미 일상생활에 중요한 변화를 이루어냈다. 리야드와 다른 주요 도시들의 이곳저곳이 한층 더 두바이와 비슷하게 변했다. 머리를 천으로 가리지 않은 여성들이 레스토랑이나 쇼핑센터에 남성들과 함께 어울리고 있었다. 사우디아라비아 정부로부터 돈을 받은 셀럽들이 방문하여 인스타그램에 사진을 올리고 매력 있는 볼거리들을 홍보하면서 관광객 숫자도 서서히 늘어났다.

리야드의 디리야에 있는 알 사우드 왕가의 옛 본거지를 복원하고, 북서쪽의 알-울라를 세계적인 관광지로 만드는 등 왕국의 역사를 이용했던 왕족은 모하메드가 처음이라는 것에는 의문의 여지가 없다. 정말 흥미로운 역사의 현장이므로 G-20 행사 계획은 그런 곳들을 집중적으로 조명하면서 왕국의 새로운 측면을 보여주는 데 초점을 맞추었다.

모하메드는 구금되어 있는 여성운동가, 예멘전쟁, 카타르 보이콧 등 왕국의 평판을 나쁘게 만드는 가장 큰 문제들을 해결하라고 최고 참모들에게 직설적인 말투로 지시했다. 많은 관찰자들이 그를 성질이 급하고 감정적으로 반응하는 사람으로 생각했다. 그러나 그는 이러한 현안들을 대체로 판 위에 적힌 언제든 지울 수 있는 숫자 정도로 여겼다. 서구의 조사기업들이 사우디아라비아의 의뢰를 받고 행한 조사보고서에는, 사우디아라비아가 국제적으로 뚜렷한 위상을 확보하는 데 장애가 되고 있는 요인으로 그런 문제들이 강조되어 있었다. 그가 처음 실시했던 조사에서 여성인권 결여와 종교적 극단주의에 대한 국제적 인식을 장애 요인으로 지적했던 것과 비슷한 결과였다.

PIF는 사우디아라비아를 세계투자지도 위에 다시 올려놓을 만큼 큰 규모의 딜을 찾는 것이 본래의 목표였다. 뉴캐슬 축구단처럼 국제적으로 주목받는 투자를 위한 새로운 자금도 준비되어 있었다. 비록 아람코 IPO가

당초 계획했던 세기의 금융 이벤트에서 지역 이벤트로 변하고 말았지만, 은행가들은 떼를 지어 리야드로 돌아오기 시작했다. 더 많은 자금을 조성하고, 그가 금융초보자가 아니라는 것을 수많은 비판자들에게 증명해 보이는 수단으로, 해외 주식시장에 상장하는 계획이 다시 논의되었다. 이 시기에 모하메드를 만났던 한 억만장자는 그가 이제 진정한 지도자로 변신하고 있다고 믿었다. 개인적인 이야기를 하면서 MBS는 처음 나라를 통치하던 몇 년 동안 자신이 외부의 비판에 너무나 민감했고 반대자들을 너무나 두려워했다는 점을 인정했다. 그는 자신만만했다.

그러나 해외에서는 자말 카슈끄지 살해사건의 여파가 잦아들지 않고 있었다. 사우디아라비아가 살해를 시인한 이후, 모하메드는 관리나 기업인을 만날 때마다, 사건에 대해 관리자로서의 책임을 느끼고 있지만 그 사건을 사전에 인지하지는 못했었다고 일관성 있게 말해왔다. 오랫동안 사우디아라비아를 관찰해온 사람들이나 또는 일부 시민들조차 그렇게 엄청난 작전을 그처럼 세세한 부분까지 놓치지 않는 일벌레가 모르고 있었다는 말을 믿으려 하지 않았다. 또한 그처럼 고압적인 통치자 밑에서 일하는 부하들이 그의 승인 없이 그렇게 극단적인 사건을 저지를 수 있었다는 것도 마찬가지로 믿지 못했다. 그러나 모하메드는 수많은 직원들이 각기 어떤 일을 하고 있는지 자신으로서는 알 수가 없었고, 살해사건은 실수였다고 강변했다.

그 사건은 2019년 12월 유엔의 비사법적살인 특별조사위원이 보고서를 발표했을 때처럼 때때로 중요한 이슈로 부각되었지만 기소가 이루어질 정도로 크나큰 반향을 불러일으키지는 않았다. 결정적인 증거들은, 설사 존재한다고 해도, 미국 정보국의 서류 창고에 깊숙이 보관되어 있을 뿐, 워싱턴도 그 문제를 더욱 밀고 나가봐야 별로 득이 될 것이 없다는 입장인 것 같았다. 그 오점은 MBS의 부고 뉴스가 나오는 날까지 없어지지

빈 살만의 두 얼굴

않을 것이 분명하지만, 해가 갈수록 (적어도 유럽과 미국에서는) 서서히 희미해질 것이다. 그가 이스라엘의 지도자와 악수를 하는 것 같은 특단의 큰 그림은 그가 왕위에 오른 뒤에나 비로소 보여줄 수 있을 것이다.

모하메드가 미래로 가는 길을 모색하고 있는 동안에도, 그의 뒤에 남겨진 자들은 싸움을 계속하고 있었다.

극단주의자의 혐의를 쓰고 해고되기 전 젊은 모하메드에게 미국 측 지인들을 소개했던 전임 대테러 책임자 사드 알-자브리는 국외에서 안전하게 살아가고 있었다. 그러나 유형지의 삶이 결코 안락할 수는 없었다. 자브리가 왕국을 떠날 때 10대였던 두 명의 자식이 사우디에 남아 있었는데, 모하메드는 그들이 왕국을 떠나지 못하게 했다. 그의 옛 미국 지인들이 사드 박사라고 불렸던 인물에 대해 물어오자, 사우디 관리들은 그가 수배자이며, MBN이 빼돌린 수십억 달러를 관리하고 있고, 돈을 반환하기 전까지는 그의 자식들이 해외로 나갈 수 없다고 말했다.

그러나 사우디 정부는 이 혐의를 뒷받침할 증거를 제시하지 않았고, 미국 정보관리들은 자브리가 아무 말도 못하게 하기 위해 자식들을 인질로 잡고 있는 게 아닌지 의심하고 있었다. 자브리는 모하메드가 공개하기를 꺼리는 수십 년에 걸친 정부의 비밀을 알고 있었다.

거의 5년 동안 긴장된 상황이 지속되었다. 자브리가 침묵을 지키고 있는 사이, 워싱턴의 옛 친구들이 그의 자식들을 나라 밖으로 데려올 방법을 모색하느라고 애를 썼다. 미국에서 내과 의사로 일하고 있는 큰아들은 동생들을 도울 수 있기를 간절히 원했지만, 미국 정부가 어떤 정치적인 조치를 취하거나 개입을 하는 경우, 행여 모하메드를 화나게 해서 동생들이 위험에 빠지게 될까 봐 두려워하고 있었다. 따라서 그는 아버지가 침묵을 지키고 있는 동안 기다렸다.

자브리나 그의 큰아들의 참을성은 보상받지 못했다. 2020년 3월, 석유 증산에 돌입하고, 숙부 아흐메드와 MBN을 구금하는 등 반대자에 대한 탄압을 한 뒤, 모하메드는 무장경호원들을 시켜 자브리의 두 자식이 살고 있는 집을 급습했다. 그들은 아무런 혐의 없이 감옥에 수감되었고, 자브리에게 불리한 증거를 수집하기 위해 집과 금고를 수색했다. 해외에 있는 가족들은 모하메드가 집권한 이후 사우디아라비아에 어떤 진보가 이루어졌는지 궁금해 했다. 살만이 즉위한 후 5년 동안 사드 알-자브리는 비왕족으로서 올라갈 수 있는 최고의 지위에 올라 왕국의 안보와 가장 중요한 동맹국과의 관계를 담당하다가, 모하메드가 개혁을 고취하는 가운데 갑자기 테러분자의 누명을 쓰고, 트위터상으로 해고되고, 망명의 길로 내쫓기고, 자식들은 인질로 잡혔다. 한때 사우디아라비아 최고 권력의 심층부에 속했던 그는 이제, 고속으로 질주하는 왕국의 통치자를 이해하는 데 어려움을 겪고 있는 여느 외국인들과 마찬가지로 혼란스러워하고 있었다. 2020년 봄, 미국 정부가 구금된 가족들이 사우디아라비아를 떠날 수 있게 해주기를 간절히 바라는 마음에서 자브리 가족들은 트럼프와 연줄이 있는 로비스트를 고용했다. 그러나 트럼프행정부는 왕자에게 이의를 제기해봐야 얻을 것이 없었고 자브리 가족을 도와야 할 어떠한 동기도 없었다.

모든 수단이 남김없이 소진되자 자브리 가족은 모하메드와 전쟁을 할 각오로 리야드에 체포되어 있는 두 어린 가족에 대해 전 세계의 언론과 인터뷰를 했다. 그러다가 2020년 여름 사드 알-자브리는 워싱턴 D.C.의 연방법원에 모하메드를 정서적 학대와 자신을 죽이려고 했다는 혐의로 고소했다.

자브리의 고소장은 셰익스피어가 쓴 『리처드 3세』의 인용으로 시작되었다. 자브리의 고소장 내용 중 아마도 유죄로 인정받을 수 있는 가장 강력한 혐의는, 2015년 모하메드가 사드 알-자브리에게 내무부의 비밀경찰

마바히스Mabahith를 동원하여 술탄 빈 투르키 2세 왕자를 납치하라고 지시했다는 주장이었다. 자브리가 거절한 직후 모하메드는 자신과 사우드 알-카흐타니가 직할하는 '타이거 소대Tiger Squad'라는 비밀정보대를 만들었다고 그는 주장했다. 고소장에 따르면, 그 조직은 "정부 각 부처에서 선발한 약 50명의 정보·군사·포렌식 요원들로 구성되었으며 모하메드의 개인적 변덕에 대한 충성이 유일한 임무"였다고 한다.

타이거 소대는 자말 카슈끄지를 암살했을 뿐만 아니라, 사드 본인을 살해하기 위해 한 그룹의 요원을 캐나다에 파견하기도 했다고 고소장에 적혀 있었다. 그들은 캐나다 출입국 관리소에서 서로 모르는 사이라고 진술함으로써 관리들의 의심을 받고 입국이 좌절되었다.

고소장은 전직 정보기관장이 모하메드를 곤란에 빠뜨릴 수 있다는 점을 암시함으로써 왕자가 자브리 가족에 대한 싸움을 포기하도록 설득하려는 취지로 작성된 것으로 보였다. "암살에 대비하여 사드 박사가 사전에 녹음해 놓은 것을 제외한다면, 사드 박사의 정신과 기억이야말로 피고 빈 살만의 민감하고 수치스러운 범죄 혐의를 가장 잘 뒷받침하고 있다"라고 자브리의 변호사는 고소장에 썼다.

모하메드는 자신의 성격대로 공격적인 대응을 했다. 자브리의 자식들을 풀어주어 문제를 소멸시키는 손쉬운 방법을 택하지 않고, 자브리가 정부 산하의 기업들 명의로 정부 자금 수십억 달러를 유용했다는 혐의를 씌워 캐나다 법원에 고소하도록 했다. 그들은 자브리가 정부 산하의 기업들로부터 수억 달러를 본인 및 가족들에게 불법적으로 빼돌렸다고 주장했다.

한 캐나다 법원은 자브리 가족이 보유하고 있는 수천만 달러를 동결시켰다. 사우디 정부 산하의 기업들은 미국 법원에 추가 고소를 하여 보스턴에 있는 2,500만 달러 이상 나가는 호화 아파트 등 자브리 가족의 자산 동결을 청구했다.

2020년에는 중국발 악재가 전 세계로 파급되고, 미국에서는 사우디아라비아에 냉랭한 분위기를 풍기는 새 대통령이 선출되면서 모하메드가 그해에 추진하려던 모든 계획들은 진전을 보지 못했다.

신종 코로나바이러스로 인해 세계 경제는 몇 달 동안 정지 상태에 들어갔고, 수십억 명의 사람들이 바이러스의 급격한 확산과 의료 시스템의 붕괴를 막기 위해 집 안에 머물러야 했다.

그가 시작한 오일전쟁으로 인해 유가가 배럴당 20달러 밑으로 떨어지며 20년 만에 최저치를 기록한 지 몇 주가 지나, 그는 사태를 종결짓기 위해 러시아 측 상대역과도 대화를 나눈 재러드 쿠쉬너와 대화한 뒤 석유 생산량 감소에 합의했다.

그러잖아도 세계 경제가 요동치고 있는 시기에 모하메드의 유가전쟁으로 미국 기업들은 죽을 지경이었다. 논쟁의 전 과정에 걸쳐, 미국 정부는 유가 하락에 대한 러시아의 역할을 이유로 러시아에 대한 제재 가능성을 암시해왔다. 그러나 사우디아라비아에 대해서는 외교채널을 통해 접촉하는 한편 백악관과 모하메드가 직접적인 접촉을 했다. 비록 오일전쟁으로 인해 사우디아라비아가 수십억 달러의 비용을 치렀는지 모르지만, 모하메드는 최소한 사람들이 자신을 진지하게 대한다는 것을 확인할 수 있었다. 그 조치를 계기로 세계는 모하메드의 글로벌시장에 대한 영향력을 재인식하게 되었다.

전 세계가 코로나바이러스 대처에 매달려 있을 때, 사우디아라비아는 미국 대통령 선거가 가까이 다가옴에 따라 여러 가지 선택을 저울질하고 있었다. 미국인들이 투표장에 가기 불과 한 달 전, UAE는 (그리고 나중에 이슬람국가연합도 합류했다) 재러드 쿠쉬너에게 대통령 보좌관으로 일했던 지난 4년에 대한 최고의 선물로 이스라엘과 관계정상화에 합의했다. UAE와 이스라엘 지도자들은 막후에서 지난 10년 이상 정보 및 안보 면에서 강력

빈 살만의 두 얼굴

한 협력관계를 맺어 왔지만, 이번에 공식적인 협약을 맺음으로써 아부다비는 아랍세계의 대다수 나라들과의 관계에서 곤란한 입장에 놓이게 되었다.

모하메드 빈 살만 역시 이스라엘을 포용하는 데 열심이었다. 그는 관계 정상화에 따른 정치적 경제적 이익을 몹시 원하고 있었다. 네옴에 이스라엘의 기술기업들이 적어도 사업의 일부라도 가지고 들어오게 함으로써, 전 세계의 사람들에게 해묵은 아랍의 현안들에 대해 자신이 이전의 지도자들과 전혀 다르다는 것을 과시하고 싶은 희망을 품고 있었다.

그러나 그에게는 두 개의 난관이 있었다. 그 첫 번째는 그의 아버지가 팔레스타인에 대한 배려가 깊어서, 이스라엘과 어떤 협상을 하더라도 팔레스타인인들에게 공정하게 대하는 것을 가장 우선적이고 가장 중요한 과제로 생각하고 있다는 점이었다. UAE의 협약에는 이스라엘이 팔레스타인의 독립국 지위를 인정해야 한다는 조건은 없었다. 두 번째로, 만약 트럼프가 패배한다면 어떤 일이 발생할 것인가? 새로운 대통령 아래에서도 정치적 지원이 지속될 것인가? 아니면 사라질 것인가?

트럼프행정부로부터 외교정책상의 "승리"에 조력하라는 강력한 압박이 가해졌음에도 불구하고 모하메드와 보좌관들은 기다려보기로 결정했다. 트럼프는 사우디아라비아에 대한 확고한 지지를 보여주었다. 카슈끄지 살해사건이 일어난 뒤에도 그는 모하메드를 강력하게 지원했다. 모하메드는 트럼프 역시 미국 안에서는 지지가 엇갈리는 인물이므로 어쩌면 재선에 실패할 수도 있을 것이라고 이해했다. 모하메드는 실패에 대비해야 한다고 느꼈다. 왜냐하면 조 바이든은 자신이 당선되는 경우 왕자에 대해 강경한 입장을 취할 것이라는 신호를 보내고 있었기 때문이다.

기다려보기로 한 사우디의 결정은 옳았던 것으로 판명되었다. 바이든이 선거에서 낙승을 거두었다. 모하메드와 걸프지역 국가들은 카타르와의 냉전 상태를 종식하기로 합의했고, 국제적인 쟁점으로 부각되어 있는 여성운동가 루자인 알-하스룰을 감옥에서 석방했다.

처음 몇 달이 지나가면서 모하메드와 보좌관들은 사우디아라비아가 나아가는 방향에 대해 바이든이 어떤 입장을 가지고 있는지 개괄적인 신호를 보내올 때까지 주의 깊게 관망했다. 캠페인 기간 중 그는 사우디아라비아는 "대가를 치르게 될 것이며, 사실상 고립될 것이다"라고 말한 바 있다.

그것은 한 세대 전 미국이 중동에 대해서, 특히 왕국에 대해서, 아무런 견제도 받지 않고 마음대로 쥐락펴락하던 시절에나 통했던 입장이다. 2021년까지 모하메드는 이전의 그 어느 군주도 상상하지 못했던 수준으로 권력을 집중시켰고, 국부펀드를 활용하여 전 세계와 경제적 유대를 맺었다. 바이든의 대열에 합류하려고 기다리는 국가는 없었다. 미국은, 특히 바이든 같은 중도좌파 밑에서는, 정권 교체를 선동하지는 않을 것이었다.

바이든의 정책은 손목 때리기에 그쳤다. 그는 카슈끄지 살해에 대한 결론이 담겨 있는 보고서를 비밀에서 해제했지만, 그것은 이미 언론에 유출되는 방식으로 지난 몇 년 동안 유포되어 왔으므로 새로울 것이 없었다. 모하메드를 무시하는 태도를 보이면서, 그는 오직 나이 든 살만 국왕만 직접 상대하겠다는 점을 분명히 밝혔다. 사우디아라비아의 유력자들은 그 제스처의 공허함에 대해 웃음을 지었다. 모하메드의 여러 직함 중 하나가 왕궁실장이었다. 모하메드가 모르거나 동의하지 않으면 국왕의 책상에 종이 한 쪽도 올려놓을 수 없었다.

모하메드의 상황이 편해진 것은 별로 없었다. 그에게는 처음 권력을 장악해나가던 시절의 그와 뚜렷하게 구분되는, 성숙하고 강력하고 야심만만한 모습을 나타낼 수 있는, 무언가 큰 것이 필요했다. 그러나 바이든의 움직임 때문에 머뭇거릴 그가 아니었다.

사우디인들은 전 세계의 사람들과 마찬가지로 봉쇄 명령에 따라 집 안에 틀어박혀 있는 동안 트위터 등 소셜미디어에 올라오는 자애로운 국왕과 용감한 그의 아들을 칭송하는 홍보물을 보게 마련이었다. 『월스트리트 저널』 등 여러 매체를, 최신판 네옴 프로젝트, 즉 170킬로미터에 달하는 길이에 신재생에너지를 동력으로 하는 지하 교통체계가 들어서는 '더 라인The Line'이라는 이름의 도시를 홍보하는 광고가 도배되었다.

필리핀, 헝가리, 중국 등지에서도 독재적인 지도자들에 대한 비판은 긴급조치에 밀려 무시되고 있는 상태였다. 감시 기능은 아무런 저항 없이 강화되었고, 정부는 그 어느 때보다도 더 강력해졌고, 기업들에 대한 구제 금융과 수백만 명의 실업자들에게 지원금이 지급되었다. 지금은 행동분석을 통해 국민을 정교하게 살살 몰고 나갈 때가 아니었다. 가장 효율적인 정책은 사람들에게 선택의 여지를 주지 않고 그대로 집 안에 머무르고 있으라고 명령하는 것이었다.

강력한 지도자들이, 심지어 전제적인 지도자들까지도, 권력을 더욱 강화할 수 있는 때를 맞이했다. 2020년과 2021년 내내 모하메드는 측근 보좌관들을 데리고 네옴에 있는 가문의 궁전에 가서 머무르거나 서린호에 올라 멀리 나가곤 했다. 해외에서 오는 방문객들은 왕세자를 만나기 전에 2주 동안 격리 기간을 보내야만 했다.

몇 년 동안 비전펀드나 기타 거액의 투자를 통해 사우디아라비아의 자금을 국외로 내보내다가, 그는 이제부터 투자를 유치해 들여오겠다는 계획을 공표했다. 2021년 3월, 그는 다가오는 10년 동안 사우디 정부 및 정부가 다수 지분을 보유하고 있는 민간부문 기업들이 경제를 혁신하는 데 3조 달러를 투입할 것이라고 발표했다.

"그리하여 석유가 발견되기 이전 및 이후의 300년 동안 사우디아라비아 왕국에 투자된 총액보다 더 많은 금액이 앞으로 10년 동안 투자될 것이다. 그것은 거대한, 진실로 거대한 투자금액이다"라고 그는 텔레비전 인터뷰에서 말했다.

모하메드의 팀은 밤낮을 가리지 않고 앞으로 다가올 몇 년에 대해 열띤 토론을 벌였다. 비판자들은 거들떠보지 말자고 그들은 말했다. 모하메드에게는 비전을 증명할 길고 긴 세월이 남아 있다. 그는 심지어 아직 왕위에 오르지도 않았다. 그는 앞으로 10년, 20년, 어쩌면 30년 이상 전설을 만들어 나갈 것이다.

1 인적사항

- 1985년 8월 31일 리야드 태생.
- 사우디아라비아 국왕 살만 빈 압둘아지즈의 일곱 번째 아들이자 살만 국왕의 세 번째 부인 파흐다 빈트 팔라 알-히스라인의 첫 번째 아들.
- 사라 빈트 마흐슈르 알 사우드와 결혼하여 3남 2녀를 둠.
- 총재산 2조 달러로 추정.
- 킹사우드대학교에서 법학 전공.

2 권력 부상 과정

- 2011년 10월 아버지 살만 왕자가 국방장관에 취임하면서 국방부 장관 특별보좌관이 됨.
- 2013년 3월 2일 아버지 살만 왕자가 왕세제가 되면서 왕세제 궁정실장으로 취임.
- 2015년 1월 23일 압둘라 국왕이 사망하고 아버지 살만이 왕위에 오르면서 국방부 장관 겸 왕궁실장이 됨.
- 2015년 1월 29일 신설된 경제개발위원회 의장으로 취임.
- 2015년 3월 26일 '결정적 폭풍' 작전으로 예멘 내전에 개입.
- 2015년 4월 29일 살만 국왕이 조카 모하메드 빈 나예프를 왕세자로, 아들 MBS를 부왕세자로 임명. 사우디 아람코를 총괄하게 됨.

- 2017년 6월 21일 모하메드 빈 나예프가 왕세자에서 해임되고 MBS가 왕세자가 됨. 안보정무위원회 의장에 취임.
- 2017년 11월 4일 알왈리드 빈 탈랄 등 200여 명의 왕자·사업가·관료들을 부패 및 횡령 혐의로 체포하여 리츠칼튼호텔에 구금. 사우디아라비아 국가방위부 장관 미테브 빈 압둘라 왕자, 경제기획부 장관 아델 파케이, 해군사령관 압둘라 빈 술탄 등이 포함됨. 이들로부터 약 1,000억 달러의 현금 및 자산을 몰수하고 직위를 박탈함. 그 과정에서 고문, 구타, 협박 등의 가혹 행위가 있었다는 주장이 광범위하게 제기되었으나, 사우디아라비아 정부에서는 가혹 행위가 전혀 없었다고 부인. 이 사건을 MBS의 권력 장악 과정으로 보는 견해와 개혁을 추진하기 위한 조치로 보는 견해가 있음.
- 2022년 9월 27일 사우디아라비아 국무총리로 취임.

3 통치 방식

1) 이데올로기

기본적으로 민족주의와 대중주의Populism를 바탕으로, 정치적으로는 보수주의, 경제·사회적으로는 자유주의 경향을 가지지만, 통치 방식은 권위주의적인 것으로 평가됨.

2) 권위주의적 통치

인권운동가, 여성운동가, 비평가, 언론인, 반체제 인사 등에 대한 체포, 구금, 학대, 고문 등 광범위한 탄압을 했다는 비판이 제기되었으나, MBS는 수십 년간 정체되어 온 국가를 개혁하기 위해서 불가피한 것이라고 역설함.

빈 살만의 두 얼굴

4 국내 정책

1) 종교 정책

• 세속적인 서구 문화에 대한 개방을 극렬히 반대해온 와하브주의적 보수주의 종단에 반하여 서구의 남녀 가수, 악단, 무용단, 미국의 여성 프로레슬러 등의 국내 공연을 지속적으로 허용했음. 미혼 남녀의 교제, 영화관과 음악회 출입을 허용하고 여성의 아바야 착용 의무를 해지함.

• 2016년 이슬람율법을 위반한 시민들에 대한 종교경찰의 추적, 검문, 신분 확인, 체포, 구금 등의 권한을 박탈함.

• 2021년 4월 25일 와하브주의를 고수해온 보수주의 이슬람 성직자들을 향해 "고정불변의 사상이나 오류가 없는 인간은 존재하지 않는다. 율법적 판단은 시간, 공간, 시민정신에 근거하여 내려져야 한다"라고 비판함. 종교에 대한 인식론이나 율법적 해석을 전적으로 성직자들에게 일임해온 이전의 통치자들과 달리 MBS는 왕조 최초로 율법의 가변성을 강조. 이로써 오직 쿠란과 수나[10]에 충실해온 전통적 이슬람율법의 95%가 사실상 철폐되는 효과를 가져옴.

• 2021년 초 사우디법의 조문화條文化를 명령함으로써 와하브주의 재판관의 자의적 율법 해석 여지를 없앰.

2) 경제 정책

• 2016년 4월 '비전2030'을 발표하여, 오일달러에 의존해온 기존의 지대 경제를 탈피하여 다각화된 경제로 개혁하는 목표와 방안을 설정.

• 2017년 10월 리야드에서 열린 미래투자계획 컨퍼런스(사막의 다보스)

---

10 Sunnah, 마호메트의 언행에 관한 기록.

에서 5,000억 달러가 투자되는 네옴 프로젝트를 발표.

- 2018년 10월 11일 메카와 메디나를 연결하는 450킬로미터 길이의 고속철 하라마인 익스프레스Haramain Express 개통. 총 67억 달러 투자, 시속 300킬로미터, 연간 6,000만 명 수송.
- 2018년 10월 사우디아라비아 국부펀드인 PIF가 4,000억 달러 규모를 달성. 2020년까지 6,000억 달러 달성을 목표로 제시.
- 2018년 11월 향후 20년 동안 총 16기의 원자력발전소를 건립하고, 태양광발전과 풍력발전으로 1.8GW의 전력을 생산하겠다고 공표.
- 2020년 3월 8일 유가 부양을 위한 러시아와의 감산협상이 결렬되자 석유의 무제한 생산을 지시하여 유가를 65% 하락시키고 한 달 뒤에는 마이너스로 하락시킴. 이후 러시아와 협상을 재개하여 감산에 합의하고 유가를 회복시킴으로써 세계오일시장에서의 가격주도권을 확보.
- 2023년 2월 16일 무카브Mukaab프로젝트를 발표. 리야드 남부의 뉴 무라바New Murabba에 건설되는 환상적 미래도시 건설계획. 한 변의 길이가 400미터에 달하는 거대한 큐브 모양의 건물로 엠파이어스테이트빌딩 20개가 들어가는 규모.

3) 국내 개혁

- 2016년 5월 엔터테인먼트 전담기구 GEAGeneral Entertainment Authority 설치.
- 2019년 외국인에 대한 영주권Premium Residency, 통칭 '사우디그린카드Saudi Green Card'를 부여하여 외국인의 거주·투자·부동산 보유 허용.
- 2016년 4월 탈脫오일경제를 위한 국가개혁계획을 공표. 국민에 대한 세금 부과 및 지원금 삭감, 아람코 지분 매각 등을 통해 국부펀드를 2조 달러 규모로 조성한다는 목표 제시.

- 2017년 4월 리야드 남쪽의 키디아에 식스 플래그스 테마파크를 포함하는 세계 최대의 문화·스포츠·엔터테인먼트 단지 조성계획 발표.
- 2017년 10월, 1979년 이란혁명 및 메카의 마스지드 알-하람 점거사태 이후 30년 이상 사우디아라비아 이슬람을 지배해온 와하브주의를 완화하여 그 이전의 온건 이슬람으로 회귀시킨다고 선언.
- 2017년 12월 사우디아라비아 최초의 여성 가수 대중공연을 허용하고, 2018년 1월 제다 스타디움에서 열린 공연에서 최초로 여성 관중들의 입장을 허용. 2018년 4월 최초의 대중영화관을 허용하고 2030년까지 2,000개의 영화관을 허용하겠다고 발표.
- 2020년 4월 26일 최고법원은 태형을 폐지하고, 4월 27일 인권위원회는 미성년자에 대한 사형 폐지를 선언.

4) 인권

- 집권 후에도 2017년 9월 인권단체 지도자 압둘아지즈 알-슈바일리, 학자 겸 소설가 무스타파 알-하삼, 기업가 에삼 알-자밀 그리고 2018년 체포된 루자인 알-하스룰 등 17명의 여성인권운동가, 킹사우드대학교 여성 역사교수 하툰 알-파시 등 수많은 인권운동가들이 체포 또는 구금되었음. 2015년에 체포된 인권운동가 이스라 알-곰감 부부가 참수형의 위험에 처해 있고 2016년 1월 2일 니므르 알-니므르 등 47명의 시아파 반대자들을 리야드의 광장에서 참수·총살함에 따라 전 세계적인 비판에 직면.
- 2017년 9월 여성의 운전을 허용하고, 여성에 대한 남성후견인제도를 완화하여 21세 이상의 여성이 남성의 허락 없이 해외여행을 할 수 있게 함. 2018년 2월부터 남성의 허락 없이 여성도 사업체를 운영할 수 있게 됨. 2018년 3월부터 이혼한 여성은 별도 소송을 하지 않고 자녀

에 대한 양육권을 인정받음.

- 2017년 2월 최초의 여성 사우디증권거래소장 임명.
- 2019년 2월 23일 리마 빈트 반다르를 최초의 여성 주미대사로 임명.

5) 모하메드 빈 나예프 체포

2020년 3월 6일 전임 왕세자 모하메드 빈 나예프, 그의 이복형제 나와프 빈 나예프 왕자 및 숙부 아흐메드 빈 압둘아지즈 왕자를 반역죄로 체포.

6) 압둘라 국왕에 대한 독살 시도 주장

2021년 전직 사우디아라비아 정보관리 사드 알-자브리가 「CBS」와의 인터뷰에서, MBS가 2014년 당시 내무부 장관 모하메드 빈 나예프에게 아버지 살만 왕세제가 왕위에 오르게 하기 위해 압둘라 국왕을 독살하는 계획에 대해 이야기했다고 주장함. 알-자브리는 모하메드를 "무제한의 수단을 지닌 살인자이자 사이코패스이며, 국민과 미국인과 모든 인류에 대한 위협적인 존재"라고 맹비난.

5 외교정책

1) 예멘 내전 개입 — 결정적 폭풍 작전

후티 반군에 의해 축출된 예멘의 압드라부 만수르 하디 대통령의 개입 요청으로, 2015년 당시 국방장관이었던 MBS가 주도하여 이집트, 모로코, 요르단, 수단, UAE, 쿠웨이트, 카타르, 바레인 등 9개 연합국이 2015년 3월 26일-4월 21일까지 예멘 내전에 개입. 공중 폭격-해상 봉쇄-지상군 투입의 3단계로 진행. 4월 22일 이후 희망회복작전으로 전환됨.

2) 러시아와의 관계

러시아의 블라디미르 푸틴 대통령과 관계를 강화. 2016년 세계오일시장에 대한 상호협력에 합의. 푸틴은 자말 카슈끄지 암살사건과 관련하여 MBS를 옹호. 2021년 러시아와 군사협력합의서 체결.

3) 트럼프행정부와의 관계

- 2016년 8월 당시 대통령 선거에 나선 도널드 트럼프 후보의 아들 도널드 트럼프 2세와 MBS 및 아부다비의 왕세자 모하메드 빈 자예드의 밀사들이 만나 트럼프에 대한 지원을 제안한 것으로 알려짐.
- 트럼프 당선 후 사위 재러드 쿠쉬너를 통해 트럼프행정부와 밀접한 우호관계를 유지. 2017-2019년 숙청작전, 카타르 봉쇄, 자말 카슈끄지 암살사건 등과 관련하여 트럼프 대통령의 지지를 받음.

4) 바이든행정부와의 관계

- 트럼프행정부 시절인 2019년 조 바이든은 자말 카슈끄지 암살사건에 대해 모하메드 빈 살만을 맹비난. 2021년 9월 바이든행정부의 안보보좌관 제이크 설리번을 만났을 때 설리번이 자말 카슈끄지 문제를 거론하자 모하메드는 고함을 지르며 미팅을 끝냄.
- 2022년 러시아가 우크라이나를 침공했을 때 유가 안정을 위해 미국이 석유 증산을 요청했으나 MBS는 거부. 2022년 4월 CIA 국장 윌리엄 번스가 방문하여 석유 증산을 거듭 요청.
- OPEC이 하루 200만 배럴의 감산을 발표하면서 미국-사우디 관계는 더욱 악화됨. 미국 정부는 사우디아라비아가 우크라이나 전쟁에서 러시아 편을 들고 있다고 맹비난했으나, 사우디 정부는 정치적인 동기가 전혀 없고 오직 세계오일시장의 안정을 위한 것이라고 항변.

5) 카타르 봉쇄

2017년 6월 사우디아라비아 주도로 UAE, 이집트, 바레인 등이 카타르와 무역관계를 단절하고 육·해·공의 모든 접근로를 봉쇄.

6) 레바논 총리 사드 하리리 사퇴

2017년 11월 레바논 총리 사드 하리리를 리야드로 초치하여 억류하고 강제로 사퇴하게 함. 하리리가 이란이 지원하는 헤즈볼라와 연합정부를 구성하고, 이란에 대해 유화적인 태도를 취하는 데 대한 불만이 원인이었음. 프랑스 대통령 마크롱이 하리리와 가족들을 파리로 초청하여 억류에서 풀려나게 했고, 파리에 온 하리리는 결국 레바논으로 귀환하여 사퇴를 철회하고 총리직에 복귀.

7) 캐나다와의 관계

2018년 8월 2일 캐나다 외무부 장관 크리스티아 프랜드가 트위터상에 성명서를 발표하여, 구금된 사우디인 블로거 라이프 바다위의 누이이며 인권운동가인 사마르 바다위의 석방을 요구하자, 사우디아라비아는 주 리야드 캐나다대사를 추방하고 무역관계를 단절하는 조치로 대응.

8) 자말 카슈끄지 암살사건

• 2018년 10월 2일 『워싱턴포스트』의 칼럼니스트이며 사우디아라비아 출신 반체제 언론인 자말 카슈끄지가 사우디아라비아의 이스탄불 총영사관을 방문했다가 암살된 사건이 발생. 튀르키예 정보기관이 확보한 영상 및 녹음파일에 의해 MBS 휘하의 사우디아라비아 암살팀의 소행이라는 것이 밝혀짐으로써 전 세계적 비판이 쏟아지고 모하메드에게는 '미스터 골절기'라는 오명이 붙여짐.

- 2018년 11월 16일 미국의 CIA는 모하메드가 카슈끄지의 암살을 명령했다는 결론을 내림.
- 2019년 6월 유엔 비사법적살인 특별조사위원 아녜스 칼라마르가 조사보고서에서 MBS가 카슈끄지의 살해를 지시했거나, 적어도 사전에 알고 있었다는 결론을 내림.
- MBS는 2019년 「CBS」와의 인터뷰에서 본인은 '암살사건에 개입한 바가 전혀 없다, 혐의가 입증되는 경우 관련자들은 지위의 고하를 막론하고 재판에 회부될 것이다, 그 결과에 대해 전적인 책임을 질 것이다'라고 말함.

9) 중국과의 관계
- MBS가 2017년 왕세자가 된 이후 사우디아라비아의 대 중국관계는 매우 긴밀해졌고, 교역도 515억 달러에서 2021년 875억 달러로 증대됨.
- 중국 정부가 신장의 위구르족 100만 명을 수용소에 구금한 데 대해서 MBS는 2019년 2월 "중국은 국가안보를 위해서 극단분자들에 대한 반테러 조치를 취할 권리가 있다"라고 옹호.
- 2022년 12월 7일-10일 시진핑이 리야드를 방문하여, GCC(걸프협력이사회)를 포함하여 많은 아랍국가들의 지도자를 만나고, 사우디아라비아와 수많은 상업계약을 체결하고, 사우디아라비아와 포괄적 전략적 동반자관계를 맺음.
- 2023년 3월 10일 사우디아라비아와 이란은 중국의 중재로 2016년에 단절된 외교관계를 회복함으로써 중국의 중동에 대한 영향력이 증대됨.

10) 한국 방문

- MBS는 인도네시아 발리에서 열린 G20 정상회의를 마치고, 2022년 11월 17일 한국을 방문하여 미래지향적 전략적 동반자관계를 맺고, 양국 간 전략파트너십위원회를 설치하기로 합의. 네옴시티, 에너지, 방위산업, 인프라 및 건설의 4대 분야에서 긴밀한 협력을 하기로 함.

- 삼성 이재용 회장, SK 최태원 회장, 현대차 정의선 회장, 한화솔루션 김동관 부회장 등 재계 총수들과 간담회를 갖고 네옴을 비롯하여 비전2030 계획에 한국 기업들의 적극적 참여를 요청.

- 방문 중 총 290억 달러에 달하는 MOU를 체결하고, 아람코의 한국 내 자회사 에쓰오일s-OIL의 9조3,000억 원 규모의 '샤힌프로젝트'를 확정. 샤힌은 석유화학 생산설비를 건설하는 프로젝트로 단일 사업으로는 최대 규모의 외국인 투자이며 국내 석유화학 분야의 최대 규모 투자임. 2023년 3월 9일 샤힌프로젝트의 기공식에 윤석열 대통령이 직접 참석하여 아민 나세르 아람코 CEO, 사미 알사드한 주한 사우디아라비아대사 등과 자리를 함께함.

옮긴이의 말

1976년 10월, 지금의 변모한 김포공항이나 인천공항에 비하면 판잣집 수준의 김포공항에서 온갖 샘플로 가득 찬 100리터가 넘는 샘소나이트 플라스틱 트렁크를 끌고, 종합상사에 입사한 지 채 6개월도 안 된 터에 이름도 생소한 두바이에 지점을 설치하러 가는 길이었다. 남아 있는 학기가 걱정되어 교수님들께 사정을 말씀드렸다. "수출이 입국立國이다. 나라가 살려면 수출을 해야 한다. 독립운동하는 각오로 죽을힘을 다해 외화를 벌어들여라. 시험은 리포트로 제출하고." 교수님들은 이구동성으로 흔쾌히 허락하셨다.

1973년 10월 6일 제4차 중동전쟁이 발발하고, 10월 16일 사우디아라비아의 석유 황제, 아흐메드 자키 야마니Ahmed Zaki Yamani 석유부 장관이 주도하는 OPEC이 감산을 결정함으로써 유가가 2.9달러에서 12달러로 (지금의 가치로 보면 14.5달러에서 55달러로) 폭등했다. 전 세계가 제1차 오일쇼크에 빠졌고, 우리나라도 무역 적자 폭이 커지면서 국가 경제가 위기에 빠졌을 때였다. 현대건설, 미륭건설(오늘날의 동부건설), 삼환기업 등 많은 건설회사들이 중동에 진출하여 외화를 벌어들임으로써 나라를 위기에서 구하고 1977년 1인당 GNP가 처음으로 1,000달러를 돌파하면서 (대졸 초임사원이었던 나의 월급이 103,000원, 약 213달러에 불과했다) 도약의 발판을 마련하던 시기였으니, 교수님들의 어서 나가서 외화를 벌어들이라던 말씀은 당시 나라의 형편에서는 지극히 당연했다.

당시 대한항공은 도쿄, 오사카, 홍콩, LA, 파리, 사우디아라비아 다흐란 행 항공편만 운영했고, 두바이를 가려면 싱가포르에 가서 일주일에 한 번 있는 콴타스항공이나 싱가포르항공을 타야만 했다. 김포를 출발하여 홍콩에서 1박을 하고 캐세이퍼시픽항공 편으로 싱가포르에 도착했다. 4일 뒤에 있는 콴타스항공을 기다리는 동안 전화번호부를 검색하여 알루미늄 새시공장 서너 군데를 방문, 알루미늄 형재 1,000톤을 220만 달러에 계약하여 20만 달러의 이익을 올림으로써 해외시장에 당당한 첫발을 내디뎠다.

밤새 날아가 두바이공항에 도착해보니 역시 판잣집을 겨우 면한 수준이고 두바이 전체가 어촌에 가까웠다. 영국의 식민지로부터 독립한 지 불과 5년 남짓하고 UAE의 단일통화인 디르함이 통용된 지 3년 정도 되었을 때였다. 두바이 전체가 크릭Creek이라 부르는 수로를 사이에 두고 '데이라 Deira 사이드'와 '두바이 사이드'로 양분되어 있는데, 데이라 사이드에만 도시가 형성되어 있고 두바이 사이드는 거의 황무지 수준이었다. 한국인이라고는 나와 1인 무역관인 KOTRA 관장 단 두 명뿐이었다. 주택, 도시 인프라가 이제 막 건설되기 시작했으니 건설 자재의 수요는 넘쳤다. 일본산 제품이 판을 치는 시장에서, 같은 품질에 낮은 가격을 들고 6개월 동안 현지의 수입상들을 부지런히 쫓아다니며 시멘트, 철근, 합판, 알루미늄 형재 등을 팔아 총 3,000만 달러의 계약고를 올렸다.

UAE 시장에 뚜렷한 교두보를 확보하고 어느 정도 안정된 운영을 할 수 있게 되자, 회사로부터 이번에는 쿠웨이트로 가서 지점을 설치하라는 지시를 받았다. 쿠웨이트는 1938년 석유가 발견되어 상대적으로 일찍 개발

빈 살만의 두 얼굴

이 시작되었고 인구수(당시 내국인 40만 명, 외국인 40만 명)가 적고 국토 규모도 작은 나라였기 때문에 이미 중심 지역에는 번듯한 빌딩들이 들어서 있고 도시로서의 인프라가 그런대로 갖춰져 있는 상태였다. 삼환기업, 한양건설, 경남기업, 진흥기업, 삼호건설 등 주로 토목보다는 건축 전문 건설회사들과 삼성물산, 국제상사 등 종합상사들이 진출해 있었다. 남한이나 북한이나 쿠웨이트와 아직 공사급 외교관계만 맺은 상태였다. 외교공관이 있고 다수의 건설회사와 종합상사들이 진출해 있어서 교민사회라고 할 수는 없어도 나름대로 회사주재원들 중심의 한인 커뮤니티가 형성되어 있어 1년 남짓의 주재 기간에 큰 위안이 되었다.

이 책을 번역하며, 불과 26세의 나이에 아버지 살만의 특별보좌관이 되어 권력의 정점을 향해 본격적으로 나아가는 MBS의 궤적을 좇아가면서, 45년 전 같은 나이에 처음 두바이에 도착해서 마치 광장 한가운데에 선 것 같은 막막함을 떨치고, 두바이, 아부다비, 무스카트, 쿠웨이트, 리야드, 제다 등지를 휘젓고 다녔던 푸르른 시절의 내 모습을 새삼스럽게 추억했다.

비전2030 등 미래를 향한 국가개혁계획을 밀고 나가고 있는 MBS의 긍정적인 또는 부정적인 편모를 엿보면서, 그가 ①수백 년간 나라를 짓눌러온 와하브주의 이슬람종교 기득권층의 폐쇄성·경직성 ②국가 재정의 90%를 석유에 의존하는 경제 구조의 지속가능성 문제와 유가 등락, 셰일가스, 수요 감소 등의 위협요인 ③수천 명의 왕족들의 부패·사치·방탕 ④ 30세 미만 국민이 70%를 점하고 있는 청년화된 인구 구조 ⑤IT 기반의 초연결사회화에 따른 글로벌시대정신의 유입 ⑥전제주의 절대왕정 체제 하에서 일부 특권층에 편중되어 있는 권력 및 국부 ⑦시민권 및 여성인권 향상을 원하는 강력한 사회적 인식 ⑧탄압적 통치 체제에 대한 반체제 운동세력의 내재화 및 대내외 언론의 격렬한 비판 ⑨이란, 레바논, 이스라엘, 팔레스타인, 예멘, 이집트, 카타르 등을 둘러싸고 벌어지는 지역 내의 복잡한 지리·정치·종교적 갈등 ⑩미국, 중국, 러시아와의 외교·안보상 관계 설정 등 어느 것 하나 만만치 않은 난제들을 균형 있게 해결하여, 글로벌 강국으로 거듭나는 사우디아라비아를 실현하기를 기대해 본다.

다채로운 방식의 풍부한 조사를 거쳐 속도감 있게 쓰인 이 훌륭한 전기는 미국-사우디아라비아 관계와 중동의 정치 역학에 관한 탁월한 입문서로서 특히 빈 살만의 향후 국제적 행보를 예측해야 할 정치 및 사회경제 분야 전문가들에게 객관적인 정보를 전달한다. 또한 엄청난 재력과 온화한 미소 뒤에 감춰진 빈 살만의 두 얼굴에 대한 살아있는 디테일을 보여줌으로써 왕궁에서 벌어지는 음모와 배신, 사막에서 벌어지는 흥미진진한 현실 드라마 속으로 독자들을 초대한다.

1985년생으로 한국 나이 39세, 추정 재산 약 2,700조 원, '모든 것을 할 수 있는 사람'이라는 뜻의 '미스터 에브리싱Mr. Everything'으로 불리는 모하메드 빈 살만. 그는 중동 패권 장악을 발판으로 세계무대의 중심에 우뚝 서려 하고 있다. 우리는 앞으로도 꾸준히 빈 살만을 주시해야 한다. 미스터 에브리싱은 이제 겨우 한 걸음을 내디뎠을 뿐이다.

박광호

빈 살만의 두 얼굴

빈 살만의 두 얼굴

초판 1쇄 발행 2023년 6월 1일
초판 2쇄 발행 2023년 7월 1일

지은이 | 브래들리 호프·저스틴 섹
옮긴이 | 박광호
펴낸이 | 정상우
편 집 | 이민정
디자인 | 김해연
사 진 | Getty Images
관 리 | 남영애 김명희

펴 낸 곳 | 오픈하우스
출판등록 | 2007년 11월 29일(제13-237호)
주   소 | 서울시 은평구 증산로9길 32(03496)
전   화 | 02-333-3705
팩   스 | 02-333-3745
페이스북 | facebook.com/openhouse.kr
인스타그램 | instagram.com/openhousebooks

ISBN 979-11-92385-14-3 03300